£5.99
Ac
12/12

Michael Maar

Die Schlange im Wolfspelz

Das Geheimnis großer Literatur

ROWOHLT

Originalausgabe
Veröffentlicht im Rowohlt Verlag, Hamburg, Oktober 2020

Satz aus der Garamond
bei Dörlemann Satz, Lemförde
Druck und Bindung CPI books GmbH, Leck, Germany
ISBN 978-3-498-00140-7

Die Rowohlt Verlage haben sich zu einer nachhaltigen Buchproduktion verpflichtet. Gemeinsam mit unseren Partnern und Lieferanten setzen wir uns für eine klimaneutrale Buchproduktion ein, die den Erwerb von Klimazertifikaten zur Kompensation des CO_2-Ausstoßes einschließt.
www.klimaneutralerverlag.de

FSC www.fsc.org
MIX
Papier aus verantwortungsvollen Quellen
FSC® C083411

Inhalt

I. Was ist Stil?

II. Im Weinberg

III. Die Instrumente zeigen

IV. Die Bibliothek

V. Kürzestausflug: Lyrik

VI. Das Pikante und der Spaß der Welt

Anhang

I. Was ist Stil?

Balancieren auf dem Seil

Wilhelm Hauff, bekannt für seine Märchen, suchte für seinen historischen Roman *Lichtenstein* einen Verlag. Ein Stuttgarter Verleger wollte es wagen und schickte Hauff tausend Gulden mit der Entschuldigung, Hauff möge es verzeihen, wenn der Stil des Briefes nicht einwandfrei sei. Hauff antwortete ihm: «Ein Brief mit tausend Gulden ist immer in einwandfreiem Stil geschrieben.»

Was aber, wenn keine tausend Gulden beiliegen?

Was ist guter Stil? Und was hat guter Stil mit großer Literatur zu tun? Alles, oder fast alles. Nur gut geschriebene Bücher würden älter als fünfzig Jahre, bemerkt lakonisch der Stilkundler Ludwig Reiners. Aber was heißt: gut geschrieben? Was ist das Geheimnis des guten Schreibens, des guten Stils?

Den guten Stil kann es so wenig geben wie die eine schöne Handschrift. Wenn ein Mensch schön ist, dann unverwechselbar auf je eigene Art, auch das Wärzchen über der Lippe kann dazu beitragen und mindert jedenfalls die Schönheit nicht. Welche Regel sollte man über Schönheit aufstellen, sei's die physische, sei's die des Stils?

Schlechten Stil zu beschreiben ist relativ leicht. Man kann den Finger darauf legen, was platt ist, wo es holpert, wo es schief ist, wo grau und abgenutzt.

Viel schwieriger ist es beim guten Stil. Jeder Stil für sich ist eigen, eben das ist seine Definition. Eine generelle Regel verbietet sich. Die originellste Bestimmung stammt dabei von Kafka. Der

Stil, die Individualität der Schriftsteller bestehe darin, daß jeder auf ganz besondere Weise sein Schlechtes verdecke.

Stilgefühl ist entfernt verwandt mit Takt. Historischer Takt, eine Prägung Adornos, kann erst entstehen, wenn es keine Regelpoetik mehr gibt. Worauf das Stil- und Taktgefühl sich dann stützt, ist nichts Vorgegebenes, es ist ein Gefühl, ein Gespür für etwas nicht Meßbares, aber doch Reales.

Was Alfred Polgar über das Kunstwerk im Allgemeinen sagt, trifft darum im Besonderen auf literarische Größe und Stil: sein Entscheidendes liegt im Nicht-mit-Sinnen-Wahrnehmbaren, in dem, was sich nicht wägen, messen, spiegeln, isolieren läßt.

Es folgt daraus, daß hier nichts zu messen und also auch nichts zu beweisen sein wird. Alles ist Geschmacksurteil. Der eine mag die Gurke, der andere mag die Tochter des Gärtners, wie man in Polen sagt.

In Königsberg hätte man daraufhin allerdings eingewendet: So einfach ist die Sache auch wieder nicht. Um einmal (und damit aber auch schon das letzte Mal) das große Geschütz aufzufahren: In der *Kritik der Urteilskraft* schreibt Kant über das ewige Rätsel des Geschmacksurteils, dieses Urteil sei zwar nicht beweisbar, aber auch nicht *ab*weisbar. Denn jeder ästhetisch von etwas Überzeugte *sinnt an*, sein subjektives Geschmacksurteil als allgemeingültig zu akzeptieren. Nicht mehr als solches Ansinnen kann hier im folgenden geschehen.

Hugo von Hofmannsthal hat das Geheimnis des Stils in ein Bild gefaßt. Der Stilist, nach Hofmannsthal:

> Wie ein Seiltänzer geht er vor unseren Augen auf einem dünnen Seil, das von Kirchturm zu Kirchturm gespannt ist; die Schrecknisse des Abgrundes, in den er jeden Augenblick stürzen könnte, scheinen für ihn nicht da, und die plumpe Schwerkraft, die uns alle niederzieht, scheint an seinem Kör-

> per machtlos. Mit Entzücken folgen wir seinem Schritt, mit um so höherem, je mehr es scheint, als ginge er auf bloßer Erde. So wie dieser wandelt, genauso läuft die Feder des guten Schriftstellers. Ihr Gang, der uns entzückt und der so einzigartig ist wie eine menschliche Physiognomie, ist die Balance eines Schreitenden, der seinen Weg verfolgt, unbeirrbar durch die Schrecknisse und Anziehungskräfte einer Welt, und eine schöne Sprache ist die Offenbarung eines unter den erstaunlichsten Umständen, unter einer Vielheit von Drohungen, Verführungen und Anfechtungen aller Art bewahrten inneren Gleichgewichtes.

Das Gleichgewicht, die Balance – es entspricht dem, was man in alten Stilschulen das *Aptum* nannte. Die zweite Inschrift des Tempels von Delphi lautete «Alles in Maßen». Ein Laster links, ein Laster rechts, die Tugend in der Mitten. Die Tugend ist das rechte Maß. Jede Tugend, auch die stilistische, balanciert im labilen Gleichgewicht zwischen Extremen. Das Aptum fordert das Angemessene im Verhältnis zum Gegenstand: Über Tragisches ist nicht flapsig zu reden, über Triviales nicht pathetisch.

Weil Stil mit allem verbunden ist, in alle Lebensadern dringt, sich überall zeigt und von überall gespeist wird, soll hier auch das Schreiben nicht strikt vom Biographischen getrennt werden. Die Trennung ist künstlich, man versteht von Stifters Stil nicht viel, wenn man nichts von seinem Leben weiß. Wie die Prosa sich zum Leben verhält, wirkt bis ins Adjektiv auf sie zurück. Stil und Charakter sind nicht voneinander zu scheiden, wer schreibt wie Heinrich Mann, muß Heinrich Mann sein, so schneidend, pompös und windschief und dann und wann grandios. Vielleicht nur bei den Allergrößten trennt es sich ab, das reine Blatt der Prosa von den Blättern des Lebens, um nicht zu sagen, vom Lebensbaum.

Regel I: Man ist Stilist, oder man ist es nicht. *Widerlegung der Regel*: Wir finden bei Goethe ganz schwache Sätze und fänden nach eifrigem Bemühen selbst in den *Sternstunden der Menschheit* ein paar gute.

Regel II, modifiziert: Es gibt ein paar unfehlbare Stilisten. Schopenhauer, Hebel, Gottfried Keller, Kafka.

Hauptregel: Es gibt keine Regeln, jedenfalls kann man sie alle brechen. Aber man muß es können.

Über allen Gipfeln: Musik der Sprache

Soll das nun heißen, daß es in der großen Literatur auf den Inhalt überhaupt nicht ankommt und allein die Form entscheidet, die Sprache, der Stil? Wie ist überhaupt das Verhältnis von Inhalt und Form?

Fast eine Parabel auf dieses Verhältnis, und eine sehr lustige dazu, findet sich in Daniel Kehlmanns Roman *Die Vermessung der Welt.* Alexander von Humboldt fährt im Boot auf dem Rio Negro, an Bord sind neben seinem Begleiter Bonpland und vier Ruderern einige an ihren Gittern rüttelnde Zwergaffen; einer bekommt sogar die Käfigtür auf und belästigt die Passagiere. Die Zeit wird lang, der Ruderer Mario bittet Humboldt, er möge doch auch einmal etwas erzählen.

> Geschichten wisse er keine, sagte Humboldt und schob seinen Hut zurecht, den der Affe umgedreht hatte. Auch möge er das Erzählen nicht. Aber er könne das schönste deutsche Gedicht vortragen, frei ins Spanische übersetzt. Oberhalb aller Bergspitzen sei es still, in den Bäumen kein Wind zu fühlen, auch die Vögel seien ruhig, und bald werde man tot sein. Alle sahen ihn an.

Fertig, sagte Humboldt.

Ja wie, fragte Bonpland.

Humboldt griff nach den Sextanten.

Entschuldigung, sagte Julio. Das könne doch nicht alles gewesen sein.

Die Ruderer unter der Himmelskuppel – ratlos. Hat Humboldt falsch referiert? Hat er verfälscht, übertrieben, ausgeschmückt, hat er Wichtiges weggelassen oder unzulässig verkürzt? Hat er sich einfach falsch erinnert? Nichts von alledem. Er war ganz korrekt. Er hat nur das Wichtigste übersehen, die Form. «Wandrers Nachtlied», Goethes im September 1780 an die Holzwand einer Jagdhütte auf dem Kickelhahn bei Ilmenau geschriebenes Gedicht, das bekannteste der deutschen Klassik, lebt nicht vom referierbaren Inhalt. Die geschätzten Leser kennen es ohnehin auswendig:

Über allen Gipfeln
Ist Ruh,
In allen Wipfeln
Spürest Du
Kaum einen Hauch;
Die Vögelein schweigen im Walde.
Warte nur! balde
Ruhest du auch.

Was hat das Gedicht mehr als die Prosa-Zusammenfassung Alexander von Humboldts bei Daniel Kehlmann? Es hat die Reime (Ruh – Du, Hauch – auch, Walde – balde; ohne das schon damals archaisierende «balde», in der unverkürzten Form, bräche das Gedicht zusammen). Es hat den Rhythmus, den Klang, die Assonanzen-Abfolge der «R» (Ruh, spürest, warte, ruhest) und «W» (Wipfeln, schweigen, warte). Es hat nicht den Wind, sondern den

«Hauch», der stärker ist, weil er schwächer ist und das Pneuma anklingen läßt. Es hat statt der Vögel (in dieser Fassung) «Vögelein», und sie sind nicht nur ruhig, sondern sie schweigen, was sie vermenschlicht, weil es einen bewußten Entschluß und Absicht unterstellt. Es hat, durch das «Warte nur!», das uns direkt anspricht und nicht nur Memento mori ist fürs lyrische Ich, den direkten Griff an die Gurgel des Lesers. Und es verheißt diesem Ich und uns Lesern nicht, bald tot zu sein, sondern zu «ruhen» – ein großer atmosphärischer Unterschied und vielleicht auch ein sachlicher, weil man aus der Ruhe wiedererweckt werden kann.

Die Sachlage bei Humboldt und Goethe ist nicht haar- oder hauchgenau die gleiche, aber doch ungefähr. Der Stil, die Form fügt der Sache etwas hinzu. Aber das stimmt nicht, könnte man argumentieren: Der Stil ist, in der Literatur, doch die Sache selbst! Literatur besteht aus aneinandergereihten Sätzen, und außerhalb dieser Sätze gibt es nichts. Darum ist es unsinnig, den Inhalt eines Gedichts oder Romans von seinem Stil abzulösen. Der Inhalt sei gut, vom Stil müsse man nicht sprechen – so geht das nicht in der Literatur. Es geht so wenig, wie es bei einem Musikstück ginge, von dem man sagte, bis auf die Noten sei alles prima.

So ganz stimmt aber auch das nicht.

Sprache ist, anders als die Musik, *double use*. Bei Musik kann man sich allerhand vorstellen, bei Programmusik soll man sich sogar allerhand vorstellen, Musik weckt reichste und subtilste Empfindungen und mag als Sprache für sich bezeichnet werden, aber sie verweist nicht unmittelbar auf ein Außerhalb. Man kann sagen, der Anfang von Schostakowitschs op 87 aus den *Präludien und Fugen* erzähle auf gut zwei Minuten ein ganzes Leben, mit jugendlichen Hoffnungen, rasch sich zuziehenden Himmeln, Enttäuschungen und milder Altersmelancholie, man kann es fühlen, miterleben und begründen, aber gerade mit dem Begründen wird man dabei immer im Metaphorisch-Appellierenden bleiben –

wer's anders hören will, wird es anders hören. Es gibt in der Musik zwar semantische Traditionen (wofür steht C-Dur?), aber kein Wörterbuch, in dem eine Note auf eine Sache oder einen Begriff verweist.

Sprache, also geformte Prosa, hat ihre musikalische Seite, aber sie verweist auf etwas Außersprachliches, auf etwas außerhalb. Das Schild *NO EXIT* kann in roter oder schwarzer Schrift geprägt sein, es gibt uns immer eine Information. (Nämlich die, daß hier notfalls ein Ausgang wäre.)

Das ist die eine Seite. Auf die andere Seite, die überwiegend musikalische, fiele zum Beispiel das *poème en prose*, ein zwittriges und etwas zwielichtiges Zwischengenre, und die Sprachmusik überhaupt – da ist es fast egal, worum es geht, da schwebt das Gedachte noch als Zirruswölkchen über den Sätzen, die sich wiegen im Reigen von Assonanzen und rhetorischem Glanz; Vokalgeschmuse, sich kosende Konsonanten, der ganze Venusberg an Sprachwollust.

Dennoch oder doppelt recht hat Peter Hacks, wenn er schreibt, ein Werk der Poesie bestehe nicht einfach aus Wörtern, sondern aus Wörtern, die etwas meinen. «Es gibt keine Sprachmelodie, die nicht zunächst Gedankenmelodie wäre. Die Musik, die in einem Gedicht ist, ist ein Musizieren mit Begriffen; wenn das nicht wäre, könnte man ja gleich Geige spielen.»

Wer hier nur stumm und verbittert nicken würde, ist Penthesilea. Der Doppelcharakter der Sprache wird in Kleists Drama in zwei Zeilen gefaßt. Penthesilea hat lange auf Achilles eingeredet und ihm ihre komplizierte Lage erläutert. Und er? Er hat, wie es scheint, nicht richtig zugehört. Darauf Penthesilea, außer sich und zornentbrannt, zu ihrer Dienerin:

Was ich ihm zugeflüstert, hat sein Ohr
Mit der Musik der Rede bloß getroffen?

Mit der *Musik* der Rede bloß. Bei aller Musik der Sprache gibt es nun aber immer noch sachliche Inhalte. Wie zum Beispiel die Frage: «Zu dir oder zu mir?» Was hier heißt: den Brauttempel in Themiscyra aufbauen, wie Penthesilea es will und ihr Gesetz es fordert – oder im Heerlager bei Achill Hochzeit feiern? Mißverständnisse dieser Art können böse enden. Da kann man von Hunde- und Frauenzähnen zerrissen werden oder sich mit glühenden Metapher-Dolchen entleiben müssen – wir werden darauf zurückkommen. Es gilt auch hier das Aptum: nicht bloß Musik! Es sei denn, es gälte der Musik. Wenn Wagners Rheintöchter singen: «Weia! Waga! Woge, du Welle! walle zur Wiege! Wagalaweia! Wallala weiala weia!», dann ist es ganz richtig. Sonst aber: nicht nur Musik. Und umgekehrt: nicht nur sang- und klanglose Wortparaden. Es sei denn, es gälte Gesetzestexte (und selbst die, oder gerade die, lassen sich besser oder schlechter ausrichten).

Man kann, um es zusammenzufassen, bei der guten Prosa weder vom Klanglichen absehen noch vom gedachten, durchs Wort bezeichneten Inhalt. Die Trennung wäre künstlich, es ist die höhere Einheit, die sich im Stil bewähren muß, oder anders: Erst wenn es ein nennenswerter Stil ist, gibt es diese höhere Einheit von Gedanke und Klang, von Rhythmus und Begriff.

Mit diesem Doppelcharakter der Sprache hängt aber auch zusammen, daß Stil allein noch nicht über Romane entscheidet. Es kann große Stilisten geben, die dennoch keine großen Autoren wurden – es fehlt ihnen vielleicht an anderen notwendigen Fertigkeiten oder Talenten, die das Verfassen eines Romans verlangt. Ein großer Stilist wie Rudolf Borchardt hat (außer seinen Kindheitserinnerungen und dem postum veröffentlichten *Weltpuff Berlin*) kaum ein lesbares fiktionales Werk verfaßt. Umgekehrt kann es, wie Ludwig Börne bemerkt, vortreffliche Werke geben, welche in einem schlechten Stile geschrieben sind. Kenner des Russischen, und nicht nur Nabokov, führen für letzteres gerne Dostojewski an. Stil ist nicht immer die notwendige Voraussetzung für ein großes Buch. Balzac mag ein Riese sein, ein Stilist ist er sicher nicht. Joseph Conrad wird nicht wegen seines Stils gelesen wie Henry James (der zumindest im Spätwerk wohl eher trotz seines Stils gelesen wird). In Stefan Zweigs *Die Welt von Gestern* finden sich auf fünfhundert Seiten zwei neu gesehene Metaphern und fast kein überraschendes Adjektiv, trotzdem ist es ein großes, bewegendes Zeitzeugnis. Heinrich Böll wird von vielen als bedeutender Autor angesehen; als Stilisten werden ihn die wenigsten reklamieren.

Eine paradoxe Folgerung aus diesen Erwägungen zog Karl Kraus: Er las keine Romane. Seine Begründung: «Es scheint mir überhaupt keine andere Wortkunst zu geben, als die des Satzes, während der Roman nicht beim Satz, sondern beim Stoff beginnt.» Damit spart man sich natürlich eine Menge Lektüre.

Nietzsches Bildsäule

Ludwig Börne fragte sich in seinen *Bemerkungen über Sprache und Stil* von 1826, woher es komme, daß so viele deutsche Schriftsteller so schlecht schrieben. Vielleicht daher, weil sie sich keine Mühe gäben. Und sie gäben sich keine Mühe, weil sie, als Deutsche treu und ehrlich sich mehr an die Sache und die Wahrheit haltend, es für eine Art Koketterie ansähen, den Ausdruck schöner zu machen, als der Gedanke sei.

Ein halbes Jahrhundert später macht sich Friedrich Nietzsche ganz ähnliche Gedanken. Auch er fragt sich, warum die Deutschen so schlecht schreiben. Auch er sieht den Grund darin, daß sie sich keine Mühe geben, weil sie überhaupt keinen Begriff von geformter Prosa haben.

> *Unsere Prosa.* – Keines der jetzigen Kulturvölker hat eine so schlechte Prosa wie das deutsche; und wenn geistreiche und verwöhnte Franzosen sagen: es *giebt* keine deutsche Prosa – so dürfte man eigentlich nicht böse werden, da es artiger gemeint ist, als wir's verdienen. Sucht man nach den Gründen, so kommt man zuletzt zu dem seltsamen Ergebnis, daß *der Deutsche nur die improvisierte Prosa kennt* und von einer anderen gar keinen Begriff hat. Es klingt ihm schier unbegreiflich, wenn ein Italiener sagt, daß Prosa gerade um so viel schwerer sei als Poesie, um wie viel die Darstellung der nackten Schönheit für den Bildhauer schwerer sei als die der bekleideten Schönheit.
>
> Um Vers, Bild, Rhythmus und Reim hat man sich redlich zu bemühen – das begreift auch der Deutsche und ist nicht geneigt, der Stegreif-Dichtung einen besonders hohen Wert zuzumessen. Aber an einer Seite Prosa wie an einer Bildsäule arbeiten? – es ist ihm, also ob man ihm etwas aus dem Fabelland vorerzählte.

Trotz Börne und Nietzsche hat sich die Abneigung der Deutschen gegen das Feilen an der Prosa bis tief ins zwanzigste Jahrhundert erhalten. Peter Sloterdijk zitiert in seinen Notizen einen Satz von Gerhart Hauptmann, «dem deutschen Repräsentanztölpel vom Dienst, bevor Günter Grass das Amt übernahm: ‹Sprachschliff ist kalte Ausländerei.› Der gute Deutsche läßt es stehen, wie es kommt.»

Gerhart Hauptmanns Antipode war zum Glück nicht der einzige, der das anders sah – und der Hauptmann überhaupt nur dadurch verewigte, daß er ihn als Mynheer Peeperkorn im *Zauberberg* zur unvergeßlichen Figur gestaltete, mit allem Sprachschliff, der ihm, Thomas Mann, zu Gebote stand.

Auch Karl Kraus hatte vom Sprachschliff eine andere Idee. Kalte Ausländerei? Im Gegenteil, das war die Möglichkeit zu höchstem Lustgewinn. «Ein guter Stilist muß bei der Arbeit die Lust eines Narzissus empfinden», schreibt Kraus. «Er muß sein Werk so objektivieren können, daß er sich bei einem Neidgefühl ertappt und erst durch Erinnerung darauf kommt, daß er selbst der Schöpfer sei. Kurzum, er muß jene höchste Objektivität bewähren, die die Welt Eitelkeit nennt.»

Aber was macht ihn nun aus, den guten Stilisten? Eine mögliche Antwort wäre: Der Künstler will, wie der Wissenschaftler, die Welt nicht verlassen, ohne ihr eine winzige neue Erkenntnis mitgegeben zu haben. Und wenn keine Erkenntnis, dann eine Farbnote, eine Stimmung, irgendeinen Dreh, den es zuvor noch nicht gab. Kein großer Künstler ohne eine solche Hinterlassenschaft – oder umgekehrt, nur durch diese Hinterlassenschaft wird er zum großen Künstler. Das gilt nun im engeren und exklusiveren Sinn auch für den Stilisten. Wenn es einer ist, muß er in irgendein Stellrädchen gegriffen, irgend etwas sacht verschoben oder eine neue Verzahnung erfunden haben – irgend etwas Neues, neu Gesehenes muß er hinterlassen, wenn man ihn einen großen Stilisten nennen soll, auch wenn man das spezifisch Neu-Besondere nicht einmal immer beim Namen nennen kann.

Marcel Proust, der Großlogenmeister des Stils, konnte es beim Namen nennen. In seinem Flaubert-Essay, in dem er alle Belege aus dem Kopf zitierte, weil er aus seiner Räucherhöhle alle Bücher verbannt hatte, wies er auf die stilistischen Erneuerungen Flauberts hin, die genauso kategorial seien wie die Umstürze bei Immanuel Kant. Er führt Flauberts Gebrauch des *passé simple* und der Adverbien an, seine Art, das Imperfekt als Mittel der indirekten Rede zu verwenden, ferner Flauberts speziellen Gebrauch der Konjunktion «und», die bei ihm, anders als grammatisch vorgesehen, eine Pause in der rhythmischen Einheit bezeichne, während er es immer dort, wo das «et» stehen müßte, einfach weglasse. All das zusammen mache Flauberts Stil so einzigartig und neu.

In diesem Zusammenhang spricht Proust davon, daß es eine grammatische Schönheit gebe, die nichts mit Korrektheit zu tun habe. Jeder halbwegs begabte Schüler hätte in Flauberts Druckfahnen Dutzende Fehler anstreichen können. Flaubert verwechsle z. B. ständig die Personalpronomen, das heißt, er setzt sie so, daß sie sich grammatisch auf das Nicht-Gemeinte beziehen (wenn er «sie» schreibt, meint er Personen, aber grammatisch bezieht es sich auf «Hüte»). Flaubert – so Proust, der vielleicht in eigener Sache schreibt – will das, was bislang Aktion war, ummünzen in Impression, er hat ein ästhetisches Programm, dem er die grammatische Korrektheit notfalls unterordnet. Er will sich der tyrannischen Wirklichkeit unterwerfen, an der nicht das geringste zu ändern erlaubt ist. Er will das visuell Wahrgenommene ohne kausale Zuordnung, die erst im nachhinein erfolgt, sprachlich abbilden. Und er will, aus rhythmischen Gründen, aus dem Zentrum eines Satzes den Bogen aufsteigen lassen, der sich erst in der Mitte des folgenden Satzes niedersenkt.

Wie gesagt, dies gilt für die Großlogenmeister. Man kann Prousts Beschreibung der Prosa Flauberts aber auf den Stilisten überhaupt anwenden. Der Stil im engeren Sinn zeichnet sich dadurch aus, daß man den Autor, die Autorin nach ein paar Sätzen wiedererkennt. Der Stil hat eine DNA, die sich bei jedem etwas anders zusammensetzt. Dem geübten Leser fluoresziert dann jede Seite unverwechselbar. Das trifft vor allem auf die Manieristen zu. Bei den anderen, auch den Größten, sind Verwechslungen möglich, wie das *Literaturquiz II* hoffentlich leider erweisen wird.

Verwechslungen sind vor allem aber bei den Un-Stilisten möglich. Was soll das sein, ein Un-Stilist? Hier gilt die einfache Weglaßprobe. Was fehlte in der Geschichte des Stils, wenn X, Y oder Z nie geschrieben hätten? Wenn die Antwort darauf ist: «Nicht eben viel», wären der Kandidat, die Kandidatin ermittelt.

Das Aptum. Der Einfall

In seinem schmalen und klaren Buch *Umblättern und andere Obsessionen* schreibt Michael Köhlmeier über seine Legasthenie. Er habe immer langsam und mühsam lesen müssen, mit den Lippen die Buchstaben nachformend, diesem Handikap seien aber auch Vorteile entsprungen. Der sehr langsam Lesende sei besser gerüstet, gute Literatur von schlechter zu unterscheiden. «Wiederholungen, Klischees, Ungenauigkeiten, Umständlichkeiten, geringer Wortschatz, zu wenige oder zu viele Worte mit Strahlkraft (Strahlkraft meint in diesem Zusammenhang, dass die Worte selten bis seltsam, besonders wohlklingend oder in ihrem Umfeld ungewöhnlich sind), all das fällt dem Langsamen unerbittlicher auf die Nerven als dem Hurtigen. Der Langsame, seine Lebens- und Leseökonomie bedenkend, kann es sich nicht leisten, schlechte Bücher zu lesen!»

Köhlmeiers Erklärung liest sich wie die Beschreibung ex negativo des guten Stils. Und wir stoßen hier wieder auf die versteckte Kategorie des *Aptum*: Nicht nur zu wenige, auch zu viele Wörter mit Strahlkraft können stören. Das Maß entscheidet.

Ein Lyrik-Beispiel für dieses richtige Maß an Wörtern mit Strahlkraft wäre *Die gestundete Zeit* von Ingeborg Bachmann, ein zu Recht berühmtes, raffiniertes Rondo, bei dem alles an dem schillernd strahlenden Verb «gestundet» hängt. Alle anderen Wörter sind schlicht und eingängig; dann strahlen wieder die «Marschhöfe», das Zentrum der zweiten Strophe. In der dritten Strophe ist es die schön alliterierende Metapher, das «Licht der Lupinen», aber auch der im Hochdeutschen ungeläufige «spurende» Blick. Es ist genau das richtige Maß an gewöhnlichen und leicht ungewöhnlichen Wörtern.

Die gestundete Zeit

Es kommen härtere Tage.
Die auf Widerruf gestundete Zeit
wird sichtbar am Horizont.

Bald mußt du den Schuh schnüren
und die Hunde zurückjagen in die Marschhöfe.
Denn die Eingeweide der Fische
sind kalt geworden im Wind.

Ärmlich brennt das Licht der Lupinen.
Dein Blick spurt im Nebel:
die auf Widerruf gestundete Zeit
wird sichtbar am Horizont.

Man stundet einem Schuldner vorläufig dessen Außenstände. Bachmann verschiebt das aufs Kapital der Lebenszeit. Auf Widerruf gestundete Zeit wird sichtbar, das heißt: Du merkst, du wirst älter, es kann dich jederzeit erwischen. Bachmanns aus der Sphäre des Finanzjuristischen ins Existentielle gehobene Formulierung ist der tragende Einfall des Gedichts.

Die Stilistin hat etwas winzig Neues in die Welt gebracht. Sie hatte Einfälle. Der Einfall ist eine der wichtigsten Kategorien des Stils. Er macht sich vor allem durch sein Fehlen oder durch Fülle bemerkbar. Bei Polgar haben wir einen Einfall pro Satz. Bei Schnitzler haben wir keinen Einfall pro Seite – gut ist er trotzdem. Die meisten Einfälle pro Seite hatte Vladimir Nabokov. Aber auch Hildegard Knef hat eine Menge.

Was definiert den Einfall? Nichts. Wenn er sich definieren ließe, wäre es keiner mehr. Der Einfall ist die kleine überraschende Abschweifung vom protokollierten Weg, das Pflücken der von andern unbeachteten schönen Beere; die witzige Verschiebung oder Umdeutung, die syntaktische oder rhythmische Kühnheit, das Wortspiel, die Metapher, der neue Gedanke. Oder auch im Großformat: die neue Romanform. Auch der *Ulysses* von James Joyce, ursprünglich als kurze Erzählung geplant, verdankt sich der Urzeugung eines Einfalls – laß deinen Helden einen Tag durch Dublin ziehen, und lege als mythologische Schicht den Odysseus der Antike darunter.

Die meisten Einfälle verdanken sich einer winzigen Verschiebung. «Die geringe Abweichung macht den Stil», bemerkt Botho Strauß. Aus der kleinen Abweichung speist sich große Poesie, oft aber auch der Witz. «Schöner Fisch, hat der einen Namen?» – «Koi Uwe.» Vom a zum o, das ist die kleine witzerzeugende Differenz. Max Goldt, ein Meister des Buchtitels, gab gelegentlich zu, eine Textsammlung nur deshalb *Der Krapfen auf dem Sims* betitelt zu haben, weil er den Verleser «Der *Karpfen* auf dem Sims» hervorkitzeln wollte.

Sprache und Denken. Der nackte Kaiser

Virginia Woolf, eine der vielen großen Stilistinnen, die wir hier leider nicht über die Sprachgrenze ins Deutsche schleusen können, schreibt anläßlich der Lektüre eines Autors, sie bewundere seinen Stil – aber sie fürchte, es seien die Gedanken.

Ohne genaues Denken kein genaues Formulieren; da beißt die Maus keinen Faden ab. Den Stil verbessern, das heiße den Gedanken verbessern, wußte schon Friedrich Nietzsche.

Ein guter Stil ist es dann, wenn man merkt, daß Gedanke und Formulierung – mit unhörbar wollüstigem Schmatzen – zueinandergefunden haben. Darum ist Lichtenberg ein souveräner Stilist, darum sind es Schopenhauer und Montaigne: weil es ihnen nicht zuerst um die Wörter ging, sondern um das – möglichst genau ausgedrückte – Gedachte.

Und darum ist, scheinbar paradox, die Kürzestform des Gedankens, der Aphorismus, stilistisch nicht leicht seinem jeweiligen Urheber zuzuordnen. Was ist von Jean Paul, was von Lichtenberg, was von Hebbel, was von Kraus, was von Polgar? Man kann raten, am leichtesten errät man noch Hebbel, Adorno und Canetti, aber oft ist es ein Topfschlagen wie beim Kinderspiel. Aphorismen sind keine Stil-, sondern Gedankenausweise. Aphorismen sind stilistisch immer ähnlich. Darum sagt Canetti, die Aphoristiker schrieben, als kennten sie sich alle. Auf Dauer markieren sie aber einen Denkstil.

Der von Canetti zeichnet sich zum Beispiel dadurch aus, daß man die Hauptwörter seiner Sentenzen und Aphorismen oft vertauschen könnte, ohne daß es jemand bemerken würde. Als ein erstes Mini-Quiz die Frage: Welche Version ist die originale:

a) Das Tier ist das Maß des Menschen.
b) Gott ist das Maß des Tieres.
c) Der Mensch ist das Maß des Tieres.

Die richtige Antwort ist: c).

Bei allem, was auch nur eine halbe Seite über den Aphorismus hinausgeht, gilt: Und sie verraten sich doch.

Daß der Stil mit dem Denken untrennbar verwachsen ist, sieht man gerade in der Philosophie. Man kann nicht Adorno umformulieren à la Wittgenstein. Man kann nicht Ernst Bloch übersetzen in die Prosa Bertrand Russells. Was bliebe von Nietzsche, wenn er geschrieben hätte wie sein Zeitgenosse Theodor Fontane?

Borges hatte Deutsch studiert, um Schopenhauer im Original lesen zu können. Er wußte, das Gedachte ist nicht von der Sprache zu lösen und Philosophie ist auch Stil. Bei Schopenhauer konnte man lernen: «Für eine gelungene Rede gebrauche gewöhnliche Worte und sage ungewöhnliche Dinge.» Ein Rat, an den sich zum Beispiel Sigmund Freud noch gehalten hat. Viele andere nicht. Diese anderen konnten Schopenhauer bis zur Mordlust treiben. Als Student schrieb er zornig verzweifelt an den Rand seiner Kladden, Fichte habe bei seiner jüngsten Vorlesung Sachen gesagt, die ihm, Schopenhauer, den Wunsch ausgepreßt hätten, ihm eine Pistole auf die Brust setzen zu dürfen und dann zu sagen: «Sterben musst du jetzt ohne Gnade; aber um deiner armen Seele Willen, sage ob du dir bey dem Gallimathias etwas deutliches gedacht hast oder uns blos zum Narren gehabt hast!»

Sprache kann etwas Gedachtes deutlich bezeichnen, und sie kann verhüllen und verkleiden. «Es sei mir erlaubt, hier beiläufig ein die redenden Künste betreffendes Gleichnis einzuschalten», führt Schopenhauer, der dann doch auf die Pistole verzichtet hatte, aus:

> Nämlich wie die schöne Körperform bei der leichtesten oder bei gar keiner Bekleidung zum vorteilhaftesten sichtbar ist, und daher ein sehr schöner Mensch, wenn er zugleich Geschmack hätte und auch demselben folgen dürfte, am liebsten beinahe nackt, nur nach Weise der Antiken bekleidet gehen würde – ebenso nun wird jeder schöne und gedankenreiche Geist sich immer auf die natürlichste unumwundenste, einfachste Weise ausdrücken, bestrebt, wenn es irgend möglich ist, seine Gedanken andern mitzuteilen, um dadurch die Einsamkeit, die er in einer Welt wie dieser empfinden muß, sich zu erleichtern: umgekehrt nun aber wird Geistesarmut, Verworrenheit, Verschrobenheit sich in die gesuchtesten Ausdrücke und dunkelsten Redensarten kleiden, um so in schwierige und pomphafte Phrasen kleine, winzige, nüchterne oder alltägliche Gedanken zu verhüllen,

> demjenigen gleich, der, weil ihm die Majestät der Schönheit abgeht, diesen Mangel durch die Kleidung ersetzen will und unter barbarischem Putz, Flittern, Federn, Krausen, Puffen und Mantel die Winzigkeit oder Häßlichkeit seiner Person zu verbergen sucht. So verlegen wie dieser, wenn er nackt gehen sollte, wäre mancher Autor, wenn man ihn zwänge, sein so pomphaftes, dunkles Buch in dessen kleinen, klaren Inhalt zu übersetzen.

Das zielte immer noch auf Fichte und Hegel. Aber hätte bei dieser Stelle nicht bis vor kurzem noch halb Frankreich rot anlaufen müssen? Derrida puterrot; Heidegger verlegen hüstelnd? Niemals. Das Seiende west im Sein. Basta.

Stil und Jargon der Denker

Können Denker als Stilisten Schulen bilden? Pflegen diese Schulen einen Jargon? Die Antwort ist gar nicht so einfach. Man sollte meinen, einer der großen Denker und Seelenkundler des letzten Jahrhunderts habe eine einflußreiche Schule gegründet, die ihm auch stilistisch huldigt. Es stimmt aber nicht ganz. Sigmund Freud, Jargon? Nein. Die Begriffe sind von ihm – wer sie benutzt, wer vom Es oder vom Über-Ich, vom Unbewußten, vom Todestrieb oder von der analen Phase spricht, der zitiert Freud. Aber es ist kein Jargon, den Freud, einer der großen Stilisten seiner Zeit, verbreitet hat. Nur in seinen Denkfiguren hat er schul- und stilbildend gewirkt, küchenpsychoanalytisch; insofern steckt er seine Schüler stark an. Stilistisch im strengen Sinn hat Freud keine Schüler gehabt, weil er dafür einfach zu gut schrieb – zu gut einfach schrieb. Er selbst war stolz auf das Prädikat Stilist, wie er an seinen Jugendfreund Emil Fluss schrieb; auch auf das Lob seines

Lehrers bei der Matura, er habe, was Herder einen «idiotischen Stil» nannte – also einen Stil, der nach damaligem Wortgebrauch zugleich korrekt und charakteristisch sei.

Was zeichnet ihn aus, diesen Stil? Freud ist hoch anschaulich, immer scheinbar abwägend, scheinbar skrupulös, um dann im nächsten Absatz mit einem Tigersprung alles einzuheimsen, was gerade zuvor noch allenfalls möglich, aber keineswegs gesichert war. Rhetorisch ist der Katzenliebhaber Freud ein Meister der Erschleichung und des Sophismus, in einem böhmisch-österreichisch gefärbten Deutsch von großer Schönheit. Das Höfliche und das Hinterfotzige, Gravitas und Intrige, die alte Wiener Mélange – Freuds stark am Klassischen orientierte Prosa hat mehr als ein paar Bröserln davon.

Heidegger wiederum ist ein Spezialfall, bei dem schon nicht mehr von Jargon, sondern fast von Kunstsprache die Rede sein müßte. Vielleicht war sie notwendig, um neu Gedachtes ausdrücken zu können. Schüler riskieren, wenn sie ihre Federn in Heideggersche Tinten tunken, sofortige Lächerlichkeit. «Wie aber west das Ding? Das Ding dingt» geht genau einmal, und schon da geht es nur knapp. Die Kunstsprache kann eigentlich keinen Jargon bilden. Es sei denn den sogenannten Jargon der Eigentlichkeit, den sich Theodor W. Adorno zum Fraß vorlegte. In seiner 1964 erschienenen General-Polemik filetiert Adorno bis auf die Knöchelchen, was Heidegger und seine Epigonen mit ihren hohen und hohlen Begriffen zu erschleichen und zu kaschieren suchen. Wenn er diesen Innerlichkeits-Begriffen vorwarf, sie seien bloße «Verfallsprodukte der Aura», schnupperte er freilich, ohne es zu wissen, schon am Honig des nächsten modischen Jargons.

Es war Adornos schwieriger Freund, der in den siebziger und achtziger Jahren des 20. Jahrhunderts zum Kultautor und Stichwortgeber einer Generation wurde. Aus Walter Benjamins Aufsatz *Das Kunstwerk im Zeitalter seiner technischen Reproduzierbarkeit* stammt der Begriff der Aura, die das Kunstwerk in jenem Zeitalter verliere. Der Begriff begann dann ein Eigenleben und wurde das, was man mit Dawkins heute vielleicht ein «Mem» nennen würde. Der Verlust der Aura wurde Benjamin nachgebetet, wie Benjamin überhaupt (zu Recht, aber aus falschen Gründen) zu einem Halb-Heiligen des zwischen Philosophie und Literatur schwebenden Kritikers erhoben wurde. Der Mix aus Messianismus und Marxismus machte ihn für alle bedeutend, die mit dem jeweils einen allein unbefriedigt gewesen wären. Wenn schon Klassenkampf, dann mit Aura. Oder wenn schon Mystik, dann materialistisch. Dazu ein Freitod auf der Flucht vor den Nazis und ein dunkler Stil …

Aber wie war Benjamin als Stilist? Hat er eine Schule gebildet und Jünger herangezogen? Es ist wie bei Sigmund Freud: Dafür schrieb er zu gut. Daß man ihn nicht imitieren konnte, lag daran, daß er ein überwältigender Bildschöpfer war. Bilder und kühne Vergleiche muß man selber finden, da gibt es keine leicht zu übernehmenden Muster und Stildetails.

Er hatte einen Meisterschüler, und der war Adorno. Böse Zungen könnten ihn einen begnadeten *pick-pocket* nennen, aber das wäre nicht gerecht. Manches von dem, was bei Adorno gut ist, erinnert in seinem stilistischen Gestus an Benjamin. Aber dann gibt es Gebiete wie das der Musik, auf dem sich Benjamin überhaupt nicht auskannte und auf dem Adorno auch stilistisch seine Zeitgenossen übertraf. Vor allem sein Mahler-Aufsatz, musikologisch umstritten, ist sprachlich ein Höhepunkt der Musikbeschreibung, sieht man von denen im *Doktor Faustus* ab, die ja aber Wiesengrund-Adorno ebenfalls fourniert hatte. Die andere unbestrittene Stärke Adornos sind seine Fragmente, Aphorismen, *short cuts*; am eindrucksvollsten in der Sammlung *Minima Moralia*, einem wohl doch Jahrhundertwerk.

Konziser Stilist, der Adorno war, hatte er anders als Benjamin eine entscheidende Schwäche: Ihn, Adorno, konnte man seiner Manierismen wegen auch als nicht kongenialer Adept nachmachen. Genau das ist notwendig, wenn ein Jargon sich bilden soll.

Adorno-Schüler erkennt man stilistisch auf den ersten Blick, nicht anders als die durch den Nieselregen Lacans Gestapften. Bei den Adorno-Schülern ist es vor allem die angestrengte Syntax neben einigen Lieblingsbegriffen und Denkfiguren. Tiedemann, sein Herausgeber, schmiegte sich dem Jargon des Meisters so eng an, daß es das Parodistische streift.

Eckhard Henscheid, ein Mitglied jener Frankfurter Schule, die sich von der alten Kritischen dadurch absetzte, daß sie sich die «Neue» nannte, hat einen der auffälligsten Manierismen Adornos, das von Benjamin übernommene postponierte «sich», in einer bekannten Anekdote parodiert. Ein kleiner Wettstreit um jenes «sich» soll die Stimmung in der Frankfurter Schule aufheitern. Erich Fromm und Herbert Marcuse («Jetzt wird sich mal zeigen»!) scheiden sofort aus, Horkheimer überzeugt mit: «Die Judenfrage erweist in der Tat als Wendepunkt *sich* der Geschichte», aber dann liefert Adorno sein Meisterstück:

«Das unpersönliche Reflexivum erweist in der Tat noch zu Zeiten der Ohnmacht wie der Barbarei als Kulmination und integrales Kriterium Kritischer Theorie *sich*.»

Fassen wir zusammen: Der Jargon zeichnet sich durch die Übernahme bestimmter Begriffe und eingeschliffener Wendungen aus, die auf eine ursprüngliche Schule deuten. Man könnte von Markern sprechen oder von Schmauchspuren. Der «Diskurs», «das Andere» oder «ganz Andere», das perennierende «immer schon» (achten Sie auf «immer schon»!): Ja, hier fand Berührung mit der *Lacancan-* und *Derridada*-Schule statt, nach dem zu oft zitierten, aber gut gefundenen Übernamen; Berührung, die kleine unverkennbare stilistische Spuren hinterläßt bzw. «einschreibt». Diese Phrasen-Partikel verderben den Personalstil, weil sie nichts

Selbstgedachtes mehr ausdrücken, sondern die Zugehörigkeit zu einer Schule demonstrieren, hinter die zu laufen der Ehrgeiz noch jedes individuellen Stilisten war. – Das letzte Beiwort kann man streichen.

Graubrot und Glöckchen. Manierismus

So wie es Graubrot gibt, geschmacksarmes, plastikverpackt, so gibt es auch Graudeutsch. Es zeichnet sich aus durch viele, langweilige latinisierende Fremdwörter; kein originelles Verb; wenn Bilder, dann nur die abgegriffensten, Münzen ohne Prägerand. Fast alle akademischen Publikationen zermalmen oder zelebrieren dieses Graubrot, daß es eine Art hat. Es sind graue Begriffsbrocken, die sich aufeinandertürmen; Klapperbleche, mit denen man nicht Spatzen, sondern Leserschwärme verscheucht. Man will es nicht einmal zitieren.

So wie das Graubrot gibt es aber auch das tortenhaft Überschmückte, Überzuckerte, das, was man im Englischen *overwritten* nennt. Jeder einzelne Satz für sich glänzt, glänzt vielleicht ein bißchen zu sehr, hat oft ein kostbares Adjektiv zuviel. Wolfgang Koeppens *Tauben im Gras*: Jeder Satz macht auf sich aufmerksam, einer folgt dem andern im Stakkato. Jeder winkt: «Hier bin ich!» Kein Satz als einzelner ist zu tadeln, aber über viele Romanseiten hinweg strengen sie an. Die Wörter sind wie eine reflektierende Scheibe vor den Sachen. Sie stören bei dem Transfer-Akt, das gelesene oder gehörte Wort möglichst lichtschnell in eine Vorstellung zu verwandeln. (Für Lyrik gelten andere Gesetze.) Ein Bild für diese übertüftelte Art Prosa fände sich in Andersens Märchen *Die chinesische Nachtigall.* Dort hängt an jeder Blume im Kaiserlichen Garten ein Glöckchen.

Manierismus kann sich an einem einzigen Wort zeigen, auf

das der Autor wie unter Zwang zurückkommt. Bei einem bekannten Frankfurter Gastronomie-Kritiker war es das magische Wort «Textur». Es war ein wöchentliches Vergnügen, beim Lesen seiner Feinschmecker-Kolumne darauf zu lauern: Wann würde das heilige Wort zum ersten Mal sein Köpfchen aus dem Gehege der Prosa recken? Wenn diese Textur einmal fehlte, verschlug es einem glatt den Appetit. Wie? Heute keine Textur? Wo man sich seit Jahrzehnten daran gewöhnt hatte, ein Wort über die Textur des Saiblings, die Textur der Artischockenblüte oder die Textur des Kalbsbäckchens zu erfahren? Sie war oft fein, diese Textur, ließ öfter aber auch zu wünschen übrig, denn der Kritiker war streng und nicht davon abzubringen, den kulinarischen Verblendungszusammenhang ordentlich zu durchleuchten. – Das war ein Beispiel für Abschweifung. Sie ist eigentlich unerwünscht, aber seit Laurence Sterne sind Ausnahmen erlaubt. Solange die Textur stimmt.

Ist das Folgende *overwritten*? Ist es Glöckchenprosa? Oder Graubrot? Es handelt von Isothermen und Isotheren:

> Über dem Atlantik befand sich ein barometrisches Minimum; es wanderte ostwärts, einem über Rußland lagernden Maximum zu, und verriet noch nicht die Neigung, diesem nördlich auszuweichen. Die Isothermen und Isotheren taten ihre Schuldigkeit. Die Lufttemperatur stand in einem ordnungsgemäßen Verhältnis zur mittleren Jahrestemperatur, zur Temperatur des kältesten wie des wärmsten Monats und zur aperiodischen monatlichen Temperaturschwankung. Der Auf- und Untergang der Sonne, des Mondes, der Lichtwechsel des Mondes, der Venus, des Saturnringes und viele andere bedeutsame Erscheinungen entsprachen ihrer Voraussage in den astronomischen Jahrbüchern. Der Wasserdampf in der Luft hatte seine höchste Spannkraft, und die Feuchtigkeit der Luft war gering.

An dieser Stelle wird der Autor bei seiner Berliner Lesung unterbrochen. Ein Zuhörer steht auf und ruft: «Ham Se's nich 'ne Nummer kleiner?!» Robert Musil schaut vom Manuskript auf, wartet ein paar Sekunden und fährt fort:

> Mit einem Wort, das das Tatsächliche recht gut bezeichnet, wenn es auch etwas altmodisch ist: Es war ein schöner Augusttag des Jahres 1913.

Der Zwischenrufer, sichtlich zufrieden, setzt sich wieder. «Na, ham' Se ja wat dazujelernt!»

Vermutlich hat es weder eine Berliner Lesung noch diesen Zwischenrufer gegeben. Aber der Romanbeginn des *Mann ohne Eigenschaften*, einer der berühmten Romananfänge der Literatur, ist die Ausfaltung der Frage, ob man es nicht eine Nummer kleiner habe. Musil zeigt die Instrumente und legt sie dann wieder in die Truhe zurück.

Es gibt Stil-Exzentriker, die sie nicht zurücklegen. Wer zu diesen Exzentrikern zählt, ist eine schwierige Frage. Hans Henny Jahnn und Rudolf Borchardt? Warum Robert Walser nicht, aber Franz Overbeck mit Sicherheit? Kleist und Jean Paul vielleicht knapp noch nicht, aber Fritz von Herzmanovsky-Orlando auf jeden Fall?

Die Frage ist so komplex wie die, über der in Kehlmanns Roman *Tyll* der Vater Eulenspiegels fast verzweifelt. Ab wann ist ein Körnerhaufen kein Haufen mehr? Wie viele Körner muß man wegnehmen, damit er seinen Haufen-Charakter verliert? Mit wieviel Sonderbarkeiten und Regelbrüchen weniger wäre man kein Exzentriker mehr? Die Frage, versteht sich, ist unlösbar. Aber nur als annähernde Antwort: Hans Henny Jahnn *will* die Regeln und den stilistischen Komment brechen. Über jeder seiner Parforce-Passagen weht der rote Wimpel: «Stil! Ausdruck! Extravaganz!» Bei Robert Walser weht da gar nichts; wir spüren: Er schreibt einfach so.

Schließen Manierismen oder Exzentrik guten Stil aus? Mitnichten. Man kann auch Manierist sein, und es schadet überhaupt nicht, wenn denn ein Stil vorliegt. Es gibt überhaupt keinen Personalstil ohne gewisse wiederkehrende Vorlieben und Eigenarten, Schrullen und Tics, die dem Schreiber oft unbewußt sind. Nur im schlimmsten Fall wird es zum Tourette-Syndrom. Allerdings locken diese Schrullen den Parodisten an.

Exzentrische Stilisten – à la bonne heure. Es gibt viele Wohnungen im Haus der Sprache. Und es gibt Hausmeister, die den Personalstil überhaupt ablehnen.

Döblins Schule des Nicht-Stils

Jeder Autor, heißt es bei Arno Schmidt, müsse den ersten Meridian durch den Schreibtisch Alfred Döblins ziehen. In einem Punkt ist sein Verehrer ihm nicht gefolgt: Arno Schmidt schrieb immer wie Arno Schmidt. Drei Zeilen, und man erkennt ihn. Döblin aber war der prominenteste Vertreter einer Schule des Anti-Stils. «Wer einen eigenen Stil hat», schrieb er, «ist zu bedauern; wir sehen schon wenig genug; mit dem eigenen Stil können wir noch weniger sagen.» Döblin zufolge erfordert jeder Stoff seinen eigenen Stil; der Personalstil wäre nach dieser Schule so etwas wie der Koch, der an jedes Gericht die gleiche Béchamelsauce gibt.

Wirklich hat Döblin jeden seiner Romane in einem anderen Stil geschrieben; man sprach von seinem Chamäleon-Stil. *Berlin Alexanderplatz* ist in einem ganz anderen Ton gehalten als *Die drei Sprünge des Wang-lun* oder der Berlin-Roman *Pardon wird nicht gegeben.* Das allein hätte noch nichts zu sagen, auch Thomas Mann schreibt in *Buddenbrooks* anders als im *Zauberberg*, im *Tod in Vene-*

dig anders als im *Erwählten*, und doch erkennt man ihn auf jeder Seite als Thomas Mann. Döblin aber meißelt aus der Vermeidung des Personalstils ein Prinzip.

Döblins Lehre hat kluge Schüler gefunden. Ein bekannter Autor der Gegenwartsliteratur, der sich auf Tschechow und Döblin beruft, sieht das Ideal des Stils in der Resonanz zwischen Stoff und Stil. Er empfände es geradezu als Beleidigung, wenn man ihm einen unverkennbaren Stil zuschriebe. In jeder Erzählung, in jedem Roman müsse der Stil sich dem Stoff anschmiegen oder müsse aus diesem Stoff erwachsen. In einem frei gewählten Beispiel: Wenn der Stoff von *Schuld und Sühne* das Nervöse, Hastige, leicht Hysterische erfordert, dann kann Dostojewski nervös, hastig und leicht hysterisch schreiben, auch wenn kein einziger seiner Sätze dabei wohlgeformt oder elegant gerät.

Dies die Schule des Nicht-Stils. Aber gibt es nicht dennoch den Dostojewskischen Personalstil oder den Tschechowschen, wird man nicht mit etwas Mühe sogar bei Döblin eine unverwechselbare Faktur finden, den stilistischen Fingerprint? Es sei unmöglich, mit dem eigenen Zungenschlag zu brechen, stellt Botho Strauß fest; und hat er nicht recht? Und kennt man nicht auch unseren Gegenwartsautor, der am liebsten anonym bliebe, spätestens dann heraus, wenn er den ersten «Plastestuhl» aufstellt und um die Erde den Sputnik kreisen läßt?

Er und Döblin hätten sich auch auf Heinrich Heine berufen können. Heine bestritt kurzerhand, daß es einen Personalstil gäbe:

> Der Grundsatz, daß man den Charakter eines Schriftstellers aus seiner Schreibweise erkenne, ist nicht unbedingt richtig; er ist bloß anwendbar bey jener Masse von Autoren, denen beim Schreiben nur die augenblickliche Inspirazion die Feder führt und die mehr dem Worte gehorchen als befehlen. Bey Artisten ist jener Grundsatz unzuläßlich, denn diese

> sind Meister des Wortes, handhaben es zu jedem beliebigen Zwecke, prägen es nach Willkühr, schreiben objektiv, und ihr Charakter verräth sich nicht in ihrem Styl.

Und das gerade von Heine! Dessen Ton so unverwechselbar ist, daß er sowohl Schule machen konnte als auch zur Persiflage reizte. Zu imitieren war Heine leicht, wie Robert Gernhardt in seiner Sammlung *Klappaltar* vorführt – wie sollte das ohne Personalstil möglich sein? Nur eigenwillige Stilisten erlauben es, daß man mit ihnen Hallodri treibt.

Mit fremden Federn: Pastiche und Parodie

Gernhardt griff mit seinen Parodien und Persiflagen auf eine Tradition zurück, die von jenem Großlogenmeister zu barocker Blüte gebracht wurde. Marcel Proust hat in seinen *Pastiches* den Personalstil seiner Lieblingsautoren imitiert. Er hat eine damals prominente Skandalgeschichte um einen Diamantenfälscher, die sogenannte Lemoine-Affäre, in das jeweils anders duftende Becken der Sprache Balzacs, Flauberts, Saint-Simons, Renans, Michelets, der Brüder Goncourt getaucht. Für Proust war es eine purgierende Maßnahme: Er geriet nicht mehr in Gefahr, die verehrten Meister unbewußt zu imitieren, wenn er es einmal bewußt getan hatte. Der Proustsche Personalstil schält sich durch das Abstreifen aller Einfluß-Schichten, die sich über den jungen Autor und Vielleser legen, erst allmählich heraus.

Der Autor, der Proust im Deutschsprachigen beerbt hat, war auch ein Robert, noch vor Gernhardt, nämlich Robert Neumann. Er war ein Tausendsassa oder, wie es bei dem gebürtigen Wiener hieße, *Wunderwuzzi*. Neumann war, wie Proust, bekannt für seine Fähigkeit, andere Leute perfekt nachzumachen; kaum fiel die

Tür hinter ihm ins Schloß, wurde der die Party verlassende Gast imitiert. Diese schauspielerische Begabung, die er selbst hochstaplerisch nannte, übertrug Neumann aufs Stilistische. Seine 1927 veröffentlichte Sammlung *Mit fremden Federn* machte den damals Dreißigjährigen, wie es die Formel will, über Nacht berühmt. Viele der von ihm parodierten Autoren kennt man heute nicht mal mehr namentlich. Es sind aber auch die noch immer Großen dabei: Thomas und Heinrich Mann, Gottfried Benn, Bertolt Brecht, Alfred Döblin; Rilke, George, Hofmannsthal. Heinrich Mann zerlegt er so gut, daß man den originalen danach kaum noch lesen kann.

Denn zerlegen wollte er. Neumanns Ruhm – bei Canetti heißt er immer nur «der gräßliche Neumann» – war und bleibt hochverdient. Seine Parodien sind begnadet und geistsprühend und oft vernichtend, was sie von den Pastiches Marcel Prousts unterscheidet. Dessen Stil-Imitationen waren humoristisch, aber nicht aggressiv. Ohne einen gewissen Unernst waren sie nicht möglich, ohne das Pfefferkörnchen Albernheit, die Proust in hohem Maße besaß. Man konnte seine Pastiches auch als Hommagen verstehen.

Das war bei Neumann ganz anders. Wie er später erklärte, war er in seiner Jugend ein Thomas-Mann-Epigone, minus Talent und Ironie. Neumanns Romane taugten nicht viel, das erkannte er selbst. Was ihn zu den Parodien trieb, war ein Gefühl, das verhüllt ganze Säle füllt, sich offen aber nur selten zu erkennen gibt: Ressentiment. Der nicht Arrivierte wollte es den neuen Modeautoren zeigen. Sein Antrieb war der Wunsch, die Parodierten mit einem Blattschuß zu erlegen. Wie der Freischütz hatte er dabei magische Kugeln; in gewisser Selbstehrfurcht schreibt er einmal von seiner «magischen Grausamkeit».

Wie genau hat er es angestellt? Neumann nutzte seine Fähigkeit der Stimmenimitation, um dem scheinsonoren fremden Ton ein kleines Fisteln beizumischen. Das Magische daran war, daß Neumann den jeweiligen Personalstil gewissermaßen durch Handauflegen aufnahm: Wenn er nur ein paar Seiten überflogen hatte, wußte er schon mehr als ein Heer pedantischer Leser, wie Hermann Kesten bemerkte. Nach diesem magischen Akt begann das Skelettieren, die Vivisektion, wie immer man es nennen will. Es genügten, um abermals das Bild zu wechseln und Jens Jessen zu zitieren, ein, zwei Schritte über den Punkt hinaus, an den Rilke oder Thomas Mann, Döblin oder Else Lasker-Schüler sich schon hingeschrieben hatten, und der Text stürzte in den Abgrund von Lächerlichkeit oder Umnachtung. Neumann gab dem etwas zu steil Geschriebenen den entscheidenden kleinen Schubs. Jessen, selbst ein Stilist von Graden, erkennt darin ein tieferes Geheimnis der Kunst: ihre Gefährdung durch sich selbst. Der Stilist neigt zum Extrem. Und dort wartet schon mit glitzerndem Lächeln ein Robert Neumann auf ihn.

Es gibt Stilgebärden, die es ihm besonders leicht machten. Eine davon ist die erheischende: Respekt, Demut, Gefolgschaft erheischend. Zart und doch bedrängend bei Rilke, massiv bei Borchardt, George oder Heidegger. Der erheischende Stilgestus hat bestimmte Charakteristika, die aufzuzählen zu langweilig wäre – jeder sieht es. Gern gibt dieser Gestus sich dunkel-drohend. Das macht Robert Neumann aus dem Handgelenk.

Die Wunderstunde. Nach Stefan George

Ich forschte blinden sinnes nach der pforte
der alten parks die sich im zwielicht ziehn
und fand sie nicht doch kreiste drüberhin
von dohlen eine drohende cohorte.

da eingebettet lag in halbverdorrte
waldnacht das tor das sich mir nie verliehn
ich trat hindurch dumpf duftete yasmin
und moder lohte auf besonntem orte.

Auf einem plane in gerader zahl
saß streng die ausgewählte schar der gäste
ein page reichte stumm das karge mahl

dann sprach ich meine schweren anapäste
und jeder schwieg und jeder auf dem feste
war von der bürde der gedanken fahl.

Über die Ungerechtigkeit solcher Nachdichtungen müssen wir kein Wort verlieren. George war kein geringerer Wunderwuzzi als sein bös begnadeter Parodist. Neumann war aber komischer.

Allerdings stieß auch das magische Ressentiment an natürliche Grenzen. Wie Neumann zu Recht erklärt, war eines nicht parodierbar, nämlich das Meisterliche. Das Meisterliche habe die Form eines Panzers, in den man nicht kriechen könne, um ihn von innen aufzusprengen. Umgekehrt gebe es eine Begrenzung nicht nur nach oben, sondern auch nach unten. *Mein Kampf* könne man nicht parodieren. Das mag stimmen; Neumann kannte freilich nicht Gerhart Polt als Hitler, der sich auf dem Reichsparteitag in der Nürnberger Luitpoldhalle über einen unfairen Leasing-Vertrag der Firma Ismeier mit anschließendem verlorenen Prozeß («gewonnen … *morrralisch!*») erregt. Vielleicht hätte er es als ins Exil getriebener Jude auch nicht lustig gefunden.

Zahm wurde der Löwe dann erst im Alter. Er sei ein friedliebender Mensch geworden, schreibt Neumann im Nachwort einer zweiten Parodiensammlung, «ich trage es einem Menschen auch nicht eine Minute nach, wenn ich ihn beleidige».

Kunstseiden?

Früher war das noch anders. Das Skandalon: Ausgerechnet Neumann, der Pasticheur, wurde einmal selbst pastichiert. 1932 erschien in hoher Auflage der Roman *Das kunstseidene Mädchen* von Irmgard Keun. Der Erfolg war groß, das Buch wurde in sieben Sprachen übersetzt und war monatelang in den Leihbibliotheken vergriffen. Und war das nicht tatsächlich ein ganz neuer Ton und kühner Wurf?

Der Stoff jedenfalls war neu und kühn: eine einfache Frau aus dem unteren Mittelstand, die «ein Glanz» sein will. Dafür gab es noch kein Vorbild. Doris, eine junge aufstiegshungrige Semi-Prostituierte mit Film-Ambitionen und goldenem Herzen in der Großstadt Berlin. Sie schreibt, wie ihr der Schnabel gewachsen ist, naiv oder pseudonaiv, die Vermeidung der Eleganz ist das oberste Stilgebot, von ferne her hallt Büchners *Woyzeck* nach, ob Keun ihn nun im Ohr hatte oder nicht; auch der pikareske Roman spielt hinein. Bei jedem zweiten Satz zuckt die Lektorenhand, aber es ist alles Absicht und gehört zu ihrem Ton, der sich um Korrektheit nicht kümmert. Eine Probe: Doris irrt mit einem geklauten Pelzmantel durch den Park:

> mit den Schwänen, die kleine Augen haben und lange Hälse, mit denen sie die Leute nicht mögen. Das kann ich verstehn, aber ich mag die Schwäne auch nicht, trotzdem sie sich bewegen und man darum Trost mit ihnen haben sollte. Alles hat mich allein gelassen. Ich hatte kalte Stunden, und mir war wie begraben auf einem Friedhof mit Herbst und Regen. Dabei war gar kein Regen, sonst hätte ich mich unter ein Dach gestellt wegen dem Feh.

Allein über die Schwäne und die Hälse, «mit denen sie die Leute nicht mögen», kann man lange nachdenken, genauer gesagt über das «mit». Und keineswegs hat man Trost «für sie» oder Mitleid mit ihnen. Bei Keun muß es immer ein bißchen verschoben sein. Doris ißt zu Abend bei Verwandten, ihr Vetter Paul ist arbeitslos, und sie wird Zeugin dramatischer Vorfälle:

> und saßen bei Ruhrbeins, und Paul ist ganz fröhlich durch unsere Stimmung, und da sagt er: «Holen wir doch eine Flasche Wein, Mutter!»
> Und da sieht sie ihn an und macht eine zischende Stimme ganz voll Böse: «Wenn du's selber wieder mal verdienst, kannst du ja auch deinen Freunden Wein spendieren.»
> Und da wurden wir alle rot, es wurde eine Stille im Zimmer. Und Paul ist fortgegangen und hat sich das Leben genommen im Wasser an demselben Abend. Und die Ruhrbeins weinten ganz furchtbar und waren ein Leid und sagten: «Er war doch der beste von unseren Kindern, und wie konnte er uns es antun, wo wir immer gut zu ihm waren.»

Nicht ganz voll Bosheit, sondern «ganz voll Böse» ist die Stimme der Mutter; kein Satz der Keun ohne eine kleine Kindchenschema-Manieriertheit. Es ist der «Und»-Stil des gespitzten Mündchens, mit ein bißchen Bibel und ein bißchen Argot. Und noch ein paar anderen Spezifika, die Kurt Tucholsky ins Auge stachen; aber davon gleich mehr. Das mag man mögen oder nicht, ein Ton ist es allemal. Immer der gleiche und auf Dauer enervierende, man kann das fiktive Tagebuch aufschlagen, wo man will:

> Und dann müssen wir frische Luft haben und gehen eine Stunde spazieren nebeneinander und nach dem Essen. Es sind Abende und die Haustüren sind alle nicht mehr auf. Es

sind einzelne Sterne und in meinem Bauch ist eine Ruhe. Leute führen in vornehmen Straßen ihre Hunde an die Bäume. Es ist sehr schön. Wir sprechen Gespräche.

In ihrem Bauch ist also eine Ruhe und, nein, sie *führen* keine Gespräche, weil zwei Sätze zuvor schon Hunde geführt wurden, lieber führe Keun zur Hölle, als das im nachhinein zu ändern; sie *sprechen* Gespräche. Das ist der frische, unbefangene, naive Ton, und der machte Irmgard Keun sofort berühmt.

Aber war der Ton wirklich eigen? Das sah Robert Neumann etwas anders. Ein Jahr vor dem *Kunstseidenen Mädchen* war sein Berlin-Roman *Karriere* erschienen, dem Keuns Nachfolger auffällig glich. Neumann meldete seinem Verlag, sie habe sein Buch glatt abgeschrieben. In ihrer Not bittet Irmgard Keun den bekannten und ihr wohlgesinnten Kritiker Kurt Tucholsky brieflich um Beistand. Er möge doch bestätigen, daß hier kein Fall von Plagiat vorliege.

Aber da war sie vor die rechte Schmiede gekommen.

«Ich habe den Bert Brecht jahrelang verfolgt», antwortet ihr Tucholsky im Juli 1932, «weil er etwas gemacht hat, was ich für unverzeihlich halte: er hat einen Ton gestohlen. Bei Neumann steht das alles wie bei Ihnen: die nicht beendeten Sätze, wenn's die Dame so eilig hat; die merkwürdige Stellung von *sagt er … sage ich … sagt er …*; genau dieselbe Technik, wie das Mädchen ihre Kokettiergeheimnisse enthüllt […]; das verquatschte Deutsch – und dann eben dieser Ton. Wie da alles Intime als bekannt vorausgesetzt wird, wie vierzehn Sachen mit einemmal erzählt werden … alles wie bei Neumann. Ich bin ganz entsetzt gewesen, als ich das gelesen habe.»

Das Schlußwort behielt der im Alter minimal milder gewordene Robert Neumann; es ist ein weises Wort über die Frage des stilistischen Einflusses überhaupt. «Der mit vielen Visionen Befallene weiß oft gar nicht, was wirklich von ihm ist und was vom Nebenmann; er greift nach dem, was sich am besten in sein Gemächte fügt.» Und nun der weise Schluß: «Er greife getrost; greifbar ist für ihn nur, was ohnehin locker sitzt.»

Das leicht zu Imitierende ist das, was den wahren Personalstil noch nicht ausmacht. Jeder halbwegs Begabte kann nach ihm greifen. Was tiefer sitzt und im Kern wurzelt, läßt sich nicht so leicht herauslösen.

Der Verbotskanon

Von der bewußten Nachbildung eines Stilvorbilds ist die halbbewußte zu unterscheiden, die sich im Jargon äußert. Wenn man den Jargon meidet, ist man stilistisch schon auf dem richtigen Weg. Der gute Stil, hatten wir gesagt, speise sich aus Einfällen. Diese Einfälle lassen sich nicht imitieren oder parodieren, wie selbst Neumann zugab, sie kommen oder sie kommen eben nicht. Diese Seite ist die positive Seite des Stils. Mit ihr korrespondiert die andere, negative Seite, die ein Geheimnis des guten Stils berührt.

Guter Stil beruht auf einem inneren Verbotskanon. Diese Verbotstafeln sind von außen nicht einzusehen, sie stehen in den Schreibkammern des Autors verschlossen. Und eben hierin liegt ein Geheimnis des Stils: Die Leser merken nicht unbedingt, warum sie etwas gern lesen, weil es an etwas *Fehlendem* liegt. Man merkt es dem guten Stil nicht gleich an, daß er Gemeinplätze meidet, man spürt das Fehlende so wenig, wie man das Nicht-gezwickt-Werden spüren kann. Aber auf Dauer merkt man es doch. Auf Dauer merkt die Leserin eines Essays, daß es ihr wohltut, wenn sie einmal verschont bleibt von den Phrasen, von «Paradigma», «Diskurs» und «Narrativ», oder wenn ihr aus einem Roman nicht die schiefen Bilder und Worthülsen entgegenpurzeln.

Die Idiosynkrasien – ein Lieblingswort Fontanes – sind dabei unterschiedlich. Der eine möchte schon beim ersten «Sinn machen» den Raum verlassen, noch bevor alles in trockenen Tüchern ist; der andere läßt gerade noch ein «positionieren» und ein «vor Ort» durchgehen. Allein, hier ist jede Strenge und Empfindlichkeit erlaubt. Im Februar 2018 erteilte eine Bar in Manhattan dem Modewort *literally* Lokalverbot: Wer es im rein verstärkenden Sinn benutzt («I literally died laughing»), hatte noch fünf Minuten Zeit, seinen Drink zu beenden. Es wäre aufregend und *spannend*, wenn es solche Lokalverbote auch in Deutschland gäbe; es wäre zumindest eine *Herausforderung*.

Nicht nur in New York, auch in Paris kannte man diese Phrasen-Empfindlichkeit. Gustave Flaubert hatte seinen Ekel vor dem Abgedroschenen und dem Klischee in ein ganzes Buch gefaßt. Auch in Wien, der Hauptstadt der gemütlich-vergifteten Phrase, gab es Protest gegen die sprachlichen *idées reçues*. Karl Kraus hatte noch einen radikaleren Vorschlag als das einfache Vermeiden der Klischees. Kraus schlug vor, es müsse ein Landtag über die Sprache konstituiert werden, der, «wie für jede Kreuzotter, für jede erlegte Phrase eine Belohnung aussetzt».

Phrasen erlegen gegen Belohnung? Reizvolle Beschäftigung! Lukrativ dazu. Doch wir wollen uns nicht im Phrasen-Dickicht verlieren. Als Regel gelte: Meidet «unbequem» für Denker oder Publizistinnen, beschränkt diese Beschreibung auf Biedermeierstühle. Allgemeiner: Meidet alles, was als Sprachplastik im Mainstream schwimmt; wobei die Phrasen zum Glück schneller zerfallen. Auch wenn man heute als Berlin-Wilmersdorfer schon fast froh ist, daß an der U-Bahn-Station noch nicht «Fair-Berliner Platz» steht.

Aber wir wollen grundsätzlicher werden. Wie ist die Sprache, aus der sich literarischer Stil bildet, aufgebaut, wie setzt sie sich zusammen? Kann ein falsches Komma oder ein falsches Substantiv einen Satz zerstören; kann ein Beiwort ihn retten? Wie fügen sich Wörter zu Sätzen, wie geraten sie in Schwingung, und warum kann für einen Romansatz verboten sein, was für das Gedicht erlaubt ist? Wie muß, anders gesagt, gejätet, geharkt, gezupft, gekeltert und filtriert werden, damit uns die Prosa ohne Trübung entgegenquillt?

Bleiben wir nicht im Gestrüpp der Phrasen und Ottern. Begeben wir uns in den Weinberg der Literatur.

II. Im Weinberg

Delphin oder Zecke? Etwas über Satzzeichen

Ein fehlendes Komma kann nicht nur einen Satz, es kann sogar ein Leben zerstören. Der königliche Heerführer überstellt einen wichtigen Gefangenen zum Rücktransport in die Heimat mit der Nachricht «Warte nicht hängen». Als er zurückkommt, ist der König empört: Der Gefangene lebt nicht mehr. Er, der König, hatte das Komma innerlich so gesetzt: «Warte, nicht hängen.» Daheim hatte man verstanden: «Warte nicht, hängen.» In einer anderen Form dieser Anekdote erreicht den König das Begnadigungsgesuch eines zum Tode Verurteilten. Der Bote des Königs überbringt dem Henker die Antwort: «Ich komme nicht köpfen.» Wie wird es ausgehen?

Meistens sind sie nicht ganz so wichtig, die Kommas oder vornehmer Kommata, österreichisch Beistriche, manchmal aber schon. Man denke an die Stelle aus dem Tagebuch Thomas Manns, in dem er leicht grimmig von dem Streit mit seinen Schwiegereltern Pringsheim über die Frage schreibt, ob der bekannte Satz laute: «Einsam, bin ich nicht allein.» Oder aber: «Einsam bin ich, nicht allein.» Was einen großen Unterschied macht.

Wenn man im folgenden Beispiel – es stammt von dem polnischen Aphoristiker Stanislaw Lec – das Komma durch einen Doppelpunkt ersetzt, ersetzt man Religion durch Philosophie und das Alte Testament durch Ludwig Feuerbach. «Der Mensch denkt, Gott lenkt.» Oder: «Der Mensch denkt: Gott lenkt.» Die jüdische Variante des Sprichworts lautet übrigens: «Der Mensch denkt, Gott lacht.»

Es war Karl Kraus, der den Kampfslogans der Nationalsozialisten das sinnentstellende Fehlen eines Beistrichs nachwies. «Deutschland erwache!» und «Juda verrecke!» – da fehlte leider ein Komma. Gemeint war ja wohl der Imperativ, daß also Deutschland erwachen und Juda verrecken solle. Ohne Komma wird aus dem Befehl nur ein frommer Wunsch, und das war ja offenbar nicht gemeint.

Wo er recht hat, hat er recht, und er hatte es meistens. Für Kraus waren die Beistriche heilig. Er führte noch bis kurz vorm Tod Prozesse um sie. Als ihn sein Freund Ernst Krenek Anfang 1933 zart darauf hinwies, daß es in diesen Zeiten – die Japaner hatten gerade China angegriffen – möglicherweise drängendere Probleme gäbe als ein falsches Komma, erwiderte Kraus: Hätten die Leute, die dazu verpflichtet sind, immer darauf geachtet, daß alle Beistriche am richtigen Platz stehen, so würde Shanghai heute nicht brennen.

Offiziell ist die Zeichensetzung reglementiert, in Wirklichkeit wird sie höchst individuell verwendet, jeder Schriftsteller hat seine eigene Interpunktion. Die Kunst der Zeichensetzung – subtilstes Seerosengewässer des Stils! Die Vorlieben oder Aversionen sind hier streng subjektiv. Der Verfasser gesteht eine heftige Schwäche für Walter Benjamins Zeichensetzung – fast kommafrei. George macht aus seiner Komma-Askese einen Kult. Bei Kafka fehlen oft Kommas, es stört nicht im geringsten. Das überflüssige Komma stört ohnehin mehr als das fehlende. Die überflüssigen Anführungszeichen sind ebenso wie der sogenannte Deppen-Apostroph («Hansi's Biergarten») zu einer Pandemie geworden; mit seinen Parodien darauf hat Eckhard Henscheid eine ganze Kunstform «erfunden». Adorno haßte diese Gänsefüßchen und sah in ihrem übermäßigen, ironischen Gebrauch bei Marx den «Samen, aus dem schließlich wurde, was Karl Kraus das Moskauderwelsch nannte».

Manche Zeichen, die sich eingebürgert haben, stießen vor

zwei Jahrhunderten noch auf Befremden. Besonders empfindlich war wie immer Arthur Schopenhauer. In einer Fußnote aus dem Nachlaß erregt er sich über den Gedankenstrich:

> Es ist so schlecht und impertinent, wie heut zu Tage allgemein, – Beispiele werden jegliche Sache stets am besten erläutern – so zu schreiben, wie ich soeben geschrieben habe. Die sogenannten Gedankenstriche, sonst nur Lückenbüßer für Gedanken, sind hier verschämt und daher auf dem Bauch liegende Parenthesen. Wer zum Publikum spricht, soll vorher überlegt haben, was er sagen will und seine Gedanken geordnet haben u.s.w. – Je mehr *Gedankenstriche* in einem Buch, desto weniger Gedanken.

Heinrich von Kleist dagegen hat dem von Schopenhauer verachteten Satzzeichen in seiner Novelle *Die Marquise von O…* einen großen unzüchtigen Auftritt verschafft – wir werden darauf zurückkommen.

Der Schopenhauer-Schüler Friedrich Nietzsche ließ es an Zucht in der Interpunktion stark vermissen. Er war und bleibt einer der besten Stilisten, aber seine Schwäche war die Zeichensetzung, die ihn am Ende fast unlesbar macht: Immerzu wird exklamiert!, immerzu werden Gedankenstriche verdoppelt oder verdreifacht oder folgt dem Gedankenstrich der Doppelpunkt –: ein Manierismus, den Hans Wollschläger von ihm übernommen hat – –; immerzu wird g e s p e r r t gedruckt und läuft die Periode bedeutungsvoll mit drei Pünktchen aus …

Wobei das «immerzu» nicht ganz stimmt; es ist ein langer Prozeß. Je drückender Nietzsches Einsamkeit und Isolation, desto schriller der Ton und desto üppiger die Satzzeichen. Betrachtet man seine Frühschrift von 1872 *Die Geburt der Tragödie*, findet man trotz vieler Sperrungen kaum Auffälligkeiten in der Interpunktion. Die ein Dutzend Jahre später verfaßte Vorrede «Versuch einer Selbstkritik» hingegen zeigt schon das Vollbild. Der Schluß des ersten Absatzes: «Oh Sokrates, Sokrates, war das vielleicht *dein* Geheimniss? Oh geheimnissvoller Ironiker, war dies vielleicht deine – Ironie?? – –»

Der vierte Absatz endet:

> War Epikur ein Optimist – gerade als *Leidender*? – – Man sieht, es ist ein ganzes Bündel schwerer Fragen, mit dem sich dieses Buch belastet hat, – fügen wir seine schwerste Frage noch hinzu! Was bedeutet, unter der Optik des *Lebens* gesehn, – die Moral? …

Nietzsches Art der Interpunktion läßt sich in einem Satz zusammenfassen: Hier schreibt ein Genie mit schwerem Aufmerksamkeitsdefizit.

Auf andere Art zeigt dieses Aufmerksamkeitsdefizit auch der Bargfelder Einsiedler Arno Schmidt. Er kann «scheinbar» nicht von «anscheinend» unterscheiden und läßt es sich auch von keinem Lektor erklären, aber auf die Kaskaden seiner Satzzeichen ist er so stolz wie auf seine Etym-Theorie. Arno Schmidt will die Satzzeichen durch immer neue Kopplungen und Zusammenschaltungen semantisch aufladen. Daß das Ergebnis bei so vielen Aufladungen oft durchgeknallt wirkt, fiel auch Schmidt-Jüngern auf. Einer fragt den Meister, was es denn mit folgender wild gewordener Klammeranordnung in *KAFF auch Mare Crisium* auf sich habe?

> [(((…))). / ((…)) / (…?) –: …! : !!!]

Nichts von Schmidts komplizierter Antwort hätte der gewöhnliche Leser von selbst verstanden. Arno Schmidts Stenogramm-Schrift ist halbprivater Natur und so recht nur von ihm selbst zu entziffern. Das Überraschende dabei ist: Man liest sich dennoch schnell ein. Der Satzzeichen-Clown fällt irgendwann kaum noch auf, er stört nicht mehr, man gewöhnt sich an ihn, er balanciert auf der Wahrnehmungsschwelle und winkt uns von dort Signale zu. Davon abgesehen ist Schmidt der Avantgardist der graphischen Siglen: Er begann mit dem, was in den Handy-Nachrichten heute selbstverständlich ist.

Dennoch, so originell und kühn das alles sein mag, so reich instrumentiert eine Druckseite Arno Schmidts daherkommt, es schimmert in seiner Interpunktion oft noch etwas anderes durch. Nicht wie bei Nietzsche der spätere Wahn, sondern etwas früh Angelegtes: Pedanterie.

Das unpedantischste, schönste und delikateste Satzzeichen ist das Semikolon. Aris Fioretos nennt es feinsinnig den Delphin unter den Satzzeichen. Das Semi-Kolon war ursprünglich ein halbes Kolon, ein halber Doppelpunkt; das deutsche Wort Strichpunkt trifft es graphisch genauer. Was es ausdrückt, ist ganz einfach: Es trennt weniger scharf als der Punkt und schärfer als das Komma, das ist sein ganzes Geheimnis. Nicht, daß es nicht auch Feinde hätte, wie den amerikanischen Schriftsteller Barthelme, der das Semikolon als «häßlich wie eine Zecke am Hundebauch» schmäht.

Das erste Semikolon wurde 1494 in Venedig gedruckt, zwei Jahre nachdem Kolumbus Amerika erreicht hatte. Seitdem taucht es durch die Letternwelt; besonders häufig – um vom Delphin zum Wal zu wechseln – in Melvilles *Moby Dick*, in dem es angeblich 4000 Mal vorkommt. Abgelehnt haben es dagegen George Orwell und Kurt Vonnegut; sie witterten etwas Snobistisches in ihm. Im sogenannten *Chicago Manual* gibt es 37 Regeln zum richtigen Gebrauch des *semi-colon*. Keine davon muß man kennen; den Strichpunkt setzt man so, wie der Tausendfüßler geht – nur nicht darüber nachdenken, mit welchem Fuß zuerst, sonst klappt gar nichts mehr.

Gibt es sonst noch Stilregeln? Kaum. Ausrufungszeichen? Sparsam! Klammern mitten im Satz? Noch sparsamer. (Wenn man nicht zufällig Marcel Proust heißt, dann erlaubt sie sogar Adorno.) Distanzierend-anklagende Anführungszeichen? So gut wie nie. Drei Pünktchen? Ganz schwierig … Puristen lehnen sie ab, mit den reiferen Jahren kann man sich ein paar davon durchgehen lassen.

Daß eines der genannten Satzzeichen sich als der entscheidende Fingerabdruck erweisen kann, mit dem sich ein anonymer Autor überführen läßt, ist eine andere Geschichte und soll später erzählt werden.

Der Morgenathem der Sprache

Nach den Satzzeichen, die nicht gesprochen, sondern nur gelesen werden, steht auf der nächsten Stufe der Sprach-Hierarchie der einzelne Laut. Wenn er bedeutungsunterscheidend ist, wird er Phonem genannt. Aus diesen Lauten setzen sich die Wörter zusammen, die Sätze bilden, sofern sie nicht monolithisch herumstehen. Wir wollen uns auf diesen Stufen der Hierarchie gemächlich nach oben begeben, wie auf den Stufen der Strudlhofstiege; oben angelangt, werden wir einen kleinen Überblick darüber haben, wie man Sätze bauen kann und wie man sie rhythmisch in Schwingung bringt.

Noch nah am nicht gesprochenen Satzzeichen sind auf der nächsthöheren Stufe stumme Laute, also Buchstaben, die gar nicht gesprochen werden. Der stumme Laut wird noch nicht Phonem genannt, weil er keine Bedeutung unterscheidet. Weil er stumm ist, könnte man ihn auch gleich eliminieren, fand man zu Beginn des letzten Jahrhunderts, das ohnehin gerne säuberte. Die Säuberer zogen sich damit die Rage des ebenso sprachgewaltigen wie sprachempfindlichen *Fackel*-Herausgebers zu. Im Jahr 1915 veröffentlichte Karl Kraus das Langgedicht *Elegie auf den Tod eines Lautes*.

Weht Morgenathem an die Frühjahrsblüthe,
so siehst du Thau.
Daß Gott der Sprache dieses h behüte!
Der Reif ist rauh.

Wie haucht der werthe Laut den Thau zu Perlen
In Geistes Strahl.
Sie vor die Sau zu werfen, diesen Kerlen
Ist es egal.

So geht es achtundzwanzig Strophen lang weiter. Die Elegie steigert sich dann in Rage. Am Ende steht die Verdammung:

Und keine Thräne wird den Roling hindern
für und für.
Er warf das h, der Träne Schmerz zu lindern,
raus zur Tür.

Nicht jedes Thier verwüstet tätig so
der Schöpfung Spur.
Nur manche Gattung Tier lebt irgendwo
fern der Natur.

Sie hat wol viel Gefül und dieses ist
dick wie das Tau.
Den Thau zertritt sie, Werth hat nur der Mist
für eine Sau.

Die Elegie oder Zornesrede hat die Abschaffung des stummen «h» nicht verhindern können. Immerhin – als in Berlin im Jahr 2014 die Joachimstaler Straße endlich wieder zur «Joachimsthaler Straße» rückbenannt wurde, hätten Krausens Rotationen im Grab für einen Moment nachgelassen. Dort zu rotieren, hätte er seit 1996 noch mehr Grund gehabt als sonst. Die verstümperte Rechtschreibreform, bei der nicht nur ein Laut abgeschafft wurde wie das zarte «h», sondern eine marodierende Bürokraten-Rotte durchs Sprachgehege zog – aber darüber hier kein Wort; da wäre neben Karl Kraus noch ein Abraham a Sancta Clara gefragt. Ein Tusch, nein eine Hornserenade nur für den Sprachwissenschaftler Peter Eisenberg, der den finalen Zaun zwar nicht ziehen konnte, am Ende aber zumindest das Allerschlimmste verhindert hat. Die schreibende Zunft wird es ihm nicht vergessen, wenn sie weiterhin genußvoll ihre Spag*h*etti schlürfen darf.

*

In der Musik kann man auch die Stille hören. Notfalls vier Minuten und 33 Sekunden lang, wenn John Cage sie komponiert. In der Sprache beginnt die Musik auf der nächsthöheren Stufe, nach den stummen Buchstaben. Sie beginnt mit dem Laut, der klingt und den man kombinieren kann. Mit dem Laut beginnt das Spiel der Vokale und Konsonanten und Assonanzen und wollüstig variierten Wiederholungen und Reibungen – dieses unendlich permutierbare Spiel, das überhaupt das Reizvollste an der geformten Prosa ist.

Nehmen wir zwei fast willkürlich gewählte Beispiele. Das eine ist aus Uwe Timms Poetikvorlesung *Von Anfang und Ende*. Er berichtet da, wie er an ein bestimmtes Granitstück aus der Spitze des Obelisken der Piazza del Popolo kam, und es folgt der unauffällige Satz:

«Im Herbst 1983 *w*älzte sich eines dieser heftigen Ge*w*itter über Rom, eine sch*w*arze, an den *w*estlichen Rändern sch*w*efelgelbe *W*olkenbank.»

Unauffällig, ja – aber nicht nur rhythmisch, sondern auch klanglich perfekt durch die Wiederholung des «w». Wenn es neunzehnhundertzweiundachtzig gewesen wäre, hätte sich die Sechser-Wiederholung zur Sieben gerundet. Aber das Gewitter wälzte sich ein Jahr später heran, und unser Autor wählte die Wahrheit.

Ein anderes Beispiel von Assonanzenspiel stammt aus einer Novelle von Jeremias Gotthelf. Hier ist es vor allem das wiederholte «g», das der mittelalterlichen Schloßszene, in der eine Teufelsspinne unter betrunkenen Rittern wütet, so recht das Gruselige eingräbt. Diese Spinne sitzt plötzlich auf dem Kopf des große Reden schwingenden Schloßherrn:

> Da begann die Gluth zu strömen durch Gehirn und Blut, gräßlich schrie er auf, fuhr mit der Hand nach dem Kopfe, aber die Spinne war nicht mehr dort, war in ihrer schrecklichen Schnelle den Rittern allen über ihre Gesichter gelaufen, keiner konnte es wehren; einer nach dem andern schrie auf, von Gluth verzehrt, und von des Pfaffen Glatze nieder glotzte sie in den Gräuel hinein [...].

Nimm die «g»s weg, und das Grauen wäre schon gemildert. Aber freut euch nicht zu früh, die Spinne wird uns später noch übers Gesicht krabbeln!

Tranchierte Tanten: Läßliche Stilsünden

Nächste Stufe: das Wort. Beim Stil kommt es auf jedes Wort an – worauf sonst? Auf deren Reihenfolge natürlich, die zum Satz und letztlich zum Rhythmus führt, aber am Anfang steht das Wort. Ein falsches Wort kann nicht nur Beziehungen, sondern auch Sätze ruinieren – Beispiele folgen, Beispiele könnten in Bibliothekslänge folgen, denn worauf sollte schlechter Stil fußen als auf schlecht gewählten Wörtern? Und sobald erst einmal ein Wort da ist, haben wir viele, und sie interagieren. Es gibt kleine Funktionswörter, die ihre Beziehungen regeln sollen, Partikeln, Konjunktionen, Präpositionen, eine Schlangengrube möglicher Fehler nicht nur für Nicht-Muttersprachler. Und dann gibt es die größeren Wörter. Sobald es Wörter gibt, gibt es Grammatik. Und sobald es Grammatik gibt, wimmeln die Fehler.

Wir streuen auf dieser Stufe eine sehr bescheidene Blütenlese oder Vipernauswahl der möglichen Fehler aus. Es gibt Flüchtigkeitsfehler, die durch die Wahl eines Wortes entstehen, das einen nicht beabsichtigten Doppelsinn hat. «Wenn Du ihn übergibst, übergibst Du Dich», schloß einmal eine Glosse floristischen Inhalts nach der Beschreibung des idealen Blumenstraußes. Dem Autor wurden am Tag danach keine Blumen ins Büro gestellt. «Kondome sind in aller Munde», hieß es seinerzeit in einer Glosse der FAZ, worauf sich der Herausgeber Joachim Fest vor Scham tagelang nicht ohne Sonnenbrille zeigte. Solche unfreiwilligen Doppeldeutigkeiten unterlaufen selbst anspruchsvollsten Essayisten. Ein solcher schrieb einmal über Heinrich Böll: «Die Bücher sind es, um derer willen der Leser auch nach dem Leben des Autors trachtet» – wirklich, will er Böll ernsthaft ans Leder? Nein, er beginnt sich wegen des Werks auch für das Leben des Autors zu interessieren, das wollte Hans Wollschläger sagen und übersah dabei den unfreiwillig mörderischen Doppelsinn.

Weniger gravierend und feiner gestimmt sind die Unterschiede zwischen sehr ähnlichen Wörtern. Eine Schriftstellerin wird beim Signieren nach einer Lesung von einer älteren Dame angesprochen. Während die Autorin ihre Unterschrift leistet, beugt sich die Dame zu ihr hinunter und sagt mit leiser Stimme: «Entschuldigen Sie, ich war früher Deutschlehrerin. Und aus diesem Beruf kommt man nicht mehr raus. Nehmen Sie es mir bitte nicht übel, aber: Es gibt einen Unterschied zwischen ‹völlig› und ‹vollkommen›. Sie benutzen die beiden Wörter synonym.» Die Autorin weiß nicht, ob sie beschämt, amüsiert oder verärgert sein soll, und entscheidet sich fürs Amüsement.

Hatte die ehemalige Deutschlehrerin recht? Ein Kunstwerk oder ein Mensch kann von vollkommener Schönheit sein. Die Lehrsätze der Mathematik sind von (seit Gödel: fast) vollkommener Ordnung. Gott ist vollkommen; der Begriff des Vollkommenen leitet sich ab aus der Idee der göttlichen Ganzheit. Das ist der strenge Sprachgebrauch, insofern hatte die Dame recht. Dennoch könnte man ihren Einwand als «vollkommen unwichtig» abtun, das wäre erlaubt. Nur umgekehrt ginge es nicht: Niemand würde sagen, eine Scarlatti-Sonate sei von völliger Harmonie. Es gibt also wirklich einen Unterschied, auch wenn scheinbar das gleiche gemeint ist. Oder dasselbe.

Aber eben nur scheinbar. Fast alle Österreicher verwenden das Wort falsch. Aber anders als bei «völlig» und «vollkommen» geht es hier um den entscheidenden Unterschied. «Der Zwerg sagte scheinbar die Wahrheit» meint das Gegenteil von: «Anscheinend sagte der Zwerg die Wahrheit.» Im ersten Fall lügt der Zwerg, im zweiten Fall spricht zunächst alles dafür, daß er nicht lügt. «Anscheinend» meint das gleiche wie offenbar, allem Anschein nach. «Scheinbar» meint: nur dem Scheine nach, hinter dem sich aber etwas anderes verbirgt. Franz Kafka hat die Bedeutung von «scheinbar» zur Parabel geformt:

> Denn wir sind wie Baumstämme im Schnee. Scheinbar liegen sie glatt auf, und mit kleinem Anstoß sollte man sie wegschieben können. Nein, das kann man nicht, denn sie sind fest mit dem Boden verbunden. Aber sieh, sogar das ist nur scheinbar.

Allerdings hat derselbe Kafka das Wort «scheinbar» an anderer Stelle in der lässig kakanischen Manier als Synonym von «anscheinend» gebraucht – aber vielleicht ist das auch nur scheinbar? Der Satz aus dem *Verschollenen* lautet folgendermaßen: «In solchen Gedanken schlief Karl ein und nur im ersten Halbschlaf störte ihn noch ein gewaltiges Seufzen Bruneldas, die scheinbar von schweren Träumen geplagt sich auf ihrem Lager wälzte.»

Entweder das Wort ist falsch verwendet, weil Karl nicht wissen kann, ob Brunelda wirklich schwer träumt oder nicht; nur aus dem Gegensatz aber von Schein und Wirklichkeit leitet sich das korrekte «scheinbar» ab, wie Kafka es in den *Bäumen* exemplarisch vorführt.

Die zweite Möglichkeit: Brunelda seufzt und wälzt sich aus ganz anderen Gründen auf ihrem Lager, aus Gründen, die mit ihrem Beischläfer Delamarche zu tun haben, was dem naiven Karl nicht in den Sinn kommt. Seinem Schöpfer Kafka aber durchaus, wie er dem Leser über den Kopf der Figur hinweg mit dem Wörtchen «scheinbar» andeuten will.

Sobald es Wörter gibt, die sich zusammenschließen, gibt es Sätze und grammatische Beziehungen. Hier gelten Regeln, gegen die gerne verstoßen wird, von den wenigsten Autoren wissentlich. Die guten grammatischen Beziehungen sind die monogamen: Der Leser weiß Bescheid, wer mit wem verkuppelt ist. Bei den anderen Beziehungen entsteht Vieldeutigkeit. «Wir brachten die Wurst der Tante, die wir sotten und danach tranchierten.» Warum ist das falsch? Weil der Satz, wenn er in einem Splatter-Roman oder einem Drehbuch der Coen-Brüder auftauchte, etwas anderes bedeuten könnte als hier unschuldig gemeint. Sprache will, auf dieser einfachen grammatischen Ebene, eindeutig sein, was nicht ausschließt, daß sie auf höherer Ebene gerne vieldeutig schimmert und gerade aus Doppeldeutigkeiten ihren Reiz gewinnt.

Es gibt Fehler, die leicht zu vermeiden sind – und es gibt die anderen. Von allen Fehlern der verführerischste und heimtückischste, der Gollum unter den Grammatikfehlern, ist das falsch gebrauchte «um zu».

Das «um zu» ist ein Pfeil, der vom Subjekt des Satzes abgeschossen wird und von niemand anderem. Pfeile durch den Rücken ins Auge gelten nicht. «Die Mutter schickt die Kinder in den Wald, um Pilze zu sammeln»: falsch. «Die Mutter schickt die Kinder in den Wald, um zu Hause heimlich ihren Liebhaber zu empfangen»: richtig. Das mit «um zu» auf den Weg geschickte Satzglied bezieht sich zwingend auf das Subjekt des Hauptsatzes. «Das Dach aus Teer ist im Sommer zu heiß, um darauf barfuß zu gehen»: strenggenommen leider falsch. «Das Dach aus Teer ist zu stabil, um einzubrechen»: hoffentlich zutreffend und grammatisch jedenfalls völlig richtig.

Ja, wie soll man denn aber um Himmels willen sonst sagen? Man versteht doch genau, was gemeint ist! Ja, und trotzdem muß es leider heißen: Das Dach ist zu heiß, als daß man barfuß darauf gehen könnte. Und die Mutter schickt die Kinder in den Wald, damit sie dort Pfifferlinge pflücken; «auf daß» wäre korrekt, aber zu gravitätisch.

Geradezu vorbildlich falsch macht es Clemens J. Setz in ausgerechnet dem Satz, der seinem Erzählungsband *Der Trost runder Dinge* den Titel stiftet: «der allgemeine Trost runder Dinge ist etwas, für das die Dauer eines normalen Menschenlebens glücklicherweise nicht ausreicht, um dagegen immun zu werden.» Und nein, gerade so geht es überhaupt nicht. Denn es ist die Dauer eines Menschenlebens, die hier den Pfeil des «um zu» abschießt. Wie könnte es denn sonst heißen? Zum Beispiel: «Der Trost runder Dinge ist etwas, gegen das immun zu werden die Dauer eines normalen Menschenlebens glücklicherweise nicht ausreicht» – immer noch nicht gut, dafür wenigstens halbwegs korrekt.

Es gibt andere Fehler, von denen umstritten ist, ob es überhaupt welche sind, etwa Dativ oder Genitiv nach «trotz» oder «brauchen» mit oder ohne «zu». Für Fragen des Stils sind sie nicht entscheidend. Fehler ruinieren keinen Stil, und Fehlerfreiheit garantiert nicht Stil. Wenn es bei der Stilistin Brigitte Kronauer heißt: «Mir, die man ins Bett gesperrt hatte, entgeht kein Wort», dann ist es zwar ein falscher Doppelanschluß, ein Kuddelmuddel von Dativ und Akkusativ. «Mir, die man mich ins Bett gesperrt hatte», wäre vielleicht richtiger, aber wen kümmert's? Wenn es bei Robert Walser heißt, das Mädchen schien sich nicht über die Ungerechtigkeit zu grämen, «die ihr widerfuhr», dann siegt wie so oft das natürliche über das grammatische Geschlecht, und ist es schlimm? Das sind keine Stilfehler, das sind bloße unbedeutende Laxheiten. Überhaupt sind Fehler nicht schlimm. Phrasen sind schlimm.

Nur dem Gollum, wenn man ihn einmal erkannt hat, gehe man bitte aus dem Weg. Nie wieder ein falsches «um zu» – *Deal*?!

Die Regel Paul Valérys

Die meisten dieser Fehler sind stilistisch unerheblich, wobei der sich übergebende Blumenfreund schon ein Problem hatte. Dennoch stimmt: Beim Stil kommt es auf jedes Wort an. Nicht auf jedes einzelne, wir wollen nicht übertreiben, nicht auf die kleinen Helferlein, auch wenn sie sich oft querstellen, aber auf das sinntragende. Nur wie sie auswählen? Die falschen oder mißverständlichen scheiden aus. Die auf der inneren Verbotstafel auch. Aber dann? Luther suchte angeblich oft wochenlang nach *einem* passenden Wort. Als der Bibeltext vom Schlachten handelte, ließ er sich von einem Fleischer ein Schaf abstechen und jeden Teil seines Körpers benennen.

Diese Umsicht ist nicht nur bei Veganern aus der Mode gekommen. Wie also sonst entscheiden, ganz ohne Schaf? Der französische Dichter Paul Valéry stellt dazu in seiner berühmten Notizensammlung *Tel quel* einen einfachen Grundsatz auf: Zwischen zwei Wörtern wähle man das geringere: *Entre deux mots, il faut choisir le moindre.*

Valéry berührt dabei jenes Schein-Paradox des Stils, daß sich die Wörter nicht nach vorne schieben sollen. Wie recht er hat, zeigt sich daran, daß man die schlechten Romane oder Glossen auch daran erkennt, daß sie immer das etwas zu starke, das etwas zu knallige Wort verwenden statt des blasseren, gewöhnlichen – das blassere ist auch das transparentere; es ist durchsichtiger für das gemeinte Ding, die Sache, die sich in der Vorstellung des Lesers formt und zusammenfügt.

Valérys Regel ist gut, obschon nicht immer gültig. Wenn man sie leicht umformulieren darf: Entweder du nimmst das gebräuchliche, schlichte Wort. Oder du findest das ganz speziell passende, den Pfeil, der zitternd ins Schwarze trifft. Schlecht ist die Mittellage: das vom Gewöhnlichen abweichende Wort, das nur aufhübschen oder distinguieren soll, es aber auch nicht besser trifft. Die Regel gilt für alle Wörter, für Verben, Substantive, vor allem auch für Fremdwörter.

Was die letzteren betrifft: Fremdwörter benutze man nur, wenn sie wirklich präziser sind, eine andere Nuance haben als das deutsche Pendant oder sich klanglich oder rhythmisch besser einfügen. Nie als Bildungsprunk und nach Möglichkeit nicht die abgegriffenen latinisierten. Oft ist das Fremdwort unsinnlicher. Der Verfasser persönlich mag Fremdwörter nur selten; da ist er xenophob. Anders sah das der Hofgärtner Goethes. Er ließ wissen: «Die Natur lässt sich wohl forciren, aber nicht zwingen.»

Und bei den Substantiven überhaupt? Hier ist die Sache verzwickt, trotz der Regel Paul Valérys. Sehr gut beschreibt diese Verzwicktheit der strenge Stilmeister Peter Hacks. Einerseits verteidigt er die Joyce-Schule des Sprachreichtums, des Sprach-Urwalds, des *vollständigen* Deutsch, wie er es anerkennend nennt. Sein Beispiel ist Arno Schmidt, den Hacks, neben seiner Wenigkeit, für den besten deutschen Epiker bzw. Dramatiker der zweiten Jahrhunderthälfte hält. Für Arno Schmidt sei jedes deutsche Wort, das seit Luther erfunden ist, Gegenwartssprache. Wenn er Unterschiede mache, dann zwischen guten und schlechten Wörtern, nicht zwischen seltenen und gebräuchlichen, nicht zwischen alten und neuen.

Einerseits. Andererseits wird es für den Stilisten hier heikel. Hacks beklagt im selben Essay, der Autor im Niedergang beschränke seinen Wortschatz auf die paar Wörter, die der kleinste passive Wortschatz noch enthalte. Er selbst, Peter Hacks, sei von diesem Stilfehler nicht frei. Sonst hätte er – er sprach von der hysterischen Angst vor dem Jahrtausendwechsel – statt Weltbrand «Ekpyrose» geschrieben. Oder vielleicht auch nicht?

> Oder vielleicht auch nicht. – Zur Kunst gehört, daß man sich weniger gelehrt gibt, als man ist; denn Kunst ist nicht gelehrt, sondern erzogen. Zum Beispiel das Fremdwort Fomentation läßt man besser nicht drucken, auch wenn man weiß, was es bedeutet. (Es bedeutet: warme Umschläge.) Aber wenn man soweit ist, für warme Umschläge ‹Bähung› zu sagen, hat man einen Grad der Einfachheit gefunden, dem jeder ansieht, daß er gesucht war.

Was Hacks uns damit andeuten will: Man kann es hier wie dort übertreiben. Auch hier entscheidet der Einzelfall, das Aptum. Bei Kafka findet sich kein einziges ungewöhnliches Substantiv. Fontane koppelt sie zu langen Wort-Waggons. Borchardt ist nie um ein seltenes Wort verlegen. Doderer schöpft sie aus den Quellen des Wienerischen, Gottfried Keller aus dem Schweizerischen. Thomas Mann findet immer das treffende Wort, und wenn er es nachschlagen müßte. Bei Goethe zählen die Forscher es aus und kommen auf mehr als 90 000 Wörter, den höchsten je gemessenen deutschen Wortschatz; darunter viele Begriffe aus Fachsprachen und viele Ad-hoc-Neubildungen, sogenannte Einmalwörter. Bei Arno Schmidt hat noch niemand nachgezählt.

Aus der Sicht des Schreibenden ist es ganz einfach: Der ernsthafte Autor, die seriöse Autorin spürt es, wenn ein Wort zu der Sache paßt, die sie sich vorstellt; es macht unhörbar «Klick», wenn es gefunden ist, und bis zu diesem Klick wird weitergesucht.

Aber wir hatten ein Beispiel für ein Substantiv angekündigt, welches den ganzen Satz versaut. Nachdem er eigentlich so gut anfing.

Stilvergleich I: Der geschlachtete Stier

In *Berlin Alexanderplatz*, dem Roman, der ihm den Durchbruch brachte, führt Alfred Döblin den Leser auf den Viehmarkt und in die Schlachthalle. Man merkt, er hat sie selbst besucht und dabei riskiert, die Bügelfalten zu ruinieren, die er zum Stilmerkmal seines Haßobjekts Thomas Mann erklärte. Falls die Leser noch nicht gefrühstückt haben, mögen sie die folgende halbe Seite überblättern.

> Auf den Viehstraßen bläst der Wind, es regnet. Rinder blöken, Männer treiben eine große brüllende, behörnte Herde. Die Tiere sperren sich, sie bleiben stehen, sie rennen falsch, die Treiber laufen um sie mit Stöcken. Ein Bulle bespringt noch mitten im Haufen eine Kuh, die Kuh läuft rechts und links ab, der Bulle ist hinter ihr her, er steigt mächtig immer von neuem an ihr hoch.

Es hilft nichts, die Rinder werden von den Treibern durch das Tor in die blutige Halle getrieben. Ein großer weißer Stier wird dort vom Schlächter mit dem Hammer gefällt.

> Die Muskelkraft eines starken Mannes wie ein Keil eisern in das Genick. [...] Und dann, als wenn es ohne Beine wäre, dumpft das Tier, der schwere Leib, auf den Boden, auf die starr angekrampften Beine, liegt einen Augenblick so und kippt auf die Seite.

Ein anderer Mann nimmt seine Zigarre aus dem Mund, schnäuzt sich, zieht sein Messer ab, «es ist lang wie ein halber Degen, und kniet hinter dem Kopf des Tieres, dessen Beine schon der Krampf verlassen hat». Der Schlächter ruft nach der Schale für das Blut.

> Das Blut kreist noch darin, ruhig, wenig erregt unter den Stößen eines mächtigen Herzens. Das Rückenmark ist zwar zerquetscht, aber das Blut fließt noch ruhig durch die Adern, die Lungen atmen, die Därme bewegen sich. Jetzt wird das Messer angesetzt werden, und das Blut wird herausstürzen, ich kann es mir schon denken, armdick im Strahl, schwarzes, schönes, jubelndes Blut. Dann wird der ganze lustige Festjubel das Haus verlassen, die Gäste tanzen hinaus, ein Tumult, und weg die fröhlichen Weiden, der warme Stall,

> das duftende Futter, alles weg, fortgeblasen, ein leeres Loch, Finsternis, jetzt kommt ein neues [...]

Das letzte Substantiv haben wir unterdrückt. – Eine starke Passage. Der Autor fühlt sich in den sterbenden Stier ein, und es stimmt, das hätte Thomas Mann nicht gekonnt oder vielleicht auch nicht gewollt. Oder etwa doch?

In einer berühmten Szene seines letzten Romans läßt auch Thomas Mann einen Stier krepieren. Felix Krull besucht in Lissabon mit Professor Kuckuck und dessen Gattin und Tochter die Arena, in der eine ausgelassene Volksmenge dem «festlichen Blutspiel» beiwohnt, wie er es nennt, dem traditionellen Stierkampf. Thomas Mann setzt schwere mythische Akzente bei diesem Romanhöhepunkt. Das Tieropfer erinnert Professor Kuckuck an den römischen Mithraskult, der um ein Haar dem Christentum den Rang abgelaufen hätte. Anders als bei Döblin ist der Akt der Schlachtung bei Thomas Mann sakral unterlegt. Zugleich ist er erotisch aufgeladen, weil er Maria Pia, die Gattin Professor Kuckucks, immer stärker erregt. Felix Krull kommt nicht umhin zu bemerken, daß ihr Busen immer heftiger wogt. Er schenkt diesem Busen bald mehr Blicke als der Arena. Doch dann beginnt es, das antike Schauspiel. Auf dem Sandplatz bricht aus einem kleinen Tor plötzlich

> etwas Elementares hervor, rennend, der Stier, schwarz, schwer, mächtig, eine augenscheinlich unwiderstehliche Ansammlung zeugender und mordender Kraft, in der frühe, alte Völker gewiß ein Gott-Tier, den Tiergott gesehen hätten, mit kleinen drohend rollenden Augen und Hörnern, geschwungen wie Trinkhörner, die aber, an seiner breiten Stirn ausladend befestigt, auf ihren aufwärtsgebogenen Spitzen offenkundig den Tod trugen.

Bei Döblin bespringt der zur Schlachtung getriebene Bulle noch eine Kuh. Auch Thomas Mann entgeht die mit dem Stier verbundene Potenz-Assoziation nicht, so wenig wie sie der erhitzten Maria Pia entgeht. Die zeugende Kraft ist bei Mann freilich nie allein zu haben, das Unwiderstehliche ist die «Ansammlung zeugender und mordender Kraft». Sexus und Tod lagern bei Thomas Mann schon immer eng umschlungen. Durch den Vergleich mit den Trinkhörnern erinnert er beiläufig an den nicht genannten Gott Dionysos.

Und so wird der Tiergott geopfert: Der Stierkämpfer Ribeiro

> griff im genauesten Augenblick den Degen vom Boden auf und stieß dem Tiere blitzschnell den schmalen und blanken Stahl bis halb zum Heft in den Nacken. Es sackte zusammen, wälzte sich massig, bohrte einen Augenblick die Hörner in den Grund, als gälte es das rote Tuch, legte sich dann auf die Seite, und seine Augen verglasten. Es war in der Tat die eleganteste Art der Schlachtung.

Eleganter und abgefeimter als bei Döblin, der gewiß moniert hätte, daß dem Ribeiro wieder kaum eine Bügelfalte verrutscht sei. Doch auch Thomas Mann kann es derber. Der nächste Stier wird weniger elegant geschlachtet. Die Klinge trifft ihn so mangelhaft, daß er nur einen Blutsturz bekommt, aber nicht fällt. «Wie einer, der sich erbricht, stand er, die Beine vorgestemmt, mit gestrecktem Halse und spie eine dicke Welle Bluts in den Sand – unerfreulich zu sehen.»

Unerfreulich zu sehen, aber stilistisch dann doch auf der Höhe Döblins.

Und wie schloß dessen Schlachtungsszene nun? Mit welchem Substantiv läßt Döblin den Satz und das Leben des Stiers enden? Der warme Stall, das duftende Futter, «alles weg, fortgeblasen, ein leeres Loch, Finsternis, jetzt kommt ein neues Weltbild».

Ein neues Weltbild also. Wie um Himmels willen soll der Stier ein *Weltbild* haben? Hat der Stier studiert? Gab es ein noch blasseres Wort fürs finale Ersterben nach all dem Blutdunst? Es mag zu Franz Biberkopfs Zeiten weniger abgegriffen gewesen sein, dennoch schwächt es die Passage zum Finale und zieht sie, auch rhythmisch, herab.

Leicht fragwürdig waren davor schon die allzu erwartbaren Adjektive, die fröhlichen Weiden, der warme Stall, das duftende Futter – wir werden uns diesen Beiwörtern gleich widmen. Stark dagegen ein Verb: Als es von dem Keil im Genick gefällt wird, *dumpft* das Tier zu Boden. Sage der Duden, was er will, das ist schon lautmalerisch gut gefunden. Man hört das dumpfe Aufprallen des betäubten Tiers auf dem Boden der Schlachthalle.

Flegeln und Baumeln: Das Verb

Das Verb – aber die Stilisten wußten es immer – wird leicht unterschätzt. Das Verb ist das Mitochondrion des Satzes, sein kleines pulsierendes Kraftzentrum. Das gut gefundene Verb macht den Satz oder kann ihn machen. Dabei gilt hier Valérys Regel am eindeutigsten: *Entre deux mots, il faut choisir le moindre.* Der schlechte Stilist will mit seinem Verb Effekt machen. Dem guten unterläuft das farbige Verb gleichsam natürlich und wie nebenbei. Wenn Heimito von Doderer den Mai in Wien beschreibt: «Der Frühling begann rasch anzusteigen, flegelte sich überall dazwischen mit seinem verwirrendem Lichtprunk» – was wäre der Witz des Satzes ohne das Wort «flegeln»? Warum wurde der folgende Satz aus Tucholskys *Schloß Gripsholm* so berühmt: «Wir lagen auf der Wiese und baumelten mit der Seele»? Ohne das Baumeln, in der Verbindung mit dem Abstraktum, kennte ihn keiner.

Im folgenden Satz sind es ausschließlich die Verben, mit denen

Kafka sich herausredet. Von Felice Bauer vorsichtig nach seinen Plänen für die Zukunft befragt, antwortet ihr Verlobter: «Ich habe natürlich gar keine Pläne, gar keine Aussichten, in die Zukunft gehen kann ich nicht, in die Zukunft stürzen, in die Zukunft mich wälzen, in die Zukunft stolpern, das kann ich und am besten kann ich liegen bleiben.»

Abweichend von der Regel Valérys kann es auch einmal ein ungewöhnliches, neu erfundenes Verb sein, das eine Satzfolge zum Strahlen bringt. Ein Beispiel wäre Elke Erbs Gedicht *Das mit dem Baum.* Eine offenbar alte und kranke Frau denkt an gefällte, entastete Bäume, «grau und kahl», mit denen sie sich vergleicht.

Da liegt er. Seit dem Sommer.
Im Dorf sehe ich mehrere solche

Sie werden mich übersterben.
Meine Handflächen meinen: Schade um sie.

Die Bäume werden sie nicht überleben, sondern übersterben. Das auf den Kopf gestellte Verb ist die Pointe des Gedichts, ja des ganzen Bands, den es elegisch beschließt.

Außer den farbigen gibt es nun auch die *weißen Verben,* wie Durs Grünbein sie nennt, der ihnen ein vierstrophiges Gedicht widmet. Zählte «übersterben» zu den weißen Verben?

Die weißen Verben sind alle unsichtbar
Sie kreisen um Tätigkeiten, die man nicht lernt.
Sie heißen verschwinden, verlöschen, verenden
Und führen in menschenleeres Gebiet.
Unmerklich schleichen sie durch den Raum.

Und die letzte Strophe:

> Die weißen Verben machen kaum von sich reden.
> Sie arbeiten gründlich, auf sie ist Verlaß.
> Es gibt sie, wie es die Liebe gibt.
> Sie operieren verdeckt
> Und rücken still im Schutz der Hauptwörter vor.
> Sie zielen auf Horizonte, die nichts erreicht.

Ganz selten einmal wagen die Verben sich aus dem Schutz der Hauptwörter hervor und bilden eine eigene Kolonne. Drei Beispiele: In Rudolf Borchardts Jugenderinnerungen genießt das achtjährige Kind wie elektrisiert die plötzliche Einsamkeit: «Alles in mir war in eine Tätigkeit besonderer Art versetzt, spann, verband, verwandelte, schaltete aus, belebte, übersah.» Ein anderes Beispiel aus Ernst Blochs *Geist der Utopie*: «Wir ruhen um uns, rufen, schaffen, beschleunigen, beten, befehlen, eingedenken, legen die Antwort so nahe als möglich, die Krusten um uns herum aufzulockern und die Masken an uns abzuwerfen.» Und ein letztes Beispiel aus der Feder Rahel Varnhagens, eine Klage über ihren allzu großen Scharfblick:

> Drum bleibt mir schweigen, schonen, ärgern, meiden, betrachten, zerstreuen, gebrauchen, ungeschickt wütig sein, und nach obenein mich mit größter Geläufigkeit tadeln zu lassen, von ordentlichen Tieren!

In der Regel aber hält und halte das Verb sich bedeckt. Spielen kann man auch mit den schlichtesten. Noch das einfachste Verb hat die proteische Eigenschaft, sich mit den Modi und Tempi zu verändern. Besonders das stark gebeugte Verb lädt zu musikalischen Variationen ein. *Gehen, ging, gegangen* – guter Titel; müßte man mal probieren. «Der flieget nie, der heut nicht flog» – der Chor der Hexen in Goethes Walpurgisnacht. Auch der Wechsel von Indikativ zu Konjunktiv erlaubt diese reizvolle Modulation. «Ihre Augen waren von strahlendem, phantastischem Blau, als spiegelten ganze Himmelsräume sich in ihnen, und immer auf mich gerichtet, ohne daß die Wimpern geschlagen hätten», heißt es in Lernet-Holenias *Der Baron Bagge*, und nun der Wechsel von *a* zum final gesetzten *ü*: «etwa wie Augen von Göttinnen, von denen man sagt, daß ihre Wimpern nicht schlügen».

Der schwere Konjunktiv kann zu schwer sein, er kann aber auch eine Zeile unsterblich machen. Das ist der Fall in Heines Gedicht *Mein Herz, mein Herz ist traurig* aus dem Liederbuch von 1827. Das lyrische Ich schildert seinen Blick von der alten Bastei auf eine idyllische Landschaft. Sein Herz ist traurig, doch lustig leuchtet der Mai. Ein Knabe fährt im Kahne und angelt und pfeift dazu.

Die Mägde bleichen Wäsche,
Und springen im Gras' herum;
Das Mühlrad stäubt Diamanten,
Ich höre sein fernes Gesumm'.

Am alten grauen Thurme
Ein Schilderhäuschen steht;
Ein rothgeröckter Bursche
Dort auf und nieder geht.

Er spielt mit seiner Flinte,
Die funkelt im Sonnenroth,
Er präsentirt und schultert –
Ich wollt', er schösse mich todt.

Auf das starke *schösse* zielt das ganze Gedicht, das den Leser fünf Strophen lang in Unschuld wiegt. Das Schlußverb erst macht es unvergeßlich. Und selbst sein Verächter Karl Kraus hätte anerkennen müssen, wie zärtlich Heine hier das stumme «h» hegt.

Was das Gedicht aber ebenfalls zeigt: Es müssen alle Wörter zusammenspielen, auch das Adjektiv des «rothgeröckten» Burschen, auch das Substantiv der «Diamanten», die das Mühlrad stäubt, dessen «Gesumm'» man in der Ferne vernimmt. Stilistisch am heikelsten ist dabei das Adjektiv, das Adverb, das nicht zwingend notwendige Beiwort. Es ist der Diamant der Prosa und verlangt ein eigenes Kapitelchen.

Am Beiwort sollt ihr sie erkennen

Es geht auch ohne sie! Genau darum sind sie wichtig. Gilbert Keith Chesterton, kolossal auch in seinem Witz, hat das künftige Scheitern des Sozialismus schon 1910 anhand eines Beispiels erläuternd vorhergesagt. Es gäbe den Regenschirm und den Spazierstock. Jener sei nützlich und notwendig, der Spazierstock hingegen nicht. Aber wen oder was vergesse man und lasse man regelmäßig stehen? Den Regenschirm. Der Mensch hänge am Überflüssigen, und darum werde der Sozialismus scheitern.

Das Adjektiv ist der Spazierstock unter den Wörtern. Man käme notfalls auch ohne es aus. Auch darum ist es eine alte Regel und Schulweisheit, die nicht ganz falsch ist: Meide die Adjektive! Wer als Lektor mit vielen Texten auch von Anfängern zu tun hat, wird kaum einmal ein fehlendes Beiwort monieren, aber ganze Bleistifte aufbrauchen, um die überflüssigen zu streichen. Im Zweifelsfall eines weniger – das ist nicht nur für Debütanten eine sinnvolle Regel. Ein schönes Beispiel dafür gibt der Stilkritiker Wolf Schneider: Hätte der Dichter des ‹Lindenbaums› geschrieben, daß «am ausgetretenen Brunnen vor dem weinlaubumrankten, halbverfallenen Tore ein knorriger Lindenbaum» stehe, wäre sein Gedicht nicht von Schubert vertont worden. Wie wahr! Wer das richtige Verb gefunden hat und das richtige Substantiv, hat die Fuhre beladen und kann heimfahren oder auf Winterreise gehen – das ist der Gedanke, der bei den Adjektiv-Asketen dahintersteckt.

Bekannt gemacht und am wirkungsvollsten verbreitet hat diesen Stil-Purismus Ernest Hemingway. Er kam aus dem Journalismus, wo man sich knapp zu halten hatte. Jedes Wort zählte, jedes mußte beim Telegraphieren bezahlt werden, jedes nur schmückende und nicht informative Beiwort konnte man streichen. So sagt man es über ihn. Dennoch, zu seiner Zeit schrieb man noch blumiger. In *The Torrents of Spring* hatte Hemingway diese Blumigkeit sogar noch parodiert. Sein Stilideal erwuchs aus der schockartigen Erfahrung der Greuel im Ersten Weltkrieg und einem verschrobenen Männlichkeits-Ideal. Du kannst verlieren, aber du stehst dazu als ein Mann und wirst nichts durch wispernde Beiwörter überspielen – ungefähr so.

Die Revolution, die diese Schreibart für Romane bedeutete, läßt sich heute kaum noch nachvollziehen. Aber alle angelsächsischen Autoren sind diesem Erbe verpflichtet, ob sie wollen oder nicht – F. Scott Fitzgerald, John Cheever, Raymond Carver oder Richard Ford. Dieser Schule ferngeblieben sind allein die großen Adjektivler Vladimir Nabokov und John Updike sowie deren Schüler Nicholson Baker. Auch der Argentinier Borges, der Leser mit dem unfehlbaren Urteil, hat sich von Hemingway nicht anstecken lassen; schon gar nicht haben es die vier Ruderer Humboldts aus der *Vermessung der Welt*, Julio, Carlos, Mario und Gabriel – Kehlmanns versteckte Hommage an die große lateinamerikanische Literatur.

Auch im deutschen Sprachraum gab es schon früh den Vorbehalt gegen üppigen Beiwortgebrauch. Karl Kraus verspottet seinen Lieblingsgegner Heinrich Heine mit der Bemerkung, er sei von jenem Typus, der in schwelgerischen Adjektiven das reichlich einbringe, was ihm die Natur an Hauptwörtern versagt habe. Kraus ist hier ein Vorläufer Hemingways; beide folgen sie Voltaire, der das Adjektiv zum Feind des Substantivs erklärt hatte. Worin alle drei recht haben: Das Adjektiv muß uns wirklich etwas erzählen. Wenn man es sich schon hätte denken können, hätte der Autor es sich und uns besser erspart. Wie man im Fränkischen sagt: Eine gute Bratwurst braucht kaan Senf, so könnte man sagen: Ein gutes Hauptwort braucht kein Adjektiv.

Im *Journal* des französischen Dichters, Diplomaten und delikaten Stilisten Paul Claudel heißt es darum sehr richtig, die Furcht vor dem Adjektiv sei der Beginn des Stils. («La crainte de l'adjective est le commencement du style.»)

Manche sind in dieser Hinsicht erstaunlich furchtlos. Wer sich durch den *Heinrich von Ofterdingen* auf der Suche nach einem originellen Adjektiv quält, der kann auch in der Sahara nach blauen Blumen suchen. Wo man aufschlägt, ist alles anmuthig, unbeschreiblich, reizend, romantisch, mannigfaltig, himmlisch, ewig; oft nach einem Satz schon wiederholt – nichts, aber auch gar nichts ist gesehen, gehört, individuell empfunden. Für eine Schule des Stils wäre Novalis ein abschreckendes Beispiel.

Aber dann gibt es die andern. Streiche die Adjektive bei Stifter oder Keller, bei Proust oder Virginia Woolf, bei Joseph Roth oder Doderer, bei Borchardt oder Thomas Mann, und das Werk ist tot. Das richtige, nämlich die Erwartung unterlaufende, in Friktion zum Hauptwort stehende Beiwort kann das kleine glitzernde Perlchen sein, das den Satz erst attraktiv macht. Auch zum Hervorkitzeln von Komik gibt es nichts Besseres als das richtige Adverb oder Adjektiv.

Zwei winzige Beispiele. Zum Höhepunkt der Mannschen *Joseph*-Tetralogie hat Joseph, inzwischen rechte Hand des Pharaos, seine Brüder, die ihn in den Brunnen geworfen hatten, zu sich nach Ägypten gelockt. Die Brüder haben den hohen Herrn noch nicht erkannt, aber schwummrig ist ihnen schon. Was hat er mit ihnen vor? Sie wissen es nicht. Juda wird zur Rede gestellt und berichtet von den familiären Verhältnissen. Als Joseph hört, daß sein kleiner Bruder, der zarte Benjamin, mittlerweile von zwei Weibern acht Kinder habe, bricht er, ohne die Übersetzung abzuwarten, in lautes Lachen aus. Die ägyptischen Beamten lachen aus Unterwürfigkeit mit. – «Die Brüder lächelten ängstlich.» Das «ängstlich» macht die Komik, weil es in Spannung zum Verb steht.

Oder nehmen wir die Erklärung, die Borges davon gibt, warum er dann doch seine fernöstlichen Studien abgebrochen habe. 1916 hatte er mit ihnen begonnen und war dabei auf die englische Übersetzung eines chinesischen Philosophen gestoßen. Der Passus lautete: «Einem zum Tode Verurteilten macht es nichts aus, am Abgrund zu wandern, denn er hat mit dem Leben abgeschlossen.» Ein Sternchen am Ende des Satzes verwies den enthusiastischen Leser auf eine Fußnote. Dort wurde ihm mitgeteilt, diese Übersetzung sei unbedingt der eines rivalisierenden Sinologen vorzuziehen, der folgendermaßen übersetzt habe: «Die Diener zerstören die Kunstwerke, um nicht ihre Schönheiten und Mängel beurteilen zu müssen.» Da hörte der junge Borges auf zu lesen. «Ein mysteriöser Skeptizismus hatte sich in meine Seele geschlichen.» Hier ist es das «mysteriös», was die Komik hervorblitzen läßt oder erst erzeugt.

Aber auch auf dem Gebiet des eigentlich Poetischen entstünde eine große Öde, wenn man die Adjektive herauszupfte. Probieren wir es an einem Beispiel aus. Stellen wir uns vor, der folgende Abschnitt aus Joseph Roths *Hiob*, eine Kindheits-Reminiszenz des Helden Mendel, wäre Hemingway in die Hände gefallen. Er hätte seines strengen Amtes gewaltet. Das Ergebnis läse sich so:

«Mendel erinnerte sich an den Schnee, der das Pflaster des Bürgersteigs in Zuchnow um diese Jahreszeit säumte, an die Eiszapfen am Rande der Spundlöcher, an die sanften Regen, die in den Dachrinnen sangen, die ganze Nacht, an die fernen Donner, die hinter dem Föhrenwald dahinrollten, an den Reif, der jeden Morgen zärtlich bedeckte, an Menuchim, den Mirjam in eine Tonne gesteckt hatte, um ihn aus dem Wege zu räumen, und an die Hoffnung, daß endlich in diesem Jahre der Messias kommen werde.»

Und hier nun die originale Fassung von Joseph Roth:

> Mendel erinnerte sich an den *alternden, grauen* Schnee, der das *hölzerne* Pflaster des Bürgersteigs in Zuchnow um diese Jahreszeit säumte, an die *kristallenen* Eiszapfen am Rande der Spundlöcher, an die *plötzlichen*, sanften Regen, die in den Dachrinnen sangen, die ganze Nacht, an die fernen Donner, die hinter dem Föhrenwald dahinrollten, an den *weißen* Reif, der jeden *hellblauen* Morgen zärtlich bedeckte, an Menuchim, den Mirjam in eine *geräumige* Tonne gesteckt hatte, um ihn aus dem Wege zu räumen, und an die Hoffnung, daß endlich, *endlich* in diesem Jahre der Messias kommen werde.

Es ist keine Frage, daß die Originalfassung die bessere ist; höchstens die «geräumige» Tonne hätte man ändern können, um die unfreiwillige Doppelung mit dem «räumen» in der nächsten Zeile zu vermeiden. Jedes einzelne Beiwort macht das Erinnerungsbild genauer, mit jedem zoomt es Roth noch etwas schärfer heran. Hölzerne Gehsteige lassen eine ganze Epoche auferstehen; plötzlicher sanfter Regen und hellblauer Morgen eine ganze Kindheitsstimmung; das wiederholte «endlich» drückt die allmählich lang werdende Wartezeit aufs Kommen des Messias aus.

Ein anderer Satz aus dem *Hiob*, der Mendels Blick auf die Leuchtreklamen des nächtlichen New York beschreibt, besteht überhaupt nur aus Adjektiven. Möchte man eines davon missen?

> Wie es seine Gewohnheit war, trat er sofort zum Fenster. Da sah er zum ersten Mal die Nacht von Amerika aus der Nähe, den geröteten Himmel, die flammenden, sprühenden, tropfenden, glühenden, roten, blauen, grünen, silbernen, goldenen Buchstaben, Bilder und Zeichen.

Im *Radetzkymarsch*, der einen anderen Tonus als der *Hiob* hat, verwendet Roth die Beiwörter ebenso verschwenderisch, aber humoristischer; in ihnen liegt überhaupt sein komisches Salz. Der Tisch, auf dem der frisch geadelte von Trotta in seiner Amtsstube vergeblich einen Brief an seinen Herrn Vater entwerfen will, bevor er die unfruchtbare Feder ans Tintenfaß lehnt – diesen Tisch beschreibt Roth als einen «von spielerischen Messern gelangweilter Männer reichlich zerschnitzten und durchkerbten». Und so geht das dreihundert Seiten lang – ein schäumendes Fest der Beiwörter, die Saturnalien der Attribute.

Ein anderer Beiwortschwelger ist Robert Walser. Im *Gehülfen* wird am Schweizer Nationalfeiertag die Stadt beflaggt:

> Von Josephs Turm herab flatterte eine schöne große Fahne. Je nachdem der Wind wehte, machte sie mit ihrem leichten Leib einen kühnen, stolzen Schwung, oder sie bog sich beschämt und müde zusammen, oder sie kräuselte und schwang sich kokett um die Stange, wobei sie sich in ihren eigenen, graziösen Bewegungen zu sonnen und zu spiegeln schien. Und dann auf einmal wieder wehte sie hoch und breit und weit empor, einer Siegerin und starken Beschützerin ähnlich, um allmählich von neuem rührend und liebkosend in sich selbst zusammenzusinken.

Kann man besser ausmalen, was eine Fahne so alles macht im wechselnden Wind? Der Auszug ist ein Beispiel für einen Beiwortreichtum, den man nicht bekritteln möchte. Denn hier übernimmt das Beiwort die Funktion des Agens, es ist nicht nur schmückender Zusatz, es ist die Sache selbst. Es sind die Attribute, die flattern und schwappen und sich kräuseln oder notfalls als Wetterfahne im Winde klirren, wie sie es vor Hölderlins Tübinger Turm taten.

Als Gegenbeispiel ein Autor, der eine starke Gemeinde hat und die Beiwörter ebenfalls liebt:

> Die Kuckucksrufe waren nun längst verstummt, doch in den höchsten, wipfeldürren Zweigen waren unsichtbar die Sprosser aufgezogen, köstliche Sänger, deren Stimme die kühle Feuchte inniglich durchdrang. Dann stieg mit grünem Schimmer, wie aus Grotten, der Abend auf. Den Geißblattranken, die aus der Höhe herniederhingen, entströmte tiefer Duft, und schwirrend stiegen die bunten Abendschwärmer zu ihren gelben Blütenhörnern auf. Wir sahen sie leise zitternd und wie im Wollusttraum verloren vor den Lippen der aufgereckten Kelche stehen, dann stießen sie vibrierend den schmalen und leicht gekrümmten Rüssel in den süßen Grund.

Inniglich, tief und süß: Will man da weiterlesen? Eher weniger. Ernst Jünger möge alleine wollustwandeln auf seinen Marmorklippen; in diesem Fall hielten wir es doch lieber mit Hemingway. Das gilt übrigens, was die Adjektive betrifft, auch für den Autor, den seine Verächter den Erwerbs-Zweig nennen. Nur ein Beispiel aus der Novelle *Phantastische Nacht*:

> In einer fanatisch monotonen Art stampften die Orchestrions harte Polkas und rumpelnde Walzer, dazwischen knatterten dumpfe Schläge aus den Buden, zischte Gelächter,

grölten trunkene Schreie und jetzt sah ich schon mit irrsinnigen Lichtern die Karusselle meiner Kindheit kreisen.

Jeder beliebig gewählte Satz Franz Kafkas schubst diese knatternde Prosa in den Orkus.

Starke Adjektive hatte in seinem reichen Werk Gottfried Benn, darunter das von ihm geschöpfte «rauschbereit». Der vierte Absatz in seinem Gedicht *Epilog* lautet:

Es ist ein Garten, den ich manchmal sehe
östlich der Oder, wo die Ebenen weit
ein Graben, eine Brücke, und ich stehe
an Fliederbüschen, blau und rauschbereit.

Ein unfreiwilliger Kalauer ist es nur, wenn man das «rauschbereit» grammatisch falsch aufs «Ich» bezieht; sehr schön, wenn man sich das plötzliche üppige Erblühen der blauen Fliederknospen denkt.

Ein letztes Beispiel führt weg vom Poetischen ins Elend einer geschundenen Persönlichkeit. Herta Müller läßt in der Schlußkadenz der *Atemschaukel* den deportierten und durchs sowjetische Lager seelisch verstümmelten Oskar Pastior sich im Alter so charakterisieren:

Meine stolze Unterlegenheit.
Meine zugemaulten Angstwünsche [...]
Meine trutzige Nachgiebigkeit, in der ich allen recht gebe, damit ich es ihnen vorwerfen kann.
Mein verstolperter Opportunismus.
Mein höflicher Geiz.
Mein matter Sehnsuchtsneid, wenn Leute wissen, was sie vom Leben wollen. [...]

Meine steile Ausgelöffeltheit, dass ich von außen bedrängt und innen hohl bin, seit ich nicht mehr hungern muss.

Ohne die Adjektive wäre diese zerklüftete Seelenlandschaft, dieses Trümmer- und Karstfeld nicht zu beschreiben gewesen. Pastior wurde als Mensch wohl nie genauer getroffen, und es sind die Adjektive, aus denen sich sein Psychogramm zusammensetzt. Jedes einzelne steht in Spannung zum Hauptwort und gibt ihm eine andere Drehung, genauer gesagt: Das Adjektiv bewirkt überhaupt erst, daß man das Substantiv drehen kann, es macht es gewissermaßen dreidimensional.

Syntax: Pat und Patachon; Para und Hypo

Wir sind ein paar Stufen hochgestiegen, die Wortarten haben wir halbwegs überblickt. Wenden wir uns den Sätzen zu, aus denen sich diese Wörter zusammenfügen. Es gibt hier grundsätzlich zwei unterschiedliche Typen.

Man kann einfache und kurze Sätze schreiben.

Man kann auch einfache und lange Sätze schreiben, bei denen folgt der eine Satzteil auf den nächsten, und dem folgt noch ein weiterer, und so kann die Satz-Lokomotive mit ihren vielen kleinen Waggons lange und gemächlich über die Gleise vor sich hin tuckern, die Masten wandern vorbei, ein Rauchwölkchen zieht vorm Fenster entlang, auf den Weiden grasen die Kühe, am Horizont erhebt sich ein Bergmassiv, auf dem Gipfel leuchtet ein Zipfelchen Schnee, der Schnee liegt schon im Abendrot der untergehenden Sonne, und so kann es ewig weitergehen.

Und dann kann man, gerade im Deutschen, das sich durch hohe Beweglichkeit in der Satzgliedstellung auszeichnet, woraus sich andere Gepflogenheiten der Syntax ergeben, als sie etwa das

Französische und Englische mit ihren häufigeren Partizip-Konstruktionen bieten – weshalb besonders die Engländer, aber auch Mark Twain so oft am Deutsch verzweifelten, vor allem an der finiten Stellung des Verbs –, ebenso Sätze schreiben, in denen sich ein Haupt- oder Matrixsatz zwar durchzieht wie ein kaum sichtbarer langer Strang, um den sich aber Tentakeln von Nebensätzen winden, die sich ihrerseits verästeln und verzweigen können, so daß der Hauptstrang gleichsam überwuchert wird und der Verfasser, er mag das Geflecht so gewissenhaft zupfen und zurechtlegen, wie er will, darauf zu achten hat, daß des Lesers Geduld, die trainierter sein muß als bei dem Passagier jener Satz-Lokomotive, der viel Zeit hat, sein Butterbrot auszupacken und einen Apfel zu schälen, dessen rotes Bäckchen das Abendrot zu reflektieren scheint, sich nicht dennoch vor dem endlichen *point final* erschöpft.

Man nennt es Parataxe und Hypotaxe. Welche ziehen wir vor?

Wahrnehmungspsychologisch oder selbst neurologisch betrachtet, verarbeitet man lieber kurze Einheiten als lange. Man hat lieber klare Bezüge als komplizierte. Das ist die eine Seite.

Auf der anderen Seite kann man auch ungeduldig werden über zuviel Redundanz, dann schwingt das Pendel in die andere Richtung, das Unbekannte lockt, die vertraute Sicherheit wird langweilig, und die ewigen Bernhardschen oder Brucknerschen Wiederholungen gehen uns auf den Geist. Zwischen diesen Polen bewegt sich der Stil.

Das folgende Beispiel ist der letzte Satz aus Elias Canettis *Augenspiel*, hier schreibt er mit allem ihm zur Verfügung stehenden Pathos, das ist sein letztes Wort, es wird keine weiteren Werke seiner Autobiographie geben, es ist sein Abschied von der Mutter, nichts wird diesen Schlußsatz mehr übertreffen, er hat sich damit ausgeschrieben, nur Notizen werden noch folgen … Lesen wir also diesen Schlußsatz.

> Es hört sich an, als ob er leise zu ihr singen würde, nicht von sich, keine Klage, nur von ihr, nur sie hat gelitten, nur sie darf klagen, er aber tröstet sie und beschwört sie und verspricht ihr immer wieder, daß sie da ist, sie allein, mit ihm allein, niemand sonst, jeder stört sie, darum will er, daß ich ihn mit ihr allein lasse, zwei oder drei Tage, und obwohl sie begraben ist, liegt sie da, wo sie krank immer war und in Worten holt er sie und sie kann ihn nicht verlassen.

Ist es ergreifend? Ja, vielleicht. Aber die Parataxe, nervt sie nicht doch?

Oft ist der rhetorische Kurzsatzstil manierierter, als es weitschweifige Satzbögen sind. Was dahintersteht, ist der trotzige Anspruch der *Arte povera*. Klar könnten wir auch elegant sein, wenn wir wollten, aber wir wollen es nicht! Wir lehnen es ab, wir machen auch noch aus Holz, Bindfaden und Pappmaché Kunst, wir kommen auch mit kurzen Sätzen klar, atemlos, wie wir aus Empörung sind! Uns egal, ob ihr das schön findet, es soll auch nicht schön sein, bei uns gibt es auch Kotwurstkünstler – siehe Streeruwitz, *Kreuzungen* –, findet ihr die etwa schön? Eben, und das sollt ihr auch nicht.

«Er war jung gewesen. Mit ihr war er jung gewesen. Sie war die Zeugin seiner Jugend. Dass seine Brüste nicht so schlaff waren. Dass sein Körper. Einmal. Kegel. Er hatte von sich das Bild von Kegel. Ineinandergreifende Kegel. Zu gehen.»

Mit Kind und Kegel fliehen zu wollen vor solcher Prosa ist das eine; ihr Stil abzusprechen das andere. Daß Kurzsatz-Perioden nicht pseudonaiv oder bockig sein müssen, zeigt sich in der folgenden Passage aus Joseph Roths *Radetzkymarsch*. Es findet sich kein einziger Relativsatz in ihr. Sie ist ein Beispiel für ruhig fließende Parataxe, ein Beispiel auch für gelungene, rhythmisierte Wiederholung. Inhaltlich befinden wir uns auf dem Höhepunkt des Romans: Herr von Trotta nimmt Abschied von seinem Kaiser, von der Welt von Gestern; er nimmt Abschied von der Habsburgermonarchie.

> Die Bäume im Schönbrunner Park rauschten und raschelten, der Regen peitschte sie, sacht, geduldig, ausgiebig. Der Abend kam. Neugierige kamen. Der Park füllte sich. Der Regen hörte nicht auf. Die Wartenden lösten sich ab, sie gingen, sie kamen. Herr von Trotta blieb. Die Nacht brach ein, die Stufen waren leer, die Leute gingen schlafen. Herr von Trotta drückte sich gegen das Tor. Er hörte Wagen vorbeifahren, manchmal klinkte jemand über seinem Kopf ein Fenster auf. Stimmen riefen. Man öffnete das Tor, man schloß es wieder. Man sah ihn nicht. Der Regen rieselte, unermüdlich, sacht, die Bäume raschelten und rauschten.

Die Bäume rauschten und raschelten; sie raschelten und rauschten. Große Prosa, oder nicht? Stefan Zweig, Roths Freund und Förderer, hätte immer ein paar Lampions in den Park gehängt.

Ein Fest, ja eine Orgie der Hypotaxe zelebriert der Briefwechsel zwischen Franz Overbeck und Erwin Rohde. Rohde als klassischer Philologe, Overbeck als kritischer Theologe, beides Nietzsche-Freunde und Verehrer Schopenhauers, liebten ihren Satzbau komplex. In seinem Vorstellungsbrief an Herrn Professor Overbeck vom September 1873 dankt Rohde für die Zusendung von dessen theologischer Streitschrift und erklärt, warum er lebhafteste Sympathie für sie empfinde. Der Adressat des Briefes dürfte den Inhalt des folgenden Satzes verstanden haben (falls er ihn entziffern konnte, Rohdes Handschrift war notorisch unlesbar); der heutige Leser hat selbst mit der Druckfassung leichte Schwierigkeiten.

> Wo bliebe denn eigentlich zuletzt ein wirklicher Inhalt, im Alles nach sich bestimmenden Lebensprinzip, wenn nicht nur unsern übrigen, von Nietzsche so drastisch gezeichneten «Bildungsphilistern» erlaubt sein soll, alles Edelste, das Leben bildende und sich nachziehende, in eine kühle «objective» Ferne zu rücken, wo man denn von seiner Existenz wissen kann und dabei doch ruhig und in seinem eignen Lebensgefühl unberührt auf seinem Canapee sitzen bleiben kann, – wenn nun auch das Christenthum von denjenigen, die es ganz wegzuwerfen den Muth nicht haben in eine solche Distance der «wissenschaftlichen» Betrachtung gerückt wird, ohne daß sein eigentlicher Lebensgehalt – den von einem Theologen so entschieden als einen asketischen bezeichnet zu sehen, wie ich ihn aus Schopenhauer kannte, mich sehr erfreut hat – auf die Gesinnung der Betrachtenden irgend einen Einfluß zu gewinnen brauchte.

Hier verzweifelt wohl nicht nur der Engländer; dabei wird der Satz beim dritten Mal lesen ganz klar. Na gut, beim vierten Mal. Auf einer gedachten Skala von simpler Parataxe zu kaum noch verständlicher Hypotaxe stünden Rohde und Overbeck, in der Gesellschaft von Rudolf Borchardt, am rechten Ende. Am linken Ende dieser Skala ständen die Sprache der Kleinkinder und der Stummelsatz-Stil der Marlene Stree.ru.witz.

Letzterer, Rudolf Borchardt, hätte sich als Stilist auch dann einen Namen gemacht, wenn es keine Zeile mehr von ihm gäbe als die folgende lange Periode und Feier des Frühlings, in der Borchardt das Kommunikationsnetz der Pflanzen erklärt. Der Satz ist aus seinem Buch *Der leidenschaftliche Gärtner* und erweist Borchardt als leidenschaftlichen Hypotaktiker.

> Daß die Farben der Korolle, mit augenartig und mienenartig ausgehängten Lockzeichen, daß die Gesten der Werbungsorgane rings um den stillen Sitz der Braut, daß der zarte und der gewaltige Duft, die mächtig aus dem Laube ragende Tracht, und das verstecke Äugeln aus dem wirren Grün, unzählige Mittel sind, dem wurzelgebundenen Geschöpfe ein weitgespanntes Gebiet der Kräftestrahlung, statt der ihm versagten Fortbewegung, zu schaffen und alles in diesem Gebiete Einkehrende sich als Gast zu unterwerfen, – das weiß der Mensch, der einer dieser Gäste nicht minder ist, als Biene, Käfer und Vogel; denn diese Ladung, eine mit der neuen Jahrzeit ausbrechende Urgewalt der sich erneuernden Schöpfung, verwandelt die Welt, zu der auch er als Kreatur gehört, unwiderstehlich und hüllt sie in einen göttlichen Mantel der Erregung und Erwartung.

Schreib's einer nach! Ein ähnlich gewaltiger Hypotaktiker wie Borchardt war Heinrich von Kleist. Er stünde auf gedachter Skala neben Overbeck und Rohde, anders als diese dabei jedoch rhythmisch hochkontrolliert.

Seine so berühmte wie, wenn man ehrlich ist, zwischendurch fast unlesbare Novelle *Michael Kohlhaas* zeigt Kleist in all seiner kalt-fiebrigen, keine Rast duldenden Vehemenz: Er selbst ist der Kohlhaas des Stils, er kommt nicht zur Ruhe, er wütet immer weiter voran in gestrecktem Dauergalopp; der Leser, der ihm in der ersten Etappe noch folgt, ringt in der zweiten nach Atem und droht ermattet zurückzufallen. Genie? Kaum ein größeres hat seine Zeit gesehen; kein größeres Stück als *Amphitryon* und *Der zerbrochne Krug*. Kleists Prosa hat von diesem dramatischen Geist profitiert, wenn er sie zu zügeln weiß; im *Kohlhaas* kennt sie zwischendurch kein Halten mehr und geht mit ihm durch.

Das dramatisch Federnde und Bewegte – wenn man von Prosa

sagen kann, sie sei federnd, dann von der Prosa Kleists – nimmt uns zu Anfang noch ein:

> Kohlhaas, über eine so unverschämte Forderung betreten, sagte dem Junker, der sich die Wamsschöße frierend vor den Leib hielt, daß er die Rappen ja verkaufen wolle, doch dieser, da in demselben Augenblick ein Windstoß eine ganze Last von Regen und Hagel durchs Tor jagte, rief, um der Sache ein Ende zu machen: wenn er die Pferde nicht loslassen will, so schmeißt ihn wieder über den Schlagbaum zurück; und ging ab.

Der dramatische Gestus zeigt sich schon am letzten Halbsatz: «und ging ab»; eine szenische Anweisung. Ebenfalls im dramatischen Geist die syntaktisch gleichwohl verwickelte Antwort des von der Tronkenburg gejagten und verprügelten Knechts auf Kohlhaas' Vorhaltungen.

> Der Knecht, auf dessen blassem Gesicht sich, bei diesen Worten, eine Röte fleckig zeigte, schwieg eine Weile; und: da habt Ihr recht, Herr! antwortete er; denn einen Schwefelfaden, den ich durch Gottes Fügung bei mir trug, um das Raubnest, aus dem ich verjagt worden war, in Brand zu stecken, warf ich, als ich ein Kind darin jammern hörte, in das Elbwasser, und dachte: mag es Gottes Blitz einäschern; ich wills nicht!

Diese Hemmungen wird der Knecht kurz darauf verlieren, durch die unbändige Wut des Herrn Kohlhaas angestachelt.

Was, grammatisch gesehen, die Wut der angelsächsischen und französischen Leser anstacheln muß, ist die furchtbare Angewohnheit des Deutschen, das Verb sich bis zum Schluß aufzusparen (nur der Österreicher zieht es gern einmal liberal vor). Aber Kleists Verhältnis zu Frankreich war ohnehin gespannt. Da macht er sich aus dieser finiten Verbstellung ein besonderes Plaisir. Im folgenden Beispiel hieße der eigentliche Hauptsatz (es geht um die Verschickung eines Sendschreibens): «Dabei wurden einige Fragmente angehängt.»

Bei Kleist lautet der Satz so:

> Dabei wurden einige Fragmente der Kriminalverhandlung, die der Roßhändler auf dem Schlosse zu Lützen, in Bezug auf die oben erwähnten Schändlichkeiten, über ihn hatte anstellen lassen, zur Belehrung des Volks über diesen nichtsnutzigen, schon damals dem Galgen bestimmten, und, wie schon erwähnt, nur durch das Patent das der Kurfürst erließ, geretteten Kerl, angehängt.

Mark Twain – wir sehen dich deine Fäuste schütteln!

Im Mittelteil der Novelle geht es um das juristische Schicksal des Michael Kohlhaas, um das unerhört komplizierte, den Kopf verwirrende Hin und Her zwischen den kurfürstlichen Landesherren, zwischen Sachsen, Brandenburg und am Ende Wien, und hier nun, könnte man zur Rechtfertigung der immer kürzere Satzglieder immer aufwendiger verschachtelnden Kleistschen Hypotaxe anführen, hier nun bildet diese Hypotaxe sowohl die Kleinstaaterei als auch die juristische Kompliziertheit gewissermaßen spiegelbildlich ab. Das wäre als ästhetisches Argument auch gar nicht von der Hand zu weisen. Lesbarer wird dieser Mittelteil darum aber noch lange nicht. Erst zum Schluß, sobald eine geheimnisvolle Wahrsagerin mit einer dem Kohlhaas anvertrauten und vom Kurfürsten bitter begehrten schriftlichen Prophezeiung ins Spiel kommt – dem MacGuffin, wie man mit Hitchcock sagen würde –, gewinnt wieder der Dramatiker in Kleist die Überhand.

Und wie schön dann, wenn sich der *motus animi continuus*, den Thomas Mann im *Tod in Venedig* anführt, in Kleists Prosa so weit beruhigt, daß auch einmal ein einfacher Satz dabei herauskommen kann. So einer wie zum Schluß des klassischen Denkstücks *Über das Marionettentheater*, in dem der Ich-Erzähler von einem Tänzer über die Marionetten, die Grazie und die Vertreibung aus dem Paradies belehrt wird und zur Conclusio kommt:

> Mithin, sagte ich ein wenig zerstreut, müßten wir wieder von dem Baum der Erkenntnis essen, um in den Stand der Unschuld zurückzufallen?
> Allerdings, antwortete er; das ist das letzte Kapitel von der Geschichte der Welt.

*

Wo stünden die Brüder Heinrich und Thomas auf unserer gedachten Skala? Thomas Mann hat die Syntax hauptsächlich von Nietzsche gelernt, der sie wiederum von Schopenhauer hat. Der Satz darf den Gedanken- und Redefluß nachbilden, mit kleinen Stauungen und Schnellen und Mäandern und Kaskaden. Und ab und zu einem Wasserfall.

Heinrich Manns größter Roman *Henri Quatre* beginnt mit einem Kindheitsidyll. Es überwiegt die Parataxe.

> Der Knabe war klein, die Berge waren ungeheuer. Von einem der schmalen Wege zum andern kletterte er durch eine Wildnis von Farren, die besonnt dufteten oder im Schatten ihn abkühlten, wenn er sich hineinlegte. Der Fels sprang vor, und jenseits toste der Wasserfall, er stürzte herab aus Himmelshöhe. Die ganz bewaldeten Berge mit den Augen messen, scharfe Augen, sie fanden auf einem weit entfernten

> Stein zwischen den Bäumen die kleine graue Gemse! Den Blick verlieren in die Tiefe des blau schwebenden Himmels! Hinaufrufen mit heller Stimme aus Lebenslust! Laufen, auf bloßen Füßen immer in Bewegung! Atmen, den Körper baden innen und außen mit warmer, leichter Luft! Dies waren die ersten Mühen und Freuden des Knaben, er hieß Henri.

Alle mit einem Ausrufungszeichen abgeschlossenen Sätze sind aus der Perspektive des Kindes erzählt. Anfang und Schluß sind auktorial. Relativsätze sind selten, Heinrich Mann stellt gern Hauptsätze nebeneinander, am liebsten drei, und verbindet sie durch ein Komma. Selbst wenn der Relativanschluß sich fast zwingend anbietet, vermeidet er ihn. Im Roman *Empfang bei der Welt* heißt es nicht: «Eine Stimme, der keine andere gleicht», sondern: «Eine Stimme, keine andere gleicht ihr!» Selbst beim schönen *Henri-Quatre*-Anfang spürt man seine Anfälligkeit für Manierismen, der er später, und gar in schwächeren Werken, wehrlos unterliegt.

«Wie kam er grade auf das Wort? Karl, es hören, und er verlor den Dolch, der fiel und fortsprang.»

Dies eine der typischsten Heinrich-Marotten, stark an der Grenze zur keineswegs freiwilligen Komik. Solche Sätze? Wir, sie lesen, und müssen schmunzeln. Immer recht lebendig haben will es Heinrich, da läßt er jede Mine springen. Das Mittel der Exklamation, das schon der Knabe Henri zu nutzen weiß, verwendet er anderswo ohne jede Hemmung. In dem 1925 veröffentlichten Roman *Der Kopf*, Abschluß der sogenannten Kaiserreich-Trilogie, lesen wir:

> Die Frau, die er liebte, um derentwillen er floh, alles abbrach, alles wagte! Kommt sie schon? Die verabredete Stunde! Aber

> daß sie nur jetzt mich nicht ertappt! Jetzt, da ich die Beute meiner Zweifel bin. Erhabenheit des unbeugsamen Geistes, Empörung noch unerbittlicher Moral – sollten sie nichts weiter gewesen sein als Fallstricke der Sinne? Flucht! Aufruhr! – aber wann, in welchem Zeitpunkt?

In welchem Zeitpunkt das umschlägt in leise delirierenden Kitsch, bliebe zu untersuchen. Es wäre ein Irrtum zu glauben, daß Parataktiker immer leichter zu lesen sind. Heinrich Mann macht sich geradezu einen Spaß daraus, die Sätze so zu bauen, daß sie zwar gerade eben noch den syntaktischen Regeln gehorchen, daß es aber ordentlich quietscht, weil er jedes einzelne Wort in die möglichst untypische Ecke stellt. Das liest sich dann manchmal wie von Google übersetzt. Um noch einmal den in den Fallstricken der Sinne sich verheddernden Helden des *Kopf* zu zitieren, der die Frau, die er liebte, auf dem Bahnhof sucht: «Der Zug – da bin ich! Aufgerissen die Türen, sie saß hinter keiner.» – Nie ward Neumann fettere Beute.

Auf dem Felde der Syntax treten die feindlichen Brüder mit ungleichen Waffen gegeneinander an: Krummschwert gegen Florett, Hauptsatzreihung gegen Schachtelsatz. Thomas Manns größter Roman, nach Auffassung vieler Verehrer (nicht nach unserer), beginnt in einer Stillage, die nicht schärfer mit der des Bruders kontrastieren könnte.

> Mit aller Bestimmtheit will ich versichern, daß es keineswegs aus dem Wunsche geschieht, meine Person in den Vordergrund zu schieben, wenn ich diesen Mitteilungen über das Leben des verewigten Adrian Leverkühn, dieser ersten und gewiß sehr vorläufigen Biographie des teuren, vom Schicksal so furchtbar heimgesuchten, erhobenen und gestürzten Mannes und genialen Musikers einige Worte über mich

> selbst und meine Bewandtnisse vorausschicke. Einzig die Annahme bestimmt mich dazu, daß der Leser – ich sage besser: der zukünftige Leser; denn für den Augenblick besteht ja noch nicht die geringste Aussicht, daß meine Schrift das Licht der Öffentlichkeit erblicken könnte, – es sei denn, daß sie durch ein Wunder unsere umdrohte Festung Europas zu verlassen und denen draußen einen Hauch von den Geheimnissen unserer Einsamkeit zu bringen vermöchte; – ich bitte wieder ansetzen zu dürfen: nur weil ich damit rechne, daß man wünschen wird, über das Wer und Wie des Schreibenden beiläufig unterrichtet zu sein, schicke ich diesen Eröffnungen einige wenige Notizen über mein eigenes Individuum voraus, – nicht ohne die Gewärtigung freilich, gerade dadurch dem Leser Zweifel zu erwecken, ob er sich auch in den richtigen Händen befindet, will sagen: ob ich meiner ganzen Existenz nach der rechte Mann für eine Aufgabe bin, zu der vielleicht das Herz mehr als irgendwelche berechtigende Wesensverwandtschaft mich zieht.

Die Angewohnheit des Mitten-im-Satz-wieder-neu-Anhebens hat Thomas Mann von Nietzsche übernommen, einem der Vorbilder für Adrian Leverkühn. Natürlich ist das Figurensprache und schon persifliert. Thomas Mann will seinen Erzähler Serenus Zeitblom, einen altmodischen Humanisten in Herzensnot, durch die Sprachform charakterisieren. Aber er hält diese überzogene Figurensprache nicht durch – der Leser hätte sie auch nicht lange ertragen –, nach einigen Kapiteln schreibt Zeitblom genau wie sein Mentor, vor allem syntaktisch sind es die immer gleichen Muster und Satzbaupläne, wie man das technisch nennt, und nur im 25. Kapitel mit Leverkühns auf Notenpapier niedergelegtem Bericht seiner Teufelsbegegnung in Palestrina, den Zeitblom verwahrt hatte und jetzt pietätvoll zitternd dem Leser mitteilt, ändert sich der Ton. Wer ihm, Thomas Mann, dieses Kapitel diktiert oder eingeflüstert hat, außer Theodor W. Adorno, will man dabei wirklich nicht so genau wissen.

Als Thomas Mann das Alterswerk seines Freundes Hermann Hesse las, erschrak er über die stofflichen und formalen Ähnlichkeiten mit dem *Doktor Faustus.* Und wenn wir vergleichen: Auch syntaktisch war *Das Glasperlenspiel* auf der Höhe der Zeitblomschen Prosa, hier und dort sogar, weil weniger leicht auszurechnen, origineller. Hesses Prosa sei, notiert Thomas Mann zwar einmal im Tagebuch, «nicht immer die feinste und neueste», auch nicht «die musikalischste». Dennoch hätte auch Thomas Mann den folgenden Satz kaum hinbekommen, obwohl der Anfang atmosphärisch nah am *Tonio Kröger* und das syntaktische Atemholen und Wiederansetzen mit «daß» typisch für Manns Spätstil ist. Hesses Satz aus dem *Glasperlenspiel* zieht sich über eine halbe Seite und hält zwischen Para- und Hypotaxe eine feine Balance. Die Pointe besteht darin, daß der lange Vorlauf nur auf ein einziges Wort, das vorletzte, zielt.

> Das heimatlose Leben führte ihn da- und dorthin, es machte ihn härter und gleichgültiger, auch klüger und resignierter, doch träumte er nachts immer wieder von Pravati und seinem einstmaligen Glück, oder was er nun so nannte, träumte viele Male auch von seiner Verfolgung und Flucht, schreckliche und herzbeklemmende Träume wie etwa diesen: daß er durch die Wälder fliehe, hinter sich mit Trommeln und Jagdhörnern die Verfolger, und daß er durch Wald und Sumpf, durch Dörnicht und über brechende morsche Brücken hinweg etwas trage, eine Last, einen Packen, etwas Eingewickeltes, Verhülltes, Unbekanntes, wovon er nur wußte, es sei kostbar und dürfe unter keinen Umständen aus den Händen gegeben werden, etwas Wertvolles und Gefährdetes,

> einen Schatz, etwas Gestohlenes vielleicht, gewickelt in ein Tuch, einen farbigen Stoff mit einem braunrot und blauen Muster, wie es das Festkleid Pravatis gehabt hatte – daß er also, mit diesem Packen, Raub oder Schatz beladen, unter Gefahren und Mühsalen fliehe und schleiche, unter tiefhängenden Ästen und überhängenden Felsen gebückt hindurch, an Schlangen vorbei und über schwindelnd schmale Stege über Flüssen voll von Krokodilen, daß er schließlich gehetzt und erschöpft stehenbleibe, daß er an den Knoten nestle, mit denen sein Packen verschnürt war, daß er sie einen um den anderen löse und das Tuch entbreite, und daß der Schatz, den er nun herausnahm und in schaudernden Händen hielt, sein eigener Kopf sei.

Der Satz, sooft man ihn liest, ist klanglich, rhythmisch und im Zusammengreifen der Satzglieder makellos: die lange, lange Rampe für die finale Enthauptung. Und wenn der Pedant jetzt fragt: Können «Hände» schaudern, oder muß das nicht die ganze Person tun, wird man ihm entgegnen: Doch, Schaudern und Zittern können hier einmal ineinander übergehen. Und wenn der Hesse-Skeptiker, vielleicht durch frühe *Siddharta*-Lektüre abgeschreckt, sich angesichts der Schlangengruben und von Krokodilen brodelnden Flüsse an *Indiana Jones* erinnert fühlt, dann weise man ihn zurecht und antworte: Ja, mag sein; aber Ehre, wem einmal Ehre gebührt.

Ein Autor, den man auf dieser Skala nicht einordnen könnte, ist Franz Kafka. Wenn man seine Anfangs- und Schlußsätze mit denen Thomas Manns vergleicht, steht er näher am linken, parataktischen Ende. *Der Process* beginnt: «Jemand mußte Josef K. verleumdet haben, denn ohne daß er etwas Böses getan hätte, wurde er eines Morgens verhaftet.» Er endet mit dem Satz: «‹Wie ein Hund!› sagte er, es war, als sollte die Scham ihn überleben.»

Die Erzählung *Die Verwandlung* beginnt: «Als Gregor Samsa eines Morgens aus unruhigen Träumen erwachte, fand er sich in seinem Bett zu einem ungeheueren Ungeziefer verwandelt.» Sie endet mit dem Satz:

> Und es war ihnen wie eine Bestätigung ihrer neuen Träume und guten Absichten, als am Ziele ihrer Fahrt die Tochter als erste sich erhob und ihren jungen Körper dehnte.

Nur noch einmal zum Vergleich den Schluß des *Zauberberg*:

> Wird auch aus diesem Weltfest des Todes, auch aus der schlimmen Fieberbrunst, die rings den regnerischen Abendhimmel entzündet, einmal die Liebe steigen?

29 Wörter bei Kafka, 22 bei Thomas Mann. Aber nicht die Länge entscheidet über das Skalenende, in dessen Nähe man rückt. Kafkas Satz ist ganz einfach gegliedert, jeder begabte Zwölftklässler könnte ihn verfassen, was den Satzbau betrifft. Thomas Manns Schlußsatz, ein Hauptsatz mit zwei Einschaltungen, ist syntaktisch und rhythmisch viel geballter und rückt den Verfasser ans rechte Skalenende.

Aber dann schaut zu, wenn Kafka syntaktisch die Zügel schießenläßt!

Wunsch, Indianer zu werden

> Wenn man doch ein Indianer wäre, gleich bereit, und auf dem rennenden Pferde, schief in der Luft, immer wieder kurz erzitterte über dem zitternden Boden, bis man die Sporen ließ, denn es gab keine Sporen, bis man die Zügel wegwarf, denn es gab keine Zügel, und kaum das Land vor

sich als glatt gemähte Heide sah, schon ohne Pferdehals und Pferdekopf.

Tja – Kafka. Wer sonst könnte so etwas Schräges verfassen? Robert Neumann jedenfalls nicht. Man kann, wenn man den Satz betrachtet, in diesem Fall noch weniger vom Inhalt absehen als sonst, auch wenn wir offiziell noch beim Thema der Syntax stehen.

Kafkas fünf Zeilen, ein einziger langer Satz, drücken das aus, was Schopenhauer in seinem Hauptwerk als den mystischen Moment des *desengaño* beschrieb: die große Enttäuschung, wenn sich die Einbildung als Einbildung, der festgewobene Trug als Trug erweist und der Schleier der Maja fällt. Indianer? Von wegen. Es gibt keine Sporen, es gibt keine Zügel, es gibt keinen zitternden Boden, nur öde Heide, und vom Pferd verschwinden vor dem kräftigen Leib, der als nächstes zerfallen wird, schon einmal Hals und Kopf. Wie dieses ruckweise Herunterreißen des Schleiers sich bei Kafka aber auch *syntaktisch* abbildet, das eben ist Genie – man kann sich keine andere Satzform vorstellen, die den Inhalt genauer abbildete. Auch daß der Satz kein richtiges Ende hat, gehört dazu, er bricht einfach ab, wie Kinder ein Spiel abbrechen, wenn es ihnen fad geworden ist. Er bricht ab, statt ordentlich zu enden, weil der Prozeß der Desillusionierung immer weitergeht, er hat kein natürliches Ende, es sei denn, er griffe zum Schluß – und hier würde es allerdings gruselig – nach dem Roß auch auf den Reiter und das Subjekt des Satzes selber über, auf das unbestimmte «man».

*

Irgendwelche Regeln also? Para oder Hypo? Als Regel gilt hier höchstens, daß Abwechslung nicht schadet. Wie Botho Strauß schreibt, zwischen Kalauer und Tiefsinn schwankend: «Das Abwechslungsreich blieb unerobert bisher in der Geschichte.»

Hemingway hielt es für einen effektvollen Trick, zum Ende einer Erzählung hin die Sätze immer kürzer werden zu lassen. In Prousts *Recherche*, die berühmt ist für ihre seitenlangen Perioden, gibt es einen ähnlichen Effekt, einen unverhofft kurzen Satz, der nur durch die Vorbereitung heraussticht und im Gedächtnis bleibt. Der Schriftsteller Bergotte ist gestorben, in der Nacht nach seinem Tod wachen in den beleuchteten Schaufenstern jeweils zu dreien angeordnete Bücher wie Engel mit entfalteten Flügeln. «Er war tot. Tot für immer? Wer kann es sagen?»

Wir hatten mit einer Zugfahrt begonnen, wir wollen mit einer Zugfahrt enden. Ein Beispiel für die gelungene Verlangsamung, den schönen gleitenden Übergang vom langen Satz bis zum *point final*, mit dem der Prosa-Zug zum Halten kommt, findet sich zum Schluß des vierten Kapitels in Kurt Tucholskys *Schloß Gripsholm*. Das Liebespaar sitzt im Abteil auf dem Weg zu seinem schwedischen Urlaubsziel:

> Und da tat sie etwas, wofür ich sie besonders liebte, sie tat es gern in den merkwürdigsten, in den psychologischen Augenblicken: sie legte die Zunge zwischen die Zähne und zog sie rasch zurück: sie spuckte blind. Und dafür bekam sie einen Kuß – auf dieser Reise schienen wir immer in leeren Abteilen zu sitzen – und gleich wandte sie einen frisch gelernten dänischen Fluch an: «Der Teufel soll dich hellrosa besticken!» und nun fingen wir an, zu singen. […]
>
> Und grade, als wir im besten Singen waren, da tauchten die ersten Häuser der großen Stadt auf. Weichen knackten, der Zug schepperte über eine niedrige Brücke, hielt. Komm raus! Die Koffer. Der Träger. Ein Wagen. Hotel. Guten Tag. Stockholm.

Die schwarze Kunst der Prosa: Der Rhythmus

Wir haben uns die Sätze angeschaut und wie unterschiedlich man sie zusammenfügen kann, aber nicht, was in ihnen lebt, atmet, gleitet, hüpft, zuckt, vibriert, sich verströmt – also den Rhythmus.

Der Rhythmus ist die schwarze Kunst der Prosa. Hier ist fast nichts zu wiegen, auch nicht zu zählen, hier hängt es ab vom musikalischen Ohr. Stil sei, wenn man's nicht merke, sagte Felicitas Hoppe einmal. Noch treffender wäre: Rhythmus ist, wenn man's nicht merkt. Wenn man ihn zu deutlich merkt, ist es schon schlecht oder, um jenen Ausruf eines Theaterkritikers beim Aufgehen des Premierenvorhangs zu zitieren: «Schon faul!»

Alle großen Stilisten und Stilistinnen sind rhythmisch sicher, sonst wären sie nicht groß. Um das Tautologische an diesem Satz zu mildern, schauen wir uns einmal Grenzfälle an: Große Stilisten, große Rhythmiker, die einmal kurz aus dem Takt geraten. Oder, schlimmer, ihn allzu hörbar klopfen.

Ein Beispiel für rhythmisches *Schon faul!* findet sich ausgerechnet am Anfang von Roths *Radetzkymarsch*. Der Satz schildert den Leutnant Trotta kurz vor seiner Heldentat, der Kaiserrettung in der Schlacht von Solferino. Man könnte ihn in einzelne Zeilen setzen und chorisch vortragen lassen – von schwarzgewandeten Schauspielerinnen:

> Bald schloß er dichter die gelichtete Reihe,
> bald wieder dehnte er sie aus,
> nach vielen Richtungen spähend
> mit hundertfach geschärftem Auge,
> nach vielen Richtungen lauschend
> mit gespanntem Ohr.

Mitten durch das Knattern der Gewehre
klaubte sein flinkes Gehör
die seltenen, hellen Kommandos seines Hauptmanns.

Sein scharfes Auge durchbrach den blaugrauen Nebel
vor den Linien des Feindes.

Aber das ist hier nicht die Ilias-Übersetzung von Voß, und so sollte es auch nicht klingen. Es ist metrisch zu ausgefinkelt, zu feierlich und gewollt, das Im-Gleichschritt-Marschieren der Silben lenkt vom Inhalt ab. Sobald der Satz paradiert und der Rhythmus sich nach vorne drängt, ist er schon starr und schlecht. Prosarhythmus muß lebendig und variabel fließen, unauffällig-durchsichtig wie Wasser, mit allen natürlichen Möglichkeiten des Zurückstauens oder Davonschießens. Der Prosarhythmus darf nicht insgeheim mit den metrisch strengen Formen des Gedichts konkurrieren wollen. Dort, im Gedicht, gibt es Daktylen, Trochäen, Pentameter und Konsorten – die man keineswegs kennen muß, um zu spüren, was in der Prosa richtig ist. Es genügt immer, es sich laut oder halblaut vorzulesen.

In der Generation der Groß- oder Urgroßeltern, die in der Schule noch Schillers Balladen auswendig lernte, galt der Ausruf: «Ein Gedicht!» als Universallob; es konnte ein guter Pflaumenkuchen, ein Blumenstrauß oder ein Aquarell damit gemeint sein. Auf Prosa gemünzt, ist «Ein Gedicht!» das Gegenteil eines Lobs.

Da, wo er sich am Gedicht versuchte, in seinem 1918 entstandenen Idyll *Gesang vom Kindchen*, wird selbst Thomas Mann fast unlesbar und zuckerbäckrig.

Naschte nicht weihnachtlich der Knabe die wonnige Speise,
Weit berühmt durch das Land, die die heimischen
 Zuckerbäcker

> Formten in Tortegestalt, aufprägend des türmigen Stadttors
> Bild der Masse, indes sie gewiß doch, die klebrige Manna,
> Aus dem Orient stammt, ein Haremsnaschwerk aus
> Mandeln,
> Rosenwasser und Zucker, und, getauft auf Sankt Markus,
> Über Venedig kam in die Heimat?

Das ist Lyrik als Marzipan. Der vorgegebene Rhythmus, das Versmaß des Hexameters lagen ihm nicht, Mann war Prosaiker durch und durch und nahm zum Glück nach der Gesangstunde gleich wieder den *Zauberberg* auf. Wenn man kurz zurückblättert zu dessen zitiertem Schlußsatz, wird man merken, was perfekter Rhythmus ist. Es gibt in Thomas Manns Prosa überhaupt keine rhythmisch flaue Stelle. Er hatte andere Schwächen, die wir streifen werden, aber rhythmische nie.

Um auf Joseph Roth zurückzukommen: Es ist kein Zufall, daß man dieses rhythmische Klappern im *Radetzkymarsch* nur auf den ersten Seiten hört – da sitzt der Autor noch im feierlichen Rock und will es mit frisch beschnittener Feder ganz besonders recht machen. Später im Kaffeehaus legt er den Rock ab und schreibt, wie es ihm zufließt, und siehe, es ist besser. Womit natürlich wenig gesagt ist über eines der Wunderwerke der Romanliteratur.

Selbst Heimito von Doderer, sonst rhythmisch so sicher, überzieht es einmal, in seiner schon 1922 konzipierten, aber erst spät veröffentlichten Erzählung *Das letzte Abenteuer*, in der eine Drachenjagd geschildert wird. Im jambischen Trab geht es dort seitenweise ins Gebirge, und man nickt wie bei einer langweiligen Predigt ein.

> So weit nur das Auge sehen mochte, wanderten die Hügel, unter dunklen Wogen des Nadelwalds, der wie Moos über ferne Kuppen zog, oder von dem helleren graugrü-

> nen Schaum der Laubwälder bedeckt. Und, sonderlich dort rückwärts, woher man gekommen war und wo das Meer der Baumkronen flach hinwegfloh bis an den Himmelsrand, schien alles in lichterer Farbe zu ruhen.

Schien *all*es in *lich*terer *Far*be zu *ruh*en. Auch das könnte man skandieren, und eben das ist es, was stört. Die einzigen rhythmischen Holperer der zwei folgenden Sätze stehen jeweils am Schluß. Benjamins These zufolge wären diese Sätze genau wegen dieser Holperer schön: die kleine Bresche, durch die ein Lichtstrahl in die Stube des Alchimisten fällt und Kristalle, Kugeln und Triangel aufblitzen läßt. Das Ohr hat sich aber schon so auf den gleichförmigen Singsang eingestellt, daß man das letzte Wort als Bruch empfindet und sich sagt: Wennschon – dennschon.

«Gegenüber aber, am Beginn des Gebirgszuges, stand da und dort ein vereinzelter Feldkegel nackt über die Bäume hinaus, starrte ein Zahn, zog sich ein langer Zackenkamm über den nächsten *Gipfel.*»

Man merkt es beim lauten Lesen: Metrisch gefordert wäre hier ein einsilbiges Wort, etwa der «Grat». Der ging aber nicht, weil Doderer ihn für den nächsten Satz braucht:

«Hier sah man die Tannen auf waldigen Graten emporwandern, einzelweis einander übersteigend, und hinter ihr dunkles Geäst legte sich die Ferne eines blassen Himmels, der schon den hinteren Bergen *angehörte.*»

Das letzte Wort hat mindestens eine Silbe zuviel, selbst «gehörte» wäre metrisch besser, aber dann doch zu auffällig. (Möglicherweise ist dies aber ein Streitfall.)

Es zieht sich noch lange weiter in diesem Ton, und dadurch rückt die Erzählung in die Nähe eines *poème en prose.* Sie ist zu genau durchgetaktet, was sich nur schwer mit der Prosa verträgt. Vielleicht merkt man es am ehesten, wenn man diesen Gebirgsauftritt mit einem zweiten vergleicht, der ihm verblüffend ähnelt; selbst darin, daß sich auch dort ein Drache im Wald versteckt. Über den Verfasser befragt, einen österreichischen Konkurrenten, sagte Doderer leicht maliziös, *er* pflege seine Romane zu beenden. Erzählungen hat dieser Landsmann beendet, und aus einer von ihnen stammt der folgende Auszug.

> Die Waldberge stürzten so auf und nieder, daß man diese Häßlichkeit einem, der nur die Meereswellen kannte, gar nicht hätte zu beschreiben vermögen. Voll kaltgewordener Würze war die Luft, und alles war so, als ritte man in einen großen zerborstenen Topf hinein, der eine fremde grüne Farbe enthielt. Aber in den Wäldern gab es den Hirsch, Bären, das Wildschwein, den Wolf und vielleicht das Einhorn. Weiter hinten hausten Steinböcke und Adler. Unergründete Schluchten boten den Drachen Aufenthalt. Wochenweit und -tief war der Wald, durch den nur die Wildfährten führten, und oben, wo das Gebirge ihm aufsaß, begann das Reich der Geister. Dämonen hausten dort mit dem Sturm und den Wolken; nie führte eines Christen Weg hinauf, und wann es aus Fürwitz geschehen war, hatte es Widerfahrnisse zur Folge, von denen die Mägde in den Winterstuben mit leiser Stimme berichteten, während die Knechte geschmeichelt schwiegen und die Schultern hochzogen, weil das Männerleben gefährlich ist und solche Abenteuer einem darin zustoßen können.

Das ist archaisierende, mit einem Hauch von Ironie überzogene Prosa genau unterhalb der Schwelle, auf der sich das Rhythmische zu deutlich in den Vordergrund spielt. Der Verfasser ist Robert Musil; das Stück ist aus der Novelle *Die Portugiesin.*

Im weitesten Sinne zieht sich der Rhythmus über ein ganzes

Buch. Manche tief ergreifenden Sätze wirken nur durch die lange Vorbereitung; eine lang ansteigende Freitreppe ist nötig, damit der ganz unscheinbare Satz seine Wirkung entfalten kann. Im *Radetzkymarsch* lautet dieser Satz, der nur dann zu Tränen erschüttert, wenn man jede Seite gelesen hat, die zu ihm hinführt: «Die Trottas waren schüchtern.» Der Hintergrund: Vater Trotta traut sich nicht, dem Sohn beim Abschied seine Liebe zu gestehen; sie trennen sich, ohne daß das entscheidende Wort fällt.

Regel: Die letzte Silbe des Satzes sollte gern betont sein. Ausnahmen wie die schüchternen Trottas bestätigen sie.

III. Die Instrumente zeigen

Er war ein Dichter und haßte das Ungefähre.

Rainer Maria Rilke

Das Geheimherz der Uhr. Die Metapher

Das Herzstück der poetisch-rhetorischen Mittel ist die Metapher. Sie steht außerhalb unserer Stufen-Hierarchie; sie kann in einem Wort aufblitzen, in einem Adjektiv oder auf einer halben Seite ausgeführt werden. Sie ist, wie Canetti sagen würde, das Geheimherz der Uhr. Zumindest fand das auch einer der größten Uhrmacher, Marcel Proust.

Für Proust war Gustave Flaubert ein mittelmäßiger Stilist, weil es in dessen Werk vielleicht keine einzige schöne Metapher gäbe. Und für Proust war die Metapher das entscheidende Stilkriterium überhaupt. Warum? Die Metapher, oder allgemeiner gesprochen das sprachliche Bild, bringt auf unmittelbar einleuchtende und oft verblüffende Weise Disparates zusammen.

Zum Beispiel bei Joseph Roth, wenn er zwei Sinne, den optischen und den akustischen, füreinander eintreten läßt: In seinem Fragment *Wasserträger Mendel* vergleicht er die hinter Lidern halbverborgenen Augen mit «Lauschenden hinter Vorhängen». Und noch einen Neigungsgrad weiter vom Kühnen zum Schrägen vergleicht er die klaren Brunnengewässer, die aus dem finstergrünen Grunde kommen, einem Leichnam, den man aus der Gruft hebe und der sich sofort in einen lebendigen Menschen verwandle.

In Herrndorfs *Tschick* sagt der depressive Held, er fühle sich nach einer stundenlangen Dusche etwas besser, «etwa so wie ein Schiffbrüchiger, der wochenlang auf dem Atlantik treibt, und dann kommt ein Kreuzfahrtschiff vorbei und jemand wirft eine Dose Red Bull runter und das Schiff fährt weiter – so ungefähr». Man müßte sehr lange suchen, um den Gefühlszustand des Jugendlichen in ein knapperes, komischeres Bild zu fassen. Und auf das Folgende, eine Notiz Walter Benjamins über die Traurigkeit des Silvesterabends, käme man auch in Jahrhunderten nicht: «Es ist, als wenn der Mensch von seinem gesegneten Tische die Neige der Zeit, um seinen Becher auszuschwenken, in Natur vergießt, die nun mit Zeit besprenkelt verraten und hilflos dasteht.» Das ist ebenso rätselhaft wie groß, weniger Prosa als Poesie.

Die Metapher ist gleichzeitig im Hier und im Dort, im eigentlich Gemeinten und in dem, womit es verglichen oder näher bezeichnet wird. Und dieses gleichzeitig oder überzeitlich im Hier und im Dort Sein ist genau die Pointe der berühmten unwillkürlichen Erinnerung, der *mémoire involontaire*, auf der die Poetik der *Suche nach der verlorenen Zeit* beruht. Es ist etwas ganz Reales, von jedem Menschen gelegentlich Erfahrenes, was diese Poetik ausmacht: das unerklärliche, gewaltige Glücksgefühl, bei dem uns plötzlich eine verschüttete Erinnerung an die Kindheit so intensiv aufsteigt, daß wir uns dorthin zurückversetzt fühlen; mit einem Bein im Jetzt, mit dem andern im sonnigen Tal der Vergangenheit, die für einen Moment zum neuen Jetzt wird. Fast immer wird dieses rätselhafte Glücksgefühl durch Gerüche ausgelöst. Bei Proust ist es der Geschmack der in ein Teeglas getunkten Madeleine, der seinem Helden die Kindheit in Combray heraufbeschwört. Mit einem Bein im realen Hier und Jetzt, mit dem andern in einer ganz anderen Welt, das ist genau die Bestimmung der Metapher und des sprachlichen Bilds, das für Prousts Poetik darum so entscheidend ist.

In den Naturwissenschaften dienen Metaphern oft der Ablenkung von der Tatsache der eigentlichen Unverständlichkeit, wie Burkhard Müller schlüssig dargelegt hat. In der Poesie und der Prosa gelten andere Regeln, es wird ein anderes Spiel gespielt, das heißt: Hier eben wird, anders als in den Naturwissenschaften, gespielt.

Dabei sehr ernst gespielt! Metaphern können sogar töten, jedenfalls bei Kleist. Und sie können uns überschwemmen. Der Name für diese Abundanz und Bilder-Überfülle ist Jean Paul. «Noch kein Autor hat so oft ‹wie› oder ‹gleich› hingeschrieben als ich» – er wußte es selbst. Jean Paul, das «Verhängnis im Schlafrock», wie Nietzsche ihn so schlagend wie ungerecht nannte, stand unter einem Midas-Fluch: Alles, was er berührte, wurde zum Gold der Metapher. Alles wird ihm Vergleich, witziges Bild, Metonymie – die flachen Prosa-Inseln, auf denen der Leser sich erholen kann vom sprudelnden Bilder-Meer, diese Inseln fehlen vollständig in seinen Romanen, die zum Grandiosesten der deutschen Sprache zählen, stilistisch von niemandem erreicht – und leider von niemandem mehr gelesen. In diesem Buch wird er fast nur als Aphoristiker in Erscheinung treten, alles andere erforderte ein Eigenes.

Das originellste Selbstmord-Utensil der deutschen Literatur wird am Ende der *Penthesilea* geschmiedet: ein Dolch nur aus Sprache. Penthesilea hat ihren heißgeliebten Achill versehentlich im Furor zu Tode gebissen, jetzt folgt die Reue.

Denn jetzt steig ich in meinen Busen nieder,
Gleich einem Schacht, und grabe, kalt wie Erz,
Mir ein vernichtendes Gefühl hervor.
Dies Erz, dies läutr' ich in der Glut des Jammers
Hart mir zu Stahl; tränk es mit Gift sodann,

Heißätzendem, der Reue, durch und durch;
Trag es der Hoffnung ewgem Amboß zu,
Und schärf und spitz es mir zu einem Dolch;
Und diesem Dolch jetzt reich ich meine Brust:
So! So! So! So! und wieder! – nun ists gut.
Sie fällt und stirbt.

Wie sich Penthesilea mit dieser ausschließlich metaphorisch zugespitzten Klinge das reale Bühnenleben nehmen soll, ist eines der vielen Geheimnisse dieses geheimnisvoll-zugespitztesten Dramas Kleists. Das Merkwürdige und ganz Besondere ist dabei, daß er kraft seiner Syntax nie in die Nähe des unfreiwillig Komischen gerät, wenn auch in dauernde Nachbarschaft zur Exzentrik, mit einigen Abstechern in die Kernzone der Hysterie. Allein am vierfachen *So!* erkennt man das wilde Genie.

Still und schön dagegen ein Zeitgenosse Kleists, bei dem die Sprache, genauer gesagt der Wortschatz, zum Bild der Gefährdung wird. «Wie wenn tagelang feine, dichte Flocken vom Himmel nieder fallen, bald die ganze Gegend in unermesslichem Schnee zugedeckt liegt, werde ich von der Masse aus allen Ecken und Ritzen auf mich andringender Wörter gleichsam eingeschneit.»

Das schreibt Jacob Grimm, nachdem er sich mit seinem Bruder entschieden hat, das deutsche Wörterbuch anzufangen, das erst gut hundert Jahre nach Jacobs Tod zum Abschluß kommen sollte. Mehr als A, B, C und E hat er nicht beenden können.

Ein ebenso exzentrischer Außenseiter wie Kleist, und kein kleineres Genie, war Georg Büchner, der in Zürich im Alter von 23 Jahren an einer Typhusinfektion starb, die er sich vermutlich durch Fisch-Sektion eingefangen hatte, und dessen schmales Werk wie mit Skalpell- oder Scherenhänden ins zwanzigste Jahrhundert vorauszugreifen scheint. Daß er auch ein großer Metaphoriker war, hat nicht zufällig ein Lyriker als erster hervorgehoben. Jan

Wagner hat in seiner Dankesrede zum Büchner-Preis eine Destillation aus Büchners Bildern zusammengestellt, auf die wir gerne zurückgreifen. Bei Büchner wird «die Erde so naß und klein, daß man sie hinter den Ofen setzen will», bei Büchner muß der Kopf gerade auf den Schultern getragen werden «wie ein Kindersarg»; bei Büchner wiegen sich Sonnenstrahlen an den Grashalmen «wie müde Libellen»; Käfer summen «wie gesprungene Glocken», Augen sind so schwarz, «als schaue man in einen Ziehbrunnen», und es wird empört gefragt, warum jemand das Maul so weit aufreiße, daß er einem «ein Loch in die Aussicht» mache.

Herrlich sei das, schließt Jan Wagner, und man ist ganz einverstanden. Ein einziger kleiner Zweifel bleibt: Können Käfer wirklich wie gesprungene Glocken summen? Wenn es denn Käfer und nicht doch eher Hummeln sind: ja, weil die Frequenzen sich unsauber überlagern. Büchner hatte genau hingehört.

Metaphern sind riskant, aber wenn sie sparsam eingesetzt werden, sehr wirkungsvoll. Ein Blitz schlägt ein, oder er schlägt nicht ein. Eine Metapher überzeugt sofort oder gar nicht. Ein paar Beispiele für Sprachbilder und kühne Vergleiche aus Joseph Roths *Radetzkymarsch*, der dem *Zauberberg* und dem *Mann ohne Eigenschaften* an Größe nicht nachsteht, was Metaphorik angeht, den *Zauberberg* sogar übertrifft.

Die Bilder bei Roth sind nicht poetische Ausschmückungen, sie haben Witz und riskieren immer wieder – das Wasser als wiederbelebter Leichnam – die Neigung ins Schiefe. Auf folgende Weise beschreibt Roth den spielsüchtigen Hauptmann im Casino, der auf die Übergabe eines Geldumschlags wartet: «Seine Finger zittern. Alle Finger gleichen ungeduldigen Räubern.» Derselbe Hauptmann, dem das Couvert im Casino nicht lange geholfen hat und der sich jetzt ruiniert sieht, bittet, als Trotta ihn streng befragen will, «mit ausgestreckter Hand und gleichsam ausgestreckten Augen um Stille».

Trotta selbst, der schöne zärtliche Tage in Wien hatte, muß zurück in seine Grenzgarnison; der Gedanke an seine Rückkehr schreitet «neben ihm einher wie ein Wächter neben einem Gefangenen». Das eben ist gefunden und nicht gesucht. Und komischer und sardonischer noch der bald darauf auftretende Bezirkskommissar, der vor der blutigen Niederschlagung einer Arbeiterdemonstration steht. Er tritt auf die Szene, «fröhlich wie ein Sonntag und eine Parade».

Metaphern sind die Goldkörner im Klondike der Prosa; aber es gibt auch viel Katzengold dabei. Wer ruft hier den Namen Stefan Zweigs?

Und sogar die Größten können sich dabei vertun. Friedrich Nietzsche schreibt in den *Unzeitgemässen Betrachtungen* über das Genie, das man nicht verurteilen dürfe, «als Gestirn ohne Atmosphäre zu kreisen», im andern Falle solle man sich nicht wundern über das schnelle «Verdorren, Hart- und Unfruchtbar-werden». Um Vergebung, aber das Bild des Planeten paßt nicht zu dem des organisch Verdorrenden, es ist das, was man eine Katachrese nennt. Und wäre er fünfmal Nietzsche, hier gilt leider, was Jean Paul vom Rezensenten gesagt hat: Er sei «kein Wunderthäter, der ein Gleichnis vom Hinken heilte».

Bilderhäufungen in einer Periode sind schwierig, weil die Bilder, wenn sie stark sind, in die benachbarten störend eingreifen, was zu Konflikten führen kann. Reizvoll, aber an der Grenze zur Katachrese ist eine Bilderhäufung des *Heinrich von Ofterdingen*. Novalis beschreibt im sechsten Kapitel ein rauschendes Fest, bei dem reichlich gebechert wird. «Blumenkörbe dufteten in voller Pracht auf dem Tische, und der Wein schlich zwischen den Schüsseln und Blumen umher, schüttelte seine goldenen Flügel und stellte bunte Tapeten zwischen die Welt und die Gäste.» Weder ist das «schleichen» schlecht, noch sind es die Goldflügel oder die bunten Tapeten. Nur alle drei zusammen zwingen den Leser zu der schwer lösbaren Aufgabe, sich den Wein personifiziert als etwas oder jemanden vorzustellen, der trotz seiner Flügel schleicht und dabei Tapeten aufstellt. Wie sollte ein solches Wesen beschaffen sein? Man darf möglichst erst gar nicht ins Grübeln kommen bei Metaphern.

Musils Fliegenpapier

Ein anderer Fall von Bilderhäufung findet sich im *Fliegenpapier*, Robert Musils Miniatur aus dem *Nachlaß zu Lebzeiten*, die es verdienterweise in den Deutschunterricht geschafft hat. Eben weil sie so meisterhaft, aber auch wieder so typisch musilsch ist, betrachten wir sie in aller Ruhe und mit jenem Vergrößerungsglas, das zu ihrem Finale gezückt wird.

«Das Fliegenpapier Tangle-foot ist ungefähr sechsunddreißig Zentimeter lang und einundzwanzig Zentimeter breit; es ist mit einem gelben, vergifteten Leim bestrichen und kommt aus Kanada.» So beginnt Musil seine Fliegen-Meditation.

> Wenn sich eine Fliege darauf niederläßt – nicht besonders gierig, mehr aus Konvention, weil schon so viele andere da sind – klebt sie zuerst nur mit den äußersten, umgebogenen Gliedern aller ihrer Beinchen fest.

Und damit beginnt ihr langer Todeskampf, den Musil in immer neuen Bildern beschreibt. Die Fliegen erinnern ihn an alte klapprige Militärs, an Frauen, die vergeblich ihre Hände aus den Fäusten eines Mannes winden wollen.

> Sie biegen sich vor und zurück auf ihren festgeschlungenen Beinchen, beugen sich in den Knien und stemmen sich em-

> por, wie Menschen es machen, die auf alle Weise versuchen, eine zu schwere Last zu bewegen; tragischer als Arbeiter es tun, wahrer im sportlichen Ausdruck der äußersten Anstrengung als Laokoon.

Zwei mißglückte Adjektive im Satz nach dem Semikolon; tragisch ist es nicht, das Schicksal der Fliegen, tragisch setzt einen Konflikt zwischen zwei gleichberechtigten Werten voraus; und das Wort «sportlich» trifft ihren Überlebenskampf so wenig wie den des gebildet angeführten Laokoon.

> Und dann kommt der immer gleich seltsame Augenblick, wo das Bedürfnis einer gegenwärtigen Sekunde über alle mächtigen Dauergefühle des Daseins siegt. Es ist der Augenblick, wo ein Kletterer wegen des Schmerzes in den Fingern freiwillig den Griff der Hand öffnet, wo ein Verirrter im Schnee sich hinlegt wie ein Kind, wo ein Verfolgter mit brennenden Flanken stehen bleibt.

Hier sitzt jedes einzelne Wort; drei Vergleiche, alle drei stark, keiner schwächt den andern; eine solide Seilschaft in der Steilwand. Und ebenso stark geht es weiter:

> Ein Nichts, ein Es zieht sie hinein. So langsam, daß man dem kaum zu folgen vermag, und meist mit einer jähen Beschleunigung am Ende, wenn der letzte innere Zusammenbruch über sie kommt. Sie lassen sich dann plötzlich fallen, nach vorne aufs Gesicht, über die Beine weg; oder seitlich, alle Beine von sich gestreckt; oft auch auf die Seite, mit den Beinen rückwärts rudernd. So liegen sie da. Wie gestürzte Aeroplane, die mit einem Flügel in die Luft ragen. Oder wie krepierte Pferde.

Jeder der Vergleiche in diesem Absatz leuchtet ein, alle dienen dem Prinzip, die Fliegen zu vermenschlichen. «Ein Nichts, ein Es» zieht sie hinein – ja, das ist ein Fund, er sei freudianisch grundiert oder nicht. Und nun folgt, nach den krepierten Pferden, bei denen man sich schon nicht mehr ganz so sicher ist – Pferde wie Fliegen? –, der Satz, der eben nicht die Höhe des Vorigen hält:
«Oder mit unendlichen Gebärden der Verzweiflung.»

Und treffe uns der Blitz oder der Fliegerpfeil: Nein! Bitte nicht! Das ist nicht gesehen (oder was wären unendliche Gebärden?), das hätte auch Stefan Zweig schreiben können, das kann der große Musil doch unendlich viel besser. Wie er es uns in dem Schlußabsatz vorführt:

> Oder wie Schläfer. Noch am nächsten Tag wacht manchmal eine auf, tastet eine Weile mit einem Bein oder schwirrt mit dem Flügel. Manchmal geht solch eine Bewegung über das ganze Feld, dann sinken sie alle noch ein wenig tiefer in ihren Tod. Und nur an der Seite des Leibs, in der Gegend des Beinansatzes, haben sie irgend ein ganz kleines, flimmerndes Organ, das lebt noch lange. Es geht auf und zu, man kann es ohne Vergrößerungsglas nicht bezeichnen, es sieht wie ein winziges Menschenauge aus, das sich unaufhörlich öffnet und schließt.

Großartig und singulär. Als *Regel* aber könnte man daraus folgern: Das Gute ist der Feind des sehr Guten. Wenn du zwei starke Bilder hast, laß das dritte weg.

Manchmal genügt ein starker Vergleich, und die Szene steht. Man sollte meinen, nach Musils *Fliegenpapier* würde kein traditionsbewußter Autor es wagen, mit diesem Vorgänger in Konkurrenz zu treten. Einer hat es dann doch versucht, Martin Mosebach in seinem Roman *Was davor geschah*. Dort reist der mißmutige

Held Hans-Jörg mit seiner Frau Silvi nach Sizilien ins Feriendomizil seines Vaters, wo er zu seiner Verstimmung nicht im kühlen Haupthaus, sondern einem stickigen Nebengebäude untergebracht wird. Hans-Jörg muß feststellen, daß es hier von Fliegen wimmelt. Abhilfe schaffen soll ein an der Decke befestigtes, mit hochklebrigem Sirup getränktes goldgelbes Fliegenpapier. Hans-Jörg legt sich neben Silvi aufs Bett und beobachtet befriedigt die glitzernde Bernsteinlocke.

> Da – die erste Fliege in kraftvollem Flug haarscharf an dem Sirupband vorbei – es nur mit einem Flügel streifend –, aber das war genug, an diesem Flügel hing sie nun fest, wie verzweifelt und stark sie auch strampelte. Die zweite prallte mit dem Rücken gegen den Klebstoff, auch sie strampelte, aber da half kein Strampeln, hinten kam sie nicht los. Die dritte landete vertrauensvoll mit allen sechs Beinchen; sowie sie spürte, daß sie gefangen war, ließ sie die Flügel schwirren wie Propeller. Man meinte es zu hören. Hans-Jörg bekam etwas zu sehen: Binnen kurzem war die Sirupgirlande mit sich windenden, zappelnden Wesen besetzt. Die Körperkraft der Fliegen in ihrem Todeskampf versetzte das Band in leises Beben.

Anders als bei Musil ist der Betrachter dieses Todeskampfs ohne Empathie, in seiner Übellaunigkeit, in die sich jetzt Jagdfieber mischt, genießt er die große bebende Agonie. Anders als bei Musil werden die Fliegen, wenn man davon absieht, daß sie verzweifeln oder voller Vertrauen sein können, nicht vermenschlicht. Mosebach spart mit Vergleichen und bleibt sachlich und kühl, um dann mit einem starken Bild, wenn man es einmal sportiv fassen darf, Punkt, Satz und Spiel heimzuholen.

«Das ist nicht schön», sagte Silvi wie im Traum.

«O doch, das ist sehr schön», antwortete ihr Hans-Jörg, gar nicht verstimmt über den Widerspruch, mit inspiriertem Eifer. «Stell dir eine Zauberin vor, die solche Fliegenfänger voll lebender Fliegen als Strumpfbänder trägt, eine Shakespeare-Hexe», belesen war er schließlich, dafür hatte der Herr Papa immerhin gesorgt.

Das lebendige Fliegenpapier als Strumpfband einer Hexe, Eros und Thanatos dämonisch-komisch verklebt – doch, das kann literarisch auch nach Musils unvergänglicher Miniatur bestehen. Der kleine Schlenker im Nachsatz, der Hans-Jörgs Bitterkeit gegenüber dem Vater zeigt, ist charakteristisch für Mosebach, der eine ganz eigene Kunst des Sich-zur-Seite-Drehens und lakonischen Wegwitschens entwickelt hat.

Die Kurtisane neckt den Tod: Benjamins Bilder

Walter Benjamin gilt als Kritiker und Philosoph. Aber er dachte in Bildern. Das Begriffliche wurde um die Bilder herum gruppiert oder ihnen später unterlegt, das zeigt sein Werk, wo immer man es aufschlägt, auch die nie zur Veröffentlichung gedachten Tagebücher. Sie sollen oft Allegorien sein, diese Bilder, und also etwas Begriffliches illustrieren. Eine berühmte dieser Allegorien ist die erste These aus dem Aufsatz *Über den Begriff der Geschichte*. Benjamin stellt uns einen schachspielenden buckligen Zwerg im Automaten vor, den historisch überlieferten Schachtürken. Der Zwerg sitzt im verspiegelten Innern eines Kastens und lenkt versteckt die Hand einer Puppe an Schnüren, der er unfehlbar zum Sieg verhilft. Der Zwerg soll nun die Theologie sein, die sich ohnehin nicht mehr blicken lassen dürfe; die Partie gewinnt der «historische Materialismus». Nur wenn er die Theologie in den Dienst nehme, könne der Kommunismus gewinnen, soll das ungefähr heißen. Aber was bleibt, ist nicht diese fragwürdige These – wenn es doch zum Histomat gehört, wie er später häßlich hieß, daß er antitheologisch ist –, was bleibt, ist das Bild vom buckligen Zwerg.

Bei dem noch berühmteren, Klee-inspirierten Bild vom Engel der Geschichte, der von einem Sturm aus dem Paradies in die Zukunft getrieben wird, was ihn daran hindert, die Trümmer aufzuräumen – was läßt sich bei dieser geschichtsphilosophischen These Klares denken? Wie kann vom Paradies aus ein Sturm ausgehen, wo doch unter lauen Lüften Lamm neben Leu liegt? Ist das Paradies der Ort der Zeitlosigkeit? Aber selbst für schlichte Handlungen wie Apfelpflücken muß Zeit vergehen. Wie will man, oder wie will selbst ein Engel, bremsend oder überholend auf die Zeit einwirken, ohne daß sich alle Kategorien auflösen und Immanuel Kant sich im Grabe wälzt? Wenn der Engel seine Flügel einzöge, wäre er dann schneller oder langsamer in der Zukunft? Es ist sinnlos. Schlimmer, der *Angelus Novus* ist nah am Kitsch. Dennoch – das Bild bleibt eindrucksvoll, und man vergißt es nicht.

Im Grunde war Benjamin kein Philosoph, sondern ein verschobener Poet. Das stellt uns allerdings vor ein Problem. Guter Stil sei immer gut gedacht, hatten wir gesagt. Stil und Denken seien eine Einheit und nicht voneinander zu trennen. Nun war Benjamin in seinen geschichtsphilosophischen Thesen nicht nur ein Denker der Katastrophe, sondern manchmal ein katastrophaler Denker. Man fragt sich, welche seiner achtzehn Thesen der Logik und dem Common sense auch nur eine jener Sekunden lang standhält, die für den Juden, nach seiner Formulierung, die kleine Pforte war, durch die der Messias treten konnte.

Aber der Widerspruch ist nur ein halber. Als Stilist wird Benjamin gerade dann unerhört fragil, wenn er die großen Begriffsgeschütze auffährt – den Klassenkampf, den revolutionären Charakter, die schwache messianische Kraft. Jenseits der großen Begriffe und vertieft ins Detail, ist Benjamin hingegen ein Gott oder Messias des reinen, bilderfunkelnden Stils, den man nur bewundern kann. Wie bei Kafka gibt es kein stilistisches Gefälle bei ihm, er ist immer auf seiner Höhe, ob er eine Rezension, ein Rundfunkstück, einen Großessay oder eine Tagebuchnotiz verfaßt. Und auch die Themen sind gleichgültig, es kann ihm ums Strümpfe-Zusammenfalten oder die Kunst des Ostereierversteckens (gern auf Fußleistenhöhe), um Briefmarken oder um vergessene Kinderbücher gehen, er ist immer ganz Benjamin. Noch seine Einkaufsliste wäre bei ihm unverkennbar benjaminsch.

Wenigstens ein paar Beispiele. Über die Kafka-Biographie Max Brods schreibt er, vielleicht noch eine Spur zu preziös: Wenn Kafka von Brod in eine Linie mit Martin Buber gestellt werde, so heiße das «den Schmetterling in dem Netz suchen, über das er im Hin- und Herflattern seinen Schatten wirft».

So ganz glaubt man ihm den Schmetterlings-Schatten nicht, aber egal. Stärker schon das nächste Bild: Welche Funktion haben die fremden Zitate in seinen eigenen Schriften? Sie sind «wie Räuber am Weg, die bewaffnet hervorbrechen und dem Müßiggänger die Überzeugung abnehmen». Ist ihm, dem Müßiggänger und Flaneur, manchmal auch langweilig? Ja, schon, aber was genau ist Langeweile? Benjamin erklärt es uns: Sie ist ein warmes graues Tuch, «das innen mit dem glühendsten, farbigsten Seidenfutter ausgeschlagen ist». Außerdem ist sie der «Traumvogel, der das Ei der Erfahrung ausbrütet». Und nicht zu vergessen: Sie ist «das Gitterwerk, vor dem die Kurtisane den Tod neckt».

Mach's einer nach! Langweilig wird es einem bei diesem Bildschöpfer jedenfalls nie. Besonders anrührend ist Benjamin, wenn er als Liebender spricht – als, wie so oft bei ihm, unglücklich Liebender. In der *Einbahnstraße* schreibt er über seine ungenannt bleibende Geliebte Asja Lacis, daß ihn Leberflecken, vernutzte Kleider und ein schiefer Gang viel dauernder und unerbittlicher als alle Schönheit an sie bänden. Seine Erklärung:

> Geblendet flattert die Empfindung wie ein Schwarm von Vögeln in dem Glanz der Frau. Und wie Vögel Schutz in den laubigen Verstecken des Baumes suchen, so flüchten die Empfindungen in die schattigen Runzeln, die anmutlosen Gesten und unscheinbare Makel des geliebten Leibs, wo sie gesichert im Versteck sich ducken. Und kein Vorübergehender errät, daß gerade hier, im Mangelhaften, Tadelnswerten die pfeilgeschwinde Liebesregung des Verehrers nistet.

Schöner wurde wohl selten das alte paradoxe Wort *le laid, c'est le beau* illustriert oder die Macht der Liebe überhaupt – bei leichtem Einschlag chauvinistischer Überheblichkeit (siehe: «tadelnswert»).

Manchmal geht es aber auch geradezu humoristisch mit ihm durch, da bricht sich die Lust am Sprachspiel Bahn gegen alle philologischen Staketen. In seinem Aufsatz über die *Wahlverwandtschaften* schreibt Benjamin über die Goethe-Monographie Gundolfs – und man glaubt, ihn kichern zu hören –, ihm, Gundolf, sei der Aufenthalt in der «Wildnis der Tropen» eben recht, «in einem Urwald, wo sich die Worte als plappernde Affen von Bombast zu Bombast schwingen». Das ging sicher vom Doppelsinn der *Tropen* aus, die nicht nur die Klimazone, sondern auch das sprachliche Bild bedeuten können, und hat sich dann über den Bomb-Ast zu den plappernden Affen ausgeweitet und rück-rhizomisiert. So schafft man sich Freunde! Herrlich – und das wäre Adorno eben nicht eingefallen, oder es wäre ihm zu albern erschienen. Humor hatte er nämlich keinen.

Wie fernes Krähen von Hähnen

Ohne Genauigkeit geht in der Metaphorik gar nichts. Wer nicht genau hinhört, wird nicht wie Brigitte Kronauer den charakteristischen Schrei der Krähen so treffend oxymorotisch als «uralt-halbwüchsig» bezeichnen können. («Uralt» und «halbwüchsig» schließen sich aus wie das hölzerne Eisen oder der schwarze Schimmel, darum oxymorotisch.) Gerade bei Akustik-Metaphern geht es um Genauigkeit und das feine Gehör. Die beiden verglichenen Geräusche dürfen sich nicht zu ähnlich sein und müssen sich in ihrem Gleich- oder Ähnlich-Klang dem Ohr doch sofort erschließen. Es gibt ausgesprochene Könner in der Kunst der Geräuschbeschreibung. Einer der größten ist Thomas Mann – wie er und Heimito von Doderer das Brausen eines herabstürzenden Wasserfalls beschreiben, werden wir uns später in Ruhe anhören. Aber auch weniger bekannte Autoren wie Alexander Lernet-Holenia beweisen feinsten Sinn für Akustik. In Lernets Novelle *Der Baron Bagge* heißt es einmal: «Schwach, wie fernes Krähen von Hähnen, schwebte das Blasen der Trompeten mit dem Winde daher.» Und auch die langsame, fast unmerkliche Verschiebung in ein Zwischenreich macht Lernet dem Leser der Novelle allein durch die Akustik klar:

> Überhaupt war ganz im allgemeinen irgend etwas plötzlich ganz anders geworden, auch der Sturm ward auf einmal viel schwächer, und es herrschte trotz des Lärms, den die Bauern machten, der aber klang, als käme er von weitab, eine merkwürdige, schneegedämpfte Stille, und nun verstummte auch das Geschrei der Bauern. Nur mehr das Sausen einzelner Windstöße über die Dächer waren zu vernehmen, und hin und wieder ein mahlendes Klirren, wenn eins der Pferde auf die Kandare biß.

Das kleine Geräusch erst macht die Stille hörbar. Der plötzlich geschwächte Sturm, die schneegedämpfte Stille bereiten den Leser auf die unerhörte Enthüllung am Ende vor, von der die Rede sein wird. Lernet-Holenia steht hier in der Tradition des gewaltigsten Akustik-Metaphorikers, Adalbert Stifter.

Und wieder ganz groß ist Musil. Er lädt das Akustische wie Lernet-Holenia metaphysisch auf. Der Ich-Erzähler in dem Stück *Die Amsel* schildert seinem Zuhörer ein Kriegserlebnis. Er, der Erzähler, hört auf offenem Feld plötzlich ein leises Klingen, das sich seinem hingerissen emporstarrenden Gesicht nähert. Im gleichen Augenblick weiß er auch schon: Es ist ein Fliegerpfeil! «Das waren spitze Eisenstäbe, nicht dicker als ein Zimmermannsblei, welche damals die Flugzeuge aus der Höhe abwarfen; und trafen sie den Schädel, so kamen sie wohl erst bei den Fußsohlen wieder heraus, aber sie trafen eben nicht oft, und man hat sie bald wieder aufgegeben.»

Und jetzt das ebenso Schockierende wie sofort Überzeugende: «Ich war gespannt, und im nächsten Augenblick hatte ich auch schon das sonderbare, nicht im Wahrscheinlichen begründete Empfinden: er trifft! Und weißt du, wie das war? Nicht wie eine schreckende Ahnung, sondern wie ein noch nie erwartetes Glück!»

> Es war ein dünner, singender, einfacher hoher Laut, wie wenn der Rand eines Glases zum Tönen gebracht wird; aber es war etwas Unwirkliches daran; das hast du noch nie gehört, sagte ich mir. Und dieser Laut war auf mich gerichtet; ich war in Verbindung mit diesem Laut und zweifelte nicht im geringsten daran, daß etwas Entscheidendes mit mir vor sich gehen wolle.

Wie wenn der Rand eines Glases zum Tönen gebracht wird – Laute kann man offenkundig gar nicht anders beschreiben als durch Vergleiche und Metaphern. Daß der Erzähler ihn noch beschreiben kann, beruhigt uns darüber, daß der singende Fliegerpfeil ihn dann doch verfehlt hat.

Die Schlange im Wolfspelz

Ein delikater Sonderfall ist die bewußt schlechte Metapher. Ein Meister dieser Sondergattung ist Elias Canetti, der in der *Blendung* seine Figuren auch durch ihre schiefen Bilder entlarvt. Seine monströse Therese (wir werden sie näher kennenlernen) ist auf dem Weg zum Bettenkauf und sieht ein Möbelgeschäft: «Von den Ohren, breiten Schwingen, getragen, flogen die Augen zum Himmel empor und ließen sich in einem billigen Schlafzimmer nieder.» Canetti weiß, daß die auf den Schwingen der Ohren getragenen Augen so häßlich oder *schiach* sind, wie es eine Metapher nur sein kann, aber es charakterisiert die Figur, die sich bei Poesieversuchen immer verhebt.

Ähnliche Beispiele ließen sich von Frau Stöhr aus Thomas Manns *Zauberberg* anführen; ein jüngeres wäre der Zitatenschatz des sogenannten Königsbee aus Eva Menasses Debütroman *Vienna.* Dort sind es eher verdrehte Redensarten, die nicht mehr im strengen Sinn metaphorisch wirken, wie «mit der Kirche ins Dorf fallen», die «Schlange im Wolfspelz» – ein Satz der Großmutter – oder «immer in der Maske des Biedermeiers». Als Nachfahre der Frau Stöhr ist der Königsbee in seiner Dämone: «Drei Wochen hab ich mich kastriert und trotzdem kein Deka abgenommen!» Der Königsbee sei ein sprachschöpferisches Genie, resümiert ein Mitglied der Familie, «das hab ich verbal schon immer gesagt und alles andere ist letztlich primär».

Wie ist das mit den Redensarten überhaupt? Wer zum ersten Mal das Bild fand: «Eine Hand wäscht die andere», war ebenfalls ein Genie. Die linke Hand wäre hilflos ohne die rechte, eine allein kann sich nicht waschen, beide profitieren voneinander, wie so oft im richtigen Leben. Andere Beispiele: Wenn ein großmütiger Fürst den Hofmaler, der sich vor ihm auf die Knie wirft, auffordert, er möge sich erheben und sein Anliegen «auf Augenhöhe» mit ihm vortragen – dieses eine Mal würde man es durchgehen lassen. Wenn der agitierte Bauernsohn auf seinen müde die Suppe schlürfenden Vater einteufelt und irgendwann ruft, er, der Vater, solle doch einmal über seinen Tellerrand hinaussehen, kann es für einen Moment lang Wirkung gehabt haben. Heute ist es Metapher non grata.

Bilder stehen im Strom der Zeit. Wer zum ersten Mal einen geschliffenen Kristall betrachtet und sich sagt, so sei es doch oft im Leben, da gäbe es viele Facetten – gut gesehen. Nicht das geringste dagegen, wenn Jean Paul über ehelichen Streit sagt, dabei bekämpfe jeder «nur eine Facette der Meinung des andern». Wer heute «facettenreich» als Adjektiv benutzt, zu dem dürfte der überstrenge Wiener Kellner sagen, bei dem man statt eines kleinen Braunen einen «Caffè Latte» bestellt: «Und scho samma wieder draußen.» Wer nicht merkt, daß etwas ursprünglich Originelles nach millionenfacher Abnutzung nur noch abgeschliffen und trüb ist, hat kein Stilgefühl.

Ein anderes Beispiel: Der Elfenbeinturm war einmal ein schönes Bild, erotisch besetzt im *Hohelied*, wo ein Frauenhals mit ihm verglichen wird. Im katholischen Mittelalter war er als *Turris eburnea* ein Mariensymbol. Aber man könnte ihn sich auch fernöstlich denken: Ein Turm ganz aus Elfenbein, hoch und filigran, aus den Fenstern sieht man Teiche mit Seerosen, Flamingos, bläulich schimmernde Hügel in der Ferne im Abendrot. Leider zogen dann die Gelehrten in den Turm, statt sich mit Krummschwertern ins Getümmel der Welt zu stürzen. Und seitdem ist der Elfenbeinturm nur noch eines: Kampfbegriff und Klischee.

Regel: Nimm Bilder ernst; vermisch sie möglichst nicht. Vermeide die überfrequentierten. Denk und sieh neu.

Die Perlenkette. Die Sachen und die Namen

Die Metapher ist das Überraschende, das Unerwartete, das aus dem Vorherigen nicht Ableitbare. Ihr Gegenteil ist die bloße Aufzählung. Bei der Aufzählung springt nichts forellengleich aus dem Textfluß heraus, hier reiht sich Kiesel an Kiesel oder Perle an Perle in schönster Gleichförmigkeit. Überraschungen sind unerwünscht. Die Wiederholung, die Aufzählung, die Liste sollen den Blutdruck senken.

Spätestens seit dem Alten Testament und Homer sind Aufzählungen ein ehrwürdiges, oft wuchtiges, manchmal auch einschläferndes rhetorisches Mittel. So wie die Tierpaare hintereinander in die Arche Noah einziehen, folgt in der Aufzählung geruhsam eins aufs andere, bis alle einträchtig im Kasten versammelt sind. Die Aufzählung sorgt für Ruhe, schafft Ordnung in der Vielfalt und suggeriert Vollständigkeit. Wer es nicht auf die Arche geschafft hat, *tant pis*.

Es sind Tierpaare oder eben Perlen, mit Perlen, die sich voneinander unterscheiden müssen (mit Ausnahme der sprachlichen Rosenkette Gertrude Steins). Der Faden, auf dem diese Perlen eingefädelt werden, ist ein Thema oder gedachter gemeinsamer Oberbegriff. Im Alten Testament, Buch Nehemia, 7. Kapitel, ist dieses Thema der Auszug und die Heimkehr der Juden aus der babylonischen Gefangenschaft:

> 6 Dies sind die Leute der Provinz Juda, die aus der Gefangenschaft heraufgezogen sind, die Nebukadnezar, der König von Babel, weggeführt hatte und die wieder nach

> Jerusalem und nach Juda zurückkehrten, ein jeder in
> seine Stadt.
> 7 Sie kamen mit Serubbabel, Jeschua, Nehemja, Asarja,
> Raamja, Nahamani, Mordochai, Bilschan, Misperet,
> Bigwai, Rehum und Baana.
> Dies ist die Zahl der Männer des Volkes Israel:
> 8 die Söhne Parosch 2172;
> 9 die Söhne Schefatja 372;
> 10 die Söhne Arach 652; [...]

Und so geht es noch 55 Abschnitte weiter bis zum Resüme:

> 66 Die ganze Gemeinde zählte insgesamt 42 360,
> 67 ausgenommen ihre Knechte und Mägde; die waren 7337,
> dazu 245 Sänger und Sängerinnen.
> 68 Und sie hatten 736 Rosse, 245 Maultiere, 435 Kamele,
> 6720 Esel.

Eine klassische Aufzählung, die trotz der Sänger und Sängerinnen wohl eher unter die Rubrik einschläfernd fällt.

Das folgende Beispiel handelt ebenfalls von Flucht und Völkerauszug. Es ist eine sehr lockere Aufzählung, keine *Enumeratio* im strengen Sinn, wie der Fachbegriff heißt. Anna Seghers zählt in ihrem Roman *Transit* auf, wer 1940 alles in Frankreich vor den heranrückenden deutschen Truppen flieht:

> Aus den nördlichen Dörfern ergoß sich noch immer ein stummer Strom von Flüchtlingen. Erntewagen, hoch wie ein Bauernhaus, mit Möbeln beladen und mit den Geflügelkäfigen, mit den Kindern und mit den Urahnen, mit den Ziegen und Kälbern, Camions mit einem Nonnenkloster, ein kleines Mädchen, das seine Mutter auf einem Karren mitzot-

telte, Autos, in denen hübsche steife Weiber saßen in ihren geretteten Pelzen, aber die Autos waren von Kühen gezogen, denn es gab keine Tankstellen mehr, Frauen, die sterbende Kinder mitschleppten, sogar tote.

Das ist das Gegenteil einer einschläfernden Aufzählung; eine so starke Passage, mit ihren von Kühen gezogenen Pelzdamen und den toten Kindern, daß man nicht mehr gelesen haben muß, um zu erkennen, welches Format die Autorin hat.

Die noch stärkere, wenn nicht überhaupt allerstärkste Aufzählung der klassischen Literatur findet sich in *Unverhofftes Wiedersehen* von Johann Peter Hebel; wir kommen darauf zurück.

Die schlichteste Möglichkeit der Aufzählung ist die Liste, wie sie schon das Buch Nehemia vorführte. Sie kann auch in erzählender Prosa einigen Effekt erzielen. Gilbert Keith Chesterton schätzte am meisten die nackte Aufzählung der Werkzeuge, die Robinson Crusoe von seinem Schiff auf die Felseninsel rettet. Die bloße Liste der aus dem Wrack geborgenen Gegenstände (neben der Axt eine Bibel) sei das Beste am ganzen Buch.

Bei manchen Aufzählungen spielt stark die Magie des Namens hinein. Das merkwürdige ist, daß selbst Namen, die überhaupt nichts bedeuten, jedenfalls nicht dem Sprachunkundigen, in der Aufzählung großen Reiz entfalten können. In Lernets *Baron Bagge* gibt es eine Auflistung ungarischer Ortsnamen, die so suggestiv wirkt wie leise wirbelnde pentatonische Musik. In derselben Novelle wird der Erzähler einer Unzahl von Leuten vorgestellt: «Zrinys, Marschallowskis, Leutzendorffs, Türheims, Rabattas, Langemantels, Halleweyls und vielen andern.» Vermutlich ist das die Nußschale, in der eine Soziologie der Habsburgermonarchie steckt; das ist aber ganz gleichgültig. Wir werden die Figuren nie näher kennenlernen, ihre Namen alleine genügen, klingende vitale Namen allesamt.

Bei folgendem Beispiel sind die Namen zum Teil noch semantisch besetzte, also sprechende Übernamen. Leo Perutz präsentiert uns im *Schwedischen Reiter* die Mitglieder einer Räuberbande des schwarzen Ibitz: der Afrom, der schiefe Michel, das Eulenmännchen, der gehängte Adam, der Pfeiferbub, der Brabanter, der Zinnengießer-Hannes, der getaufte Jonas, der Klaproth, der Veiland, der Feuerbaum, der rote Konradsbub, der tolle Matthes und die rote Lies. Eine ganze historische Epoche blüht hier allein durch die Aneinanderreihung der starkfarbigen Namen auf.

Ein ganzer Blumengarten blüht uns durch die Liste auf, die Rudolf Borchardt in seinem *Leidenschaftlichen Gärtner* anlegt. Borchardt gelingt mit dieser Liste dabei etwas ganz Seltenes. In der Regel, von der schon *Der Schwedische Reiter* abwich, sind Namen Namen; und Wörter sind Wörter. Herr Schmidt hatte als Urahn einen Dorfschmied, die Herren Bauer, Schäfer, Schneider, Müller, Fischer, Weber, Wagner und Armbruster analog, aber der Name verdrängt alsbald den Bedeutungsursprung. Borchardt kitzelt diese Bedeutung wieder aus den zu bloßen Namen eingesunkenen Florilegia heraus. Er haucht dem Omen im Nomen wieder Leben ein. Weit über die Hälfte der Namen aller heimischen Blumen, belehrt er uns, seien die süßen Erfindungen Verliebter – «eine Geheimsprache für Glückliche und Unglückliche, Getrennte und Getrenntgehaltene, Gefangene und Strengbewachte». Als Beweis dafür listet er die nun plötzlich sprechenden, wispernden Blumennamen auf; die sinnlichste Aufzählung der erotisch-floralen Literatur:

> Tausendschön, Gedenkemein, Vergißmeinnicht, Brennende Liebe, Tränende Herzen, *Heartsease*, Jelängerjelieber, *Pensée*, Herzgespan, Liebstöckl, Mannstreu, Maßlieb, Wendunmut, Ehrenpreis, Braut im Haar, *Belle de Nuit*, Ringelblume, *Love lies bleeding*, Rührmichnichtan, *Fair maids of France*, – und die

herben, schmerzlichen, Stiefmütterchen, stinkende Hoffart,
Schabab, Natterzunge, Klatschrose, Ungnad, Bittersüß, Wermut, Nachtschatten.

Eine bloße Liste als Gedicht – vielleicht hätte selbst der prüde Chesterton seine Freude daran gehabt.

Stilsünde Variation. Der edle Kruster

Die Metapher ist das Überraschende, die reine Aufzählung das Erwartbare. Zwischen diesen Polen spielt sich alles ab zwischen Wiederholung und Variation. Und wieder gibt es hier keine Regel, was vorzuziehen sei. Schönheiten und Stilsünden gibt es hier wie dort. Auch bei den Sünden gilt das Aptum. Geiz ist eine Sünde, aber Völlerei angeblich auch. Auf den Stil übertragen: Zuviel desselben kann ein Fehler sein, zuwenig desselben aber ebenso. Der eine der beiden Fälle ist offensichtlich. Das Immergleiche kann uns auf die Nerven gehen. Bei Goethes *Wahlverwandtschaften* bäte man auf Knien darum, daß bei den Dialogen *ein* Mal etwas anderes da stünde als «versetzte sie», «versetzte er» – nur ein Mal! Seine silberne Taschenuhr versetzte man dafür.

Was aber noch mehr auf die Nerven fällt, ist das Gegenteil. Noch schlechterer Stil ist fast immer: das naheliegende schlichte Verb aus Scheu vor der Wiederholung zu variieren. Marcel Proust hob ausdrücklich als eine Qualität Flauberts hervor, daß er das solide Verb «haben» ständig an Stellen gebrauche, wo ein Schriftsteller zweiten Rangs feine Abstufungen gesucht haben würde. Wo es nicht wichtig ist, genügt das einfachste Verb, das gilt gerade für Dialoge. Über das einfache Verb liest man hinweg, und genau das soll man auch in den meisten Fällen, wenn nicht gerade ein Schrei die Luft zerreißt oder ein heiseres Flüstern Unaussprechliches andeutet. Hans Joachim Schädlich schafft es, und sei gepriesen dafür, in seinem fast nur aus Dialogen bestehenden Roman *Kokoschkins Reise* ausnahmslos das Verb «sagen» zu verwenden. In Fontanes *Stechlin*, der ebenfalls hauptsächlich aus Dialogen besteht, wird immerzu gelacht statt gesagt, gern auf einer Seite: «lachte die Baronin», «lachte die Komtesse». In diesem Willen zur Farbigkeit erkennt man noch den Journalisten.

Noch ärger als das gesuchte Nicht-Wiederholen des naheliegenden Verbs ist dessen Ersetzung durch illustrierende Halbsätze. Die Sprachwissenschaft spricht hier von einer direkten Rede ohne Inquit-Formel und davon, daß die direkte Rede grammatisch nicht in den Kontext integriert sei. Kann man sich darunter etwas vorstellen?

Mechtilde Christiane Marie Gräfin von und zu Arco-Zinneberg, heute bekannt oder halb vergessen als Mechtilde Lichnowsky, hat dieser Unsitte ein schönes stilkritisches Stück gewidmet. Sie zitiert darin einen unbenannt bleibenden Freund, der ihr Beispiele aus der Zeitung geschickt hatte. «‹Was soll der Unsinn›, sah Weber argwöhnisch über die Brille.» – «‹Nichts, gar nichts steht drin›, sah sein Gesicht zerknitterter noch als zerknülltes Papier aus.»

Jener unbekannte Freund führte als Regel an: Solche Verbindungen seien nur zulässig, wenn die Aussage den Begriff der Mitteilung enthalte oder wenigstens durch eine vorherrschende Begleiterscheinung andeute, also zum Beispiel: «‹Ja›, seufzte er» – das gehe noch. Aber niemals: «‹Nein›, wand er sich zur Tür hinaus.»

Wer Lichnowsky nicht studiert haben dürfte, ist Navid Kermani. In seinem Roman *Sozusagen Paris* findet sich eine eindrucksvolle Galerie des von Lichnowsky beschriebenen Sprachphänomens. Auch Kermani verwendet am Anfang noch «antwortete sie» und «fragte ich». Aber bald empfindet er das als zu schmucklos und hätte es gern packender. Er schreibt nicht mehr «sagte sie» oder «wird der Lektor erwidern». Statt dessen:

«sticht sie mir weiter ins Herz» – «deute ich meine Skepsis an» – «wird sie mir einen Freibrief erteilen».

Die Gespräche, die der Erzähler mit seinem Lektor über das entstehende Buch führt, finden in einer imaginierten Zukunft statt. Die «Sagen»-Vermeidung liest sich etwa so:

«wird der Lektor in die gleiche Kerbe schlagen» – «werde ich mit der Frau auch meine Sehnsucht und sei es unbewußt den Roman verteidigen, den ich schreibe».

Wird einer der beiden Gesprächspartner jemals einfach «antworten» oder «erwidern»? Sie müssen ja nicht gleich in Goethes Namen «versetzen»? Nicht in diesem Roman. Auch im Gespräch mit der weiblichen Hauptfigur Jutta wuchern die Inquit-Vermeidungen. Sie werden dabei immer barocker.

«Wie arschig ist das denn? wird Jutta nicht glauben können, was ich aus ihrer Eifersucht folgere, die sie nicht leichten Herzens zugegeben hat.» – – «Ja, und? *merkt Jutta nicht, worauf ich hinauswill.*»

Genug; die Leser haben gemerkt, worauf es hier hinaussoll: die Demonstration eines von Lichnowsky angeprangerten – und hier offenbar sehenden Auges begangenen – stilistischen Mißgriffs. Der nicht das geringste ändert an den Verdiensten des großartigen Redners und Börne-Nachfahren Navid Kermani.

Ein Gegenbeispiel findet sich in Doderers *Wasserfällen von Slunj*. Finy und Feverl, die gutmütigen Prostituierten vom Lande, werden von der feinen Dame, deren Töchterchen sie vorm Ertrinken gerettet haben, zu Besuch gebeten, was besonders Finy einschüchtert.

«I geh net», sagte Finy.
«Mir gengan», sagte Feverl.
«I mag net», sagte Finy.
«Sei g'scheit», sagte Feverl.
«Gehma baden», sagte Finy.

Und genau so ist es richtig. Fünfmal hintereinander «sagte». Und nicht: «‹I geh net›, versuchte Finy ihr Unbehagen hinter einer schroffen Ablehnung zu verbergen.» – «‹Mir gengan›, überlegte Feverl, wie sie die Widerstandsfront zermürben konnte» … Aber die geneigte Leserin hat längst verstanden.

Der Wunsch, die Wiederholung zu vermeiden, ist fast immer schlimmer als die Wiederholung selbst. Diese Regel gilt auch für Substantive. Wehe dem, der das Fahrrad im nächsten Satz durch den Drahtesel ersetzt! Harry Rowohlt, einer der wachsamsten und witzigsten Stilkritiker, hat zu dieser Synonymsucht alles Nötige gesagt; der Auslöser war ein Brief des armen Uwe Tellkamp, den er auch noch eine Pappnase nennt. Harry Rowohlt erklärt: Wenn es im ersten Satz «Peru» heiße, müsse es im Folgesatz «Andenrepublik» heißen. Auf «Japan» folgen «Nippon» und «Land der aufgehenden Sonne» oder, noch besser, «Land des Chrysanthementhrons», bevor es dann wieder mit «Japan» weitergehen dürfe. Warum also, wenn doch Lübeck noch nicht einmal genannt worden war, muß Tellkamp eine Einladung zum Grass-Treffen damit beantworten, daß er gern «an die Trave geeilt» wäre?!

Auch Mechtilde Lichnowsky, die nicht minder wachsame Stilkritikerin, nicht umsonst eine enge Freundin von Karl Kraus, hatte auf dieses, nennen wir es das *Trave-Syndrom,* schon ein Auge geworfen. Sie zitiert den Fall eines Naturforschers, der von den Feinden des Krebses schreiben wollte, insbesondere von der Heimtücke des Barsches, indessen, «mehr als einmal wollte er weder Krebs noch Barsch nennen und erbat sich die Hilfe eines

Fachmannes, der die Sache ungemein leicht nahm und folgenden Satz vorschlug:

‹Vor Barschen ist die Krebsbrut ebenfalls nicht sicher, aber auch in reiferen Jahren wird der edle Kruster gern von dem erwähnten Stachelflosser gefressen.›»

Fast schon überflüssig, daß Lichnowsky anfügt: «Lieber zehnmal Krebs als einmal ‹edler Kruster›, vom Stachelflosser ganz zu schweigen.»

Selbst ein Stilist wie Doderer tupft gelegentlich an diese Sünde des Trave-Syndroms – nur ganz zart. Das Kuriose dabei ist, daß er es just mit dem Wort oder der Sache, oder noch genauer: dem Schalentier tut, das Lichnowsky in ihrer Stilkritik als Beispiel anführt. Auch in seinen *Wasserfällen von Slunj* sind die Krebse nicht sicher, denn sie werden von Robert Clayton und dessen Schwiegertochter Monica in einem Teich gefangen. Zuerst traut sich Doderer und wiederholt die «Krebse» zwei, drei, vier Mal, und dann wird er schüchtern.

> Jeder hielt vergleichend seinen gefangenen Krebs empor und die beiden Tiere, wütend mit geöffneten Scheren in der Luft umhertastend, schlugen jetzt mit den kräftigen Schwänzen, so daß Monica und Clayton beide besprüht wurden.

Einmal Krebs, dann zur Abwechslung Tier? Bitte, nichts dagegen zu sagen. «Chwostik hatte sein Erstaunen vergessen und betrachtete mit wirklichem Interesse die Tiere, vielleicht sah er zum ersten Mal einen lebenden Flußkrebs aus nächster Nähe.» Wer wollte hier protestieren? Und ganz sicher ist «Tiere» besser als edle Kruster.

Der Kaiser freute sich: Die Wiederholung

Das Thema Wiederholung ist zwiespältig. Jeder Autor ärgert sich, wenn er bei der Durchsicht seines frisch gedruckten Buchs unfreiwillige Wiederholungen und Doppelungen bemerkt. Vor allem Verbkerne, die sich auf wenigen Zeilen wiederholen, wirken störend, da gilt das Gesetz der Abwechslung. «So stand es mit Veza und sie weigerte sich standhaft.» Canetti hätte beim nochmaligen Wiederlesen dieses Satzes das Adverb vermutlich durch «beharrlich» ersetzt. «Sie hatte Schritte auf der Straße gehört, die vielleicht Georg gehörten.» Auch dies ein offensichtliches Versehen; beim gründlichen Lektorat, das die Zeitläufe verhinderten, hätte Anna Seghers die Doppelung getilgt.

Diese unfreiwilligen Wiederholungen sind der Giersch der Prosa, kaum auszujäten, auch nach dutzendfacher Korrektur bleiben ein paar übrig; am wenigsten noch, wenn man sich jede Seite laut vorliest. Der Wortklang geistert dann noch im Sprachzentrum des Schreibenden umher. Manche Autoren wie Martin Amis nehmen das Gesetz der Nicht-Wiederholung so streng, daß sie andere danach beurteilen, ob sie aufeinanderfolgende Absätze mit dem gleichen Wort beginnen lassen oder nicht. Martin Amis täte es nie.

Wenn sie nicht unfreiwillig ist, kann die Wiederholung ein mächtiges Stilmittel werden. Wie man von einem musikalischen Motiv nicht genug bekommen kann – *up to a point*, man denke an Bruckner –, kann die schöne Wiederholung und das Leitmotiv, wie es Thomas Mann und fast kühner noch Joseph Roth pflegen, eine einschmeichelnd behagliche, manchmal crescendierend-donnernde Wirkung entfalten. Der mutige Stilist scheut die Wiederholung nicht. Die bewußte Wiederholung ist das Salz der Prosa. Warum ist der Schluß der Eichendorffschen Novelle *Aus dem Leben eines Taugenichts* berühmt? Nur deshalb, weil er ein Wort wiederholt – «und es war alles, alles gut.» («Geminatio» ist das

Fachwort dafür.) Man kann auch eine ganze Zeile wiederholen, wie im Gedicht *Stopping by Woods on a Snowy Evening* von Robert Frost. Die starke Wirkung des Schlußquartetts verdankt sich fast ausschließlich der letzten Wiederholung.

The woods are lovely, dark and deep,
But I have promises to keep,
And miles to go before I sleep,
And miles to go before I sleep.

Ein kleines und ein größeres Beispiel aus dem *Radetzkymarsch.* Joseph Roth schildert darin die Todesangst des jüdischen Regimentsarztes Max Demant, der von einem betrunkenen Rittmeister beleidigt wird, was nach dem militärischen Ehrenkodex zum Duell führen muß. Max Demant erwägt die Flucht, aber entscheidet sich dann doch dagegen. Drei Stunden vor dem Duell, das er nicht überleben wird, denkt er: «Ein nichtswürdiges, infames, dummes, eisernes, gewaltiges Gesetz fesselte ihn, schickte ihn gefesselt in einen dummen Tod.» Der Stilist *comme il faut* hätte zumindest die Wiederholung des «dumm» vermieden, aber gerade diese scheinbare Nachlässigkeit zeigt den Meister. Das dumme gewaltige Gesetz schickt Max Demant in den dummen Tod.

Ein zweites Beispiel. Wir stehen mit dem Kaiser an der russischen Grenze, wo er Manöverschau hält. Am Morgen nach seiner Anreise läßt er sich von einem Korporal rasieren, der sich nichts dringlicher wünscht, als aus dem Militär auszuscheiden; er hat Weib und Kind und einen guten Laden in Olmütz und schon ein paarmal versucht, einen Gelenkrheumatismus zu simulieren, um nur recht bald entlassen zu werden. Als sich der Kaiser nun aber, jovial gestimmt, bei ihm erkundigt: «Wollen S' beim Militär bleiben?», wagt der Korporal keine ehrliche Antwort. Er kann dem Kaiser nicht nein sagen, er sagt: «‹Jawohl, Majestät› und wußte in diesem Augenblick, daß er sein ganzes Leben verpatzt hatte.» – «Na, dann ist gut», erwidert die Majestät und gießt die Schale der Huld über das Haupt des unseligen Korporals. «Dann sind Sie ein Feldwebel! Aber sind S' nicht so nervös!»

Und der Kaiser ist stolz auf sich: «So. Jetzt hatte der Kaiser einen glücklich gemacht. Er freute sich. Er freute sich. Er freute sich.»

Ja, das macht Joseph Roth einfach so, das traut er sich: dreimal hintereinander derselbe Satz. Und dreifach erhöht er dadurch die objektive Komik der Situation: Der Kaiser hat soeben das Leben des armen Korporals ruiniert, indem er glaubte, ihn qua Majestät zu erhöhen. Ein Glück, daß Roth zu dieser Zeit den Lektor Lernet-Holenia hatte; ein minderer hätte ihm womöglich die Wiederholung gestrichen.

Es kann auch nur ein einzelnes Verb sein, dessen Wiederholung bei inhaltlichem Crescendo rhetorische Wucht erzeugt. Ein Beispiel ist ein von seinem Gesprächspartner Förster aufgezeichneter Wutausbruch Goethes. Es geht darin um ein Gemälde, das Goethe vorgelegt wird, «Klosterhof im Schnee», das eine Winterlandschaft mit dunklen Tannen zeigt, in der ein Zug von Mönchen einen Sarg auf schwarzbehangener Bahre in ein einsames Kloster trägt. Das war für Goethe genau eine Nummer zu viel. Zum Komisch-Ergreifenden seines Ausbruchs trägt bei, daß er das entscheidende Verb leicht schräg benutzt; eigentlich meint es: festsetzen, bestimmen; er verwendet es im Sinne von billigen, dulden, gelten lassen. Goethe betrachtet das Bild und ereifert sich:

> Das sind ja lauter Negationen des Lebens: Zuerst also die erstorbene Natur, Winterlandschaft; den Winter statuiere ich nicht; dann Mönche, Flüchtlinge aus dem Leben, lebendig Begrabene; Mönche statuiere ich nicht; dann ein Kloster,

zwar ein verfallenes, allein Klöster statuiere ich nicht; und nun zuletzt, nun vollends noch ein Toter, eine Leiche; den Tod aber statuiere ich nicht.

Den Schluß, er ist grandios, muß man sich mit zorniger Stimme gerufen vorstellen. Den Tod statuiert der Geheimrat nicht!

Anders Wilhelm Busch, in dessen *Tobias Knopp* der Tod durchaus statuiert wird. Mehr als das, er wird sogar gefeiert. Den Reiz macht auch hier die Wiederholung, nämlich die des Jubelrufs: «*Heißa*!!» – rufet Sauerbrot – «Heißa! meine Frau ist tot!!»

Die wörtliche Rede. Sosias und die Wahlverwandtschaften

Fast unbemerkt sind wir mit den letzten Seiten auf ein Gebiet geraten, das in der erzählenden Prosa eines der wichtigsten ist. Wer hier scheitert, kann der glänzendste Metaphoriker sein, er ist gescheitert. Wer hier glänzt, tröstet über vieles andere Scheitern hinweg. Erzählende Prosa handelt von Menschen, die in der Regel miteinander sprechen. Es müssen dabei nicht einmal Menschen sein; in Märchen oder bei Kafka reden auch Tiere und Dinge miteinander. Aber: Sie sprechen. Selbst bei Beckett. Und der Autor ist ihr *puppeteer*. Er muß seine Figuren in wörtlicher Rede präsentieren, sie müssen sich in wörtlicher Rede austauschen, die uns, den Lesern, plausibel vorkommt.

Wer Dialoge schreibt, braucht vor allem ein gutes Ohr, aber das genügt nicht. Der Autor könnte ein Aufnahmegerät einschalten und das Gespeicherte später abschreiben, es hülfe nur nichts: Er muß das Gesprochene stilisieren. Und hier beginnen die Fragen und Probleme.

Gute Dialoge sind schwer. Wie stilisiert müssen und dürfen sie sein? Wie werden die Figuren durch sie charakterisiert? Sind es wirklich die Figuren, die ihr Herz und ihre Seele auf der Zunge tragen, wenn man immer wieder das Räuspern des Puppenspielers im Hintergrund hört? Wir werden die Größten vorsprechen lassen, um diese Fragen mit ihnen möglichst einvernehmlich zu klären.

Einer der glänzendsten Dialog-Dichter überhaupt ist Kleist. Unvergeßlich, wie sein *Amphitryon* beginnt, den Thomas Mann mit vertretbarer Emphase als das geistreichste, tiefste und schönste Theaterspielwerk der Welt bezeichnete. Wir müssen hier gleich zu Beginn etwas gründlicher werden, in der stillen Hoffnung, nur das Gründliche sei wahrhaft unterhaltend.

Auftritt Sosias, Diener des Amphitryon, des großen Feldherrn, der gerade eine Schlacht gegen die Athener gewonnen hat. Sosias ist ausgeschickt, Amphitryons Gemahlin Alkmene die gute Nachricht zu überbringen und Amphitryons baldige Heimkehr anzukündigen. Es ist Nacht, Sosias trägt eine Laterne und bereitet sich auf seinen Auftritt vor. Er hat die eigentliche Schlacht versäumt, sich im Zelt verkrochen und nichts vom Getümmel mitbekommen, jetzt muß er improvisieren; er probt seinen Bericht für die Fürstin, spricht die Laterne als Alkmene an und wundert sich über sein rhetorisches Ingenium. («Daß mich die Pest! Wo kömmt der Witz mir her?») Da hört er ein Geräusch, und es tritt ihm vor der Tür des Palasts jemand entgegen. Es ist, was Sosias nicht wissen kann, der Gott Merkur; auch er ein Diener seines Herrn, nämlich Jupiters. Und auch er hat einen Auftrag zu erfüllen: Merkur muß den Diener daran hindern, die Liebesnacht zu stören, die Jupiter gerade, getarnt in der Gestalt Amphitryons, mit der ahnungslosen Alkmene verbringt.

Sosias weiß nicht, wie ihm geschieht. Der Fremde droht ihm umstandslos Prügel an: «Seit der vergangnen Woche fand ich keinen, / Dem ich die Knochen hätte brechen können. / Mein Arm wird steif, empfind ich, in der Ruhe, / Und einen Buckel von des deinen Breite, / Ihn such ich just, mich wieder einzuüben.» Doch schlimmer als die Prügel ist etwas anderes. Das Thema fällt gleich beim ersten Dialog:

MERKUR *vertritt ihm den Weg.*
Halt dort! Wer geht dort?

SOSIAS: Ich.
MERKUR: Was für ein Ich?
SOSIAS: Meins mit Verlaub. Und meines, denk ich, geht
Hier unverzollt gleich andern. Mut Sosias!

«Was für ein Ich?» Nicht etwa: «Wer bitte genau?» Wie Peter Szondi gezeigt hat, löst Kleist sich schon in dieser kleinen Ausweitung vom Vorbild des Molièreschen *Amphitryon*, dem er sein Drama nachgebildet hat. Bei Molière fragt Merkur: «*Qui, moi?*», was bloß meint, daß er mit der Antwort Sosias' nicht zufrieden ist. Bei Kleist wird existentiell, was bei Molière noch höfische Gesellschaftskomödie ist. «*Was für ein Ich?*» Das ist die Frage, an der Sosias nachgerade verzweifeln wird. Denn Merkur spricht ihm das Sosias-Sein schlechterdings ab.

MERKUR: – Dein Name ist?
SOSIAS: Sosias.
MERKUR: So –?
SOSIAS: *Sosias.*
MERKUR: Hör, dir zerschlag ich alle Knochen.
SOSIAS: Bist du
Bei Sinnen?
MERKUR: Wer gibt das Recht dir, Unverschämter,
Den Namen des Sosias anzunehmen?

SOSIAS: Gegeben wird er mir, ich nehm ihn nicht.
Mag es mein Vater dir verantworten.

Noch läßt sich Sosias nichts bieten, noch ist er ironisch wortgewandt, dreht dem Vorredner die Verben «geben» und «nehmen» im Mund herum und ahnt nicht, wie massiv ihn der Fremde zerrütten wird. Kleist baut hübsch langsam die Spannung auf, die sich auf nicht weniger gründet als auf die Frage nach dem Ich-Sein, dem Kern der Identität. Gibt es diesen Kern überhaupt? Durch das schnelle Hin- und Herspringen und Einander-ins-Wort-Fallen wird der Dialog zu einem Florettgefecht. Der nächste Stoß:

MERKUR: Hat man von solcher Frechheit je gehört?
Du wagst mir schamlos ins Gesicht zu sagen,
Daß du Sosias bist?
SOSIAS: Ja, allerdings.
Und das aus dem gerechten Grunde, weil es
Die großen Götter wollen; weil es nicht
In meiner Macht steht, gegen sie zu kämpfen,
Ein andrer sein zu wollen als ich bin;
Weil ich muß Ich, Amphitryons Diener sein,
Wenn ich auch zehenmal Amphitryon,
Sein Vetter lieber, oder Schwager wäre.

Er muß Ich sein, ob er will oder nicht, und wäre er auch lieber vom Fürstengeschlecht: Prägnanter, komischer, lebendiger kann ein Theaterdialog nicht sein. Doch so einfach kommt Sosias nicht davon, der Fremde prügelt weiter auf ihn ein. Noch leistet Sosias verbale Gegenwehr und verteidigt sein Recht aufs Ich:

Dein Stock kann machen, daß ich nicht mehr bin;
Doch nicht, daß ich nicht *Ich* bin, weil ich bin.

Der einzge Unterschied ist, daß ich mich
Sosias jetzo der geschlagne, fühle.

Sosias ist der eigentliche Denker des Stücks, viel mehr als sein Herr Amphitryon. Ganz leise hört man im Hintergrund Fichtes Ich-Philosophie nachhallen, aber wie viel vergnüglicher, dabei keineswegs seichter, ist sie bei Kleist. Allein, Sosias' tapfre Widerrede ist vergeblich. Merkur läßt nicht locker, und die Stockschläge beginnen Sosias zu zermürben. Bei aller Zermürbtheit ist er ein Chef des Understatements.

MERKUR: Du sprachst, du hättest dich Sosias sonst
genannt?
SOSIAS: Wahr ists, daß ich bis diesen Augenblick gewähnt,
Die Sache hätte ihre Richtigkeit.
Doch das Gewicht hat deiner Gründe mich
Belehrt: ich sehe jetzt, daß ich mich irrte.
MERKUR: Ich bins, der sich Sosias nennt.
SOSIAS: Sosias – ?
Du – ?

Damit ist die Katze aus dem Sack: *Er,* Merkur, ist der wahre und einzige Diener Amphitryons, er ist der echte Sosias. Aber was ist dann mit unserm armen Träger desselben Namens? Der bislang zu Unrecht wähnte, es habe schon seine Richtigkeit damit, daß er, Sosias, kein andrer als Sosias sei?

SOSIAS: Fahr in die Höll! Ich kann mich nicht vernichten,
Verwandeln nicht, aus meiner Haut nicht fahren,
Und meine Haut dir um die Schultern hängen.
Ward, seit die Welt steht, so etwas erlebt?
Träum ich etwa? Hab ich zur Morgenstärkung

Heut mehr, als ich gewöhnlich pfleg, genossen?
Bin ich mich meiner völlig nicht bewußt?

Und seine Haut ihm um die Schultern hängen – sehr witzig und drastisch, so witzig wie Sosias' flüchtiges Erwägen, ob er es mit der Morgenstärkung vielleicht übertrieben hat. Ist er nicht dennoch seiner völlig sich bewußt?! Es hilft nur alles nichts; allmählich wird Sosias irre am eigenen Ich. Der Fremde behauptet nicht nur, Sosias zu sein, er weiß es noch genauer: Er ist «Gemahl der Charis, / Die mich mit ihren Launen wütend macht.» Das bezeugt leider Insiderwissen. Sosias wird es immer schwärzer vor Augen. Der andere kennt also auch sein zänkisches Weib? Noch dazu fällt ihm plötzlich auf, daß der Fremde so aussieht wie er selbst: «Man muß, mein Seel, ein bißchen an ihn glauben. / Zu dem, da ich ihn jetzt ins Auge fasse, / Hat er Gestalt von mir und Wuchs und Wesen / Und die spitzbübsche Miene, die mir eigen.»

Das letzte Wort «eigen» fällt rhythmisch aus dem Takt, es müßte auf der zweiten Silbe betont sein, wie etwa «zupaß», und Schiller hätte es sich nicht durchgehen lassen. Aber das ist eben Kleist, kein Pedant zum Glück, sondern ein Teufelskerl, der sich Freiheiten nimmt. Am schönsten ist, daß Sosias sich eingesteht, «ein bißchen» müsse man an den andern glauben. Welcher andere Dramatiker hätte dieses «ein bißchen», das den Übergang vom Saulus zum Paulus, von Sosias zum Nicht-mehr-Sosias markiert, so zart und wirkungsvoll gesetzt?

Sosias nimmt sich nun vor, den zweiten Sosias zu prüfen und mit Detailfragen auf die Probe zu stellen. Kann der Doppelgänger Dinge wissen, die nur er, Sosias, wissen kann? Bei Jupiter, alle seine Fragen werden prompt und präzis beantwortet; als Gott ist Merkur allwissend oder doch umfassend orientiert.

SOSIAS *für sich*. Er weiß um alles. – Alle Teufel jetzt!
Ich fang im Ernst an mir zu zweifeln an. […]
Zwar wenn ich mich betaste, wollt ich schwören,
Daß dieser Leib Sosias ist.
Wie find ich nun aus diesem Labyrinth? –
Was ich getan, da ich ganz einsam war,
Was niemand hat gesehen, kann niemand wissen,
Falls er nicht wirklich Ich ist, so wie ich.

Es folgt sein letztes Aufbäumen, sein letzter Versuch, sich ans eigene Ich zu klammern. Er fragt den Fremden, was er, Sosias, während der Schlacht in einem unbeobachteten Moment im Zelt getan habe. Als Merkur auch darauf die richtige Antwort weiß (er hat sich heimlich mit Schinken und Wein regaliert), gibt Sosias sich geschlagen.

Ich sehe, alter Freund, nunmehr, daß du
Die ganze Portion Sosias bist,
Die man auf dieser Erde brauchen kann.

Das Wort «Portion» trifft es besonders gut, weil es um Wein und Schinken ging. Es bleibt nach der Niederlage und dem Ich-Entzug nur noch eine Frage:

Da ich Sosias nicht bin, wer ich bin?
Denn *etwas*, gibst du zu, muß ich doch sein.

Worauf sich immerhin eine Art Kompromiß abzeichnet. Merkur antwortet, bevor er ihn allerdings wieder verprügelt:

MERKUR: Wenn ich nicht mehr Sosias werde sein,
Sei dus, es ist mir recht, ich willge drein.

«Da ich Sosias nicht bin, *wer ich bin?*» ist grammatisch zweifelhaft, erwartet hätte man: «*wer bin ich*?», was rhythmisch genauso möglich wäre, unter vertretbarem Verlust des Binnenreims. Aber eben hier liegt das Dichterische: Sosias ist so verwirrt, daß er gleichsam zu stammeln beginnt. Und diskret im scheinbar Unbeholfenen legt das am Ende wiederholte «bin» das Gewicht auf die verhandelte Frage des Ich-Seins und Seins überhaupt. Sind die Götter grausam, indem sie den Menschen ihr Ich entwenden? Oder sind sie die wahreren Menschen, die Menschen auf der Höhe dessen, was sie sein sollten, weil sie weniger Ich sind – oder *alle* Ichs? Meint beides dasselbe? Es gibt Deuter, die hier nicht nur Fichteschen Idealismus, sondern Zen-Buddhistisches heraushören. Verrät es nicht andererseits eine typisch menschliche Schwäche, daß der Gott Jupiter es haßt, mit seinem unfreiwilligen Nebenbuhler verwechselt zu werden, ja daß er Alkmenen sogar das Geständnis abluchsen will, er, Jupiter, sei in jener Nacht der bessere Liebhaber gewesen als ihr Alltags-Gemahl Amphitryon? («Schien diese Nacht dir kürzer als die andern?», fragt er sie listigbang.)

Kleist versteckt die Tiefe an der heiteren Oberfläche. Seine Figuren reden nicht, wie irgend jemand im wirklichen Leben spräche, aber sie *sprechen* miteinander, sie deklamieren nicht, sie hören einander zu, fallen sich ins Wort, sie drücken sich farbig und drastisch und dann auch wieder zart, ja erhaben aus. Jupiter zur Erklärung, wer er sei: «Das Licht, der Äther, und das Flüssige, / Das was da war, was ist, und was sein wird» – man lasse es sich auf der Zunge zergehen. Ihre Rede, streng rhythmisiert, weshalb auch dem «zehnmal» noch ein Dehnungs-e zum «zehenmal» eingeflickt werden muß, ungeachtet allen Pediküren-Nebensinns, diese Rede sprüht vor Leben, wie man merkt, wenn man etwa einen *Wilhelm Tell* danebenhält, in dem die Akteure einander in ellenlangen Monologen die Geschichte der Schweiz erklären – höherer Schulfunk, verglichen mit Kleist, wenn auch rhetorisch funkelnd und, wie immer bei Schiller, sentenzenreich.

Nun gelten bei Bühnendialogen andere Stil- oder vielmehr praktische Regeln als bei Romandialogen: Man muß sie sprechen können, der Autor hat die Schauspieler im Auge oder Ohr zu behalten, er ist nicht ganz Herr seiner stilistischen Entscheidungen und muß Fragen der Atemtechnik berücksichtigen, das Gleichgewicht von Konsonanten und Vokalen beachten, alles das, was auf der Bühne wichtiger ist als im Buch.

In Romanen ist der Autor freier in den Dialogen. In einem Märchen kann er ohnehin machen, was er will, in einer realistischen Erzählung hat er als einzige Einschränkung, daß der Leser ihm glauben sollte. Hier greift das Prinzip, das Martin Wieland aufgestellt hat, lange bevor es den Begriff des realistischen Romans gab: Es muß nicht so gewesen sein, wie es geschildert wird, ganz sicher war es nicht so, denn es handelt sich um Fiktion, aber entscheidend ist, daß es so hätte gewesen sein *können.* Auf den Dialog übertragen: Deine Figuren müssen nicht so gesprochen haben, sie haben ziemlich sicher nicht so gesprochen (es wären denn Figuren Doderers), aber es wäre schön, wenn sie so hätten sprechen können. Sie werden fast immer – und die Ausnahmen wie *Woyzeck* oder *Berlin Alexanderplatz* sind eben deshalb berühmt – besser, flüssiger, gewandter sprechen, als man es in Wirklichkeit tut. Aber diese erlaubte und oft nötige Stilisierung kann einen Grad erreichen, bei dem der Leser unruhig oder mißmutig wird. *So* sollen die gesprochen haben? Wer's glaubt, wird selig!

In tiefen Groll kann dieser Mißmut umschlagen, wenn der Leser merkt, daß *er* gemeint ist, dem der Autor etwas beibringen will, daß die Figuren Informationen austauschen, die sie im wirklichen Leben nie austauschen würden, weil sie beiden längst bekannt sind. Es ist eine sehr verbreitete Unsitte.

Kein Geringerer als Goethe hat ihr gefrönt. Seit Adam und Eva hätte kein Paar sich seine Vorgeschichte so erzählt wie das Ehepaar zu Beginn der *Wahlverwandtschaften*. Charlotte klärt dort ihren Gatten Eduard über ihr Verhältnis auf:

> Wir liebten einander als junge Leute recht herzlich; wir wurden getrennt; du von mir, weil dein Vater, aus nie zu sättigender Begierde des Besitzes, dich mit einer ziemlich älteren, reichen Frau verband; ich von dir, weil ich, ohne sonderliche Aussichten, einem wohlhabenden, nicht geliebten, aber geehrten Manne meine Hand reichen mußte. Wir wurden wieder frei; du früher, indem dich dein Mütterchen im Besitz eines großen Vermögens ließ; ich später, eben zu der Zeit, da du von Reisen zurückkamst. So fanden wir uns wieder.

Ach so? Und das wußte er alles nicht? Hieße der folgende Satz: «Eduard litt in den letzten Monaten an schwerem Gedächtnisverlust und Charlotte mußte ihm stets aufs neue wieder …» – dann wäre der Monolog noch immer nicht gut, aber weniger lächerlich. Gedächtnisschwund zählt jedoch nicht zu den Mängeln des Helden, wie Uwe Timm in seiner Poetik-Vorlesung richtig bemerkt. Es ist der Autor, der uns Leser über die Umstände ins Bild setzen will, und dafür benützt er die Figuren als Sprechpuppen – Sünde und schwerer Kunstfehler.

Kunstfehler, des weiteren

Damit haben wir uns das Stichwort für eine kurze Abschweifung gegeben, für die wir die reine Stilbetrachtung für einen Moment verlassen müssen. Nein, verlassen *wollen*, nicht müssen: Das

Thema des Kunstfehlers ist, jedenfalls für enthusiastische Kritiker, eines der attraktivsten überhaupt.

Die Kategorie des Kunstfehlers tritt erst bei Werken von einigem Rang in Kraft. Die Leute, die mit langen Detektoren den Strand nach Münzen absuchen, packen ihre Gerätschaft auch nicht für den Gang über ein Metalldeck aus. Erst bei Meisterwerken oder fast vollkommenen Gebilden wird der Kunstfehler interessant.

Die Möglichkeiten solcher Fehler sind vielfältig. Die einfachsten und unerheblichsten sind die rein sachlichen. Wenn Daniel Kehlmann in der *Vermessung der Welt* einen belgischen Diplomaten zu einem Zeitpunkt auftreten läßt, als es den Staat Belgien noch nicht gab, ist es einer dieser nachweisbaren (und völlig unbedeutenden) Kunstfehler. Man kann ihn in einer späteren Ausgabe tilgen. Diesem Genre von Kunstfehlern ist gerade bei den Klassikern oft fleißig und biderb nachgegangen worden – *Hier irrt Goethe*, man kennt das Vorbild.

Komplexer schon sind Fehler in der Erzählperspektive. Der Autor hält sich nicht an die seelische Ausstattung, die er seinen Figuren mitgegeben hat, die Figuren wissen mehr, als sie wissen dürften. Der Autor mißachtet die Logik der Erzählung, weil er uns etwas mitteilen will, für das er die Figuren als Boten benutzt, wie wir es in den *Wahlverwandtschaften* gesehen haben. Auch die Beispiele dafür sind Legion. Eines auf höchstem Niveau wäre der schon zitierte Roman *Was davor geschah* von Martin Mosebach, einem der farbigsten Stilisten der Gegenwartsliteratur. Mosebachs Hauptfigur Hans-Jörg macht eine Reise nach Ägypten, wo er, anders als sein Autor, nie gewesen sein will. Einmal dort angekommen, weiß dieser Hans-Jörg plötzlich erstaunlich viel über Sitten und Gebräuche, er weiß, daß im ägyptischen Militär nur analphabetische Fellachen landen, weil die andern sich freikaufen – kurzum, es sind ihm über Nacht Kenntnisse zugewachsen, die er seinem Autor, nicht jedoch der Erzähllogik verdankt. Immerhin möglich, daß dem trüben Hans-Jörg die Kenntnisse durch seinen Begleiter Salam vermittelt wurden, der Ägypten hinreichend gut kennt.

Eine andere, ähnliche Kategorie der Kunstfehler ist die der Unglaubwürdigkeit, der Plot-Schlamperei oder sagen wir: der Plot-*largesse*. Auch hierfür wären die Beispiele Legion. Eines der schönsten ist Stendhals *Kartause von Parma*, in der es von Unwahrscheinlichkeiten wimmelt. Erinnern wir uns, wie der inhaftierte Held Fabrizio von seinem Gefängnisturm aus in der Nacht mit der Herzogin, die ihrerseits auf einem Turm steht, Botschaften tauscht, und zwar per Lampe und Lichtsignal. Was heißt, daß sie die Buchstaben je nach Stellung im Alphabet ein bis sechsundzwanzig Mal aufblitzen lassen müssen, so lange jedenfalls, bis sie sich – ebenfalls per Lichtsignal – auf diverse Abkürzungen verständigt haben. Die Herzogin teilt Fabrizio bei einem dieser nächtlichen Morse-Treffen nun unter anderem mit: «Ich liebe dich. Verzage nicht. Gesundheit. Hoffnung! Übe deine Kräfte in der Zelle, du wirst starke Arme nötig haben.» Im Original: *«Je t'aime, bon courage, santé, bon espoir! Exerce tes forces dans ta chambre, tu auras besoin de la force de tes bras.»*

Da braucht allerdings auch die Herzogin einen starken Arm, um ihre Laterne diese – Moment … – neunhundertsechsundfünfzig Mal aufblitzen zu lassen.

Aber so komisch es ist, wenn man nur eine Sekunde an die mögliche Realisierung denkt: Solche Fehler ändern gar nichts an Stendhals Rang und seinem Charme, dem so viele Leser erlegen sind, darunter Walter Benjamin und Proust.

Auch ihm, dem Gott der Prosa und der *Recherche*, unterlaufen Kunstfehler. Sehr viele schlichte und nachweisbare, wie der Stimmbruch, von dem er eine seiner *filles en fleur* noch verschont weiß, aber auch subtile und gleichwohl kapitale, die etwas mit der Tempoführung zu tun haben. Kunstfehler dieser Art, die man nicht beweisen, sondern gewissermaßen nur schmecken kann, sind die allerinteressantesten. Überdehnt er es nicht, der Meister der genüßlich entfalteten japanischen Wasserstadt, wenn er uns über tausend Seiten Marcels Geliebte Albertine ans Herz schmiedet, wenn er sie dann sterben und für einen Moment scheinbar wiederauferstehen läßt und wenn er diesen Moment vor der finalen Generalenttäuschung perfider- und leservergessenderweise durch eine fünfzehn Seiten lange Schilderung der Kunstschätze Venedigs hinauszögert? Doch, er überdehnt.

Und Thomas Mann, der Meister des Leitmotivs, überzieht er es nicht auch bisweilen, nudelt es sich nicht gelegentlich ab, verdreht man nicht irgendwann die Augen, wenn der Lotte in Weimar wieder einmal das Kinn zittert und Goethe wieder zufällig nur an jene Themen denkt, die Thomas Mann im Joseph-Roman gerade bearbeitet, den er für die *Lotte* unterbrach? Wenn niemand einmal «Ja» oder «Meinetwegen» sagen kann, sondern alle immer nur «Allenfalls»? Doch, doch, auch Tommy überzieht.

Ein Spezialfall wäre Heimito von Doderer, auf den wir noch genügend oft zu sprechen kommen werden. Auch bei ihm würde der Metalldetektor unentwegt fiepen. Doderer bricht fast jedes Gesetz der Erzählkunst. Aber er, der Zen-Meister der Prosa, kann es, und darum schmeißt man schon bald begeistert den Detektor weg.

Wehsals Donnerwort

Doch genug der Abschweifung, kommen wir zurück zur Frage der guten, glaubwürdigen wörtlichen Rede. Betrachten wir einen anderen reizvollen Fall etwas ausführlicher, ein Zweifelsfall, um es vorwegzunehmen. Es geht um den *Zauberberg* und dort um den Monolog einer Nebenfigur. Es spricht der Mannheimer Ferdinand

Wehsal, der sich hoffnungslos nach Madame Chauchat verzehrt. Er ist die Gegenfigur zu Hans Castorp, der seine Walpurgisnacht mit Clawdia Chauchat gehabt hatte. Castorp leiht Wehsal, der ihn glühend darum beneidet, auf einer Kutschenfahrt widerwillig sein Ohr; sie sind auf dem Weg zu den Wasserfällen, von denen wir noch hören werden.

Es sei fürchterlich, was er von seiner Begierde nach Chauchat auszustehen habe, erklärt Wehsal seinem Beisitzer. Man könne damit weder leben noch sterben – «wen es hat, der kann es nicht wegwünschen, man müßte sein Leben wegwünschen, womit es sich amalgamiert hat, und das kann man eben nicht, – was hätte man davon, zu sterben? Nachher, – mit Vergnügen. In ihren Armen, – herzlich gern. Aber vorher, das ist Unsinn, denn das Leben, das ist das Verlangen, und das Verlangen das Leben, und kann nicht gegen sich selber sein, das ist die gottverfluchte Zwickmühle.»

Ferdinand Wehsal referiert damit ziemlich wortgetreu Schopenhauers Lehre vom Geschlechtstrieb als dem Kern des Willens zum Leben, womit er schon dieselben leichten Zweifel auslöst wie mit seiner Verwendung des Verbs «amalgamieren», das um 1912 nicht in jedermanns Wortgebrauch war. Auch der biblische Ton, in den Wehsal immer stärker verfällt, paßt nicht recht zu dem schlichten Mannheimer. Von der Tortur der Fleischesbegierde, erklärt er Castorp, könne man einzig und allein auf dem Wege und unter der Bedingung loswollen, daß sie gestillt werde: «Das ist die Einrichtung, und wen es nicht hat, der hält sich nicht weiter dabei auf, aber wer es hat, der lernt unsern Herrn Jesum Christum kennen, dem gehen die Augen über.» Gott im Himmel, was sei es doch für eine Einrichtung und Angelegenheit, daß das Fleisch so nach dem Fleische begehre, nur, weil es nicht das eigene sei, sondern einer fremden Seele gehöre – und wie anspruchslos auch wieder in seiner verschämten Freundlichkeit! Wolle er sie morden? (Immer hat

Thomas Mann es mit dem Morden, wenn es um Sex geht.) Wolle er ihr Blut vergießen? Er wolle sie ja nur liebkosen! Und es sei auch etwas Höheres dabei, er sei doch kein Vieh, auf seine Art sei er doch auch ein Mensch!

> Die Fleischesbegierde gehet dahin und dorthin, sie ist nicht gebunden und nicht fixiert, und darum so heißen wir sie viehisch. So sie aber fixiert ist auf eine Menschenperson mit einem Angesicht, alsdann so redet unser Mund von der Liebe. Mich verlangt doch nicht bloß nach ihrem Körperrumpf und nach der Fleischpuppe ihres Leibes, sondern wenn in ihrem Angesicht auch nur ein kleines Etwas anders gestaltet wäre, siehe, so verlangte mich's möglicherweise nach ihrem ganzen Leibe gar nicht, und daher so zeiget sich's, daß ich ihre Seele liebe, und daß ich sie mit der Seele liebe.

Und so geht es noch eine Seite weiter, obwohl Hans Castorp ihn – «Wehsal, pst! leise doch!» – ermahnt, daß der Kutscher ihnen zuhöre, er sehe es ihm am Rücken an. Am Ende befiehlt er ihm dann doch, den Mund zu halten, als Wehsal von der Schandhölle seiner Nächte zu erzählen beginnt, aus denen er «mit Schweiß und Schmach und Lust bedeckt» erwache.

Wehsals Rede über die Qualen der Begierde ist wuchtig. Das kleine Problem: Sie ist zu wuchtig. Man nimmt der Figur kein Wort davon ab, zu solch archaisierender Verve wäre das Würstchen, bislang durch keinerlei Brillanz hervorgetreten, nie in der Lage, solche Reden hätte allenfalls ein Rudolf Borchardt auf einer Kutschenfahrt improvisiert. Und wenn wir schon einmal dabei sind: Auch Castorps auf französisch vorgetragener und äußerst ziselierter Liebesmonolog an Madame Chauchat im Kapitel «Walpurgisnacht» übersteigt bei weitem die Sprachkenntnisse, die man dem jungen Ingenieursanwärter zutrauen kann; selbst sein Schöpfer schwitzte Wochen darüber und mußte sich lektorierende Hilfe von Bruno Frank verschaffen.

Aber trägt der Einwand wirklich, und ist nicht jeder Roman-Dialog stilisiert? Will man nur authentische Redeprotokolle, nur Woyzeck-Gestammel (und schon das ist höchst stilisiert)? Natürlich nicht. Der Autor sollte sich nur an die Regeln halten, die er selbst aufgestellt hat. *Der Zauberberg*, vordergründig ein realistischer Roman, zeichnet sich gerade durch die individuelle und glaubwürdige Sprache seiner Figuren aus. Der Hofrat Behrens und sein Assistent Krokowski, der wortkarge Joachim und die Rhetoren Naphta und Settembrini, sie alle sprechen auf ganz eigene Art und unverwechselbar. Mit Ferdinand Wehsal bricht Thomas Mann dies selbst aufgestellte Gesetz – aber sei's drum, in seiner Not gab dem Mannheimer der Geist offenbar Zungen ein.

Von Manns spätem Roman *Der Erwählte* verlangt kein Mensch, daß die Figuren glaubwürdig oder realistisch sprechen, hier sind wir in der Sphäre der humoristischen Legende, und die Figuren sprechen in einem erfundenen und außerordentlich komischen Sprachenmix. Man erinnere sich nur an die Fischer, die auf stürmischer See das Fäßchen mit kostbarem Inhalt (dem Säugling und späteren Papst) aufgegabelt haben und bei ihrer Ankunft im Hafen vom Abt nach ihrem Fang befragt werden:

> «Heho, hallo, Herr, is noch mal gutgegangen», erwiderten sie. «Fische? Nee, dat's nu'n littel bit tau veel verlangt. Wi könn von Lucke seggen, dat uns de Fisch nicht hebben, denn dat was Euch 'ne Freise, Herr, un weren Euch coups de vent, da macht Ihr Euch, Herr, gar keen Einbildung von. Da mußt immer een Mann die Seen drawen aus dem Boot und de annere mit all sin Macht den Timon holden, un sonst was an keen Ding en Denken an.»
> «‹Wie sie reden›, dachte der Abt. ‹Höchst ordinär›.»

Noch ordinärer fast als das Platt aus der Zeit der *Buddenbrooks*. Als der Abt dann doch das Fäßchen entdeckt, das die Fischer zu kaschieren versuchen, werden sie verlegen: «Puhr Pipels Stoff», murmelten jene. «Da kehrt ein Herr gar nicht vor.»

Poor people's stuff. Man merkt den Fischern an, daß Thomas Mann lange in Amerika gelebt hat. Und, kehren wir dran? *Who cares!*

Es spricht nicht das geringste gegen stilisierte Dialoge, die klassische dramatische Literatur verschwände ohne sie. Es spricht auch nicht zwingend etwas gegen gleichförmige Figurensprache in der dramatischen Literatur. Dies zumindest ist der bedenkenswerte Einwand, den Burkhard Müller in seiner Schiller-Studie vorträgt. Müller weist dort die Vorstellung, jede Figur müsse durch ihre eigene Sprache, ihre eigene Beschädigung charakterisiert sein, müsse gewissermaßen anders hinken, als naiv modern zurück. Schiller und vor ihm Lessing hätten es als Zumutung von sich gewiesen, gar als Verrat an ihren Figuren, gäben sie ihnen nicht jeder von ihnen gleichmäßig das Beste mit, das sie als Autoren hätten, ihre Sprache. Man möge es unrealistisch finden, aber beide Autoren gestünden ausnahmslos jeder Figur dieselbe Noblesse zu.

Ein ernst zu nehmender Einwand, obschon ... Daß ausnahmslos alle Figuren schillerisieren, wie Burkhard Müller es nennt, fällt selbst ihm störend auf, wenn es um das spätere dramatische Werk geht.

Schwierig wird es dann, wenn ein realistischer Roman vorgibt, seine Figuren glaubwürdig sprechen zu lassen, der Leser es ihm aber nicht abnimmt.

Fontanes Wassermelonen

Der hervorragende Fall für dieses «Nicht Fisch, nicht Fleisch» ist – und wir hören die Entrüstungsrufe der Leser – Theodor Fontane. Wie? Fontane, der gerade für seine Dialogkunst so gepriesene Schöpfer der preußischen Gesellschaftsromane, der Schöpfer der von vielen über die *Madame Bovary* gestellten *Effi Briest*?! Eben der.

Vieles an Fontane ist entzückend. Seine Essenz ist wie in einer dicken Phiole in seinem Alterswerk *Der Stechlin* konserviert, dessen Erscheinen im Oktober 1898 sein Verfasser um einen Monat verpaßte, abberufen vom Tod. Die Krankheit zum Tode hatte er seiner Hauptfigur auf den Leib geschrieben, dem Dubslav von Stechlin, Major a. D. von altem märkischen Adel und Bewohner des gleichnamigen Schlosses. «Zum Schluß stirbt ein Alter und zwei Junge heiraten sich – das ist ziemlich alles, was auf 500 Seiten geschieht», hatte Fontane von seinem altersradikalen Roman angekündigt, und nicht übertrieben damit. Der Rest ist nicht Schweigen, der Rest ist: Dauergeplauder. Hoch gebildetes, amüsantes, geistreiches, oft bummeliges, manchmal biblisch feierliches und immer gleiches Dauergeplauder. Nur ganz wenige Momente gibt es, in denen die Sprache sich zurückzieht und sich der Grenze des Verstummens nähert. Ein solcher Moment, der durchaus Grandezza entfalten kann, ist die Szene, in der Dubslav von Stechlin begreift, daß seine Krankheit in die letzte Phase übergeht. Sein Diener Engelke überreicht ihm das rundliche Fläschchen mit der Medizin, die ihm besorgt worden ist. «Dreimal täglich zehn Tropfen» steht auf einem angebundenen Zettel.

> Dubslav hielt die kleine Flasche gegen das Licht und tröpfelte die vorgeschriebene Zahl in einen Löffel Wasser. Als er sie genommen hatte, bewegte er die Lippen hin und her,

etwa wie wenn ein Kenner eine neue Weinsorte probt. Dann nickte er und sagte: «Ja, Engelke, nu geht es los. Fingerhut.»

Fingerhut, Digitalis – ein Mittel gegen Herzinsuffizienz. Das ist nicht nur in der Wortkargheit, die alles Pathos abwehrt, sondern auch im Vergleich mit der Weinprobe stark. Es steckt eine gewisse Neugier darin: Wie wird er schmecken, der Tod? Ein ganz neues Bouquet?

Freilich, solche lakonischen Stellen im *Stechlin* sind rar. Selbst Dubslavs ruhiges Sterben mündet wieder in eine Sentenz; Fontanes Schwäche für die Sentenz ist ohnehin sein Hauptmerkmal.

> Engelke ging, und Dubslav war wieder allein. Er fühlte, daß es zu Ende gehe. «Das ‹Ich› ist nichts – damit muß man sich durchdringen. Ein ewig Gesetzliches vollzieht sich, weiter nichts, und dieser Vollzug, auch wenn er ‹Tod› heißt, darf uns nicht schrecken. In das Gesetzliche sich ruhig schicken, das macht den sittlichen Menschen und hebt ihn.»
> Er hing dem noch so nach und freute sich, alle Furcht überwunden zu haben. Aber dann kamen doch wieder Anfälle von Angst, und er seufzte: «Das Leben ist kurz, aber die Stunde ist lang.»

Ein *mot*, ein memorabler Aphorismus. Seufzt man so auf dem Sterbebett? Ergreifend oder doch wieder zu wohltemperiert und harmlos proverbial? Die dauerhaft mittlere Temperatur bei Fontane, bei dauerhaft dahinplätscherndem Gerede, das macht ihn à la longue so leicht ausrechenbar wie schwer ermüdend. Robert Neumann wirft eine Seite Fontane an einem Vormittag hin. Bei Gottfried Keller bräuchte er etwas länger.

Und ihm, Gottfried Keller, hatte ausgerechnet Fontane in einer sehr honorigen Besprechung einen bestimmten Vorwurf gemacht.

Nach beredten Worten des Lobs folgt eine kleine, aber wichtige Einschränkung. Es sei ja alles schön und gut, aber leider verstoße Keller beständig gegen den Satz: «Gebet dem Kaiser, was des Kaisers, und Gott, was Gottes ist!» Erbarmungslos überliefere er die ganze Gotteswelt seinem Keller-Ton.

Das allerdings war ein Bumerang, der niemand anderen niederstreckt als ihn selbst. Noch einmal: Nichts gegen Fontane! Nichts vor allem gegen seine Erinnerungen *Meine Kinderjahre* und nichts gegen *Vor dem Sturm*, nichts gegen *Irrungen, Wirrungen* oder gar *Effi Briest*. Aber es ist der Fontane-Ton, dem er seine ganze preußische Gotteswelt überliefert, dieser immer gleiche Ton, den man irgendwann nur noch schwer erträgt. Es ist wie mit Wassermelonen, gegen die man prinzipiell nichts einwenden kann, an denen man sich aber irgendwann überißt.

Denn genau das, was als seine Stärke gilt, ist auf Dauer seine Schwäche: die Kunst der wörtlichen Rede. Alle Figuren sind hoch sprachbewußt und kommentieren beständig ihre eigene Wortwahl und Ausdrucksweise, das ist im *Stechlin* schon eine Marotte. Die Figuren klopfen die Sprache auf Phrasen und hohle Konvention ab, sie lassen sich sprachlich kein X für ein U vormachen und sind immer erst einmal ironisch. Und alle tun es auf die gleiche Art. Es wäre ein leichtes, aber auch müßiges, Stellen zu montieren, bei denen sich unmöglich unterscheiden ließe, ob sie von Dubslav oder Czako oder Woldemar, ob sie von Frau von Gundermann oder von Melusine gesprochen (respektive: gelacht) werden. Oder auch vom alten Briest. Sie alle klingen nach *their master's voice*.

Als Beispiel nur für die Zweifler, die oben aufgeschrien haben, Fontanes Manier des «oder doch». Wer könnte die Figuren auseinanderhalten? Graf Barby sagt: «daß ich dem armen Wrschowitz seinen Musikdoktor gönnen oder doch mindestens verzeihen muß». Woldemar: «Er verändert sich dann nicht in dem, was er sagt, oder doch nur ganz wenig»; Armgard: «Wir sind ja eigentlich sehr märkisch oder doch beinah»; Melusine: «Den haben sie alle hier, oder doch die meisten»; Dubslav: «Alle drei richtige Kaiser und fromme Leute, oder doch beinah fromm»; die Domina: «Das ist ja ein Großvaterstuhl oder doch beinah»; der alte Herr von Kraatz: «Nicht so ganz. Oder eigentlich gar nicht.»

Eben. Nicht so ganz oder eigentlich gar nicht könnte man sie unterscheiden. Und selbst wenn Fontane eine Figur einmal individuell sprechen lassen will, hält er es nicht lange durch. Es gibt da den tschechischen Musiklehrer Nils Wrschowitz, dem der Graf Barby den Doktortitel gönnt oder doch mindestens verzeiht. Fontane bemüht sich zunächst um die Markierung der fehlerhaften Syntax und des Akzents. Nach Berlin befragt, sagt Dr. Wrschowitz: «Eine serr gute Stadt, weil es hat Musikk und weil es hat Krittikk.» Und die Berliner Menschen? «Oberklasse gutt, Unterklasse serr gutt; Mittelklasse *nicht* serr gutt.» Der Leser versteht: Der tschechische Doktor ist des Deutschen nur passabel mächtig, der Artikel ist Glückssache, er meidet den komplizierten Satzbau, er meidet selbst das einfache Verb «sein». Doch schon bei Wrschowitz' nächster Replik wankt die Sprach-Fassade leicht:

«Mittelklassberliner, wenn spricht andrer, fällt in Krampf. In versteckten Krampf oder auch in nicht versteckten Krampf. In verstecktem Krampf ist er ein Bild des Jammers, in nicht verstecktem Krampf ist er ein Affront.»

Der letzte Satz ist reinster Fontane, man hört nichts mehr von schiefer Syntax, Verbvermeidung und starkem Akzent. Ganz fällt die Fassade, als Wrschowitz sich zum Thema der einerseits Damen und andererseits Madams äußern soll. Wrschowitz führt über die Madam aus: «Und wenn sie zu Paul spricht, der ihr Jüngster ist, so sagt sie: ‹Jott, dein Vater.› Oh, die Madamm! Einige sagen, sie stürbe aus, andere sagen, sie stürbe nie.»

Unser radebrechender Tscheche imitiert plötzlich perfekt das Berlinerische, flicht Relativsätze ein, benützt die schwersten Konjunktive, nachdem er soeben noch nicht mal ein «ist» einfügen konnte? Aber es muß auf Dauer jeder gleich sprechen bei Fontane, das ist ehernes Gesetz oder doch gußeiserne Regel; selbst wenn sie Platt sprechen, sind sie verwechselbar.

Und man nimmt es ihnen nicht ab, wie sie plaudern, wo sie doch nichts anderes tun. Die Technik, die Welt ganz im Gespräch aufgehen zu lassen und ganz in Dialog zu überführen, ist eine literarische Neuerung, deren Verdienst dem Maître-Causeur nicht bestritten sei. Nicht einmal Landschaften und Orte werden auktorial beschrieben, auch das lagert der alte Fontane ins Geplauder aus. Hören wir, wie sich Dubslavs Sohn Woldemar, Hauptmann von Czako und Reserveoffizier von Rex zu Pferd dem Schloß Stechlin nähern:

> «Alle Wetter, Stechlin, das ist ja reizend», wandte sich Czako zu dem am anderen Flügel reitenden Woldemar. «Ich find es geradezu märchenhaft, Fata Morgana – das heißt, ich habe noch keine gesehn. Die gelbe Wand, die da noch das letzte Tageslicht auffängt, das ist wohl Ihr Zauberschloß? Und das Stückchen Grau da links, das taxier ich auf eine Kirchenecke. Bleibt nur noch der Staketzaun an der andern Seite; – da wohnt natürlich der Schulmeister. Ich verbürge mich, daß ich's damit getroffen. Aber die zwei schwarzen Riesen, die da grad in der Mitte stehen und sich von der gelben Wand abheben (‹abheben› ist übrigens auch trivial; entschuldigen Sie, Rex), die stehen ja da wie die Cherubim. Allerdings etwas zu schwarz. Was sind das für Leute?»
>
> «Das sind Findlinge.»
>
> «Findlinge?»
>
> «Ja, Findlinge», wiederholte Woldemar. «Aber wenn Ihnen das Wort anstößig ist, so können Sie sie auch Monolithe nennen. Es ist merkwürdig, Czako, wie hochgradig ver-

wöhnt im Ausdruck Sie sind, wenn Sie nicht gerade selber das Wort haben […].»

Dies alles im Sattel nebeneinanderher reitend gesprochen. Glaubt man's? Nicht die Bohne.

Genau hingehört: Die Resel der Freifrau, Werfel, Canetti

Die Kunst der wörtlichen Rede beherrschen aus irgendeinem Grund besonders gut die Österreicher. Wenn sie nicht gerade Stifter heißen.

Besonders stark ist die Freifrau Marie von Ebner-Eschenbach. Ihre Erzählung *Die Resel* besteht fast ausschließlich aus einem langen Dialog. Nach der Schnepfenjagd im Revier Fichtenberg wird der Herr Oberförster von Graf und Gräfin zum Abendessen eingeladen. Die Gräfin erkundigt sich beim Förster nach einem am Waldrand gelegenen Grabhügel, den sie von ferne gesehen hat. Ihr Forst-Begleiter, ein recht unheimlicher Mann mit trotzigen Augen, habe auf ihre Frage nur etwas gebrummt und an seinem Schnurrbart gerissen. In dem Grab ruht, wie der Förster ihr erklärt, eine junge Selbstmörderin, die Resel des Titels, deren Geschichte sich durch das folgende Frage-und-Antwort-Spiel entfalten wird. Der sprachliche Reiz liegt in der sozialen Kluft zwischen dem Förster und der «Hochgräflichen Gnaden», wie er sie nennt. Der Förster spricht ein starkfarbiges, dialektales, kultiviertes und bilderreiches Deutsch, die zigarrerauchende Gräfin hält mit ihm mit, macht sich bei ihrem Gatten aber auf französisch über den Förster lustig. Der erzählt nun von der Resel, deren Onkel er war. Die Eltern waren schon alt, als sie geboren wurde.

«[...] Der liebe Gott hat sich besonnen. Aber weil sie keine Ruh gegeben haben mit Bitten und Betteln und auf alle Wallfahrtsorte herumgezogen sind, gibt er endlich nach und schickt ihnen die zitternde Freud.»

«Das Kind wird wohl kränklich gewesen sein?»

«Gesund wie ein Fischerl von ihrer Geburt an. – ‹Wenn die zwei Alten ein Kind kriegen, kommt's mit graue Haar' auf die Welt›, hat es immer geheißen. Indessen bringt das Mädel einen Kopf voll dunkle Locken mit, und wie ihr die ausgegangen sind, wachsen noch dunklere nach. Die Augen waren schwarzbraun, ich hab mein Lebtag keine so schönen mehr gesehen.»

Die Gräfin zuckte die Achseln, erhob sich und sagte mit komisch-naiver Entrüstung zu ihrem Gatten: «Comme il est bête!»

Der Graf schlummert bald ein, und die Gräfin holt den Förster immer mehr über das traurige Schicksal der Resel aus.

«War die Resel groß, klein, wie hat sie ausgesehen?»

«Sie wird beiläufig eine Person gehabt haben wie Hochgräfliche Gnaden, nur nicht so mager da herum.» – Der Förster legte die Zigarre weg und griff mit beiden Händen an seine breite Taille. «Aber ein Feuerteufel. Man hat nämlich nie gewußt, wenn sie weg war, ob sie ihre geraden Glieder heimbringt.»

Die Gräfin lächelte: «Ja, ja, so wilde Hummeln gibt's, ich habe auch eine gekannt.»

Die Gräfin, ebenfalls mit dunklen Haaren und Augen, spielt damit auf sich selber an, sie erkennt sich in Resel wieder, es waltet etwas wie geheime Identität. Ebner-Eschenbach gelingt es, dieses

Geheimnis nur durch im Gespräch versprenkelte Details zu enthüllen. Die beiden plaudern dabei nicht fürs Publikum, das ist das Schöne, der Förster kommt ins Sprechen, sein Erzählrad wird durch die kurzen Zwischenfragen der Gräfin immer wieder neu in Schwung gebracht. Es ist das Gegenteil von formellem Dialog, es ist knorrig, es ist überraschend, und hinter jedem dritten Satz möchte man ein Rufzeichen machen. Die Resel, so wild sie war, wollte sich immer bändigen lassen. «An gutem Willen hat's ihr nicht gefehlt, nur war's ganz gegen ihre Natur, und wenn man sie so gesehen hat, ist sie einem vorgekommen wie ein Fink oder ein Kanari, den's eingespannt haben und der ein Wagerl hinter sich herziehen muß.»

Der Kanari mit dem Wagerl – ein Bild für Götter, wie unsere Großeltern gesagt haben würden. Warum aber endet es mit der Resel schlecht? Es hätte alles gut ausgehen können; die Eltern geben am Ende dem Wunsch der Tochter nach, ihren Toni zu heiraten, der ein rechter Stoffel ist, in den sich die Resel aber nun einmal verliebt hat. Resel steigt auf den Berg, um ihrem Toni die frohe Botschaft zu überbringen.

> «Nun hätte ja alles gut werden können, Förster.»
> «Zu dienen, ja – können, wenn nämlich der Toni ein ganzer Mann gewesen wäre und nicht ein halbeter, der sich einer üblen Angewohnheit aus seiner Bubenzeit noch nicht erwehren kann. Er ist, das hat er mir erzählt, wenn ich sage zwanzigmal, sage ich nicht genug, an dem Abend in seinem schlimmsten Humor gewesen, nämlich. Hat er einen Streit gehabt, hat er einen Waldfrevel entdeckt oder was – genug, wie ihm die Resel von weitem zuruft, tut er schon, als ob er nichts höret oder sehet.»

Damit nimmt das Unheil seinen Lauf. Toni singt das alte Lied: ‹Ich will dich ja lieben, aber heiraten nicht›, und dann hängt da die Pistole in seinem Schlafzimmer. Der Förster erklärt der Gräfin, warum. Er vermeidet die direkte Ansprache, darum heißt es im folgenden Satz nicht «wissen Sie», sondern nur «wissen» – ergänze im Stillen: «wissen Eure hochgräflichen Gnaden».

> «Im vorigen Winter, wissen, ist der Toni von drei Kerlen mit berußten Gesichtern, wahrscheinlich abgestrafte Holzdiebe, im Schlaf überfallen, gebunden und geknebelt, aus dem Bett gerissen und in den Schnee geworfen worden. Einem puren Zufall, der mich zu ganz ungewohnter Zeit dort vorbeigeführt hat, hat er's zu verdanken, daß er nicht völlig erfroren ist, zu drei Vierteln war er's schon. Seit damalen hat er immer eine geladene Pistole an der Wand beim Bett hängen gehabt. Auf diese geht die Resel zu, nimmt sie vom Nagel und spannt: ‹Toni, ich muß heim, ich hab's dem geistlichen Herrn versprochen, ich kann aber nicht kommen ohne dich. Kommst mit, Toni? – Willst?› [...]»

Toni, oder der Teufel, der in ihm steckt, schreit «Nein», die Resel schießt sich in die Brust. «Jetzt ist dem Teufel seine Arbeit fertig, jetzt läßt er los.» Toni erwacht aus seinem Wahn, holt Decken und einen Polster und legt sie so vorsichtig darauf, «als ob sie ein bis zum Rand gefülltes Glas wäre, aus dem um Gottes willen kein Tropfen ausgeschüttet werden darf». Die Sterbende bittet um geistlichen Beistand aus dem Tal: «Und er fort. – Ein Felsstück, das von der steilen Wand abspringt, wäre nicht früher unten gewesen.» – Das letzte Bild hätte von Kleist sein können.

Kurz vorm Exitus verzeiht Resel ihrem Toni, statt sich um ihre eigene Versöhnung mit dem Schöpfer zu kümmern, wozu sie eindringlich ermahnt wurde. Den Pfaffenjargon kann Ebner-Eschenbach perfekt: «Dein Heiland, mein Kind, begehrt einzuziehen in dein Herz – empfange deinen Heiland, mein Kind.» Zu spät, die Resel ist hinüber und wird als Selbstmörderin nicht auf dem Kirchfriedhof, sondern am Waldrand begraben.

Und was ist aus ihrem unglückseligen Geliebten geworden, will die Gräfin wissen. «Lebt er noch? Ich möchte ihn kennen, den Toni.»

«Kennen ihn ohnehin», erwidert der Förster. «Ist derselbe, der Hochgräfliche Gnaden heute geführt hat auf der Jagd.»

Die Resel – prachtvoll erzählt vom Förster, geschickt gelenkt von der Gräfin, noch geschickter von der Freifrau, die alles Recht auf ein späteres Extra-Kapitel hat.

*

Ebenfalls stark in der wörtlichen Rede ist der heute ohnehin unterschätzte Franz Werfel. In seiner 1940 verfaßten Novelle *Eine blaßblaue Frauenschrift* gibt es drei wichtige Dialoge und einen ganz unwichtigen Monolog. Der unwichtige wird im Ministerrat gehalten, bevor es zur eigentlichen Besprechung kommt, die der Hauptfigur die Gelegenheit geben wird, für einen kurzen Moment über sich hinauszuwachsen. Als kleines *Aside* vor dem großen Auftritt läßt Werfel den Kabinettschef des Hauses, einen hohen, beschränkten und schlecht bezahlten Beamten, von seinem Sommerurlaub mit der ganzen Familie, «leider siebenköpfig», erzählen. Werfel faßt den Phänotyp in die paar Sätze:

> «Am schönsten See des Landes, ich bitte, am Fuße unsres imposantesten Gebirgsstockes, ich bitte, der Ort wie ein Schmuckkästchen, keine Elegance, aber Saft und Kraft, mit Freibad und Tanzgelegenheit für die liebe Jugend, mit Autobus in jede Richtung, ich bitte, und mit gepflegten Prome-

> naden für Gicht und Angina pectoris. Drei prima Zimmer im Gasthaus, kein Luxus, aber Wasser, fließend, kalt und warm, und alles, was man sonst noch braucht. Den Kostenpunkt werden die Herren nicht erraten. Sage und schreibe fünf Schilling pro Kopf. Das Essen, ich bitte, brillant, üppig, mittags à drei Gänge, abends à vier Gänge. Hören Sie: Eine Suppe, eine Vorspeise, Braten mit zwei Gemüsen, eine Nachspeise, Käse, Obst, alles mit Butter oder bestem Fett zubereitet, auf mein Wort, ich übertreibe nicht …»

Hört man es nicht vor sich? Ich bitte!

Auch bei Heimito von Doderer ist jeder Dialogsatz glaubhaft und könnte genau so gefallen sein. Auf den ersten Blick hat sein Duktus etwas Gravitätisches, eine Neigung zum Latinisieren. Er sucht eher das gehobenere oder altertümliche Wort, die etwas geschraubtere Wendung, den barocken Schnörkel eher als den neusachlichen Bauhaus-Stil. «Die Abwässer der literarischen Industrie», schrieb er selbst dazu, «verseuchen die Sprache. Ich selbst bin einer der letzten lebenden Flußkrebse, die in ihrer Not gegen den Strom wandern, den Quellen zu.»

Auf den zweiten Blick ist Doderer der Meister der gesprochenen Sprache. Er hat das feine Gehör für die Sozio- und Dialekte in all ihren Abschattierungen. Nicht nur seine wienerisch gefärbten Dialoge sind unübertrefflich lebendig und lebensecht. Setz ihn auf die Alm oder an den Schlachtensee, und er gibt dir chamäleonartig auch das Schwäbische und das Berlinerische (nämlich in seinem frühen Roman *Ein Mord den jeder begeht*).

Das Mündliche ist auch die große, vielleicht größte Stärke Elias Canettis. Manchmal genügt ein Satz, und die Figur steht vor uns. Etwa die ungarische Mutter des Bildhauers und engen Freundes Fritz Wotruba, die in der Küche nach ihrem Sohn mit Tellern wirft, wenn er zu spät kommt oder sie eine Wut hat. Als Canetti sie besuchen darf, steht sie schweigend vor dem Herd und dreht sich nicht einmal um, der Sohn verzieht besorgt den Mund und sagt leise: «Oha! Aufpassen!» Sie müssen die Küche durchqueren, da kommt, als sie im offenen Eingang zum Wohnzimmer stehen, der Teller, gezielt auf Wotrubas Kopf, aber zu hoch. «Dann wischte sie sich die Hände an der Schürze ab und kam auf uns zu: ‹Mit dem red i net›, sagte sie mit hoher Stimme, in ungarischem Tonfall und bewillkommnete mich auf das herzlichste.»

Man glaubt sie zu hören, so wie man den Teller durch die Luft zischen zu hören glaubt.

Man hört bei Canetti alle Figuren, fiktive wie reale, es klingt nicht verkünstelt oder ausgedacht, zumal wenn er sie giftig charakterisiert. In seinem Roman *Die Blendung*, 1935 veröffentlicht, charakterisiert er die Figuren durch ihre akustischen Masken, wie er es nannte, durch schmalen Wortschatz und immer wiederkehrende eingeschliffene Floskeln. Die freilich, anders als Canettis Begriff es nahelegt, das geheime Innenleben der Figuren gerade nicht verhüllen, sondern im Gegenteil demaskieren. Schon als Kraus-Schüler war Canetti hochempfindlich für die Phrase und hatte das genaueste Ohr für die Wienerische Gemeinheit in all ihren Modulationen. Seine dreibändige Autobiographie, das eigentliche Hauptwerk neben *Masse und Macht*, lebt ganz vom Gehörten und Gesprochenen. Alma Mahler steht vor uns, in all ihrer gräßlichen Aufgedunsenheit, weil er sie bauchrednerisch sprechen läßt. Der eitle Emil Ludwig, ein von Canetti verachteter Vielschreiber, schmiert dem greisen Wenigschreiber Beer-Hofmann Honig ums Maul: «Wäre Shakespeare weniger Shakespeare, wenn er nur den ‹Hamlet› geschrieben hätte?» – man glaubt, dabei gewesen zu sein.

Bei den fiktionalen Figuren der *Blendung* setzt Canetti die akustischen Masken fester auf. Diese Masken sind oft abstoßend, und nicht selten sind sie misogyn. Es dürfte (nach Shakespeare) kaum eine schaurigere Frauenfigur geschaffen worden sein als die

Haushälterin Therese. Sie hat sich vom Romanhelden, dem neurotischen Sinologen Peter Kien, heiraten lassen und macht ihm seitdem das Leben zur Hölle.

Das Folgende ist ein innerer Monolog dieser Therese. Der Anlaß: Ihr frisch vermählter Gatte Kien hat nachts bei ihr geklopft, ohne jedoch, wie von ihr erwartet, endlich das nachzuholen, wozu er in der Hochzeitsnacht nicht imstande war. «Therese riß ihren Schal herunter, legte ihn schonungsvoll auf den Stuhl und warf die schwere Brust übers Bett.» Aber es wird wieder nichts. Und jetzt kriecht Canetti ins Hirn der bösen Frau und läßt sie denken:

> Sind das Manieren? Tut man das? Man könnte glauben, ich steh' drum. Was so ein Mann sich alles einbildet! Ist das ein Mann? Ich hab' die schönen Hosen mit den teuren Spitzen an, und er rührt sich nicht. Das kann kein Mann sein. Da hätt' ich ganz andere Liebschaften gehabt. Was war das für ein stattlicher Mann bei der frühern Herrschaft, der immer zu Besuch gekommen ist! Bei der Tür hat er mich am Kinn gefaßt und jedesmal gesagt: «Sie wird von Tag zu Tag jünger!» Das war ein Mensch, groß und stark, der hat was vorgestellt, nicht so ein Skelett. Wie der einen angeschaut hat! Ich hätt' nur muh sagen brauchen.

Als Figurensprache ist das schlechterdings großartig. Allein für das «muh» hätte Canetti die Stockholmer Ehrung verdient. Thereses Gedanken mäandern weiter und verraten immer mehr ihre Verderbtheit und Spießer-Heimtücke:

> Wegen einer Liebschaft darf man sich nichts verpatzen. Gescheit sein muß man. In unserer Familie werden alle alt. Ist das ein Wunder bei dem soliden Leben? Das macht doch

> was aus, wenn man zeitig schlafen geht und immer zu Hause bleibt. Die Mutter, das zerlumpte Weib, ist auch erst mit 74 gestorben. Dabei ist sie gar nicht gestorben. Sie ist vor Hunger krepiert, weil sie nichts zu fressen gehabt hat auf ihre alten Tage. Die hat ja verschwendet. Jeden Winter war eine neue Bluse da. Wie der Vater noch keine sechs Jahre tot war, hat sie sich einen Kerl genommen. Das war eine Rasse, ein Fleischer, geschlagen hat er sie und war alleweil hinter den Mädchen her. Dem hab' ich schön das Gesicht zerkratzt. Er hat mich wollen, mir war er zuwider. Ich hab' ihn nur zugelassen, damit die Mutter sich ärgert. Die war immer: alles für ihre Kinder. No, die hat Augen gemacht, wie sie von der Arbeit nach Hause kommt und den Kerl bei der Tochter findet! Es war noch gar nicht dazu gekommen. Der Fleischer will grad' herunterspringen. Ich halt' ihn fest, daß er nicht loskommen kann, bis die Alte im Zimmer drin ist, beim Bett. Das gibt ein Geschrei. Mit bloßen Fäusten jagt die Mutter den Mann zum Zimmer hinaus. Mich packt sie, heult und will mich gar küssen. Ich lass' mir das nicht gefallen und kratz'.

So die Tochter über ihre gutmütige Mutter, deren Hungerstod sie weder verhindern noch bedauern wird. Das ist die Welt der *Blendung*, bevölkert von Miststücken und Monstren und darum bis zum großen, prophetischen Schlußbrand, in dem Kien samt Bibliothek untergeht, schwer auszuhalten bei nicht zu bestreitender Kühnheit und Originalität. Das Scheusal hatte Talent, um ein Wort Thomas Manns über Brecht aufzugreifen. Derselbe Thomas Mann hatte Canetti 1931 das Manuskript der *Blendung*, damals noch *Kant fängt Feuer* genannt, ungelesen zurückgeschickt. Das gedruckte Buch las er dann und schrieb dem Verfasser im November 1935 einen wohlwollenden Brief, in dem er den Reichtum des

Romans, das Debordierende seiner Phantasie, den künstlerischen Mut und die erbitterte Großartigkeit seines Wurfes lobt. Canetti war so stolz darauf, daß er es sogleich dem verehrten Robert Musil erzählte. Woraufhin Musil sich brüsk und für immer von ihm abwandte. Literaten!

Literaturquiz I

Gib Rätsel auf, gib allenfalls Scharaden. Wer schrieb das? Goethe in der «Walpurgisnacht» in *Faust II.* Von welchen Verfassern sind die folgenden zehn Zitate? Es handelt sich durchweg um Anfangs- oder Schlußpassagen. Die Leserinnen und Leser mögen ihr Glück versuchen, bevor wir gemeinsam die Bibliothek betreten. Wem es noch nicht knifflig genug ist: Keine Sorge! Am Ausgang dieser Bibliothek erwartet uns ein zweites Quiz.

1. «Am Anfang schuff Gott Himmel und Erden. Und die Erde war wüst und leer / und es war finster auff der Tieffe / Und der Geist Gottes schwebet auff dem Wasser. // Und Gott sprach / Es werde Liecht / Und es ward Liecht. Und Gott sahe / das das Licht gut war / Da scheidet Gott das Liecht vom Finsternis / und nennet das liecht / Tag / und die finsternis / Nacht. Da ward aus abend und morgen der erste Tag.»

   a) Gott
   b) Martin Luther
   c) Martin Buber

2. «Die Eltern lagen schon und schliefen, die Wanduhr schlug ihren einförmigen Takt, vor den klappernden Fenstern sauste der Wind; abwechselnd wurde die Stube hell von

dem Schimmer des Mondes. Der Jüngling lag unruhig auf seinem Lager, und gedachte des Fremden und seiner Erzählungen. Nicht die Schätze sind es, die ein so unaussprechliches Verlangen in mir geweckt haben, sagte er zu sich selbst; fern ab liegt mir alle Habsucht: aber die blaue Blume sehn' ich mich zu erblicken.»

a) Joseph von Eichendorff
b) Friedrich Hölderlin
c) Novalis

3. «‹Die Welt ist meine Vorstellung:› – dies ist eine Wahrheit, welche in Beziehung auf jedes lebende und erkennende Wesen gilt; wiewohl der Mensch allein sie in das reflektirte abstrakte Bewußtsein bringen kann: und thut er dies wirklich; so ist die philosophische Besonnenheit bei ihm eingetreten. Es wird ihm dann deutlich und gewiß, daß er keine Sonne kennt und keine Erde; sondern immer nur ein Auge, das eine Sonne sieht, eine Hand, die eine Erde fühlt; daß die Welt, welche ihn umgiebt, nur als Vorstellung da ist, d.h. durchweg nur in Beziehung auf ein Anderes, das Vorstellende, welches er selbst ist. –»

a) Arthur Schopenhauer
b) Immanuel Kant
c) Johann Gottlieb Fichte

4. «Es war ein Mann, dem starb seine Frau, und eine Frau, der starb ihr Mann; und der Mann hatte eine Tochter, und die Frau hatte auch eine Tochter. Die Mädchen waren miteinander bekannt und gingen zusammen spazieren und kamen hernach zu der Frau ins Haus. Da sprach sie zu des Mannes Tochter: ‹Hör, sag deinem Vater, ich wollt' ihn heiraten, dann sollst du jeden Morgen dich in Milch waschen

und Wein trinken, meine Tochter aber soll sich in Wasser waschen und Wasser trinken.›»

a) Brüder Grimm
b) Johann Peter Hebel
c) Michael Köhlmeier

5. «So ruhen die Liebenden nebeneinander. Friede schwebt über ihrer Stätte, heitere, verwandte Engelsbilder schauen vom Gewölbe auf sie herab, und welch ein freundlicher Augenblick wird es sein, wenn sie dereinst wieder zusammen erwachen.»

a) Johann Wolfgang von Goethe
b) Charlotte von Stein
c) Rahel Varnhagen

6. «Eine ganze Reihe von jungen Russen folgte jetzt noch dem ersten; und da der Graf, in einer glücklichen Stunde, seine Frau einst fragte, warum sie, an jenem fürchterlichen Dritten, da sie auf jeden Lasterhaften gefaßt schien, vor ihm, gleich einem Teufel, geflohen wäre, antwortete sie, indem sie ihm um den Hals fiel: er würde ihr damals nicht wie ein Teufel erschienen sein, wenn er ihr nicht, bei seiner ersten Erscheinung, wie ein Engel vorgekommen wäre.»

a) Heinrich von Kleist
b) Adelbert von Chamisso
c) Annette von Droste-Hülshoff

7. «Ich mache mir eine kleine Erleichterung. Es ist nicht nur die reine Bosheit, wenn ich in dieser Schrift Bizet auf Kosten Wagner's lobe. Ich bringe unter vielen Spässen eine Sache vor, mit der nicht zu spassen ist. Wagnern den Rücken zu kehren war für mich ein Schicksal; irgend Etwas nachher

wieder gern zu haben ein Sieg. Niemand war vielleicht gefährlicher mit der Wagnerei verwachsen, Niemand hat sich härter gegen sie gewehrt, Niemand sich mehr gefreut, von ihr los zu sein. Eine lange Geschichte! –»

a) Eduard Hanslick
b) Friedrich Nietzsche
c) Elias Canetti

8. «In Front des schon seit Kurfürst Georg Wilhelm von der Familie von Briest bewohnten Herrenhauses zu Hohen-Cremmen fiel heller Sonnenschein auf die mittagsstille Dorfstraße, während nach der Park- und Gartenseite hin ein rechtwinklig angebauter Seitenflügel einen breiten Schatten erst auf einen weiß und grün quadrierten Fliesengang und dann über diesen hinaus auf ein großes, in seiner Mitte mit einer Sonnenuhr und an seinem Rande mit Canna indica und Rhabarberstauden besetztes Rondell warf.»

a) Theodor Fontane
b) Eduard von Keyserling
c) Wilhelm Raabe

9. «Er stand vor dem Tor des Tegeler Gefängnisses und war frei. Gestern hatte er noch hinten auf den Äckern Kartoffeln geharkt mit den andern, in Sträflingskleidung, jetzt ging er im gelben Sommermantel, sie harkten hinten, er war frei. Er ließ Elektrische auf Elektrische vorbeifahren, drückte den Rücken an die rote Mauer und ging nicht. Der Aufseher am Tor spazierte einige Male an ihm vorbei, zeigte ihm seine Bahn, er ging nicht. Der schreckliche Augenblick war gekommen. [schrecklich, Franze, warum schrecklich?], die vier Jahre waren um. Die schwarzen eisernen Torflügel, die er seit einem Jahre mit wachsendem Widerwillen betrachtet hatte

[Widerwillen, warum Widerwillen], waren hinter ihm geschlossen. Man setzte ihn wieder aus. Drin saßen die andern, tischlerten, lackierten, sortierten, klebten, hatten noch zwei Jahre, fünf Jahre. Er stand an der Haltestelle.
Die Strafe beginnt.»

a) Alfred Döblin
b) Hans Fallada
c) Erich Kästner

10. «Deutschland, die Wangen heftig gerötet, taumelte dazumal auf der Höhe wüster Triumphe, im Begriffe, die Welt zu gewinnen kraft des einen Vertrages, den es zu halten gesonnen war, und den es mit seinem Blute gezeichnet hatte. Heute stürzt es, von Dämonen umschlungen, über einem Auge die Hand und mit dem andern ins Grauen starrend, hinab von Verzweiflung zu Verzweiflung. Wann wird es des Schlundes Grund erreichen? Wann wird aus letzter Hoffnungslosigkeit, ein Wunder, das über den Glauben geht, das Licht der Hoffnung tagen? Ein einsamer Mann faltet seine Hände und spricht: Gott sei eurer armen Seele gnädig, mein Freund, mein Vaterland.»

a) Klaus Mann
b) Hermann Broch
c) Thomas Mann

(*Auflösung im Anhang*)

IV. Die Bibliothek

Es gibt verschiedene Möglichkeiten, seine Bibliothek einzurichten. Manche ordnen sie alphabetisch, da steht dann Roberto Bolaño neben Heinrich Böll, Canetti neben Truman Capote, Droste-Hülshoff neben Conan Doyle und Jeffrey Eugenides neben Euripides. Auch diese Kombinationen haben ihren Reiz. Man stellt sich die geheimen nächtlichen Gespräche der Regalnachbarn vor. Andere wollen Grüppchen von Autoren zusammenbringen, sie ordnen nach Nationen, Epochen und nach Vorlieben. Weil wir hier nur die deutschsprachige Literatur behandeln können, fallen viele Regalfächer weg. Jeder Stilist ist einzigartig, daher verbieten sich allzu enge Zirkel. Kein Stilist steht außerhalb seiner Zeit, darum bilden sich lose Gruppierungen allein durch lokale und zeitliche Nachbarschaft. Werfel steht näher bei Kafka als bei Theodor Storm, Anna Seghers steht näher bei Brecht als bei Hölderlin. Ein paar Exzentriker wollen gar nicht aus ihren Schmollwinkeln heraus.

Die folgenden Beispiele mögen Arten und Feinheiten und Unterschiede des jeweiligen Personalstils vorführen. Diese Privatbibliothek hat große Lücken und ist von Vorlieben, Desinteressen und Abneigungen bestimmt. Wenn wir jetzt an der Bücherwand entlangschlendern, wo uns vieles golden entgegenleuchtet; wenn wir herauszupfen, was uns ins Auge fällt, wenn wir blättern und die Seitenränder mit Frage- oder doppelten Ausrufungszeichen versehen, wenn wir auf die Trittleiter steigen, um zu den Philosophen zu greifen, wenn wir hier ein Lesezeichen einlegen und dort etwas schnell zuklappen, wenn wir den verstohlenen Blicken folgen, die Nachbarbücher miteinander tauschen; wenn wir uns lesend treiben lassen ... dann immer in der Hoffnung, man komme, *exempla docent,* dem Geheimnis des Stils und der großen Literatur nur durch Beispiele nah.

Klassik: Die Gewaltigen

Wenn man Briefsammlungen aus der Zeit der Weimarer Klassik liest, fallen stilistisch drei Autoren heraus, deren Personalstil so unverwechselbar und prägnant ist, daß man sie nach wenigen Zeilen erkennt: Lessing, Wieland und Goethe. Man kann es schlecht begründen, aber man merkt sofort, daß hier Größenunterschiede vorliegen wie zwischen Hauskätzchen und Löwe: all die empfindsamen Schwärmer der Zeit auf der einen Seite und dann der trockene, ironische Wieland, der große stoische Lessing, der quecksilbrige Goethe.

Goethe? «Man kann ihn so wenig loben als man an dem Lorbeerbaum einen Lorbeerkranz hängt», sagte Jean Paul, der dennoch auch wußte: «Göthe in den Wanderjahren mehr ein Buchbinder als ein Buchmacher.» Gerade der Spätstil Goethes hat manche Skeptiker auf den Plan gerufen. Peter Sloterdijk schreibt über ihn: «Durchgehend ist der Gebrauch des Adjektivs beim alten Prosa-Goethe harmoniesüchtig, zwanghaft dem Guten und Positiven ergeben, wie von einem Daseinsdekorateur hingesetzt. Der Einsatz des Verbums ist zeremoniell überzogen. Den Gedanken an die Handlung hat der alte Herr längst aufgegeben, statt dessen bietet er immer öfter Veduten an, am liebsten von Parks mit Schlössern und Stuben, in denen ruhiggestellte Frauen am Stickrahmen sitzen – man möchte schwören, sie arbeiten auch an Bildern von Schlössern mit Parks und leisen Frauen mittendrin.»

Nun, vielleicht nicht gleich schwören, aber doch argwöhnen. Und doch hat derselbe alte Goethe, der die Prosa auf und ab schreitend dem Sekretär diktierte, das womöglich Herrlichste der deutschen Sprache überhaupt geschrieben: die Zweite Walpurgisnacht des *Faust.* Lässig aus dem Handgelenk geschleudert, jeder Satz eine Pointe, frei und kühn, oft derb und frivol und von kühler Komik – man kann nicht anfangen mit dem Zitieren, weil man nicht aufhören könnte. Hier nur ein paar bunt durcheinandergewürfelte Zeilen, die Handlung tut nichts zur Sache – Mephisto besucht mit Faust einen Hexenball –, es ist der Ton, der zählt. Der ihn erzeugt hat, mußte sechzig Jahre dafür üben.

«An seinen Platz ein jeder Gauch!» – «Weg das Hassen! Weg das Neiden!» – «Tretet nicht so mastig auf / Wie Elefantenkälber» – «Der Frühling webt schon in den Birken, / Und selbst die Fichte fühlt ihn schon» – «Es schweigt der Wind, es flieht der Stern» – «Wie strack mit eignem kräftigen Triebe / Der Stamm sich in die Lüfte trägt» – «Eilig zum Ägäischen Meere / Würd uns jede Lust zuteil» – «Da seh ich junge Hexchen nackt und bloß, / Und alte, die sich klug verhüllen» – «Satan, unsern Herrn Papa, / Nach Würden zu verehren» – «Denn, geht es zu des Bösen Haus, das Weib hat tausend Schritt voraus» – «Au! Mitten im Gesang sprang / Ein rotes Mäuschen ihr aus dem Munde» – «Nur immer diese Lust zum Wahn!» – «In dem Klaren mag ich gern / Und auch im Trüben fischen» – «Auf Teufel reimt der Zweifel nur» – «zaudern und plaudern [...] Der Morgen dämmert auf».

Oder um zuletzt die Sternschnuppe zu zitieren: «Liege nun im Grase quer / Wer hilft mir auf die Beine?»

Goethe ist ein Sprachturm, den wir hier weder erklimmen noch auch nur umrunden können. Jedes Pfeilchen, das wir gegen ihn abschießen, ist mutwillig und platzt an ihm ab. Goethe ist Gott; aber ein fehlbarer und in einer Welt der Vielgötterei. Auf andere Art sind auch Jean Paul oder Wieland oder Lessing Gott, übrigens viel ausgeprägtere Prosa-Stilisten, als Goethe es nach seiner Sturm-und-Drang-Zeit war.

Auch Johann Gottfried Herder galt damals vielen als einer, nämlich als Gott. Vor allem seiner Frau. Wie im Briefwechsel Friedrich Schillers mit Körner überliefert, pflegte das Ehepaar Herder eine symbiotische Beziehung, die freilich kurze Zerwürfnisse nicht ausschloß. Dann zog sich Herder schmollend in den oberen Stock zurück, Briefchen gingen hin und her, bis Maria Karoline die Treppe hochstieg und ihrem Gatten eine Stelle aus dessen Werk rezitierte: «Wer das gemacht hat, muß ein Gott sein, und auf den kann niemand zürnen.» Daraufhin fiel ihr der besiegte Herder um den Hals, und die Fehde hatte ein Ende.

Den jungen Goethe hatte der als Atheist verschriene Herder durch sein galantes und gefälliges Wesen beeindruckt. Uns beeindruckt er durch seinen frühen Beitrag zur Klimadebatte. Herder in seinen *Ideen zur Geschichte der Menschheit*:

> Nun ist keine Frage, daß, wie das Klima ein Inbegriff von Kräften und Einflüssen ist, zu dem die Pflanze wie das Tier beiträgt und der allen Lebendigen in einem wechselseitigen Zusammenhange dienet, der Mensch auch darin zum Herrn der Erde gesetzt sei, daß er es durch Kunst ändre.
>
> Seitdem er das Feuer vom Himmel stahl und seine Faust das Eisen lenkte, seitdem er Tiere und seine Mitbrüder selbst zusammenzwang und sie sowohl als die Pflanze zu seinem Dienst erzog, hat er auf mancherlei Weise zur Veränderung desselben mitgewirket.
>
> Europa war vormals ein feuchter Wald, und andre jetzt kultivierte Gegenden waren's nicht minder: es ist gelichtet, und mit dem Klima haben sich die Einwohner selbst geändert. Ohne Polizei und Kunst wäre Ägypten ein Schlamm des Nils worden: es ist ihm abgewonnen, und sowohl hier als im weitern Asien hinauf hat die lebendige Schöpfung sich dem künstlichen Klima bequemet.

> Wir können also das Menschengeschlecht als eine Schar kühner, obwohl kleiner Riesen betrachten, die allmählich von den Bergen herabstiegen, die Erde zu unterjochen und das Klima mit ihrer schwachen Faust zu verändern. Wie weit sie es darin gebracht haben mögen, wird uns die Zukunft lehren.

Und in der Tat, sie hat es uns gelehrt.

Noch einhelliger als bei Herder fiel das Lob der Zeitgenossen im Falle Lessings aus. Ludwig Börne schreibt über ihn:

> Die deutsche Sprache hat – der Himmel sei dafür gepriesen – keinen Stil, sondern alle mögliche Freiheit, und dennoch gibt es so wenige deutsche Schriftsteller, die das schöne Recht, jede eigentümliche Denkart auch auf eigentümliche Weise darzustellen, zu ihrem Vorteile benutzten! Die wenigen unter ihnen, die einen Stil haben, kann man an den Fingern abzählen, und es bleiben noch Finger übrig. Vielleicht ist Lessing der einzige, von dem man bestimmt behaupten kann: er hat einen Stil.

Nun denn! Was Börne, selbst ein eminenter Stilist, von Lessing bündig festsetzt, wird von Friedrich Schlegel etwas genauer beschrieben. Es ist geradezu schwärmerisch, wie er sich über ihn ausläßt. Oder war der letzte Satz vergiftet?

> Das beste, was Lessing sagt, ist, was er, wie erraten und gefunden, in ein paar gediegenen Worten voll Kraft, Geist und Salz hinwirft, Worte, in denen, was die dunkelsten Stellen sind im Gebiet des menschlichen Geistes oft wie vom Blitz plötzlich erleuchtet, das Heiligste höchst keck und fast frevelhaft, das Allgemeinste sonderbar und launig ausgedrückt wird. Einzeln und kompakt, ohne Zergliederung und De-

> monstration, stehen seine Hauptsätze da wie mathematische Axiome; und seine bündigsten Räsonnements sind gewöhnlich nur eine Kette von witzigen Einfällen. Von solchen Männern mag eine kurze Unterredung oft lehrreicher sein und weiter führen als ein langes Werk!

Lessing und der grob vernachlässigte Wieland seien den Lesern damit zur gefälligen Lektüre anempfohlen, auch wenn wir auf weitere Proben verzichten müssen. Nur noch ein Wort zu Goethes engstem Freund, über dessen frühen Tod er lang nicht hinwegkam und um dessen Schädel, bei ihm verwahrt, er einen Ehrenkult trieb.

Über Schiller als Lyriker und über den Schiller des *Wilhelm Tell* hat Burkhard Müller in seiner Studie *Der König hat geweint* sehr Freches und Richtiges gesagt.

Zu Schiller als Lyriker nämlich, daß er das sei, was man in der Medizin als seelentaub bezeichne: nicht nur gehörsschwach, sondern neurologisch unfähig, Klang zu verarbeiten. Es habe ihn nicht davon abgehalten, Gedichte zu schreiben – «wie wenn ein Tauber unbedingt das Tanzen lernen wollte.» Hart geurteilt, aber ganz ungerecht?

Müllers Stilkritik der Schillerschen Dramensprache von dem Augenblick an, in dem Schiller sich dem Blankvers zuwendet, ist unübertroffen, weshalb hier nur auf sie zu verweisen ist. Kurz gesagt, bedauert Müller, daß mit dem Blankvers jeder Gedanke, jeder Affekt mit demselben gravitätischen Schritt gehe, bis hin zu den fünf Bärenfüßen, auf denen der *Tell* wandle. «Wenn Tell sich setzt, so muss er dazu sagen: ‹*Auf diese Bank von Stein will ich mich setzen.*› Der Hintern gerät ihm so feierlich wie das Gesicht und das Gesicht so breit wie der Hintern.» Müller schließt mit dem Seufzer, er gäbe was darum, wenn Schiller den *Tell* unterlassen hätte. Aber schon beim weithin gerühmten *Don Carlos*, aus dem Müller seinen Titel hat, liege überall eine «Menge von Sprachwolle herum, die sich schlechterdings in keinen Handlungsfaden mehr ausspinnen lässt».

Übers rein Stilistische hinaus geht das Fazit, das Müller nach Analyse des *Don Carlos* zieht und dem wir uns umstandslos anschließen wollen. Man müsse vom Idealismus nur ein klein wenig die Decke des Enthusiasmus heben, und es trete sein unmenschlicher Kern zutage. «Bei Schiller wird so entsetzlich leicht gestorben.»

Grimms Ton

Große Stilisten auf ganz unscheinbare und versteckte, aber lang nachhallende Art waren auch zwei Autoren, die man als solche gar nicht gleich im Blick hat. Man kennt sie auswendig, aber übersieht sie als Sprachschöpfer: die Brüder Grimm. Die Grimmsche Märchensammlung, vorgeblich dem Volksmund abgelauscht, ist die wirkmächtigste Märchensammlung der Welt. Der von Goethe geschöpfte Begriff der Weltliteratur trifft wenige Werke so genau wie Grimms Märchen. Die Sprache dieser Märchen, eine mit Golddukaten gefüllte Truhe, ist wie die Sprache der Luther-Bibel, an der sich Wilhelm Grimm orientiert hatte, Teil des Weltkulturerbes.

Und sie hat mit Volkssprache so wenig zu tun wie die Volkslyrik Brechts. Sie ist ein Kunstprodukt, der Märchenton ist eine Erfindung Wilhelm Grimms. Man vergleiche, wie das Märchen vom Froschkönig in der ersten Fassung von 1810 anhebt und wie sich der Ton bis zur dritten Fassung 1857 wandelt:

> Die jüngste Tochter des Königs ging hinaus in den Wald, und setzte sich an einen kühlen Brunnen. Darauf nahm sie eine goldene Kugel und spielte damit, als diese plötzlich in den Brunnen hinabrollte. Sie sah wie sie in die Tiefe fiel und stand an dem Brunnen und war sehr traurig. Auf einmal streckte ein Frosch seinen Kopf aus dem Waßer und sprach: warum klagst du so sehr.

So hatten es die Brüder Grimm damals für die Sammlung Clemens Brentanos komprimiert. An den äußeren Umständen von Prinzessin, Brunnen und Kugelverlust hat sich in den nächsten fünfzig Jahren nichts geändert. Aber lesen dürfen wir es jetzt so:

> In den alten Zeiten, wo das Wünschen noch geholfen hat, lebte ein König, dessen Töchter waren alle schön, aber die jüngste war so schön, daß die Sonne selber, die doch so vieles gesehen hat, sich verwunderte, sooft sie ihr ins Gesicht schien. Nahe bei dem Schlosse des Königs lag ein großer dunkler Wald, und in dem Walde unter einer alten Linde war ein Brunnen; wenn nun der Tag sehr heiß war, so ging das Königskind hinaus in den Wald und setzte sich an den Rand des kühlen Brunnens: und wenn sie Langeweile hatte, so nahm sie eine goldene Kugel, warf sie in die Höhe und fing sie wieder; und das war ihr liebstes Spielwerk.
> Nun trug es sich einmal zu, daß die goldene Kugel der Königstochter nicht in ihr Händchen fiel, das sie in die Höhe gehalten hatte, sondern vorbei auf die Erde schlug und geradezu ins Wasser hineinrollte. Die Königstochter folgte ihr mit den Augen nach, aber die Kugel verschwand, und der Brunnen war tief, so tief, daß man keinen Grund sah. Da fing sie an zu weinen und weinte immer lauter und konnte sich gar nicht trösten. Und wie sie so klagte, rief ihr jemand

> zu ‹was hast du vor, Königstochter, du schreist ja daß sich ein Stein erbarmen möchte.› Sie sah sich um, woher die Stimme käme, da erblickte sie einen Frosch, der seinen dicken häßlichen Kopf aus dem Wasser streckte.

All das, was in der ersten, kahlen Fassung noch fehlt, all der Zierat im vermeintlich original behaglichen Märchenton ist eine Erfindung Wilhelm Grimms. Jeder kennt seinen Ton, keiner kennt *ihn*; er ist als Stilist anonym geworden. Seinen Namen zu verlieren und im Meer des Gemeinguts aufzugehen – ist es vielleicht die größte Ehre, die ein Autor erlangen kann? So sah es Robert Gernhardt, der sich freute, wenn er eigene Zeilen als Volksmund auf Klotüren gekritzelt fand.

Auch das kann einen Stilisten auszeichnen: daß er seinen Sätzen Fangarme verleiht, die sich sofort im Leserhirn festsaugen. Friedrich Schiller war ein solcher Kraken-Stilist, der sich amüsiert hätte über die Reaktion der Leser in späteren Jahrhunderten, die beim Durchblättern seiner Dramen ausrufen, das sei ja leicht zu schreiben gewesen, das seien ja alles Sprichwörter und Zitate!

Um bei den Grimms zu bleiben: Ein Purist und gewiegter Fuchs könnte argumentieren, daß die letzte Froschkönig-Fassung schon wieder etwas *overdone* sei und der Charme des Märchentons doch gerade im Kahlen, Archaischen und Ungeschmückten liege – Gotik statt Barock. Und daß ein Märchen wie das kurze und schmucklose vom *Herrn Korbes,* eines der bizarrsten Märchen überhaupt, in dem ein Ei, eine Ente, eine Steck- und eine Nähnadel und ein fataler Mühlstein sich gegen jenen Herrn Korbes verbünden, um ihn erst zu triezen und dann zu erschlagen – das Märchen, das mit dem abgründigen Satz endet: «Der Herr Korbes muß ein recht böser Mann gewesen sein» –, daß gerade solche vom Kargen ins offen Groteske spielende Märchen doch die allersonderbarsten seien?

Der Einwand ist nicht leicht von der Hand zu weisen. Hier liegt eine schwierige Geschmacksfrage vor, und wir müssen es der geneigten Leserin überlassen, zu entscheiden, ob die gelungene Mischung aus kahl und geschmückt nicht vielleicht mit der mittleren Fassung von 1812 vorliegt. Sie liest sich wie folgt:

> Es war einmal eine Königstochter, die ging hinaus in den Wald und setzte sich an einen kühlen Brunnen. Sie hatte eine goldene Kugel, die war ihr liebstes Spielwerk, die warf sie in die Höhe und fing sie wieder in der Luft und hatte ihre Lust daran. Einmal war die Kugel gar hoch geflogen, sie hatte die Hand schon ausgestreckt und die Finger gekrümmt, um sie wieder zu fangen, da schlug sie neben vorbei auf die Erde, rollte und rollte und geradezu in das Wasser hinein. Die Königstochter blickte ihr erschrocken nach, der Brunnen war aber so tief, daß kein Grund zu sehen war. Da fing sie an jämmerlich zu weinen und zu klagen: «ach! wenn ich meine Kugel wieder hätte, da wollt' ich alles darum geben, meine Kleider, meine Edelgesteine, meine Perlen und was es auf der Welt nur wär'.» Wie sie so klagte, steckte ein Frosch seinen Kopf aus dem Wasser und sprach: «Königstochter, was jammerst du so erbärmlich?»

Das «was es auf der Welt nur wär'» ist natürlich unbezahlbar. Trotzdem wäre es ewig schade um die Formel «In den alten Zeiten, als das Wünschen noch geholfen hat». Von diesen Märchenformeln gilt: Und weil sie nicht gestorben sind, so leben sie noch heute.

Es hat vielleicht irgend etwas zu bedeuten, daß auch ein anderer Gipfelpunkt der Sprach- und Stilkunst dieser Epoche nicht ein Werk der freien Fiktion ist, sondern eine Hybrid-Form: die Shakespeare-Übersetzung von Schlegel und Tieck. Sie ist bis heute nicht übertroffen, und es genügt die Weglaßprobe, um es sich klar zu machen: ohne Schlegel und Tieck und ohne die Brüder Grimm, auch ohne die Ilias-Übersetzung von Johann Heinrich Voß, klaffte in der Geschichte des Stils eine gähnende Lücke.

Löwinnen um Goethe

Bei dem zweiten Literaturquiz, das auf Sie wartet, würden Sie bei der folgenden Stelle leicht auch b) Goethe oder c) Adalbert Stifter hätten ankreuzen können, stimmt's?

> Ringsum ins Unabsehbare, Horizont hinter Horizont; das unglaublichste Lichterspiel, von Dunkel und Hell, auf Kornfeldern, der Schwächat, die wie ein Thier das Thal beroch, und sich wand, auf Dörfern und Besitzungen ohne Zahl, auf dunkeln, eigensinnigen Bergen. Schafe weideten, Holz wurde gefällt in den Bergwäldern, und lag reinlich, todt und duftend da; auch einen Gewitterschlag hörten wir, aus einer zum Platzen verdrießlichen, dunkeln, sich senkenden Wolke. In manchem Thalfleck im Gebirge war's *so* still, daß man nichts, und nur Vögel hörte; denn auch wir, all die Nationen, schwiegen auch.

Die Beschreibung mit ihren starken Bildern und der verdrießlichen Wolke ist aus einem Brief Rahel Varnhagens. Stilistisch hält er mindestens die Höhe der b)- und c)-Kandidaten. Rahel Varnhagens Briefe sind oft, das hätte nicht nur Jean Paul gefunden, literarischer als Goethes *Wanderjahre.* Aber sie fielen nicht ins literarische Fach, nicht ins Fach der Kunstprosa und der Fiktion, sie waren Briefe, kein Roman. Und was konnte Rahel dafür? (Wir nennen sie, wie Hannah Arendt in ihrem Rahel-Buch, beim Vornamen, weil es noch der festeste Bestandteil ihres Namens ist, auch ihr Salon hieß nach ihm.) War es die Schuld der Frauen, daß man ihnen vielleicht noch die Führung eines literarischen Salons zutraute, nicht aber das Versepos oder den Roman? Der Roman war damals noch nicht unbedingt Frauensache, auch wenn er schon immer mehr Leserinnen als Leser hatte; selbst im fortschrittlicheren England wird er das erst allmählich mit Jane Austen, den Brontë-Schwestern, die alle zuerst unter männlichen Pseudonymen veröffentlichten, und Mary Anne Evans, die auch nur unter dem Männernamen George Eliot berühmt werden konnte. Noch die Schöpferin Harry Potters veröffentlichte auf Anraten des Verlegers unter dem Namen J. K. Rowling, dem man die Verfasserin Joanne nicht ansah.

Dennoch, manches hatte sich mit der Zeit gebessert. Seit dem neunzehnten Jahrhundert gab es immer mehr Autorinnen, die jenes Zimmer für sich allein hatten, *A Room of One's Own*, das ein berühmter Essay Virginia Woolfs forderte (plus jährlich fünfhundert Pfund, wie sie jedesmal hinzufügte). Der wachsende Wohlstand und die Emanzipation erlaubten immer mehr Frauen, vom Schreiben zu leben. Früher war es nur in Nischen möglich: wenn das Kloster fürs Auskommen und die Sekretärin sorgte wie bei Hildegard von Bingen; wenn man wohlhabende Witwe war wie Madame de Sévigné oder halbwegs gutsituiert und kinderlos wie Jane Austen oder Annette von Droste-Hülshoff. Oder wenn man wie George Sand, auch eine Frau in Männerkleidern, einen Roman in vier Tagen schrieb – wenn sie nach Mitternacht einen beendet hatte, fing sie rasch noch den nächsten an; behauptet jedenfalls ihr Liebhaber Théophile Gautier.

Wie war es in Deutschland zur Zeit der Klassik und Romantik? Auch hier gab es einige wenige durchgesetzte Autorinnen. Es gab Johanna Schopenhauer, die Mutter Arthurs, die erfolgreiche Reisebücher und Romane schrieb. Ab 1806 führte Johanna in Weimar einen literarischen Salon, den auch Goethe besuchte.

Johanna Schopenhauer war aber, wie Sophie von La Roche oder Sophie Mereau, als populäre Autorin die Ausnahme. Üblicherweise wichen die Literarinnen dieser Epoche aufs Tagebuch oder aufs Briefschreiben aus. Sie zeigten dort nicht weniger Stil als die Herrschaften vom Roman, schon gar nicht weniger Esprit.

Und vor allem Rahel nicht. Der Salon in ihrer Berliner Dachstube ging dem Weimarer Salon voraus; schon in ihm war Goethe der – in Rahels Fall unsichtbare – Dauergast. Reale Gäste waren alle Geistesgrößen der Romantik. Sie alle versammelten sich im Stübchen bei Rahel, das zum Palast des Klatsches wurde: der Prinz von Preußen mit seiner Geliebten, die Brüder Humboldt und Schleiermacher, Friedrich Schlegel und Brentano, Chamisso und Fouqué, die Brüder Tieck und Jean Paul; später, als der Salon zerfallen war, hatte sie engen Kontakt mit Heinrich Heine. «Und sie kam, *sprach* und *siegte*», wie es von ihr hieß – Rahel war offenbar eine superbe Gesprächspartnerin.

Geboren 1771 als Rahel Levin, verstorben 1833 als Antonie Friederike Varnhagen von Ense – der Namenswechsel erzählt ihr Leben. Es war das Leben des Parias an der Seite des Parvenus August von Varnhagen, wie Hannah Arendt es schildert, das Schlemihl-Leben einer assimilationshungrigen Frau, die, «nicht reich, nicht schön und jüdisch», unter beständigen Demütigungen litt, gegen die sie sich nicht anders wehren konnte als mit den Waffen des Geists.

Von dem aber hatte sie übergenug. Die hier nicht nachzuweisende Wahrheit ist, daß Rahel Levin, «dies große, kühne, göttlich-teuflische Geschöpf», wie ihr Freund Friedrich von Gentz sie nannte, an Klugheit, Originalität, Selbstironie, Quecksilbrigkeit und Stil die meisten Romantiker in die Tasche steckte. Sie war die deutsche Virginia Woolf, nur noch freier und wilder und witziger.

Der Ehemann August teilt ihr mit, taktlos genug, was ihr Salongast Clemens Brentano über sie verbreitet. Rahel antwortet:

> Er spricht ja mit einem wütenden Wünschen von meinem Tod, als wär' ich eine böse alte Kaiserin, die ein Serail von jungen Schönheiten hätte totmartern lassen, worunter ihm eine Geliebte war. Er ist ein Esel; und weiter nichts. Und sag mir um Gottes willen, wo nimmt er *das* her, daß ich so sehr ambitioniere, unglücklich sein zu wollen? *Hunger* wünscht er mir auch, *sous cape*. Ich habe mich sehr geärgert – nachher die Ursach – aber zweimal mußt' ich doch lachen; als er sagte, «ich sei *sitzen* geblieben» – und «ich sei nicht schön», damit meint er häßlich.

Sehr häßlich von Brentano! Was Rahel wirklich unglücklich macht, ist etwas anderes: Wenn sie nicht auf der Höhe ihrer Gefühlskraft lebt. «Lieben ist ein außerirdisches Verhältnis; eine Empfindung. Ein Glück», erklärt sie dem frisch verliebten Friedrich de la Motte Fouqué:

> Alles Übrige, was sich auf Besitz, außer dem Herzen, bezieht, Verhältniß; schlecht, und peinigend. Ich tadle hier niemand: ich bedaure *uns Alle*! Ich gönne Ihnen diese helle Sonne im Leben, die das Graue, erstickend-tödtende, verscheucht und die zum Erstaunen weckenden Kinderfarben wieder hervorruft; das Herz zum neuen Umschwung alles Lebens und Seins berührt! Es hängt von Ihnen ab, ob Sie es verliebt nennen wollen, das erfrischte Sein; ich beneide es Ihnen; ich gönne es Ihnen. Ich möchte es auch haben; ich freue mich, daß Sie von dem Zauber getroffen sind. Ohne das Glück, namenlos zu lieben, ist die Erde mir ein unverständlicher, ängstlicher Klumpen; entweichender himmelaufsteigender Dunst alles Denken!

Sie beneidet, und sie gönnt. Das sind keine Widersprüche, oder sie fallen in ihrer Freidenkerei zusammen. Rahel war ein Freigeist, auch in ihrer spinozistisch angehauchten Religiosität. «Wer nicht in der Welt wie in einem Tempel umhergeht, der wird in ihr keinen finden.» Wem die Welt aber zur Hölle wird, der soll sie auch verlassen dürfen. Rahel war eine der wenigen, die Kleists Selbstmord im November 1811 nicht verurteilten: «Es ist und bleibt ein Muth. Wer verließe nicht das abgetragene, inkorrigible Leben, wenn er die dunklen Möglichkeiten nicht noch mehr fürchtete?»

> Ich *mag* es nicht, daß die Unglückseligen, die Menschen, bis auf die Hefen leiden, denn wahrhaft Großen, Unendlichen, wenn man es konzipirt – kann man sich auf allen Wegen nähern; begreifen können wir keine, wir müssen hoffen auf die göttliche Güte; und die sollte grade nach einem Pistolenschuß ihr Ende erreicht haben? – Unglück aller Art dürfte mich berühren? Jedem elenden Fieber, jedem Klotz, jedem Dachstein, jeder Ungeschicklichkeit sollte es erlaubt sein, nur mir nicht? Siechen auf Krankheits- und Unglückslagern, sollt' ich müssen, und wenn es hoch und schön kommt, zu achtzig Jahren ein glücklicher imbécile werden; und von dreißig an schon mich ekelhaft deteriorieren? Ich freue mich, daß mein edler Freund – denn Freund ruf' ich ihm bitter und mit Thränen nach – das Unwürdige nicht duldete: gelitten hat er genug.

Gelitten hat auch sie genug, aber sie verliert nie die Ehrfurcht vor dem Rätsel des Seins. An Ihre Freundin Pauline schreibt sie: «Der Gedanke des Existirens – nicht als Pauline, oder Rahel – *überhaupt*, das Dasein irgendeines Dinges, oder einer uns möglichen Vorstellung, ist so groß, so überragend kolossal, daß ich in der Grübelei und Anschauung untergehe in Ruhe.» So eben beginnt und endet

Philosophie, schon vor Heidegger. «Ein Gedanke hämmert mir jetzt bald den Kopf entzwei», klagt sie einmal ihrem Mann. «Der nämlich, daß die Zukunft uns nicht entgegen kommt, *nicht vor uns* liegt, sondern von *hinten* uns über das Haupt strömt. Da wehre sich einmal einer!» Rahels zerhämmerter Kopf ist ein philosophischer; auch das kein Frauenberuf der Zeit.

Das freie Denken schlägt sich nieder im freien, klischeefreien Stil. Sie selbst erkennt das Besondere dieses Stils – es ist wieder die kleine Differenz, die gar nicht so kleine Distanz. Als junges Mädchen schrieb Rahel ihre Familienbriefe noch in hebräischen Lettern. Ihr Deutsch war noch schütter. Später schreibt sie, die Sprache stehe ihr nicht zu Gebote, «die deutsche, meine eigene nicht; unsere Sprache ist unser gelebtes Leben; ich habe mir meines selbst erfunden, ich konnte also weniger Gebrauch, als viele Andere, von den einmal fertigen Phrasen machen, darum sind meine oft holperig und in allerlei Art fehlerhaft, aber immer ächt».

Wie wahr! Auch daß sich dieser Stil nicht ändert, weil er im Charakter wurzelt, ist ihr klar. Typisch für ihren aphoristisch zugespitzten Stil der Anfang dieses Briefes aus dem Jahr 1824: «Ich lebe noch. Nun wissen Sie alles.»

> Da Sie doch auch wissen, daß man sich, umgekehrt wie gesagt wird, nicht ändert – garstig werden u. dgl. abgerechnet –. Was aber schlimmer ist, unser Schicksal ändert sich auch nicht: denn, woraus besteht es, als aus uns selbst!

Das war der Gedanke, aus dem Johanna Schopenhauers Sohn eine eigene Schrift gemacht hat, betitelt *Transzendente Spekulation über die anscheinende Absichtlichkeit im Schicksale des Einzelnen*. Rahel fährt fort:

> Und nun wissen Sie noch Einmal alles: und noch obenein, daß sich unser Stil auch nicht ändert; dies zeigt uns das still- und tiefere Studium Goethens, und aller andern Menschen; und dann noch Einmal, ich.

Und dann noch einmal: sie. Rahel Varnhagen, geborene Levin, wußte, sie war *extraordinaire.*

Ihre Briefe galten als kostbar und wurden früh gesammelt. Varnhagen rühmt sich Jean Paul gegenüber, er besitze an die dreitausend Briefe von ihr. Auch Goethe, um den Rahel einen Kult betrieb, bekam ein Konvolut des Paares zugeschickt. Die Briefpartner waren nur mit einem Buchstaben bezeichnet. Und siehe, selbst Goethe konnte sich irren. Er hielt Varnhagen für die Frau und Rahel für den Mann.

*

Auch Bettine von Arnim, geborene Brentano, Schwester des Esels Clemens, war in ihren Briefen stilistisch zuzeiten dem von ihr vergötterten Goethe gewachsen. Der trug es Bettinen allerdings nach, daß sie bei einem gemeinsamen Ausstellungsbesuch seine Frau Christiane eine «toll gewordene Blutwurst» nannte. Goethe brach den Kontakt daraufhin ab.

Als sie noch brieflich miteinander verkehrten, schwang Bettine von Arnim sich zu langen poetisch-bildreichen Reiseschilderungen auf. Sie streift am Rhein entlang durch die Weinanlagen am Fuß des Johannisbergs, auf den Prozessionen klettern, um den Weinbergen Segen zu erflehen. Der Abendwind weht die weitfaltigen Chorhemden der Geistlichkeit auf, die sich in der Dämmerung «wie ein rätselhaftes Wolkengebilde den Berg hinabschlängeln. Im Näherrücken entwickelt sich der Gesang; die Kinderstimmen klingen am vernehmlichsten; der Bass stößt nur zuckweise die Melodie in die rechten Fugen, damit sie das kleine Schulgewimmel nicht allzu hoch treibe» –

> Nachdem der Herr Kaplan den letzten Rebstock mit dem Wadel aus dem Weihwasserkessel bespritzt hat, fliegt die ganze Prozession wie Spreu auseinander, der Küster nimmt Fahne, Weihkessel und Wadel, Stola und Chorhemd, alles unter den Arm, und trägt's eilends davon, und als ob die Grenze der Weinberge auch die Grenze der Audienz Gottes wär, so fällt das weltliche Leben ein, Schelmenliedchen bemächtigen sich der Kehlen, und ein heiteres Allegro der Ausgelassenheit verdrängt den Bußgesang, alle Unarten gehen los, die Knaben balgen sich und lassen ihre Drachen am Ufer im Mondschein fliegen, die Mädchen spannen ihre Leinwand aus, die auf der Bleiche liegt, und die Burschen bombardieren sie mit wilden Kastanien; da jagt der Stadthirt die Kuhherde durchs Getümmel, den Ochs voran, damit er sich Platz mache; die hübschen Wirtstöchter stehen unter den Weinlauben vor der Tür und klappen mit dem Deckel der Weinkanne, da sprechen die Chorherren ein, und halten Gericht über Jahrgänge und Weinlagen, der Herr Frühmeßner sagte nach gehaltner Prozession zum Herrn Kaplan: Nun haben wir's unserm Herrgott vorgetragen, was unserm Wein nottut: noch acht Tage trocken Wetter, dann morgens früh Regen und mittags tüchtigen Sonnenschein, und das so fort Juli und August! Wenn's dann kein gutes Weinjahr gibt, so ist's nicht unsre Schuld.

So also wird die Wunschliste beim Allmächtigen eingereicht. Das ist mehr als ein Brief, mehr als eine Prosaskizze, es ist ein Aquarell, wie es Gottfried Keller nicht hübscher hingetupft hätte. Und es ist erst der Anfang. Bettine Brentano malt dieses Genrebild nur aus, um auf den eigentlichen Handlungskern vorzubereiten; der Brief ist fast novellistisch angelegt. Zuerst also die Atmosphäre: die Weinberge, die Prozession, ihr heiteres Nachspiel. Am nächsten Tag wandert die Ich-Erzählerin, wie man sie nennen darf, hinauf nach dem Kloster.

> Da oben auf der Höhe war große Einsamkeit; nachdem auch das Geheul der Hunde, die das Psalmieren obligat begleitet hatten, verklungen war, spürte ich in die Ferne; da hörte ich dumpf das sinkende Treiben des scheidenden Tags; ich blieb in Gedanken sitzen, – da kam aus dem fernen Waldgeheg' von Vollratz her etwas Weißes, es war ein Reiter auf einem Schimmel; das Tier leuchtete wie ein Geist, sein weicher Galopp tönte mir weissagend, die schlanke Figur des Reiters schmiegte sich so nachgebend den Bewegungen des Pferdes, das den Hals sanft und gelenk bog; bald in lässigem Schritt kam er heran, ich hatte mich an den Weg gestellt, er mochte mich im Dunkel für einen Knaben halten, im braunen Tuchmantel und schwarzer Mütze sah ich nicht grade einem Mädchen ähnlich.

Ein Brief? Eine Erzählung! Und voller Motive, bis hin zum Androgynen, die Goethe und seiner Leserin Bettine wohlvertraut waren. Der Reiter fragt sie nun nach dem Weg; sie leitet ihn den Berg herab, der Schimmel haucht sie mild an. Und es entgeht ihr nicht des Reiters schwarzes Haar, seine erhabene Stirn. Wird etwas daraus werden? Nutzt er die Gelegenheit für einen Flirt? Leider nein: «was er von mir zu denken beliebte, schien keinen großen Eindruck auf ihn zu machen, ich aber entdeckte in seinen Zügen, seiner Kleidung und Bewegungen *eine* reizende Eigenheit nach der andern.» Doch der Prinz bekommt nichts davon mit, wie er angehimmelt wird, er sitzt «bewusstlos, naturlaunig» auf seinem Schimmel – und dann ist er auch schon weg:

> Dorthin flog er im Nebel schwimmend, der ihn nur allzubald mir verbarg; ich aber blieb bei den letzten Reben, wo heute die Prozession in ausgelaßnem Übermut auseinander sprengte, allein zurück: ich fühlte mich sehr gedemütigt, ich ahndete nicht nur, ich war überzeugt, dies rasche Leben, das eben gleichgültig an mir vorüber gestreift war, begehre mit allen fünf Sinnen des Köstlichsten und Erhabensten im Dasein sich zu bemächtigen.

Bettine grübelt, wie Goethes Tasso grübelt, wie später Tonio Kröger grübeln wird; die andern genießen das rasche köstliche Leben. Es folgt der eigentliche Zweck des Briefes, der Liebesappell an Goethe, den sie als alles verstehenden Beichtvater reklamiert. Noch vor dem Zwischenfall mit der Blutwurst dürfte er bei derlei rabiatem Zugriff, derart scharf gerittener Attacke geschaudert haben:

> Und nun vertraue ich Dir schmucklos meinen Reiter, meine gekränkte Eitelkeit, meine Sehnsucht nach dem lebendigen Geheimnis in der Menschenbrust. Soll ich in Dir lebendig werden, genießen, atmen und ruhen, alles im Gefühl des Gedeihens, so muß ich, Deiner höheren Natur unbeschadet, alles bekennen dürfen was mir fehlt, was ich erlebe und ahne; nimm mich auf, weise mich zurecht und gönne mir die heimliche Lust des tiefsten Einverständnisses. [...]
> Wo ich mich hinlagere am grünenden Boden, von Sonne und Mond beschienen, da bist Du meine Heiligung.
> *Bettine.*

Die wahre Heiligung erfuhr Bettine von Arnim nicht durch Goethe, sondern durch Hofmannsthal. Durch die Aufnahme dieses Briefes in sein *Deutsches Lesebuch* zog sie unter anderem an Schelling und Merck vorbei, denen Hofmannsthal den Eintritt in sein Prosa-Schatzhaus verwehrt hatte; selbst Hegel und Fichte nahm er erst nach langem Zögern auf.

Der rheinische Schatzmeister: Johann Peter Hebel

Hebel hat viel unterrichtet, er muß ein großer Pädagoge gewesen sein. Belehren und Unterhalten vermählen sich bei ihm in festlich schlichter Kunstprosa. Daß Hebel gerade als Stilist ein Vorbild für Walter Benjamin und für Ernst Bloch war, spricht für alle drei. Auch Goethe schon rühmte Hebels raffiniert schlichten Volkston: So leicht alles hingegossen scheine, so gehöre bekanntlich viel mehr dazu, etwas zu schreiben, dem man die Kunst und den Fleiß nicht ansehe und das «in der nämlichen Form um den Beifall der Gebildeten zugleich und der Ungebildeten ringt».

Geboren wurde Johann Peter Hebel 1760 in Basel als Sohn eines Leinwebers. Mit dreizehn war er Vollwaise, ein Jahr später ging er aufs Gymnasium in Karlsruhe, wo er bis zu seinem Tod 1827 lebte. Hebel wurde Professor für Hebräisch, Latein, Griechisch und Naturwissenschaften, er war Schulrektor, Kirchenrat und endlich Redakteur, weshalb wir ihn heute noch kennen. 1811 erschien sein *Schatzkästlein des rheinischen Hausfreundes*, eine Sammlung pädagogischer Geschichten und Anekdoten, die Hebel seit 1804 für den *Badischen Landkalender* und den *Rheinischen Hausfreund* verfaßt hatte. Hebel hat sich diese Anekdoten nicht alle selbst ausgedacht, viele zog er aus anderen Quellen, doch ließ er's nicht beim bloßen Abschreiben bewenden, wie er in der Vorrede erklärt, «sondern bemühte sich, diesen Kindern des Scherzes und der Laune auch ein nettes und lustiges Röcklein umzuhängen», kurzum: Literatur daraus zu machen.

Und so klingt es, wenn der rheinländische Hausfreund seine teils gebildeten Leser über allerhand Kurioses in der Tierwelt unterrichtet:

> Die kleinsten Vögel, die man kennt, heißen Kolibri. Sie sind in Südamerika daheim, haben wunderschöne Farben von Gold- und Silberglanz, legen Eilein, so nicht größer sind, als eine Erbse; und werden nicht mit Schroten geschossen, sondern mit kleinen Sandkörnlein, weil sonst nichts Ganzes an ihnen bliebe. Neben ihnen wohnt eine Spinne, die ist so groß, daß sie diese armen Tierlein wie Mucken fängt und aussaugt. Doch das weiß der geneigte Leser schon, denn er ist ein belesener Mann.

So verbeugt sich Hebel mit, wie es bei Thomas Mann einmal heißt, nicht nachweisbarer Ironie vor seiner Leserschaft, die doch immerhin etwas von ihm lernen und erfahren soll von der weiten Welt. Die Neigung zu Diminutiven – Eilein, Körnlein, Tierlein – zeigt die Gattung an: Der gute Hirte spricht zu seinen Kindern.

> Der größte unter allen Vögeln, die fliegen können, ist der Kondor, ein Landsmann des Kolibri. Dieser mißt mit ausgespannten Flügeln 16 Fuß, seine Flügelfedern sind vorne fingersdick, also daß man schön Fraktur damit schreiben könnte; und das Rauschen seiner Flügel gleicht einem fernen Donner.
>
> Aber der allergrößte Vogel ist der Strauß in den Wüsteneien von Asien und Afrika, der aber wegen seiner Schwere und wegen der Kürze seiner Fittiche gar nicht fliegen kann, sondern immer muß auf der Erde bleiben. Doch trägt er seinen Kopf 9 bis 10 Fuß hoch in der Luft, kann weit her-

> umschauen, und könnte, wie ein guter Freund neben einem Reiter auf seinem Roß herlaufen und mit ihm reden, wenn ihm nicht Vernunft und Sprache versagt wären.

Der letzte Satz deutet schon auf ein charakteristisches Stilmittel des Hausfreunds, die humoristische Empathie mit dem Nicht-Menschlichen. Hebel beendet seinen *Klein und groß* überschriebenen Vortrag mit einem Verweis auf manche Irrtümer der Vor-Aufklärung:

> In den fabelhaften Zeiten hat man geglaubt, daß es eine ganze Nation von Menschen gebe, die von dem Boden weg nur 2 Fuß hoch seien. Der Lügenprophet Mahomet aber behauptete einmal, er habe den Erzengel Gabriel gesehen, und es sei von seinem rechten Auge über den Nasenwinkel bis zum linken, ein Zwischenraum von 70000 Tagreisen.

Was doch stark übertrieben klingt. Der Protestant Johann Peter Hebel war übrigens den andern Weltreligionen gegenüber tolerant und aufgeschlossen, es gibt viele (auch das muß Goethe geschätzt haben) morgenlandfreundliche Bemerkungen im *Schatzkästlein*. Als Professor für Hebräisch war er, im Vergleich etwa zu Fichte oder den Romantikern überhaupt, geradezu philosemitisch. Ein Beispiel wäre die Anekdote mit der Überschrift *Der wohlbezahlte Spaßvogel*.

> Wie man in den Wald schreit, so schreit es wieder heraus. Ein Spaßvogel wollte in den neunziger Jahren einen Juden in Frankfurt zum besten haben. Er sprach also zu ihm: «Weißt du auch, Mauschel, daß in Zukunft die Juden in ganz Frankreich auf Eseln reiten müssen?» Dem hat der Jude also geantwortet: «Wenn das ist, artiger Herr, so wollen wir zwei

auf dem deutschen Boden bleiben, wenn schon Ihr kein Jude seid.»

Man muß es wegen mancher Spracheigentümlichkeiten vielleicht zweimal lesen, um es recht aufzufassen. Es beginnt gleich mit dem «wohlbezahlt» in der Überschrift, was meint: dem gut heimgezahlt wurde; und endet mit dem «wenn schon Ihr kein Jude seid», was heißt: obwohl Ihr keiner seid. Die Conclusio, daß der Spaßvogel, wenn er denn kein Jude ist, demnach der Esel sei – aber die geneigte Leserin war nicht so begriffsstutzig und hat es gleich kapiert.

Hebel verkörpert, wie Wieland und Goethe und die Brüder Humboldt, den schönsten Geist der deutschen Aufklärung. Die Leute glauben viel Abwegiges, was er ihnen ausreden will. Sie glauben zum Beispiel, daß ein Komet Unglück bringe, daß er die Unglücke herbeizöge oder wie ein Postreiter anzeige. Aber nein, belehrt Hebel seine Leser: Irgendwo auf dem weiten Erdenrund, diesseits oder jenseits des Meeres, geschehe alle Jahre so gewiß ein großes Unglück, «daß diejenigen, welche aus einem Kometen Schlimmes prophezeien, gewonnen Spiel haben, er mag kommen, wann er will. Gerade als wenn ein schlauer Gesell in einem großen Dorf oder Marktflecken in der Neujahrsnacht auf der Straße stünde und nach den Sternen schaute und sagte: ‹Ich sehe kuriose Sachen da oben, dieses Jahr stirbt jemand im Dorf.›»

Nicht nur über den Kometen-Aberglauben, auch über Sonne, Mond und die Sterne respektive Planeten will Hebel seine Leser aufklären, indem er vertraulich mit ihnen plaudert. «So etwas erzählt der Hausfreund nicht allen Leuten; aber seinen Lesern kann er nichts vorenthalten, damit sie sehen, was wir Sterndeuter und Kalendermacher für respektable Leute sind, so die Sterne des Himmels überschauen, wie ein Hirt seine Schäflein oder ein Schulherr seine Kinder, und merkt gleich, wenn eins fehlt.»

Man hört, daß er auch Prediger war und den Ton der Bibel aufgreift, wie es später Thomas Mann im *Joseph* tun wird.

Der predigende Hausfreund ahnt jedoch, daß er beim Publikum nicht so leicht durchdringen wird. Aufklärung ist mühsam, wenn die Sinne einem täglich etwas anderes vorgaukeln. Die Sonne geht auf und unter, das geozentrische Weltbild ist nicht so leicht, um ein Wortspiel zu wagen, auszuhebeln. Wie man meine, die Sonne gehe in 24 Stunden um die Erde herum, «so meinen wir, alle Sterne gehen auch in größern und kleinern Zirkeln um die Erde herum. Aber nein. Die Erde vollendet in 24 Stunden ihren Wirbel um sich selbst, und kommt so an den Sternen vorbei, nicht die Sterne an ihr. Doch darauf kommt es so viel nicht an.» Es folgt der leicht resignierte Schluß: «Aber der geneigte Leser glaubt's nicht. Ich weiß es schon.»

In seinen Schlußsätzen ist Hebel immer besonders stark. Sie sind knapp und prägnant. «So sieht's aus.» – «Was du zu tun hast, mach's auch so!» – «So viel man weiß, gern wüßte man noch mehr.» Nach Ausführungen über die Weite der Milchstraße, wo ein paar hundert Sterne aussähen wie ein Nebelfleck, den man mit einem badischen Kreuzer bedecken könnte: «Es gehört nicht viel Verstand dazu, daß er einem still stehe.»

Wie man bemerkt haben wird, sind Hebels Geschichten von untergründiger, lakonischer Komik. Diese Komik entsteht vorwiegend durch Vermenschlichung. Vögel wie der Strauß werden wegen fehlender Gesprächspartner bedauert. Planeten werden bedauert wie auseinandergerissene Familien: Einer sei in vier Stücke zersprungen, «und muß ein rechtes Betrübnis gewesen sein, wenn ein Vater oder eine Mutter auf einem Stück geblieben ist, und die Kinder auf einem andern, und konnten hernach nichts mehr von einander erfahren, und einander durch niemand grüßen lassen». Auch über den Grottenolm macht Hebel sich Gedanken:

> Solch ein Tierlein in seiner verschlossenen Brunnenstube hat ein geheimliches Leben und Wesen, sieht nie die Sonne auf- oder untergehen, erfährt nichts davon, daß der Prinz von Brasilien nach Amerika ausgewandert ist, und daß die englischen Waren auf dem festen Land verboten sind, weiß nicht, ob's noch mehr solche Brunnenstuben in der Welt gibt, oder ob die seinige die einzige ist, und ist doch in seinem nassen Element des Lebens froh, und hat keine Klage und keine Langeweile.

Langeweile kommt nicht auf, wenn Hebel in seinem trockenen Ton aus Anlaß solipsistischer Grottenolme über die Weltpolitik und das Vermischte des Tages erzählt. Allein, er kann auch bewegend sein. Die schönste Perle im *Schatzkästlein des rheinischen Hausfreundes* ist die berühmte Geschichte *Unverhofftes Wiedersehen*. Man kann sich an diesen zwei Seiten Prosa, die man unsterblich nennen darf, nicht satt lesen, so wie man sich an manchen Musikstücken, einer Suite von Bach, einem Schubert-Lied, nicht satt hören kann. Je öfter man das *Unverhoffte Wiedersehen* liest, desto stärker berührt es einen, und desto mehr bewundert man Hebels Kunst.

Unverhofftes Wiedersehen ist eigentlich eine Kürzest-Novelle mit der dazugehörigen unerhörten Begebenheit. Ein junger Bergmann und frisch Verlobter wird acht Tage vor seiner Hochzeit im Bergwerk von Falun verschüttet. Die verwitwete Braut bleibt ihm zeit ihres Lebens treu. Zum Finale setzt Hebel ein Stilmittel ein, das seither Epoche gemacht hat; wer immer etwas Ähnliches versucht, steht in seiner Schuld. Hebel läßt in fünf Sätzen ein halbes Jahrhundert vorbeiziehen:

> Unterdessen wurde die Stadt Lissabon in Portugal durch ein Erdbeben zerstört, und der siebenjährige Krieg ging vorüber, und Kaiser Franz der Erste starb, und der Jesuitenor-

> den wurde aufgehoben und Polen geteilt, und die Kaiserin Maria Theresia starb, und der Struensee wurde hingerichtet, Amerika wurde frei, und die vereinigte französische und spanische Macht konnte Gibraltar nicht erobern. Die Türken schlossen den General Stein in der Veteraner Höhle in Ungarn ein, und der Kaiser Joseph starb auch. Der König Gustav von Schweden eroberte russisch Finnland, und die französische Revolution und der lange Krieg fing an, und der Kaiser Leopold der Zweite ging auch ins Grab. Napoleon eroberte Preußen, und die Engländer bombardierten Kopenhagen, und die Ackerleute säten und schnitten. Der Müller mahlte, und die Schmiede hämmerten, und die Bergleute gruben nach den Metalladern in ihrer unterirdischen Werkstatt.

Es ist eine einzigartige Engführung historischer Zeit in ruhigem parataktischen Ton, eine Art Prosa-Daumenkino, das fünfzig Jahre bewegt vergehen läßt, die Zeit, in der die Verlobte um ihren verschütteten Liebsten trauert. Hebel ruft bei den Lesern ein historisches Großereignis nach dem anderen in Erinnerung, um endlich zurückzugleiten ins allmähliche Verstreichen der Alltags-Zeit mit ihren täglichen Verrichtungen; der Übergang findet in dem Gelenksatz statt: «die Engländer bombardierten Kopenhagen, und die Ackerleute säten und schnitten» – allein über dieses «und» könnte man lange schreiben. Von den Ackerleuten geht es dann so ungezwungen wie elegant über die Müller und Schmiede zu den Bergleuten in ihrer unterirdischen Werkstatt zurück – das starke Bild der Werkstatt ist das Schlußwort der Periode. Es folgt die unerhörte Begebenheit:

> Als aber die Bergleute in Falun im Jahr 1809 etwas vor oder nach Johannis zwischen zwei Schachten eine Öffnung durchgraben wollten, gute dreihundert Ellen tief unter dem

> Boden gruben sie aus dem Schutt und Vitriolwasser den Leichnam eines Jünglings heraus, der ganz mit Eisenvitriol durchdrungen, sonst aber unverwest und unverändert war, also daß man seine Gesichtszüge und sein Alter noch völlig erkennen konnte, als wenn er erst vor einer Stunde gestorben, oder ein wenig eingeschlafen wär, an der Arbeit.

Kein Mensch weiß, wer der schlafende Jüngling ist, bis seine ehemalige Verlobte, grau und zusammengeschrumpft, mit einer Krücke an den Platz kommt, ihren Bräutigam erkennt und «mehr mit freudigem Entzücken als mit Schmerz» auf der geliebten Leiche niedersinkt; allein er öffnet den Mund nimmer zum Lächeln oder die Augen zum Wiedererkennen.

> Den anderen Tag, als das Grab gerüstet war auf dem Kirchhof und ihn die Bergleute holten, schloß sie ein Kästlein auf, legte sie ihm das schwarzseidene Halstuch mit roten Streifen um, und begleitete ihn alsdann in ihrem Sonntagsgewand, als wenn es ihr Hochzeittag und nicht der Tag seiner Beerdigung wäre. Denn als man ihn auf dem Kirchhof ins Grab legte, sagte sie: «Schlafe nun wohl, noch einen Tag oder zehen im kühlen Hochzeitbett, und laß dir die Zeit nicht lange werden. Ich habe nur noch ein wenig zu tun und komme bald, und bald wird's wieder Tag. – Was die Erde einmal wieder gegeben hat, wird sie zum zweitenmal auch nicht behalten», sagte sie, als sie fortging, und noch einmal umschaute.

Es ist der letzte Halbsatz, der dem Leser sanft den Boden unter den Füßen wegzieht: daß sie noch ein letztes Mal «umschaut». Aus einem rätselhaften Grund ist es besonders stark durch das fehlende «sich». Wer dieses Stück ohne Tränen lesen kann, der sei um seine innere Gefaßtheit beneidet.

Romantiker. Blaue Blume und Hysterion

Thematisch gar nicht unverwandt dem *Unverhofften Wiedersehen* sind die zehn Jahre zuvor erschienenen *Hymnen an die Nacht.* Hier wie dort verschmilzt das Begräbnis mit der Hochzeit, die Liebe mit dem Tod. Aber es ist ein ganz anderer Tonus, eine andere Grundspannung: der heilig-nüchterne Hebel und das todeserotisch Verzückte des Salinenassessors Friedrich von Hardenberg, der sich seit seiner ersten Veröffentlichung im *Athenäum* Novalis nannte. Novalis hatte nach dem Tod seiner zehn Jahre jüngeren Geliebten Sophie von Kühn (sie starb 1797 zwei Tage nach ihrem fünfzehnten Geburtstag) einen leicht wahnhaften und stark sexuell unterfütterten Mystizismus entwickelt, der sich in dem wirkkräftigen Gedichtzyklus *Hymnen an die Nacht* niederschlug. «Welche Wollust, welchen Genuß bietet dein Leben, die aufwögen des Todes Entzückungen?», heißt es in diesen Hymnen, ohne die Richard Wagners *Tristan* zwei Generationen später schwer zu denken wäre. Die Todesmystik, gepaart mit annähernd Fichteanischer Luzidität, sorgt für das besondere Stil-Tattoo, an dem man Novalis immer erkennen wird. In seinen Aperçus und Fragmenten und all seinem Blüthenstaub ist er darum auch keineswegs zu unterschätzen.

Als Erzähler aber kann er im Vergleich mit Hebel nur verlieren. Bei Hebel sitzt jedes Wort und ist kein Adjektiv zuviel, er ist anschaulich und farbig, die Pointen sind lässig wie aus der linken Hand geschnippt. Novalis dagegen wird als Stilist stark überschätzt. Er gehört zum Typus des ewig jungen, weil jung verstorbenen genialischen Dichters, den zu verklären der Nachwelt leichtfiel. Genützt hat ihm, daß er nebst Joseph von Eichendorff ein Symbol gefunden hatte, mit dem sich eine ganze Epoche bezeichnen zu lassen schien. Seit dem *Heinrich von Ofterdingen* wird in der Romantik die Blaue Blume gesucht, und Generationen von

Studenten im Germanistik-Treibhaus, außerhalb dessen sie bald verdorrt wäre, mußten mitsuchen. Die Prosa des Hauptbuchs der deutschen Frühromantik ist, wie man schon bei den Adjektiven sah, von einer gewissen Einfallslosigkeit. Die zentrale Liebesszene liest sich so. Und ist sie nicht *süß*?

> Die Liebe ist stumm, nur die Poesie kann für sie sprechen. Oder die Liebe ist selbst nichts, als die höchste Naturpoesie. Doch ich will dir nicht Dinge sagen, die du besser weißt, als ich.
>
> Du bist ja der Vater der Liebe, sagte Heinrich, indem er Mathilden umschlang, und beyde seine Hand küßten.
>
> Klingsohr umarmte sie und ging hinaus. Liebe Mathilde, sagte Heinrich nach einem langen Kusse, es ist mir wie im Traum, daß du mein bist, aber noch wunderbarer ist mir es, daß du es nicht immer gewesen bist. Mich dünkt, sagte Mathilde, ich kennte dich seit undenklichen Zeiten. – Kannst du mich denn lieben? – Ich weiß nicht, was Liebe ist, aber das kann ich dir sagen, daß mir ist, als finge ich erst jetzt zu leben an, und daß ich dir so gut bin, daß ich gleich für dich sterben wollte. – Meine Mathilde, erst jetzt fühle ich, was es heißt unsterblich zu seyn. – Lieber Heinrich, wie unendlich gut bist du, welcher herrliche Geist spricht aus dir. Ich bin ein armes unbedeutendes Mädchen. – Wie du mich tief beschämst! Bin ich doch nur durch dich, was ich bin. Ohne dich wäre ich nichts. Was ist ein Geist ohne Himmel, und du bist der Himmel, der mich trägt und erhält.

Man ahnt, warum Thomas Bernhard seinen Helden im *Kalkwerk* gegen den *Ofterdingen* wüten läßt. Als Stilist ist Novalis – gegen Hebel, gegen den Titan Jean Paul, gegen Joseph von Eichendorff, gegen Brentano, gegen Rahel Varnhagen, gegen Kleist erst! – ein unendlich liebenswürdiger und rührender Tropf.

So sieht's aus – hätte Hebel gesagt.

*

In einem Roman der klassischen Literatur wird das Liebesglück des Helden folgendermaßen beschrieben: «Es ist hier eine Lücke in meinem Dasein. Ich starb, und wie ich erwachte, lag ich am Herzen des himmlischen Mädchens.»

Man ist nicht undankbar über die Lücke, denn sobald der Autor sie füllt, sehen wir uns der blassesten Prosa gegenüber, die man, neben dem in der Fadheit konkurrierenden Novalis, in der deutschen Literatur kanonisiert hat:

> – und wie sie nun in voller Herzenslust mich betrachtete, wie sie, in kühner heiliger Freude, in ihre schönen Arme mich nahm und die Stirne mir küßte und den Mund, ha! wie das göttliche Haupt, sterbend in Wonne, mir am offnen Halse herabsank, und die süßen Lippen an der schlagenden Brust mir ruhten und der liebliche Othem an die Seele mir ging – o Bellarmin! die Sinne vergehn mir und der Geist entflieht.

Hand auf die schlagende Brust: Findet sich hier auch nur *ein* Beiwort, das von der Konvention abwiche?

Hölderlin ist, wie Rilke, Religion. Die Jünger stellen seinen einzigen, im Tübinger Stift begonnenen und von 1797 bis 1799 beendeten Roman *Hyperion* neben oder über Goethes *Faust*. Der Held Hyperion schreibt in diesem Roman, der ein paar berühmte Sentenzen enthält, in der Rückschau über sein unstetes Leben in Griechenland. Dieses Griechenland hat Hölderlin sich hauptsächlich aus einem englischen Reiseführer zusammengestellt (weshalb der «jackal» bei ihm zum «Jakal» und nicht Schakal wird). Man merkt es daran, daß es ohne jede Anschauung ist. Gesehen, geschmeckt, gerochen, gehört, betastet wird hier so gut wie nichts. Wie geliebt wird, haben wir gelesen – wobei Hölderlin das auch glutvoller kann, wie wir später sehen werden. Es wird nicht gegessen, getrunken, gewohnt, gefroren oder geschwitzt, keiner weiß, wovon Hyperion und wie er lebt, wie er sich von A nach B fortbewegt, außer einmal auf dem Pferd, keiner weiß, wie die Freunde untereinander verkehren – ein Wortgeklingel um ein dröhnendes Nichts der Anschauungslosigkeit. Es ist eine Welt der detailfeindlichen Abstraktion, eine Begriffswelt, an die immer nur appelliert wird. Und bei den Begriffen müssen es immer die größten sein. Unter dem Göttlichen, dem Unendlichen, dem Ein und Alles und der himmlischen Schönheit macht es der Nürtinger nicht. Es ist auf ätherischste Weise blutleer. Die mangelnde Anschauung wird durch *name-dropping* ersetzt. Alle heiligen Orts- und Kultnamen müssen, aus dem Lexikon oder dem Reiseführer zitiert, antanzen, um die Lücke zu verdecken, daß der Autor nichts gesehen hat. Zur selben Zeit, in der Hölderlin am *Hyperion* schrieb, bekannte Schiller dem Freund Goethe, bei der Zeichnung der Kraniche hemme ihn der Mangel einer lebendigen Anschauung. Gerne nahm Schiller Goethes Rat an, die Kraniche als Naturphänomen, als Zugvögel und im Schwarm darzustellen. Hölderlin hatte einen solchen Ratgeber nicht; und er wäre ihm wohl auch nicht gefolgt.

Das Ganze soll nun ein Briefroman sein. Wie Arno Schmidt schon mit Recht zum *Werther* bemerkte, ist die Form ganz verfehlt. Beim Briefroman stellen sich verschiedene Charaktere in verschiedenen, je eigenen Tonfällen vor und werden kontrastiert. Bellarmin, der Freund, dem Hyperion schreibt, bleibt unkonturiert, er hätte genausogut an den Weihnachtsmann schreiben können. Im zweiten Band dann: Briefauftritt Diotima, Hyperions Geliebte.

Aha, jetzt wird der Ton sich ändern! Aber was lesen wir? Einen Klon Hyperions.

Der Tonfall ist immer der gleiche: rhetorisch überhitzt, juvenil-pathetisch mit seinen Achs! und Ohs! der Empfindsamkeit und den literarischen Echos aus Rousseau, Klopstock, Schiller, Jacobi, Fichte, Heinse; metaphernüberreich wie bei Jean Paul, aber ohne dessen Witz und zuletzt aus den immer gleichen drei, vier Bild-Quellen schöpfend, kaum einmal wirklich originell.

Das Hauptthema des Ersten Buchs, die Trauer um die vom tintenklecksenden Säkulum abgelösten früheren Heroischen Zeiten, war schon damals leicht abgestanden respektive angelesen. Und war doch andock- oder anschlußfähig für spätere wenig erfreuliche Deutungen. «Ihre Kraft ist ihre Freude» kommt schon wörtlich vor. Daß mit dem Alten unduldsam und durch Minensprengung radikal aufgeräumt werden müsse, rät Hyperions brachialer Freund Alabanda. «Gäb' es eine Arbeit, einen Krieg für mich!» Ja, das wär's, ein neuer Krieg! Das Vaterland muß gerettet werden, der dürre faule Baum darf nicht stehen, «er stiehlt ja Licht und Luft dem jungen Leben, das für eine neue Welt heranreift» – das las man hundertfünfzig Jahre später gern. Hyperion selbst widerspricht nicht, als der Vorschlag ergeht, die Söhne sollten aus der Wiege in den Strom geworfen werden, damit ihnen die Schande des nichtheroischen Zeitalters erspart bleibe.

Anders als der *Faust* ist *Hyperion* komplett ironiefrei; dafür getränkt von Selbstmitleid. Als Psychogramm, als Seelen-Röntgenbild eines vor Ruhmsucht und Ressentiment bebenden, sozial deklassierten jungen Manns ist der Roman instruktiv. Hölderlin legt es in den Mund Diotimas, daß sein Alter ego zu höheren Dingen geboren sei und die Welt seiner als eines neuen Apoll bedürfe. Diotima darf darum auch stolz von sich sagen: «[…] hab' ich den Genius nicht in seinen Wolken erkannt?» Hyperion selbst erklärt, seine Perlen wolle er «vor die alberne Menge nicht werfen».

Typisch dabei ist das Oszillieren zwischen Minderwertigkeitsgefühl und den Allmachts- und Größenphantasien des verkannten Genies. Und als Dokument der ausbrechenden Krankheit ist *Hyperion* von geradezu klinischer Präzision. «Warum so schröcklich Freude und Leid dir wechselt?» fragt ihn sein Freund. Das ständige Auf und Ab zwischen überspanntester Euphorie und Depression ist der genaue Spiegel der (damals noch nicht diagnostizierbaren) bipolaren Störung. Stilistisch abzulesen ist das Bipolare am jähen Wechsel zwischen emphatischen Anrufungen und Exklamationen des Göttlichen einer- und sich immer tiefer in den Seelenschlamm hinabbohrenden Satzbandwürmern andererseits. Die folgende Stelle nimmt schon den Einbruch des Nihilismus bei Büchner vorweg. Oder auch Arthur Schopenhauers Schluß der *Welt als Wille und Vorstellung*.

> O ihr Armen, die ihr das fühlt, die ihr auch nicht sprechen mögt von menschlicher Bestimmung, die ihr auch so durch und durch ergriffen seid vom Nichts, das über uns waltet, so gründlich einseht, daß wir geboren werden fürs Nichts, daß wir lieben ein Nichts, glauben an's Nichts, uns abarbeiten für Nichts, um mählich überzugehen in's Nichts – was kann ich dafür, daß euch die Knie brechen, wenn ihr's ernstlich bedenkt?

Dennoch, auch wenn man's ernstlich bedenkt, solche Sätze ändern nichts daran. Hart zu sagen, und seine Jünger werden schäumen, aber: Romanprosa war letztlich nicht Hölderlins Sache, so wenig wie das Dramatische in seinem *Empedokles*. Ganz anders die Lyrik, das lange Gedicht in freien Rhythmen – ha! hier übertraf er alle Zeitgenossen und errang die literarische Ewigkeit, nach der es ihn so glühend verlangte. *Hälfte des Lebens* und *Brod und Wein* hätten eben weder Goethe noch Schiller verfassen können. Man kann als Stilist hier redlich langweilen und dort die Fahne des Siegs im Sturm erringen.

Nun könnte man einwenden: Man soll nichts Unmögliches verlangen. Hölderlin wollte einen philosophischen Roman schreiben, einen Gedankenroman. Wenn ihm der alabastern gerät, ist das nicht Stilisierungswille? Macht nicht das eben die Klassik oder den Klassizismus aus: die Stilisierung bis zur Unanschaulichkeit, bis zur Blässe und edlen Ausgedünntheit? Gehört nicht eben das zur Klassik wie der Posthornklang zur Romantik: der Wunsch zur Vereinfachung, zum Nichtentlegenen, zur Weißen Antike, in Verkennung ihrer originalen Buntheit? Hölderlins Prosa als Weiße Antike – so könnten seine Verteidiger argumentieren.

Und weiter gefragt: Vielleicht gab es das damals einfach noch nicht, bunten, detailfreudigen Realismus im Roman? Nun, im *Werther* sieht man immerhin eine Wiese blühen und sieht, wie Lotte einen Laib Brot schneidet. Und zehn Jahre zuvor war der *Anton Reiser* erschienen!

Exkurs: Peter Hacks, Carl Schmitt, John Keats

Peter Hacks haßte die Romantiker *in toto*. Er haßte sie nicht wegen ihrer blassen Adjektive, sondern weil sie reaktionäre und opiatsüchtige Träumer und weil sie gegen die Ordnung waren. Hacks nämlich, muß man wissen, war beides, Stilist und Stalinist. Und das eine sollte mit dem andern nichts zu tun haben – oder doch?

Peter Hacks führt uns auf ein Minenfeld der Fragen und Antinomien. Wenn guter Stil mit dem Gedanken, mit klarem Denken zu tun hat, wie kann jemand ein souveräner Stilist sein, der einen manischen Massenmörder und ein Jahrhundertmonster wie Stalin verehrt? Alte, alte Frage, man könnte sie auch auf Carl Schmitt anwenden, den viele für einen hochbedeutenden Stilisten halten –

berühmt allein schon für seine Anfangssätze wie: «Souverän ist, wer über den Ausnahmezustand entscheidet.»

Auch Carl Schmitt war ein erklärter Feind der Romantik. Von Schmitt, nicht von Hacks ist der Satz, die Romantik sei «psychologisch und historisch ein Produkt bürgerlicher Sekurität». Schmitt huldigte einem anderen Jahrhundertmonster. Anfang 1933 schrieb er noch im Tagebuch: «Wut über den dummen, lächerlichen Hitler.» Das sollte sich schon aus Karrieregründen abrupt ändern. Am 1. Mai 1933 trat Schmitt in die NSDAP ein. Der Kleinbürger Schmitt war gern in der Nähe der Macht. Von diesem Zeitpunkt an begann er mit der Veröffentlichung antisemitischer Schriften, vorzüglich gegen frühere jüdische Förderer. Carl Schmitt beginnt, die Schleimspur zu Hitler zu legen, die bald so dick ist, daß man selbst in Springerstiefeln darin ausglitte. Er erklärt Hitler qua Führertum zum obersten Richter, er legitimiert sämtliche Rechtsbrüche mit einer Verve, die ihm nicht einmal ein Goebbels abverlangt hätte. Carl Schmitt gilt heute als Kronjurist des Dritten Reichs, seine Rechtfertigung der Nürnberger Rassengesetze ist berüchtigt. Ab 1936 sank sein Stern, er verlor alle Ämter in der Partei. Man braucht einen langen Löffel, wenn man mit dem Teufel essen will; seiner war dann doch zu kurz.

Dennoch: Hannah Arendt hat ihn verteidigt, Georg Lukács zitiert ihn, die Frankfurter Linke las ihn, fast alle namhaften Philosophen der Nachkriegszeit, vor allem die gut schreibenden wie Hans Blumenberg, Odo Marquard oder Jacob Taubes, beziehen sich auf ihn, selbst bei der Ausarbeitung der Verfassung Israels wurden seine Schriften zu Rate gezogen – weil Schmitt seine Ideen über die absolute Feindschaft, über den Ausnahmezustand oder über das Partisanentum so auszudrücken verstand, daß man es als einleuchtend und zündend empfand. Also: Stil und Charakter – auch das eine Parzelle auf dem Minenfeld.

Was hat uns das anzugehen, wenn wir über Fragen des Stils

grübeln? Letztlich fallen Ethik und Ästhetik offenbar doch nicht zusammen, und daß *truth beauty* sei und *beauty truth* – «that is all / Ye know on earth, and all ye need to know» –, ist ein schöner, aber nur bedingt wahrer Gedanke. John Keats, der ihn in seinem Gedicht *Ode to an Grecian Urn* ausgedrückt hat, wäre als Romantiker von Hacks ohnehin der Tscheka zugeführt worden.

Was die schwierige Frage aufwirft: Kann man schreckliche Dinge in gutem Stil sagen? Manche feurigen Pamphlete fallen sicher in dieses Fach. Mitreißende Reden, die zur Folge haben, daß der König enthauptet wird und die Guillotine nicht mehr stillsteht. Bismarck war ein grandioser Stilist, aber auch kein Waisenknabe. Louis-Ferdinand Céline war der übelsten Antisemiten einer, aber als Stilist nicht ohne. Auch Hannibal Lecter hatte Stil, als er sagte: «I ate his liver with a glass of Chianti.»

Der Schreckensmann: Karl Philipp Moritz

Es gab schönere Kindheiten. Was eine Untertreibung ist: Es gab vielleicht wenig schlimmere.

> Die ersten Töne, die sein Ohr vernahm und sein aufdämmernder Verstand begriff, waren wechselseitige Flüche und Verwünschungen des unauflöslich geknüpften Ehebandes.
> Ob er gleich Vater und Mutter hatte, so war er doch in seiner frühesten Jugend schon von Vater und Mutter verlassen, denn er wußte nicht, an wen er sich anschließen, an wen er sich halten sollte, da sich beide haßten, und ihm doch einer so nahe wie der andre war.
> In seiner frühesten Jugend hat er nie die Liebkosungen zärtlicher Eltern geschmeckt, nie nach einer kleinen Mühe ihr belohnendes Lächeln.

> Wenn er in das Haus seiner Eltern trat, so trat er in ein Haus der Unzufriedenheit, des Zorns, der Tränen und der Klagen. Diese ersten Eindrücke sind nie in seinem Leben aus seiner Seele verwischt worden, und haben sie oft zu einem Sammelplatze schwarzer Gedanken gemacht, die er durch keine Philosophie verdrängen konnte.

So beginnt die von 1785 bis 1790 in vier Bänden publizierte autobiographische Romanschrift, in deren Verfasser Goethe einen unglücklichen jüngeren Bruder erkannte und Arno Schmidt den ersten Heroen der von ihm so getauften Schreckensmänner – kein Volk der Erde habe einen solchen Bekenntnisroman hervorgebracht. Hugo von Hofmannsthal nimmt einen Auszug in sein *Deutsches Lesebuch* auf, er sei eine Ergänzung zu Goethes *Wilhelm Meister* und enthalte alles, was dort als zu niedrig, finster oder skurril ausgeschieden worden sei. Trotz Hofmannsthal kaum noch präsent, wird der Roman 1930 von dem französischen Germanisten Robert Minder auf einem Bücherkarren bei der Berliner Staatsbibliothek aufgestöbert, für zwei Mark erworben und wieder in die geistige Zirkulation überführt. Der Fanfarenstoß Arno Schmidts tat ein Übriges. Noch Handke rühmt den Verfasser des Schmerzensbuchs als großen Durchschauer nicht nur seiner selbst, sondern auch seines Lesers Peter Handke.

Es ist ein früher realistischer Roman aus der Welt der kleinen Leute, in der jeder Kanten Brot gezählt wird, «scharfbelichtete Bilder aus dem Winkeldasein von Schustern, Gerbern, Hutmachern, Essigbrauern», wie Minder es sagte, eine Welt auch des religiösen Sektierertums, in der man sich zweimal nachts zum innigen Gebet erhebt und die Abtötung der Sinne betreibt. Der Held führt seit seiner Kindheit mit den religiös zerstrittenen Eltern ein Hundedasein, er ist bitterarm, wird immerzu gedemütigt, er muß als Lehrling eines despotischen Hutmachers nachts im Eiswasser hantieren, er muß als angehender Student sich an Freitischen verköstigen, jeden Wochentag bei einem andern Gönner zu Gast, der es ihn spüren läßt; das Leben ist ihm eine Qual, von der allein die überbordende Einbildungskraft ihn erlöst. Obwohl die Einbildungskraft sich auch aufs Hypochondrische und die Höllenangst werfen kann und das Leiden dadurch noch erhöht: Da man von der Mutter weiß, daß es den baldigen Tod ankündigt, wenn die Hände beim Waschen nicht mehr rauchen, wenn ein Hund mit der Schnauze zur Erde gekehrt heult oder wenn eine Henne kräht wie der Hahn, und wenn dann alles dies eintrifft, wie sollte es einem ohnehin Kränklichen nicht das Leben vergällen? – Das waren Kindheit und Jugend des Karl Philipp Moritz, der zwar noch Professor für Ästhetik, aber nur 36 Jahre alt werden sollte, dargestellt in seinem *Anton Reiser*, dem frühen Höhe- und Gipfelpunkt des psychologischen Romans. Und hier ein Auszug daraus, in dem Reiser mit dem Hammer experimentiert:

> Er machte sich nehmlich eine große Sammlung von Kirsch- und Pflaumenkernen, setzte sich damit auf den Boden, und stellte sie in Schlachtordnung gegen einander – die schönsten darunter zeichnete er durch Buchstaben und Figuren, die er mit Dinte darauf malte, von den übrigen aus, und machte sie zu Heerführern – dann nahm er einen Hammer und stellte mit zugemachten Augen das *blinde Verhängnis* vor, indem er den Hammer bald hie, bald dorthin fallen ließ – wenn er dann die Augen wieder eröffnete, so sah er mit einem geheimen Wohlgefallen, die schreckliche Verwüstung, wie hier ein Held und dort einer mitten unter dem unrühmlichen Haufen gefallen war, und zerschmettert da lag – dann wog er das Schicksal der beiden Heere gegen einander ab und zählte von beiden die Gebliebenen.

Diese Beschreibung könnte von keinem anderen als von Karl Philipp Moritz sein, mit ihr hat man den ganzen *Anton Reiser.* Der Autor hat, wie vor ihm Rousseau, bei genauester Erinnerung an sein früheres Ich die nötige ironische Distanz zu ihm, das gibt der Stelle die komische Grundierung. Diese Komik unterläuft dem Autor nicht, er setzt sie gezielt ein, sein Ton ist der des mitleidig sanft Spottenden. Moritz macht sich nicht lustig über seinen Helden, aber er macht sich, so gut er kann, frei von ihm und seinem früheren Ich, indem er dessen Schädelkappe öffnet und uns das geheime Innenleben zeigt, um nicht zu sagen: das dort wuchernde Neurosennest. Sein Anton Reiser ist, nach heutigen Begriffen, schwer neurotisch und narzißtisch gestört, seine Seele durch schwarze Pädagogik verstümmelt. Zugleich ist er, pietistisch gebrandmarkt, zur unerbittlichen Seelen- und Sündenschau verdammt. Karl Philipp Moritz war all das auch, aber er wußte es, und wie Goethes Tasso hatte ihm ein Gott oder Genius gegeben, zu sagen, wie er leide. Er wußte auch, daß er nicht alleine litt und daß es für sein Leid bestimmte Ursachen und Auslöser gab, und zwar andere als Hennen, die wie Hähne krähten, oder gebückt heulende Hunde.

Was sich bei Moritz vor unsern Augen vollzieht, ist die Geburt der modernen Psychologie. Kein anderer als Moritz gründete denn auch 1783 die erste psychologische Zeitschrift Deutschlands, das *Magazin für Erfahrungsseelenkunde.* Die Viermonatsschrift hielt sich zehn Jahre lang, wurde von Moses Mendelssohn und vielen anderen jüdischen Beiträgern unterstützt, sie sammelte Fallbeispiele von psychischen Devianzen, Fälle von Mördern und Selbstmördern, Fälle von Kleptomanie, religiösem Wahn und sexuellem Mißbrauch. Besonderen Wert legte sie, lange vor Freud, auf die Erfahrungen der frühesten Kindheit und auf die Deutung des Traums. Moritz' Magazin war noch 1852 lieferbar, als sich Heinrich Heine ein Exemplar schicken lassen wollte, der Moritz, etwas fragwürdig, für seine «köstliche Naivität» lobt.

Die Beiträge des Herausgebers Moritz beschäftigten sich mit Beobachtungen über den Spracherwerb und die religiösen Vorstellungen von Taub- und Stummgeborenen. Vor allem aber erfand er eine weitere neue Disziplin, ohne ihr einen Namen zu geben: die Psycho-Linguistik. Er schreibt eine lange Abhandlung über das «Es» in «Es donnert». Eine noch längere Abhandlung widmet sich der Präposition «um», aus der sich nach Moritz' Vermutung die Frage «Warum» entwickelt habe, die ein notwendiges Bedürfnis des Denkens und der Mittelpunkt unserer Vorstellungen sei.

Das Psychologische geht bei Moritz dabei oft ins Metaphysische über. Einmal wird er Zeuge eines denkwürdigen Gesprächs:

> Vor einiger Zeit hörte ich ein paar Bauren zusammen reden, wovon der eine erzählte, wie er beim Aderlassen in Ohnmacht gefallen sei. Darüber kamen sie auf den Tod zu sprechen, und nachdem sie eine Weile ernsthaft davon geredet hatten, kam ihnen auf einmal die Sache so sonderbar vor, daß sie in lautes *Gelächter* darüber ausbrachen.
> Sollte selbst der Tod vielleicht wirklich auch eine *lächerliche* Seite haben? Die Vorstellungen von demselben mögen nach der verschiednen Denkart und Fähigkeit der Köpfe auch erstaunlich verschieden sein. Und es würde vielleicht nicht unnütz sein, mehrere solcher verschiednen Vorstellungen nebeneinander zu stellen.

Es ist hier nicht die Frage, ob der Tod wirklich etwas Lächerliches hat, das wird man überwiegend anders sehen und statuieren; es soll nur festgehalten werden, daß man bei Moritz immer wieder auf solche eigenwilligen Betrachtungen und Gedanken stößt. Daß ihn Jean Paul ein Grenz-Genie nennt und auch Schopenhauer ihn beipflichtend erwähnt, hat seinen guten Grund. Stilist ist Moritz weniger in dem Sinne, daß man ihn schon nach wenigen Sätzen erkennen könnte; das fiele bei ihm nicht leicht. Stil bei Moritz bedeutet eine seelische Präzision, die fast schon Proust vorwegnimmt. Alles ist erlitten, alles erfühlt und klinisch kalt analysiert, mit einigen Anteilen von Masochismus und Selbstgeißelung. Alles ist neu gedacht, neu gesehen, kein Klischee entschlüpft ihm, keine schon fertige Phrase, alles steht im Licht der ersten Empfindung, für die seine Sprache den richtigen Ausdruck sucht. Man sollte ihn wieder mehr lesen.

Heine und die Folgen. Kraus, Adorno

Wer bestreitet, daß Heine ein großer Autor war, muß gute Gründe haben. Oder schlechte. Es gibt eine Polemik gegen Heine, in der sich beide mischen. Sie hat es deshalb auf die Nachwelt geschafft, weil ihr Verfasser über das gefährlichste Polemik-Arsenal überhaupt verfügte, der Herausgeber der *Fackel*, der große, grimmige Karl Kraus, von dem Georg Trakl sagte, er sei ein «Zürnender Magier, / Dem unter schwarzem Mantel der blaue Panzer des Kriegers klirrt».

Die Geschichte ist der Nacherzählung wert, weil sie intimste Fragen des Stils berührt. Und weil wiederum ein halbes Jahrhundert später ein anderer großer Essayist den Fall neu aufgerollt hat.

Im Jahr 1910 erschien beim Münchner Langen-Verlag der Aufsatz *Heine und die Folgen*. Es ist mehr als ein Aufsatz, es ist ein Vernichtungsversuch, in dem sich stilkritische mit moralischen Argumenten und diese wiederum mit halbtrüb aus der Tiefe sprudelnden Ressentiments durchmischen – ein Unikum, ein Basilisk in der Geschichte der Literaturkritik. Was wirft Karl Kraus dem Lyriker Heinrich Heine vor? Daß er es seinen Nachahmern leicht gemacht habe, «die's mindestens gleich gut treffen und die zumal den kleinen Witz der kleinen Melancholie, dem der ausgeleierte Vers so flink auf die Füße hilft, mindestens ebenso geschickt praktizieren». Der Vorwurf also? Daß Heines Lyrik Kunstgewerbe sei und daß das Romanische das Deutsche verlottert habe. Die romanische Sprache rege an und auf, «wie das Weib, gibt die Lust und mit ihr den Gedanken. Aber die deutsche Sprache ist eine Gefährtin, die nur für den dichtet und denkt, der ihr Kinder machen kann.»

Bei den Franzosen ist die Sprache ein williges Weib, bei den Deutschen die gebärfähige «Gefährtin». Je länger man seine Polemik liest, desto mehr drängt sich die Frage auf: Was will uns Kraus eigentlich sagen? Und geht es ihm wirklich um Sprache und Stil? Seine Abrechnung ist von Anfang an merkwürdig sexuell aufgeladen. Heine hat sich in Paris quasi syphilitisch infiziert:

> Ohne Heine kein Feuilleton. Das ist die Franzosenkrankheit, die er uns eingeschleppt hat. Wie leicht wird man krank in Paris! Wie lockert sich die Moral des deutschen Sprachgefühls! Die französische gibt sich jedem Filou hin. Vor der deutschen Sprache muß einer schon ein ganzer Kerl sein, um sie herumzukriegen, und dann macht sie ihm erst die Hölle heiß. Bei der französischen aber geht es glatt, mit jenem vollkommenen Mangel an Hemmung, der die Vollkommenheit einer Frau und der Mangel einer Sprache ist.

Heine schrieb auf deutsch, das ganze Argument zielt also ins Nichts. Es ist erstaunlich und fast schon komisch, wie Kraus sich metaphorisch immer tiefer in Sexualphantasien hineinsteigert. Heine, so sein Resümee, habe der deutschen Sprache so sehr das Mieder gelockert, «daß heute alle Kommis an ihren Brüsten fingern können». Die Sprache sei ihm, Heine, zu Willen gewesen. «Doch nie brachte sie ihn zu schweigender Ekstase.» Ganz anders bei ihm, Karl Kraus, und der «markverzehrende[n] Wonne» seiner Spracherlebnisse. Die Gefahr des Wortes, erklärt er, sei die Lust des Gedankens – was immer das bedeuten mag. Der Schluß seiner bis heute stachlig-heiklen Polemik: «Was bog dort um die Ecke? Noch nicht ersehen und schon geliebt! Ich stürze mich in dieses Abenteuer.» Und Heine kann, wenn er es aus seiner Matratzengruft herausschafft, hinterherhumpeln in den linguistischen Rotlichtbezirk, der Kraus offenbar vor Augen steht.

Zwei Möglichkeiten: Da kräht ein phallischer Gockel gegen einen Konkurrenten an. Die zweite, von Adorno plausibel angedeutete Möglichkeit: Der diskrete altfeudale Gentleman, der Kraus war, ist degoutiert von dem grobsinnlichen: «Ich mag lieber Zwiebeln als warme Männerfreundschaft», mit der Heine sich das Einverständnis der schweigenden homophoben Mehrheit erschleicht.

Das spielt auf Heines notorische Platen-Polemik an, die Kraus aus guten Gründen furchtbar findet. August Graf von Platen hatte, als der Außenseiter in sexualibus, gegen Heine als Juden gestichelt. Heine hatte heftig und häßlich zurückgeschlagen. «Die Gesinnung kann nicht weiter greifen als der Humor», schreibt dazu Kraus: «Wer über das Geschlechtsleben seines Gegners spottet, kann nicht zu polemischer Kraft sich erheben. Und wer die Armut seines Gegners verhöhnt, kann keinen bessern Witz machen, als den: der Ödipus von Platen wäre ‹nicht so bissig geworden, wenn der Verfasser mehr zu beißen gehabt hätte›. Schlechte Gesinnung kann nur schlechte Witze machen.»

Karl Kraus hatte sehr oft recht. Schwierig wird es für seinen Verehrer Theodor W. Adorno, der in dem Essay *Die Wunde Heine* nicht umhinkann, die Kraussche Polemik zu kommentieren. Adorno macht es salomonisch. Er stimmt Kraus darin zu, daß Heine – er drückt es anders aus – industriell gedichtet habe. Adornos Deutung oder Rechtfertigung: Heines Mutter habe nicht fließend Deutsch gesprochen. «Seine Widerstandslosigkeit gegenüber dem kurrenten Wort ist der nachahmende Übereifer des Ausgeschlossenen.»

Das ist klug gesehen, wenn auch, wie so oft bei Adorno, fast überfeinsinnig. Hätte Heine sich gegen das kurrente Wort verwahrt, hätte man es ganz genau so ableiten können. «Sein Widerstand gegenüber dem kurrenten Wort läßt als Eingedenken und Tribut an die versehrte Sprache der Mutter sich verstehen.» Oder so ähnlich. Das Wort, das Adorno einem nicht im Mund hätte herumdrehen können, wurde noch nicht gehaucht. Und wenn er erst in den Jargon der Dialektik verfällt, wie Jean Améry es nannte! Dann ist er bar jeder Selbstironie, bar jeden Selbstzweifels; ein rechthaberischer Hütchenspieler, der die leeren Abstrakta blitzgeschwind hin und her schiebt. Schopenhauer hätte vor Zorn mit den Zähnen geknirscht. Und dabei weiß Adorno es eigentlich ganz genau. Anläßlich Karl Kraus' charakterisiert er den «törichten Scharfsinn» mit Worten, die man nicht besser für ihn selbst hätte finden können: Es ist ein formales Denken, das die eigene Allgemeinheit, und damit seine Verwendbarkeit für beliebige Zwecke, der «Absage an die inhaltliche Bestimmung durch seine Gegenstände verdankt».

Beide trifft, nein: alle drei, Adorno, Heine und Kraus trifft, was Rahel Varnhagen 1829 ihrem Gatten meldet: «Von Heine'n – wollte ich Dir schreiben. Das Resumé, was ich heraus habe, ist und bleibt sein großes Talent; welches aber auch in ihm reifen muß, sonst wird's inhaltleer und höhlt zur Manier aus.» Der Gefahr dieser Aushöhlung entkamen alle drei manchmal nur knapp.

Adalbert Stifter. Der Meister der Margarita

Sein Zeitgenosse Friedrich Hebbel versprach jedem, der es schaffe, Stifters *Nachsommer* von Anfang bis Ende zu lesen, die Krone Polens. Es ist unbekannt, ob es Anwärter gab. Für Stifters späten, im mittelalterlichen Böhmen spielenden Roman *Witiko* hätte Hebbel den habsburgischen Thron ausloben können.

Zu Beginn von *Witiko* trifft der berittene Held im Wald auf ein Mädchen. Die beiden finden Wohlgefallen aneinander und beginnen ein Gespräch. Witiko wird von dem rotwangigen Mädchen nach seinem Herkommen befragt.

«Das ist so», entgegnet er:

> im Mittage des Landes Böhmen haben meine Vorfahren im Walde gelebt. In alten Zeiten vor vielen hundert Jahren, da es noch gar kein deutsches Reich gegeben hat, da in dem Lande der Franken, das sehr groß war, die tapfern Hausmeier der alten Könige geherrscht haben, ist ein Mann aus dem Stamme der Fürsten Ursini in Rom, der auch Witiko wie ich geheißen hat, wegen Verfolgung eingedrungener Feinde mit seinem Weibe, mit seinen Kindern, mit seinen Anverwandten und mit einem kriegerischen Gefolge in das Land gegen Mitternacht gegangen, und bis an die Donau gekommen. Von dort wollte er in das Land Böhmen einbrechen. Aber Woyen, der Herzog Böhmens, der erstgeborne Sohn des Herzogs Mnata, der noch heidnisch war, und die Christen haßte, zog ihm mit einem Heere entgegen, und tötete in einer Niederlage, die Witiko erlitt, fast alle seine Leute. Da trug Witiko dem Herzoge Woyen ein Bündnis an, er wollte sich ihm unterwerfen, und die Marken Böhmens gegen die Fremden verteidigen, wenn ihm der Herzog in den waldigen Bergen, in welche er eingedrungen war, eine Wohnung geben wolle.

Wir brechen hier ab, aber es geht noch eine halbe Seite so weiter; angeblich ein Flirtgespräch, wie gesagt, keine Geschichtslektion, und rührend die Vorstellung, daß der Autor so fern jeder Ahnung davon zu sein scheint, wie gekünstelt und fürs Publikum gesprochen sich ein solcher Dia- oder Monolog anhören muß.

Stifters Umständlichkeit hat dabei überraschenderweise etwas Herzergreifendes. Vielleicht hätte er selbst ähnlich doziert, wenn er mit einem Mädchen hätte anbandeln müssen. Man könnte so weit gehen und sagen, diese Umständlichkeit bewahre ihn vor dem Kitsch. Wäre er auch noch abgefeimt, wäre Stifter schwer erträglich und genau der sanfte Unmensch des *Nachsommers*, als den ihn so schneidend Arno Schmidt charakterisiert hatte.

Das Pedantische, Ritualisierte, ja Zwanghafte in Stifters Prosa, sosehr sie im Falle *Witikos* von alt-chronikalischem Stil geprägt ist, hat sein Editor Wolfgang Matz als Abwehrpanzer gegen obsessive Ängste erklärt. Schon Thomas Mann sah hinter Stifters stiller, inniger Genauigkeit eine Neigung zum Exzessiven, Pathologischen wirksam. Matz faßt Stifters innerste Dynamik in dem Satz zusammen: «Nur wo das Leben zu Stein wird, ist es vom Tode erlöst.» Genau so versteinert liest sich die Prosa des späten Stifter, der seine Schriften immer stärker von allem lebenswirklich Bewegtem purgiert. Die Kunst darf vom Leben nicht berührt, der Puls und die Nöte des Lebens müssen in der Prosa ruhiggestellt werden. Noch kurz bevor er sich mit dem Rasiermesser die Halsschlagader durchschneidet, tilgt Stifter aus der unvollendeten *Letzten Mappe* die Beschreibung eines Selbstmordversuchs.

Als Stilist kommt Stifter einem manchmal wie jemand vor, der mit zwei linken Händen schnitzt. Es gibt viele großartige Sätze bei ihm, aber dann diese Umständlichkeit! Im Englischen sagt man dafür *clumsy*, und das wäre für Stifter noch moderat ausgedrückt. Bis er seinen Witiko auf dem Pferd erst einmal angezogen bekommt! Mit seiner Lederkappe, der er eine viertel Seite widmet, dem Wams, der innern Kleidung, der Beinbekleidung und dem Mantel oder Oberkleid von Tuch «oder überhaupt einem Wollstoffe», der leider zusammengeschnürt ist, «weshalb man die Gestalt und das Wesen dieses Dinges nicht zu ergründen vermochte. Nur die Farbe schien grau zu sein» – man lese es selber nach und ergründe das Wesen des eventuell grauen Witikoschen Mantelsacks. Und wie er ihn dann unter seiner stattlichen Kappe reiten läßt:

> Das Pferd ging durch die Schlucht in langsamem Schritte. Als es über sie hinausgekommen war, ging es wohl schneller, aber immer nur im Tritte. Es ging einen langen Berg hinan, dann eben, dann einen Berg hinab, eine Lehne empor, eine Lehne hinunter, ein Wäldchen hinein, ein Wäldchen hinaus, bis es beinahe Mittag geworden war.

Und so ritte es sich noch lange fort, hinunter und empor, hinein und hinaus und immer im gleichen Tritt … Aber hier müssen wir uns selber ins Wort fallen. Hatte nicht der Marquis Prosa, wie der große Alfred Polgar genannt wurde, erklärt, der Gegensatz von genial sei nicht ungenial, sondern: geschickt? Und wäre der Umkehrschluß nicht günstig für Stifter? Ungeschickt und genial muß sich nicht immer beißen, und tut es auch nicht bei ihm. Ist die folgende Schilderung von ihm *geschickt*? Sicher nicht, aber man könnte sie unter mindestens drei Kategorien als muster- und meisterhaft anführen. Der Erzähler im *Waldgänger* erinnert sich an die Naturbilder seiner Jugend:

> sei es nun ein düsterer Föhrenwald, an dessen schwarzen Wurzeln die dunklen Wässer dahin wuschen – sei es ein lieber Fels, der emporragte und auf dem Haupte gesellschaftliche Pflanzen trug – seien es gegen ein Rinnsal herein gehende Birkenwälder, die den Fluß einsogen, scheinbar ver-

> bargen, und unsichtbar zu den weiteren ebeneren Ländern hinaus leiteten [...]

Seien es die fast schon wagnerianisch wogenden alliterierenden «W», von den schwarzen Wurzeln bis zu den weiteren Ländern, sei es das Klangspiel der Vokale «a» und «u» – seien es die Adjektive, besonders das ungewöhnlich benutzte «gesellschaftlich» und selbst der «liebe» Fels – seien es die Verben, diskret alle, nicht prahlerisch, das Dahinwaschen, Einsaugen, Verbergen, Hinausleiten: Alles zusammen macht einen unnachahmlich guten Satz. Ebener geht es kaum.

Die wahre Kunst liegt bei Stifter weniger in der Beschreibung der Menschen, die so leblos und versteinert sein können wie das Personal in *Witiko*, und schon gar nicht liegt sie im Dialog. Sie liegt in der Schilderung der unschuldig-dämonischen Natur. In seinem letzten Werk *Aus dem bairischen Walde* wird der Erzähler eingeschneit.

> Das war kein Schneien wie sonst, kein Flockenwerfen, nicht eine einzige Flocke war zu sehen, sondern wie wenn Mehl von dem Himmel geleert würde, strömte ein weißer Fall nieder, er strömte aber auch wieder gerade empor, er strömte von links gegen rechts, von rechts gegen links, von allen Seiten gegen alle Seiten, und dieses Flimmern und Flirren und Wirbeln dauerte fort und fort wie Stunde an Stunde verrann. Und wenn man von dem Fenster weg ging, sah man es im Geiste, und man ging lieber wieder zum Fenster.

Der letzte Halbsatz zeigt sogar Spuren eines resignierten Humors; sonst nicht Stifters Stärke. Seine wahren Stärken hängen damit zusammen, daß er im Grunde, wie sein baltischer Verwandter Eduard von Keyserling, ein Maler war. In der Erzählung *Der be-*

schriebene Tännling tupft er eine Morgenimpression hin, das schon im *Hochwald* fein aquarellierte Land jenseits der Donau mit seinen Getreidehängen und Obstwäldern und die sich dahinter abzeichnenden Ostalpen:

> Nur an ganz durchsichtigen Morgen, an denen wegen bevorstehenden Regens die Gegend mit keinem färbenden Dufte bedeckt ist, sondern die Dinge in trauriger Klarheit dastehen, schweben in Südost über der schmalsten Waldlinie die norischen Alpen so weit und märchenhaft draußen, wie mattblaue, starr gewordene Wolken.

Sind wir uns einig? Das ist zum Niederknien zart und schön, auch darin, wie sich der schwere Fels in die luftige Wolke auflöst. Hier stimmt und trifft jeder Pinselstrich. Und dann der Schluß der frommen Legende, die erzählt, wie ein Holzfäller mit frisch geschliffenem Beil ein Eifersuchtsattentat plant, von dem ihn im letzten Moment die im Traum vernommene Stimme Mariens abhält. (Der «beschriebene» Tännling hat seinen Namen wegen der in seine Rinde eingegrabenen Kreuze und Herzen.)

> Er ging sehr eilig, auf Wegen, die ihm bekannt schienen, bald rechts, bald links dem größeren Dickicht ausweichend, anfangs den jenseitigen Hang empor, dann auf der Kante schief hinüber, dann sachte gegen Rechts abwärts, bis er, da die Sonne eben vor einer Weile untergegangen war, am beschriebenen Tännling eintraf. Der Baum stand ruhig und sanft in der Abendluft empor. Seine oft gesehenen vielfach gebogenen und gezackten Äste ruheten gleichsam wie die ausgebreiteten Fittige eines Vogels in dem labenden Elemente. Hans lehnte sein Beil an den Stamm, und setzte sich gegenüber auf einen mosigen Stein.

Wer dem umständlichen Stifter für solche Stellen nicht den ganzen *Witiko* verzeiht, der hat statt des Herzens einen solchen moosigen Stein in der Brust.

Als stilistisches Merkmal bleibt eine charakteristische Bewegung festzuhalten. Es geht bei Stifter immer hin und her. Das Pferd hinein, hinaus. Der Schnee von links gegen rechts, von rechts gegen links. Der Holzfäller bald rechts, bald links. Was ist das für eine Bewegung, woran erinnert sie? Es ist der Gang eines gefangenen Tiers im Käfig.

Als Mensch muß Stifter unendlich sympathisch gewesen sein. Er kam nie über seine Jugendliebe hinweg, Fanny Greipl, die er 1836 an einen andern Mann und drei Jahre später an den Tod verlor. Die not- und trotzgeborene Ehe mit seiner Frau Amalia blieb zu seinem großen Unglück kinderlos. (Er glaubte, sie sei daran schuld, war es aber eher selber.) Die Nichte, die sie als Ziehtochter aufgenommen hatten, ertränkte sich achtzehnjährig in der Donau. Sein Brotberuf zermürbte ihn, als Schulrat war er unermüdlich in der Provinz unterwegs, um die Lage der Dorfschullehrer zu verbessern, die oft vor ihm in Schluchzen ausbrachen, weil sie von Wien im Stich gelassen wurden. Später, nach beachtlichem literarischen Erfolg, fraß und trank er sich halbsystematisch ins Grab. Seine Tagesration, fünf mehrgängige Mahlzeiten, zum zweiten Frühstück vor der gebratenen Gans gern ein paar Schnitzel mit Erdäpfeln, hätte genügt, ein kleines Kloster zu verköstigen. Gegen die Leberzirrhose halfen dann auch die Karlsbader Kuren nicht. Die Depressionen wurden finsterer. Die letzte Leidenschaft seines Lebens galt seiner Sammlung Kakteen.

*

Stifter als Naturschilderer ist nicht nur ein Aquarellist, er ist auch ein großer Akustiker. Man verbindet Stifter aus gutem Grund nicht mit Spannung, aber es gibt Ausnahmen, und sie haben alle mit dämonisch klirrender Natur zu tun. Seine Erzählung *Margarita* aus der *Mappe meines Urgroßvaters* wetteifert geradezu mit Kubricks *Shining* (wir übertreiben). – Es ist mitten im Winter, im bergigen Hochland herrscht eine seltene und nicht ungefährliche Wetterlage: Aus den höheren und verhältnismäßig wärmeren Regionen regnet es fein und dicht, der Regen verwandelt sich aber in Bodennähe in Eis. Es ist nicht Schnee, der vom Himmel fällt, sondern «reines fließendes Wasser, das erst an der Oberfläche der Erde gefror und die Dinge mit einem dünnen Schmelze überzog, derlei man in das Innere der Geschirre zu thun pflegt, damit sich die Flüssigkeiten nicht in den Thon ziehen können».

Der Ich-Erzähler ist ein pflichtbewußter Landarzt, der sich von diesem Wetter nicht abschrecken läßt und mit seinem Knecht auf dem Schlitten die vereinzelten Gehöfte seiner Patienten abklappert. Der Regen läßt nicht nach, jedes Teilchen des Schlittens ist in Eis wie in durchsichtigen flüssigen Zucker gehüllt, selbst «in den Mähnen, wie tausend bleiche Perlen, hingen die gefrornen Tropfen des Wassers, und zuletzt war es um die Hufhaare des Fuchses wie silberne Borden geheftet». Alles gefriert sofort, ist von Eis umschlossen, von der Decke des Pferdes hängen Silberfransen hernieder, die Filzkappe des Arztes wird zur Kriegshaube. Die Hufe des Pferdes hallen auf der Eisdecke wie starke Steine, die gegen Metallschilde geworfen werden. Der Wald wird zum Märchenwald; ein Busch sieht aus wie viele ineinander gewundene Kerzen oder wie lichte, glänzende Korallen. Und auch akustisch ist die Winterwelt verzaubert:

> [D]as Zerbrechen des zarten Eises, wenn das Tier darauf trat, machte ein immerwährendes Geräusch, daher aber das Schweigen, als wir halten mußten, […] desto auffallender war. Und der Regen, dessen Rieseln durch die Nadeln man

> hören konnte, störte die Stille kaum, ja er vermehrte sie. Noch etwas anderes hörten wir später, da wir wieder hielten, was fast lieblich für die Ohren war. Die kleinen Stücke Eises, die sich an die dünnsten Zweige und an das langhaarige Moos der Bäume angehängt hatten, brachen herab, und wir gewahrten hinter uns in dem Walde an verschiedenen Stellen, die bald dort und bald da waren, das zarte Klingen und ein zitterndes Brechen, das gleich wieder stille war.

Die Schlittenfahrt durchs vereiste Hochland zieht sich über dreißig Seiten, und allmählich verwandelt sich das Märchenhafte ins Bedrohliche – und das fast nur über die Akustik. Der Landarzt und sein Knecht hören ein Geräusch, «das sehr seltsam war und das keiner von uns je vernommen hatte – es war, als ob viele Tausende oder gar Millionen von Glasstangen durcheinanderrasselten und in diesem Gewirre fort in die Entfernung zögen». Und dann immer wieder ein sonderbarer Knall, den sie sich zuerst gar nicht deuten können. Was geht hier vor im Wald?

> Ein helles Krachen, gleichsam wie ein Schrei, ging vorher, dann folgte ein kurzes Wehen, Sausen, oder Streifen und dann der dumpfe, dröhnende Fall, mit dem ein mächtiger Stamm auf der Erde lag. Der Knall ging wie ein Brausen durch den Wald und durch die Dichte der dämpfenden Zweige; es war auch noch ein Klingeln und Geschimmer, als ob unendliches Glas durcheinander geschoben und gerüttelt würde – dann war es wieder wie vorher, die Stämme standen und ragten durch einander, nichts regte sich, und das still stehende Rauschen dauerte fort.

Ein Krachen wie ein Schrei – das ist die Klangfassung des physikalischen Vorgangs, daß die Bäume durch das Eis von innen aufgesprengt werden. Das dramatische Ende, als es endlich wärmer wird und die Schneeschmelze das Dorf hinwegzuspülen droht, muß hier nicht nacherzählt werden. Stifters *Margarita* bleibt das große klirrende Winterbild der deutschen Literatur und der seltene Fall eines meteorologischen Thrillers.

Jeremias Gotthelf. Die schwarze Spinne

Dann *heißt* der Pfarrer auch noch Gotthelf! Eigentlich hieß er ja Albert Bitzius, aber er suchte sich sein Pseudonym gottesfürchtig nach seiner ersten Romanfigur aus. Jeremias Gotthelf galt noch dem alten Muschg als einziger deutschsprachiger Erzähler, der sich mit Dostojewski, Balzac oder Dickens vergleichen lasse; freilich könne nur ein Schweizer die Fülle seiner – interessantes Kompliment – barbarischen Sprache ermessen. Gotthelfs halb fromme, halb barbarische Schauergeschichte *Die schwarze Spinne*, 1842 publiziert, ist ein Kleinod der Novellenkunst, ein dunkles Juwel der Schweizer Literatur. Der Verfasser des *Doktor Faustus* bewunderte die Geschichte des Teufelspakts «wie kaum ein zweites Stück Weltliteratur». Gotthelfs an den Höllen-Brueghel erinnernde Phantastik ist das eine; aber auch als Stilist können ihm nur wenige Zeitgenossen das Weihwasser reichen, von seinem helvetischen Kollegen Keller immer abgesehen.

Die Handlung, kurz umrissen: Ein armes Bauerndorf, durch einen despotischen Ritter und Schloßherrn in Bedrängnis geraten, wird vom Teufel, genannt der «Grüne», zu einem Pakt ermuntert. Der Grüne hilft den Dorfbewohnern bei ihrer unerfüllbaren Aufgabe, als Lohn dafür verlangt er – aber hören wir selbst, was er den Bauern auf ihre Frage erklärt, hören wir Gotthelfs knurrigen Legendenton:

> Da machte der Grüne ein pfiffig Gesicht; es knisterte in seinem Bärtchen und wie Schlangenaugen funkelten sie [die Dorfbewohner] seine Augen an, und ein gräulich Lachen stand in beiden Mundwinkeln als er ihn voneinander that und sagte: «Wie ich gesagt, ich begehre nicht viel, nicht mehr als ein ungetauftes Kind.»

Nicht mehr also als – ein Babyopfer. Zur Besiegelung des Vertrags gibt der Teufel der wagemutigen Christine, der emanzipierten Frau im Dorf, einen Kuß auf die Wange. An dieser Stelle zeichnet sich auf ihrem Gesicht bald ein Teufelsmal ab, das später zur schwarzen Spinne maligniert.

Was folgt? Der Teufel ist vertragstreu, aber das Dorf drückt sich um den vereinbarten Lohn. Bei der ersten Geburt wird der Teufel durch Abwehrzauber und rasche Taufe des Neugeborenen geprellt. Nach dem zweiten Mal, bei dem ihm das Neugeborene weggepascht wird, erinnert er diskret an die Erfüllung des Vertrags. Das Vieh stirbt in den Ställen, das Dorf verzweifelt. Nun liegt wieder eine Frau in den Wehen. Und diesmal, so hat das Dorf sich stillschweigend geeinigt, soll der Grüne seinen Lohn erhalten. Man läßt zwar den Pfarrer holen, aber setzt alles daran, daß er zu spät kommt und der Säugling ungetauft überstellt werden kann. Kaum hat die arme Schwangere, die das Komplott ahnt und sich verbarrikadiert, in ärgsten Wehen und Ängsten entbunden, kaum wimmert das erste Lebenszeichen durch die Tür, fliegt diese «von wüthendem vorbereiteten Stoße» auf: «wie auf seinen Raub der Tiger stürzt, stürzt Christine auf die arme Wöchnerin» und raubt ihr das Kind.

Das alles weiß Hans, der Ehemann der armen Frau, der sich viel Zeit nimmt bei seiner Heimkehr von der Feldarbeit, um den Dingen ihren Lauf zu lassen. Was Gotthelf so unnachahmlich beschreibt und ins wechselnde Geh-Tempo übersetzt, ist der innere

Zwiespalt eines schwachen Mannes. «Langsam war er seines Weges gegangen, hatte bedächtig jeden Acker beschaut, jedem Vogel nachgesehen, den Fischen im Bache abgewartet, wie sie sprangen und Mücken fingen vor dem eintretenden Gewitter» – allein für dieses Naturdetail hätte Nabokov den Autor geliebt.

> Dann juckte er vorwärts, rasche Schritte that er, einen Ansatz zum Springen nahm er; es war etwas in ihm, das ihn jagte, das ihm die Haare auf dem Kopfe emportrieb; es war das Gewissen, das ihm sagte, was ein Vater verdiene, der Weib und Kind verrathe; es war die Liebe, die er noch hatte zu seinem Weibe und seiner Leibesfrucht. Aber dann hielt ihn wieder ein anderes, und das war stärker als das erste, es war die Furcht vor den Menschen, die Furcht vor dem Teufel und die Liebe zu dem, was dieser ihm nehmen konnte. Dann ging er wieder langsamer, langsam wie ein Mensch, der seinen letzten Gang thut, der zu seiner Richtstätte geht. Vielleicht war es auch so; weiß doch gar mancher Mensch nicht, daß er den letzten Gang thut; wenn er es wüßte, er thäte ihn nicht, oder anders.

Es läßt sich nicht mit der Pinzette herauszupfen, was genau den Rang dieser Passage ausmacht; es ist alles zusammen, Rhythmus, Wortwahl, Detailreichtum, Überraschung und Psychologie, dabei ein Anklang von Predigerton. Das lakonisch korrigierende «oder anders», mit dem Gotthelf die Conclusio beendet, ist in seiner Redlichkeit entzückend.

Um den Pfarrer vom Eingreifen abzuhalten, inszeniert der Teufel nun ein Unwetter. Hier ist es mehr als nur ein Anklang von Prediger-Timbre, das Gotthelf aufbietet. Hier erklingt der volle Orgelton.

> Und allerdings stürmte ein Gewitter daher, wie man in Menschengedenken nicht oft erlebt. Aus allen Schlünden und Gründen stürmte es heran, stürmte von allen Seiten, von allen Winden getrieben über Sumiswald zusammen; und jede Wolke ward zum Kriegsheer und eine Wolke stürmte an die andere, eine Wolke wollte der andern Leben, und eine Wolkenschlacht begann und das Gewitter stund, und Blitz auf Blitz ward entbunden, und Blitz auf Blitz schlug zur Erde nieder, als ob sie sich einen Durchgang bahnen wollten durch der Erde Mitte auf der Erde andere Seite.

Ein wahres Teufelsgewitter, eine Wolkenschlacht und metaphysische Entbindung, nach der physischen zwei Seiten zuvor: Hier donnern nicht nur die Elemente, hier donnert der Prediger, daß es eine Art hat, mit allen rhetorischen Pedalen, die ihm zur Verfügung stehen.

Allein es hilft nichts, der Pfarrer wird sich dennoch durchs Unwetter durchkämpfen und opfert sich fürs gerade noch notgetaufte Kind. Was allerdings dann passiert, schildern wir nicht; es ist zu schaurig und muß selber nachgelesen werden. Das erste Ausbrechen der Spinne auf Christines Wange war noch gar nichts dagegen:

> Unterdessen aber hörte der Schmerz nicht auf, jedes Bein ward ein Höllenbrand, der Spinne Leib die Hölle selbst, und als des Weibes erwartete Stunde kam, da war es Christine als umwalle sie ein Feuermeer, als wühlten feurige Messer in ihrem Mark, als führen feurige Wirbelwinde durch ihr Gehirn. Die Spinne aber schwoll an, bäumte sich auf, und zwischen den kurzen Borsten hervor quollen giftig ihre Augen.

Kein Wunder, daß Daniel Kehlmann, wie er in seiner Frankfurter Poetik-Vorlesung beschreibt, als Kind nach der Lektüre wochenlang nicht einschlafen konnte, ja sich bis heute kaum davon erholt habe. Ähnlich erzählt es Elias Canetti im ersten Teil seiner Autobiographie *Die gerettete Zunge*, in der er Gotthelf ein ganzes Kapitel widmet. Auch ihn hatte die schwarze Spinne so stark beeindruckt, daß er jeden Abend mit einem Spiegel seine Wangen nach ihren Spuren untersuchte, sich mehrfach täglich wusch, weil es ihn in den Beinen kribbelte, und die Spinne an den unmöglichsten Orten sitzen sah.

Gotthelfs moralische Schauergeschichte ist dabei in einen idyllischen Rahmen eingespannt. Es ist die epische – Thomas Mann nannte sie sogar «homerische» – Schilderung einer traditionellen Kindstaufe. Hier zeigt der Autor, daß er auch andere Töne anschlagen kann. Sehr einfühlsam versetzt er sich in die Notlage der Taufpatin auf dem Weg zur Kirche: Sie hat des Säuglings Namen vergessen, den sie dem Pfarrer vor dem heiligen Akt einflüstern muß. Und so schildert Gotthelf ihre Erleichterung, als der Pfarrer den Namen ausnahmsweise selber weiß: «[...] da war der Gotte [der Taufpatin] als ob nicht nur sämmtliche Emmenthaler Berge ihr ab dem Herzen fielen, sondern Sonne, Mond und Sterne, und aus einem feurigen Ofen sie Jemand trage in ein kühles Bad; aber die ganze Predigt durch bebten ihr die Glieder und wollten nicht wieder stille werden.»

Es ist das Stilmittel der Hyperbel, das Gotthelf gerne verwendet, und das Humoristische daran liegt ihm durchaus nah. Ein «junges Weibchen» – auch das typisch für Gotthelf – weint bei ihm «gar bitterlich, daß man unter seinen Augen die Hände hätte waschen können». Im Wirbelwind splittern Bäume am Hause «wie Speere auf einer Ritterbrust». Die Bauern, vom Teufel befragt, was ihnen fehle: «Haltet es nicht für ungut, aber das, worüber wir weinen, nimmt kein Jägersmann uns ab, und wenn das Herz einmal im

Jammer verschwollen ist, so kommen keine Worte mehr heraus.» Hier ist es das den Klagefluß abklemmende «verschwollen», welches den Satz besonders macht.

Canetti war mit seiner Mutter in heftigen Streit geraten über den Wert oder Unwert des Dialekts. Gotthelfs Sprache sei die des Emmentals, hatte er ihr erklärt, manches verstünde man kaum, ohne den Dialekt sei Gotthelf aber undenkbar, aus diesem beziehe er seine ganze Kraft. Seine Mutter hielt dagegen und führte ihre Freunde an, die alle versicherten, *Die schwarze Spinne* sei ungeschickt geschrieben: «Es wäre gut, sie in ein literarisches Deutsch zu übersetzen, damit sie allgemein zugänglich wäre.»

Recht hatte natürlich der Sohn. Das literarische Deutsch Gotthelfs lebt genau von der kleinen Differenz. «Die Zeit ist noch nicht da, wo man es erkennt, daß der Trotz das Unglück aus dem Boden stampft. Der Jubel zog sich über Berg und Thal in alle Häuser, und wo noch eines Fingers lang Fleisch im Rauche hing, da ward es gekocht, und wo noch eine Hand groß Butter im Hafen war, da wurde geküchelt.»

In der Linguistik nennt man die kleinen Abweichungen, die dem Nicht-Muttersprachler bei bester Beherrschung des fremden Idioms noch unterlaufen, den «charmanten Rest». Das hochdeutsche Schweizerische sprudelt damit wie aus tausend klaren Gebirgsquellen. Es ist der Charme der kleinen Abweichung: Wenn es etwas zu feiern gibt und sich noch eine «Hand groß Butter» im Hafen findet, was passiert dann? Dann wird selbstredend geküchelt.

Schweizer Einsprengsel machen es dabei nicht allein. Gotthelfs Verleger Julius Springer übte, ganz im Sinne der Mutter Canettis, sanften Druck auf den Autor aus, die Helvetismen doch bitte auszudünnen, das erleichtere die Verbreitung in Norddeutschland. Gotthelfs Stil verlor dadurch nicht an Prägnanz. Es ist fast unmöglich, diesen Stil zu imitieren, außer im Predigerton; er schlägt zu viele sprachliche Volten, er ist ebenso erdig wie sublim, er versteckt die Finesse im scheinbar Groben und Bäurischen.

Ein letztes Beispiel aus der *Schwarzen Spinne*. In der Rahmenhandlung wird auf dem Weg zur Kirche hin und her geplänkelt, die Patin beharrt darauf, das Kind auf ihren Armen zu tragen und es sich nicht abnehmen zu lassen; ihr Seitenblick gilt dabei dem feschen «Götti», was auf schweizerisch der Taufpate ist.

> Das war eine gar zu gute Gelegenheit dem schönen ledigen Götti zu zeigen, wie stark ihre Arme seien und wie viel sie erleiden möchten. Starke Arme an einer Frau sind einem Bauer viel anständiger als zarte, als so liederliche Stäbchen, die jeder Bysluft, wenn er ernstlich will, auseinander wehen kann; starke Arme an einer Mutter sind schon vielen Kindern zum Heil gewesen, wenn der Vater starb, und die Mutter die Ruthe allein führen, alleine den Haushaltungswagen aus allen Löchern heben mußte, in die er gerathen wollte.

Indem die Patin ein Auge auf den potentiellen Vater ihrer späteren Kinder wirft, begründet sie die Attraktivität ihrer starken Arme mit dessen vorzeitigem Ableben – das ist alles zugleich: derb, witzig, schrullig, subtil, und mit dem Schlußbild vom «Haushaltungswagen» rumpelt der Satz mit Karacho in die Kirche zur dann doch noch glückenden Kindstaufe. Der Bysluft, by the way, ist ein kalter Nordostwind.

Theodor Storm. Das läßt sich dämmen!

Den Husumer Juristen Theodor Storm verbindet nicht viel mit Jeremias Gotthelf, um so überraschender die thematische Nähe zwischen der *Schwarzen Spinne* und Storms *Schimmelreiter*. Bei beiden geht es um das Motiv des Kindsopfers; bei beiden hat dieses Opfer mit Triebverzicht und Triebunterdrückung zu tun, protestantisch-calvinistische Literatur also.

Thomas Mann war der Sache auf der Spur. Sein 1930 publizierter Storm-Essay beginnt ganz konventionell und *ad usum Delphini,* wächst sich aber rasch zu etwas Bekenntnishaftem aus. Es dauert nicht lange, und Thomas Mann kommt nicht um die Feststellung umhin: *Korrekt* sei eigentlich, anders als bei Fontane, nichts bei Theodor Storm. Warum ist nichts bei ihm korrekt? Und nun entfaltet Thomas Mann mit vorzüglicher Courtoisie und aller gebührenden Zurückhaltung ein Bild, das uns den Advokaten als einen pädophilen, sinnlich-kalten, dabei rauschempfänglichen Egomanen zeigt.

«Rauschempfänglich»; diesen Typus hatte Mann im *Tod in Venedig* zwanzig Jahre zuvor mit Gustav von Aschenbach unwürdig zugrunde gehen lassen. Sein Essay über Storm zählt zu seinen intimsten, gerade weil der Gegenstand so weit entfernt von ihm scheint. Es ist durchaus Selbstbekenntnis, wenn er anläßlich Storms zu dem Schluß gelangt, Dichtertum sei die «*lebensmögliche* Form der Inkorrektheit». Der Autor des *Schimmelreiter*, will Thomas Mann uns andeuten, durchaus in eigener Sache, kannte Passionsgeschichten, die Untiefen des Sexus, die Dämonen des verbotenen Begehrens.

Er war nah dran. Aber beim Hauptwerk fiel ihm außer nordheidnischem Spuk und Aberglaube nicht viel auf. Dabei ist es fast schon erheiternd, wie in Storms Novelle die Gischt aus den Subtexten hervorspritzt und die glatte Textoberfläche überschwemmt.

An der entscheidenden Stelle führt Storm uns den Deichgraf Hauke Haien in dem Moment vor, in dem ein folgenschwerer Entschluß in ihm reift. Die Prosa ist gelassen, weniger umständlich als bei Stifter, weniger ausgeprägt als bei Gotthelf oder Keller und dem Autor stilistisch vor allem durch das küstenspezifische

Vokabular zuzuordnen («Hallig», «Schlick», «Priel»). Der eigene Storm-Ton findet sich eher in der Lyrik, wie Thomas Mann mit Blick auf einige grammatische und lexikalische Feinheiten zeigt. Aber betrachten wir mit Hauke das in der Septembersonne liegende Meer.

> Noch immer stand er und seine Blicke schweiften scharf und bedächtig nach allen Seiten über das grüne Vorland; dann ging er zurück bis wo auch hier ein schmaler Streifen grünen Weidelands die vor ihm liegende breite Landfläche ablöste. Hart an dem Deiche aber schoß ein starker Meeresstrom durch diese, der fast das ganze Vorland von dem Festlande trennte und zu einer Hallig machte; eine rohe Holzbrücke führte nach dort hinüber, damit man mit Vieh und Heu- und Getreidewagen hinüber- und wieder zurückgelangen könne. Jetzt war es Ebbezeit und die goldene Septembersonne glitzerte auf dem etwa hundert Schritte breiten Schlickstreifen und auf dem tiefen Priel in seiner Mitte, durch den auch jetzt das Meer noch seine Wasser trieb. ‹Das läßt sich dämmen!›, sprach Hauke bei sich selber, nachdem er diesem Spiele eine Zeitlang zugesehen.

«Das läßt sich dämmen!» ist der Kernsatz des Spätwerks Theodor Storms. So wie «Die läßt sich verführen» der Kernsatz der Memoiren Giacomo Casanovas wäre. Unsinniger Vergleich! Storm beendete die Novelle 1888 als alter und magenkrebskranker Mann wenige Monate vor seinem Tod. Wenn ihn eines auf der Welt nicht mehr interessierte, dann war es Verführung. Viel mehr beschäftigte ihn das zähe, ehrgeizige Durchhalten seiner Hauptfigur, die Hoffnung auf den Ruhm der Nachwelt durch das gut und solide gearbeitete Werk, das ihm wie dem Deichgraf noch Generationen später Respekt verschaffen würde. Daß er das Thema der Erotik ausspart, wäre nicht der Rede wert; schließlich entscheidet immer noch der Autor, worüber er schreiben will und worüber er lieber schweigt.

Nur schweigt Storm aber nicht darüber, das ist das auffallende. Der Erzähler wäre nicht gezwungen, auf die Schlafgewohnheiten des Deichgrafen einzugehen. Doch nicht genug, daß er den unerfüllten Kinderwunsch der Ehefrau Elke zum untergründigen Hauptthema macht, er führt den Leser auch mit ins Schlafzimmer, wo sich das zur Nachwuchserzeugung Notwendige ganz offenkundig nicht abspielt. Es ist auffällig, wieviel Wert der Erzähler auf den Umstand legt, daß der Deichgraf Hauke von frühester Frühe bis tief in die Nacht hinein arbeitet und bis auf die Sonntagsmesse keinen ausdrücklich «Verkehr» genannten Umgang mit seiner Frau Elke hat, die ebenfalls bis zur Erschöpfung arbeitet. Selbst an Sonntagnachmittagen sitzt Hauke vertieft in Rechenaufgaben, Zeichnungen und Rissen und endet «oft weit nach Mitternacht. Dann schlich er in die gemeinsame Schlafkammer [...] und sein Weib, damit er endlich nur zur Ruhe komme, lag wie schlafend mit geschlossenen Augen, obgleich sie mit klopfendem Herzen nur auf ihn gewartet hatte; dann küßte er mitunter ihre Stirn und sprach ein leises Liebeswort dabei und legte sich selbst zum Schlafe, der ihm oft nur zum ersten Hahnenkraht zu Willen war.»

Damit könnte es sein Bewenden haben, aber der Erzähler kommt auf die Schlafgepflogenheiten ein zweites Mal zurück, wie der Täter zum Ort des Verbrechens. Der neue Deich, den Hauke gegen allen Widerstand durchgesetzt hat, kostet ihn noch mehr Kraft als früher.

> Dieser Plan war für Hauke ein schwer Stück Arbeit gewesen, und wenn ihm durch Vermittelung des Oberdeichgrafen neben einem Deichboten nicht auch noch ein Deichschreiber wäre zugeordnet worden, er würde es so bald nicht fertig

> gebracht haben, obwohl auch jetzt wieder an jedem Tage in die Nacht hinein gearbeitet war.

Deich, Deich, Deich; im letzten passivisch gebauten Halbsatz verliert sich darüber sogar das Subjekt: *Es* war in die Nacht hinein gearbeitet. Und das alles wofür?

> Wenn er dann todmüde sein Lager suchte, so hatte nicht wie vordem sein Weib in nur verstelltem Schlafe seiner gewartet; auch sie hatte so vollgemessen ihre tägliche Arbeit, daß sie nachts wie am Grunde eines tiefen Brunnens in unstörbarem Schlafe lag.

Und wann wird am Nachwuchs gearbeitet? Eben, nie. Dafür wächst und gedeiht der Deich.

Der Zusammenhang ist nicht zu übersehen. Der Damm wird gebaut gegen das Anbranden der Triebe, es ächzt und rumort und wütet unterhalb der Oberfläche, aber doch so, daß der Leser immer wieder darauf gestoßen wird. Immerzu muß von Sonnenaufgang an der Schimmel zuschanden geritten und das Ufer verdämmt werden, nur damit nachts keine Kraft mehr bleibt für die eheliche Pflicht. Nur im unerbittlichen Drang zum Dammbau, zur Abdichtung und Versiegelung zeigt sich das stürmische und unkontrollierte Tosen untergründiger Energien. Das Kind, das nach neun Jahren vom Deichgraf doch noch gezeugt wird, ist ein Töchterchen und geistesschwach, *double punition*, nach damaliger Auffassung. Selbst die alte Vorstellung, daß nur die lustvolle Empfängnis für gesunde Nachkommenschaft sorge, findet hier ihren symbolischen Niederschlag.

Das Motiv spielt auch in den nebelfeuchten Untergrund hinein. Storms Titelmotiv ist aus der germanischen Mythologie und der Schauerromantik übernommen: der aus dem Skelett wiedererstandene, vom Teufel gelenkte und Jahrhunderte später vor drohenden Sturmfluten herumgeisternde Gespensterschimmel. Noch enger verknüpft mit dem Hauptthema ist das andere archaische Motiv, das Storm mit Gotthelf verbindet. In den Unterbau des Deichs muß nach Auskunft der Arbeiter etwas Lebendiges, etwas «Lebigs» eingesetzt werden. Vor hundert Jahren noch sei «ein Zigeunerkind verdämmet worden, das sie um schweres Geld der Mutter abgehandelt». Das Kind wird in milderen Zeiten durch einen Hund ersetzt. Selbst diesen Hund rettet der aufgeklärte Deichgraf vor der Opferung. Auf der Handlungsoberfläche wird dieses verweigerte Opfer sich später an ihm rächen: Alle drei, Vater, Mutter und Tochter, verlieren durch den berstenden Damm ihr Leben, auch wenn es der alte Damm ist, der bricht, und nicht der propere neue von Hauke. Aber die Sache mit dem Kindsopfer ist komplex. Ist seinem Damm nicht auch etwas *Lebiges* eingemauert: das Sinnliche, dem er aus Ehrgeiz entsagt? Opfert der Deichgraf nicht doch, durch Askese und zuviel Schimmelreiterei, metaphorisch gesprochen sein Kind?

Das leicht Zwanghafte an Storm, das Hypochondrisch-Halbverklemmte bei beträchtlichem libidinösen Unterstrom, hat eine künstlerisch bedenkliche Folge. Die Subtexte quellen über. Aber die Novelle benetzt kein Tröpfchen Humor.

Gottfried Keller. Der Zwerg als Gigant

Die entzückendste Charakteristik Gottfried Kellers stammt von einem völlig anders gearteten Stilisten, von Hugo von Hofmannsthal. In seinen *Erfundenen Gesprächen und Briefen* widmet er Keller ein ganzes Kapitel. Ein fiktiver Legationssekretär bemerkt darin Kellers feine und sichere Schilderung gemischter Zustände. Von denen sei die Welt so voll, daß man auf fast nichts anderes stoße als die sonderbarsten Kombinationen von «Anmaßung und Unsicherheit, von Hochmut und Bassesse, von Großtuerei und Feigheit, von Prahlerei, die in Hilflosigkeit umschlägt, oder von Eitelkeit, die zur Böswilligkeit abbiegt». Dies vollziehe sich in kaum definierbaren Übergängen, die im Schatten lägen. In den Büchern von Keller liege aber dies so im Licht, als wäre einer mit einem Schwamm von Öl über die dunkelsten Stellen eines verjährten Bildes gefahren.

Auch der Maler der *Erfundenen Gespräche* stimmt ein in dieses Lob. Im *Grünen Heinrich* werde von der Farbe und dem Schatten und dem Licht ein Gebrauch gemacht, «daß man nicht weiß, wo man mit sich hin soll vor tiefem Vergnügen». Schließlich, vom Goetheaner Hofmannsthal das höchste Lob, wieder jenem Maler in den Mund gelegt:

> Und daß er dies von einer mysteriösen, meinetwegen demiurgischen Kraft ableitet, ist mir auch recht. So erklärt sich's doch einigermaßen, daß diese Bücher ihre schönste Wirkung, eine seelenhafte Freiheit und Heiterkeit, gar nicht in den Kopf ausstrahlen, sondern wirklich direkt ins Blut, so daß sie einem im Leben weiterhelfen und das Nächste leichter machen, was man wirklich selbst von Goethe kaum sagen kann.

Besser kann man nicht ausdrücken, was den Reiz Gottfried Kellers ausmacht. Wenn auch ein paar dunkle Stellen fehlen in diesem Bild. Auch der *Maître de style* Ludwig Reiners steht nicht an, Gottfried Keller zu einem der größten Stilisten zu erklären (obwohl er den Anfang von *Romeo und Julia auf dem Dorfe* fachgerecht zerlegt). Er bekennt aber, daß dessen Eigenart nur schwer mit rationalen Mitteln aufzulösen sei. Und er hat recht: Es gibt Prosa-Qualitäten, die schlecht begrifflich zu fassen sind.

Wir wollen ihn einmal etwas länger ausreden lassen, weil sich Kellers Zauber nicht an wenigen Sätzen zeigt; es ist der Ton, auf den man sich einstimmen muß. Die folgende Szene stammt aus ebenjener Novelle *Romeo und Julia auf dem Dorfe*.

Die Kinder, aus denen das tragische Paar Romeo und Julia werden wird, spielen auf dem Feld mit einer Puppe. Der Junge entdeckt ein kleines Loch an ihrem Knie, aus dem Kleie strömt, und vergrößert es mit den Nägeln. Eins gibt das andere, das Mädchen weint und schlägt mit der Puppe nach ihm, der Junge tut, als ob es ihm weh täte, und schreit au! «[...] so natürlich, daß sie zufrieden war und nun mit ihm gemeinschaftlich die Zerstörung und Zerlegung fortsetzte.»

> Sie bohrten Loch auf Loch in den Marterleib und ließen aller Enden die Kleie entströmen, welche sie sorgfältig auf einem flachen Steine zu einem Häufchen sammelten, umrührten und aufmerksam betrachteten. Das einzige Feste, was noch an der Puppe bestand, war der Kopf und mußte jetzt vorzüglich die Aufmerksamkeit der Kinder erregen; sie trennten ihn sorgfältig los von dem ausgequetschten Leichnam und guckten erstaunt in sein hohles Innere. Als sie die bedenkliche Höhlung sahen und auch die Kleie sahen, war es der nächste und natürlichste Gedankensprung, den Kopf mit der Kleie auszufüllen, und so waren die Fingerchen der Kinder nun beschäftigt, um die Wette Kleie in den Kopf zu tun, so daß zum ersten Mal in seinem Leben etwas in ihm steckte. Der Knabe mochte es aber immer noch für ein totes Wissen halten, weil er plötzlich eine große blaue Fliege fing und, die summende zwischen beiden hohlen Händen haltend, dem Mädchen gebot, den Kopf von der Kleie zu entleeren. Hierauf wurde die Fliege in den Kopf hineingesperrt und das Loch mit Gras verstopft. Die Kinder hielten

den Kopf an die Ohren und setzen ihn dann feierlich auf einen Stein, da er noch mit der roten Mohnblüte bedeckt war, so glich der Tönende jetzt einem weissagenden Haupte und die Kinder lauschten in tiefer Stille seinen Kunden und Märchen, indessen sie sich umschlungen hielten.

Womit das Unheil seinen Lauf nimmt in einer der schönsten Liebesnovellen der deutschsprachigen Literatur. Die puppensezierenden Kinder Sali und Vrenchen können nicht zueinanderkommen, als sie sich später ineinander verlieben. Der Streit um ein Ackergrundstück hat ihre Väter zu erbitterten Feinden gemacht, ihr tödlicher Streit hat beide Familien ruiniert. Sali und Vrenchen, beide bettelarm, beide in Mitschuld verstrickt, wissen beide, daß es keine gemeinsame Zukunft für sie gibt. Trotzdem können sie nicht voneinander lassen. Am Tag, an dem sie sich für immer trennen wollen, feiern sie noch einmal ausgelassen in einer Dorfschenke. Ein dämonischer Geiger fiedelt ihnen auf, sie trinken und werden symbolisch getraut. Sie folgen dem Fiedler, sie tanzen und küssen sich und tauschen die billigen Ringe, die sie für den Abschied gekauft haben.

Und dann kommt es über sie. Beide haben sie denselben Gedanken, Sali spricht ihn aus: «Es gibt Eines für uns, Vrenchen, wir halten Hochzeit zu dieser Stunde und gehen dann aus der Welt – dort ist das tiefe Wasser – dort scheidet uns Niemand mehr und wir sind zusammen gewesen – ob kurz oder lang, das kann uns dann gleich sein. –»

Sie gehen zum Fluß und sehen ein an der Landungsstelle vertautes Heuschiff. Sali nennt es eine «schwimmende Bettstelle und ein Bett, wie noch keine Braut gehabt!». Er trägt Vrenchen auf seinen Armen aufs Schiff. Ihr Brautlager wird ihnen zum Todesbett – Novalis hätte es sich nicht schöner wünschen können. Bei Gottfried Keller liest sich das Ende so:

Der Fluß zog bald durch hohe dunkle Wälder, die ihn überschatteten, bald durch offenes Land; bald an stillen Dörfern vorbei, bald an einzelnen Hütten; hier geriet er in eine Stille, daß er einem ruhigen See glich und das Schiff beinah still hielt, dort strömte er um Felsen und ließ die schlafenden Ufer schnell hinter sich; und als die Morgenröte aufstieg, tauchte zugleich eine Stadt mit ihren Türmen aus dem silbergrauen Strome. Der untergehende Mond, rot wie Gold, legte eine glänzende Bahn den Strom hinauf und auf dieser kam das Schiff langsam überquer gefahren. Als es sich der Stadt näherte, glitten im Froste des Herbstmorgens zwei bleiche Gestalten, die sich fest umwanden, von der dunklen Masse herunter in die kalten Fluten.

Es ist Prosa zum Demütigwerden. Keller bannt in klingende, schimmernde Sprache, was Novalis nur vorgeschwebt war. Man mußte poetischer Realist werden, um die Romantik auf ihre wahre Höhe zu bringen. Und man mußte das scharfe Auge haben und motivisch verweben. Der Mond ist rot wie die Mohnblüte der prophetischen Puppe, wie überhaupt die Kinderszene schon alles Spätere vorwegnimmt.

Keller konnte zart sein, und er konnte – anders sein. In Zürich kursierte ein Wort über ihn. Der Hagestolz Keller war zum Nachtessen oft bei anderen zu Gast. Diese Abende pflegten in drei Phasen zu zerfallen. In der ersten Phase schwieg Keller moros. In der zweiten blühte er auf und unterhielt die Runde durch Charme und funkelnden Witz. In der dritten Phase suchte er sich ein armes Opfer, das er bösartig niedermachte. Darum sagten die Zürcher über ihn: Der Keller tränke einen bösen Wein.

Von einem Hagestolz handelt auch seine historische Erzählung *Der Landvogt von Greifensee*. Auch in ihr blitzt, wie bei der Marter der Puppe, eine gewisse bedächtige Grausamkeit auf.

Worum handelt es sich? Der allein lebende Landvogt Salomon von Greifensee lädt zu einem festlichen Tag auf seinem Schloß alle fünf Frauen zu sich ein, mit denen er einmal angebandelt hatte. Mit keiner der fünf war es zu mehr als nur Händchenhalten oder einem Kuß gekommen, bei allen wurde nichts aus der gewünschten Verlobung. Jede einzelne dieser scheiternden fünf Liebesanbahnungen wird nun der Reihenfolge nach erzählt. Die tragischen Töne fehlen ganz, alles bleibt ironisch temperiert und bar jeder Sinnesglut; asexuell, wie wohl auch Kellers Leben verlief, der sich im Landvogt nicht nur in dessen Ambition als Landschaftsmaler zu spiegeln scheint. Zum Finale treffen alle beim Landvogt ein, es gibt keinerlei Mißtöne, die Damen verstehen sich untereinander, ein prachtvoller und würdig ordinierter Tag wird begangen. Zum Finale eine kleine launige Scharade: Die fünf Verflossenen sollen darüber abstimmen, ob der nun doch in den Hafen der Ehe einsteuernde Salomon entweder seine alte Haushälterin wählen möge oder aber das junge Mädchen, das sie als Zofe den Tag über bedient und ihnen die Gerichte serviert hat. Mit knapper Mehrheit votiert der Frauenrat für das junge Mädchen. Das indessen ein schöner geschminkter Knabe war, der Pfarrerssohn, und damit ausfällt, ebenso wie die Hausverwahrerin – das Ganze war ein Scherz, der Landvogt denkt nicht im Traum daran, sein Single-Dasein aufzugeben. Er wird weiterhin wechselnde Landvogteien regieren, unermüdlich malend, jagend und reitend, bis er im hohen Alter friedlich stirbt.

Heiter, galant und von vollkommenem Dekorum: Viel malerisches Detail verwendet Keller für die wohlgedeckten Tafeln, für die Lustfahrten auf dem See in Nachen mit grünen Lauben und bunten Wimpeln und Waldhornmusik; viel Detail für Putz und Habit der Damen und Herren, den er besonders akribisch auspinselt: die Haube von Marderpelz, die Lederhandschuhe, die Granatknöpfe in den Manschetten, das Rohr mit silbernem Knauf – da sitzt kein

Hut schief und kein Schnürbändel locker, die Welt der protestantischen Etikette, meint man, will sich hermetisch abdichten gegen das Ungesittete, das Triebhafte, das Dionysische. Selbst die Feuerköpfe unter der Jugend debattieren zwar in Clubs über Fragen der Stände und der Verfassung, allerdings nur im geheimen, «weil der Scharfrichter mit seiner geschliffenen Korrekturfeder dicht bei der Hand war», wie es unnachahmlich heißt.

Hier, in der kühlen Ironie der Korrekturfeder, spürt man aber schon etwas anderes. Was uns in der so heiter-galanten Erzählung unterderhand alles mitgeteilt wird, immer im Ton dieser kühlen, ja eisigen Ironie, ist von atemverschlagender Brutalität. Die Haushälterin des Landvogts bringt in jungen Jahren neun Kinder zur Welt. Jedes einzelne dieser Kinder stirbt. Als kinderlose Witwe arbeitet sie sich beim Landvogt zu Tode. Kindertod ist überhaupt eine Bagatelle. In zustimmendem Ton wird vom Landvogt berichtet, wie er behaglich pfeiferauchend am Bett eines moribunden Zehnjährigen sitzt und ihm in «einfachen und treffenden Worten von der Hoffnungslosigkeit seiner Lage, von der Notwendigkeit, sich zu fassen und eine kleine Zeit zu leiden» spricht. Man hätte sie gerne gehört, diese treffenden tröstlichen Worte im Pfeifendunst – vorstellen kann man sie sich nicht.

Es ist eine untergründige Grausamkeit bei Keller zu spüren, die auch sein zölibatärer Landvogt ausstrahlt. Daß er jahrzehntelang kein Liebesleben hat, es sei denn der schöne Transvestit deute auf andere Präferenzen, muß es sich an anderer Stelle rächen? Erkaltet die Empathie, wenn er seine Sinnlichkeit immerzu tiefkühlen muß? Aber der Mensch an sich ist grausam, wie Salomon beim Mittagstisch den Damen am historischen Beispiel aus dem Bürgerkrieg 1444 erläutert. Ohne daß es ihnen den Appetit verschlüge, hören seine Damen von den sechzig Zürcher Männern, die ihre Burg lange gegen die Übermacht der Belagerer gehalten hatten und nach ihrer Niederlage vom rachsüchtigen Volk in einer

Abstimmung, welche so überwältigend ausfällt, «daß gar nicht gezählt wurde», allesamt zum Tod verurteilt wurden. Der Landvogt schildert,

> wie der Hauptmann der Zürcher, um den Seinigen mit dem männlichen Beispiel in der Todesnot voranzugehen, zuerst das Haupt hinzulegen verlangte, damit keiner glaube, er hoffe etwa auf eine Sinnesänderung oder ein unvorhergesehenes Ereignis; wie dann der Scharfrichter erst von Haupt zu Haupt, dann je bei dem zehnten Mann innehielt und der Gnade gewärtig war, ja selbst um dieselbe flehte, allein stets zur Antwort erhielt: Schweig und richte! bis sechzig Unschuldige in ihrem Blute lagen, die letzten noch bei Fackelschein enthauptet. Nur ein paar unmündige Knaben und gebrochene Greise entgingen dem Gerichte, mehr aus Unachtsamkeit oder Müdigkeit des richtenden Volkes als aus dessen Barmherzigkeit.

Dies beim Mittagstisch zur leicht grusligen Ergötzung der speisenden Zuhörerinnen.

Stilistisch ist das Ganze unerreicht; Kühle hat dem Stil noch immer aufgeholfen, und Keller, der Zwerg, ist unter den Stilisten ein Gigant.

Und woran genau liegt es nun? An Details wie der blauen summenden Fliege, die das «tote Wissen» im hohlen Puppenkopf ersetzt. Am weissagenden Haupte dieser Puppe, deren Kunden die sich umschlingenden Kinder lauschen. Am untergehenden Mond, der eine glänzende Bahn den Strom hinauf legt, auf dem die Liebenden ihre erste und letzte gemeinsame Nacht verbringen.

Wenn man etwas nicht begrifflich fassen kann, endet man bei einem Bild. Bei alten Keramiktöpfen ist das Schöne das Geflecht der feinen Äderchen und Risse, das *Craquelé* – schöner, als es die reine polierte Glätte wäre. Es gibt, kann man versuchsweise sagen, diese Craquelé-Schönheit auch in der Prosa. Der schöne Stil hat sein jeweils eigenes Craquelé, kleine Abweichungen, Unregelmäßigkeiten, selbst Regelwidriges, dabei Muster ausbildend und Tiefengeflecht. Craquelé-arme Prosa ist berechenbar und überraschungslos. Bei Keller kann man von keinem Satz auf den nächsten schließen, alles weicht ab von Glätte und Norm. Gottfried Keller ist ganz Craquelé.

Marie von Ebner-Eschenbach: Grübchenstil

Der Stil der Marie von Ebner-Eschenbach, eine Ausnahmeerscheinung der österreichischen Literatur nicht nur darum, weil sie im Jahr 1900 als erste Frau die Ehrendoktorwürde der Stadt Wien erhält, sondern vor allem darum, weil sie als eine der wenigen das Wort «scheinbar» korrekt verwendet – dieser Stil zeichnet sich zunächst aus durch beständig leise mitvibrierende Ironie. Nabokov sprach, auf Jane Austen gemünzt, vom «Grübchenstil», und tatsächlich zeigt auch die Freifrau auf Gemälden solche leicht mokanten, verschmitzten und hochsympathischen Grübchen.

Ihre Ironie blitzt vor allem in ihrer Figurenzeichnung auf. Die rhetorisch versierte, bigotte Gouvernante Fräulein Nanette aus der Erzählung *Božena* schmeichelt sich bei dem alleinstehenden Witwer Heißenstein ein. Sie dient sich ihm als Ersatzmutter für seine Tochter an. Wie solle er, der Witwer, nur dem «erziehlichen Momente» gerecht werden, der alles sei, alles! «Sie legte auf dieses letzte Wort ein Gewicht, das zusammengeballt schien aus der Überzeugungskraft von tausend fanatischen Seelen, empfahl sich mit bescheidener Würde und enteilte mit so gleichmäßigen kleinen Schritten, daß es war, als rolle sie auf unsichtbaren Rädern über den Kies des Weges dahin.»

Das ist komisch, wenn auch nah bei der Karikatur, oder gerade darum. In der folgenden Beschreibung ist es das Wort «endlich», das Ebner-Eschenbachs Sinn für Komik verrät. «Sein unproportioniert großes Kinn bewegte sich ein paarmal hin und her in der hohen, halbmilitärischen Krawatte, in der es endlich zur Hälfte verschwand [...].»

Ansonsten hält sich die Autorin, wie hier nicht nachzubilden, fast immer an das erwartbare, gern auch melodramatische Beiwort, wie sie überhaupt oft überinstrumentiert. Hemingway würde erbleichen bei einem Satz wie diesem: «Frau Nanette zitterte unhörbar, und Vater und Tochter standen einander lautlos gegenüber»; gelten Stehen und Zittern doch als eher geräuscharme Tätigkeiten.

Es gehört zur Ironie Ebner-Eschenbachs, daß sie das Klischee nicht meidet, es aber ins Uneigentliche rückt. So jedenfalls würde man ihre Klischees und ihre Adjektivwahl verteidigen. Es ist aber viel guter Wille nötig, in einer Szene wie der folgenden, dem Höhepunkt der Handlung, noch Ironie-Marker zu entdecken.

> Regula erbebte vom Wirbel bis zur Sohle. Der Gegner selbst hatte ihr den vergifteten Pfeil in die Hand gedrückt, den sie nur abschnellen brauchte, um tödlich zu treffen und sich zu befreien von dem lechzenden Durst nach Rache, der in ihrem Innern so qualvoll brannte und Befriedigung heischte. Eine Sekunde lang zögerte sie ... Ihr Wort war verpfändet, aber ein Narr, der Betrügern Wort hält, Regula ist nicht gewillt, das Unrecht zu beschützen, sondern – es zu entlarven!

Nein, die Freifrau lehnt hier manchmal bedenklich nahe an der Gartenlaube. Ganz anders in ihren Kurzerzählungen, in denen sie arme Dörfler zu Wort kommen läßt, Choleriker, böse Buben, Pfarrer, fromme Mütter, oberösterreichische Dickschädel, den Förster in jenem Gespräch mit der Gräfin, das wir zitiert haben. Hier schießt die Volkssprache in ihre Prosa, auch der Dialekt, und schon blüht sie in kräftigsten Farben. Kräftigen und auch düsteren: Die dörfliche Welt, die Ebner-Eschenbach schildert, ist archaisch und grausam. Trinkende prügelnde Väter; eisern regierender katholischer Rigorismus, die Männer behandeln die Frauen oft wie Vieh. In der Erzählung *Die Totenwacht* schildert Ebner-Eschenbach aus der Innensicht die lebenslange Traumatisierung einer als Mädchen vergewaltigten Frau, die sich am Sarg ihrer Mutter gegen ihren Peiniger Georg behauptet. Sie, Anna, hat immer darüber geschwiegen, das Kind starb nach einem Jahr, nachdem sie es trotz der Zeugungsumstände liebgewonnen hatte, sie haderte deshalb mit Gott, und jetzt, neben der toten Mutter, bricht es aus ihr heraus:

> «Wenn das meine Mutter g'wußt hätt! … Aber sie hat's nicht g'wußt; ich hab ihr's nicht sagen können, die Scham hat mir's Wort in der Kehl'n zusammeng'würgt … So is's auf mir sitzenblieben wie ein Mühlstein. Ich hab's g'schleppt durch mein ganzes Leben. Wie mich jemand ein bissel lang ang'schaut hat, is mir's wie Feuer zum Kopf g'stiegn'n: Meinst vielleicht das? Aufschrei'n hätt ich mögen: Menschen, Menschen, glaubt's nix Schlecht's von mir, ich bin nicht schlecht! … Verkriechen hätt ich mich mögen, so tief, so weit, daß keine Seel mir hätt nachkommen können … Was hätt ich nicht alles anfangen mögen? O mein Heiland, der du für uns g'litten hast, mir hast nix wegg'litten, mein Teil is ganz übrig 'blieb'n!»

Das ist irgendwo zwischen Büchner und Gerhart Hauptmann und doch ganz eigenartig. Georg, der Vergewaltiger, auch er Opfer eines diktatorischen Vaters, hält in dieser Totennacht um Annas Hand an, er erkennt, daß er sie liebt, schon immer geliebt hat, er bittet sie kniefällig, ihn zu erhören; er ist reich, sie bitterarm; aber Anna weigert sich:

> «Ich kann nicht», sprach sie. «Jeder Bissen, den ich aus einer Schüssel mit dir essen müßt, schwellet' mir im Mund; ich könnt nicht schnaufen neben dir, und viel tausendmal lieber sterben tät ich, als dulden, daß d' mir in die Näh kommst.»

Das «schwellet›» ist schönster österreichischer Konjunktiv. Auf hochdeutsch wäre diese Passage um alles Eindringliche und Eindrückliche beraubt. Ebner-Eschenbach ist am besten, wenn sie nicht fein und feinsinnig schreiben will, sondern nur genau protokolliert. Das «nur» ist natürlich untertrieben, genau hinter ihm verbirgt sich die Kunst.

Marie von Ebner-Eschenbach ist eine genaue Zuhörerin und eine vorzügliche Psychologin, der kein Leid entgeht und keine männliche und weibliche Schwäche, noch nicht einmal eine kindliche. Wie entsteht kindlicher Sadismus? Man erfährt es aus ihrer Erzählung *Die Spitzin* (Hunde sind ihr Spezialgebiet, wie der Leser von *Krambambuli*, also jedes österreichische Mädchen, weiß). Ein Junge, ein Findling, als Zweijähriger von Zigeunern an der Kirchhofmauer zurückgelassen, wird von einer Witwe aufgenommen. Nicht aus Gutherzigkeit, sondern weil die Witwe hofft, daß seine Eltern einmal kommen würden in Glanz und Herrlichkeit, ihn abzuholen und ihr hundertfach zu ersetzen, was sie für das Kindlein getan hatte. Die Eltern kommen nie. Einen christlichen Namen soll das Kind immerhin tragen, aber welchen? Auf die Frage «Was denn für einen?» erklärt der Lehrer: «Geben S' ihm halt einen provisorischen.» Die halb taube Alte versteht nur die ersten zwei Silben, und so heißt der Knabe «Provi». Die Witwe stirbt, ein Armenhaus gibt es nicht im Dorf, keiner will sich um Provi kümmern, er lebt vom Abhub, kleidet sich in «abgelegtes Zeug, ob von kleinen Jungen, ob von kleinen Mädchen galt gleich –, ging barhäuptig und barfüßig, wurde geprügelt, beschimpft, verachtet und gehaßt – und prügelte, beschimpfte, verachtete und haßte wieder». Das ist in der Kurzform die Entwicklung Provis, der bald nur noch «Abschaum» heißt, renitent wird und sich auf die Tierquälerei verlegt. «Er fing für die kleineren der Buben Vögel ein und gab sie ihnen ‹zum Spielen›, und diese Opfer konnten von Glück sagen, wenn sie kein allzu zähes Leben hatten.»

Als die alte Spitzin des Titels noch vier Junge bekommt, sollen drei davon gleich ersäuft werden, des Spitzbesitzers Sohn Anton soll es richten, aber die Spitzin knurrt und fletscht die Zähne in ihrem Verschlag, bis Provi sich auf den Boden kauert und mit kläglicher Stimme auf sie einredet: «O die orme Spitzin, no jo, no jo! Ruhig, orme Spitzin, so, so … ma tut ihr jo nix, ma nimmt ihr jo nur ihre Jungen, no jo, no jo!» Die Spitzin läßt sich einlullen, steckt ihre Schnauze in Provis hohle Hand und leckt sie ihm dankbar und zärtlich. «No – also no!» ruft Provi zu Anton, «pack s' z'amm. Mach g'schwind!»

> Anton griff zu, und im nächsten Augenblick sprang er auch schon mit drei Hündchen in den Armen aus dem Verschlag, in großen, fröhlichen Sätzen über die Straße, die Uferböschung zum See hinab. Provi folgte ihm eiligst nach; den Hauptspaß, mit anzusehen, wie die Hündchen ertränkt wurden, konnte er sich nicht entgehen lassen.

In großen, fröhlichen Sätzen zur Hundeertränkung – das fände man weder bei Gotthelf noch bei Stifter, noch bei Fontane, man fände es allenfalls bei Gottfried Keller, der, wie wir sahen, eine sardonische Ader hatte.

Das überlebende vierte Hündchen wird Provi dann, nachdem er halb versehentlich, halb im Zorn auf die eigene Mutter die

Mutter-Spitzin zu Tode gebracht hat, doch noch aufpäppeln. Dafür überwindet er sogar seinen Außenseiterstolz und sagt bei der reichen Frau im Dorf zum ersten Mal «Bitte», wenn er etwas Milch will. «Schoberwirtin, Frau Schoberwirtin, i bitt' um a Müalch.» Mit dieser Milch wird Provi den Welpen aufziehen, ein geläuterter Charakter. Am Schluß nimmt die Erzählung noch diese kleine didaktische Wendung. Aber nicht darum ist Ebner-Eschenbach zu rühmen, sondern wegen des unverklärenden, antiidyllischen Naturalismus, wegen der Schärfe ihrer Psychologie und der ihres Gehörs.

Wilhelm Raabes Stopfkuchen

> Was konnte ich denn dafür, daß ich schwach von Beinen und stark von Magen und Verdauung war? Hatte ich mir die Kraft und Macht meiner peristaltischen Bewegungen und die Hinfälligkeit meiner Extremitäten und überhaupt meine Veranlagung zum Idiotenthum anerschaffen? Hätte ich die Wahl gehabt, so wäre ich ja zehntausendmal lieber als Qualle in der bittern Salzfluth, denn als Schaumanns Junge, der dicke, dumme Heinrich Schaumann, in die Erscheinung getreten. Sauer seid ihr mit mir umgegangen, und habt euer schändliches Menschenrecht genommen. Leugne es nicht, Eduard! […]
>
> Ein Indianer am Pfahl konnte es unter dem Kriegsgeheul und Hohngebrüll seiner Feinde nicht schöner haben als Stopfkuchen in eurem muntern Kreise. Nette Siegestänze eurer Ueberlegenheit habt ihr um mich armen, maulfaulen, feisten, schwitzenden Tropf aufgeführt. Und so helle Köpfe wart ihr allesammt! Jawohl hab ich mein Brod mit Thränen gegessen in eurer lieben Kameradschaft. Was blieb mir da

anders übrig, als mich an meinen Appetit zu halten und mich auf mich selber zu beschränken und euch mit meinen herzlichsten Segenswünschen die Rückseite zuzudrehen.

Wilhelm Raabe schrieb sehr fleißig und viel, schrieb auch ums Geld, aber wenn er nur den späten Roman *Stopfkuchen* (1891) hinterlassen hätte, den auch er als Krönung seines Lebenswerks ansah, wäre er seiner uneinnehmbaren Schanze in der Literaturgeschichte sicher.

Auf dieser «die rothe Schanze» genannten Wallanlage, die über der Stadt thront, hat sich der Titelheld eingenistet, der Stopfkuchen, wie Heinrich Schaumann seit seiner Kindheit genannt wird. Warum? Weil er faul und freßsüchtig unter der Hecke liegt und nicht mit den andern Rabauken mitziehen darf. Zu diesen Rabauken gehört auch der Ich-Erzähler Eduard, der dem einstigen Jugendfreund ein halbes Leben später, auf kurzem Heimatbesuch vor seiner Rückkehr nach Südafrika, auf jener Schanze seine Aufwartung macht. Stopfkuchen ist inzwischen glücklicher Gatte und wohlgestellter Gutsbesitzer und läßt es sich nicht nehmen, dem früheren Freund seine Vorgeschichte auszubreiten.

Die romanlange Suada des Stopfkuchen, der in genüßlich langgezogener Weise seinem Zuhörer und Chronisten einen Kriminalfall enthüllt, in Wahrheit aber mit den Demütigern seiner Kindheit und Jugend abrechnet, diese Suada einer sich nie unterbrechen lassenden, vor Groll und Selbsterhöhungsgier fast berstenden empfindsamen Intelligenzbestie – gibt es dafür Vorbilder in der Literatur? Kaum. Raabes Roman, *Eine See- und Mordgeschichte,* wie der Untertitel lautet, ist ein Exot. Man kann ihn, wie alle großen Romane, ganz unterschiedlich lesen. Raabe legte viel Wert auf die ausgetüftelte Zeitstruktur und das verdeckt Allegorische. Der Erzähler bereist zwar die Weltmeere, anders als die *couch potato* Stopfkuchen, der seine Schanze nie verläßt. Dafür bohrt Eduard nie so tief und detektivisch in der Tiefe wie der Hobby-Paläontologe Stopfkuchen, der am Ende auch den Mordfall löst. Zwei Arten der Welterkundung, mit leichten Vorteilen für den auch in seinem Körpergewicht vorweggenommenen Father Brown.

Die Anlage des Romans ist subtil, und auf sie war Raabe stolz. Ist ihm das andere, Eigentliche eher unterlaufen, das Psychoporträt eines Gemobbten? Genauer gesagt dreier Gemobbter: Stopfkuchens Frau wird schon als Mädchen gehänselt und gedemütigt, weil man ihren Vater für einen Mörder hält; und auch der wahre Mörder wird seit der Kindheit von seinem späteren Opfer gedemütigt und gequält (mit zarten Hinweisen, von heute aus gelesen, auf Mißbrauch).

Aber natürlich ist Raabe das Thema nicht einfach nur unterlaufen. Es war sein Dauer- und Lebensthema, das Thema der Traumatisierung und des Außenseitertums – darin übrigens Gottfried Keller nicht unähnlich. Raabes Geschichten sind voll von Verstörten, Ausgestoßenen, Verrückten, auch in den historischen Romanen. Selbst das Repetitive seines Stils kann man als Ausdruck dieser inneren Verletzung verstehen: Es gibt da etwas, was man immer, immer wieder sagen muß. Das ist Raabes große endlose Melodie von Leiden und Vergeblichkeit, es ist das Weiterreichen der Wut. Daß der Stopfkuchen mehr als ein halbes Selbstporträt war, hat er nie geleugnet.

Falls es stilistisch doch ein Vorbild gäbe für diese Stopfkuchen-Suada, dann allenfalls Jean Paul. Stopfkuchen rühmt sich, daß er seinem Schwiegervater das letzte Lebensjahr erleichert hat, indem er ihn von der fatalen Mordfrage ablenkte:

> Ja, es ist mein Stolz und darf mein Stolz sein, daß ich diesem langweiligen Spuk ein Ende gemacht habe, daß ich diesem Gespenst die dürre Lemurengurgel zudrücken und

> ihm mit den Knieen den modrigen Brustkasten einstoßen durfte, daß der dicke Schaumann es war, der das Gerippe zu Staub verrieb. Das andere Gerippe, unsern allgemeinen Freund Hein hielt ich freilich nicht dadurch von der rothen Schanze ab. [...] Und wenn ich meinerseits zuletzt doch noch einmal einen Wall hätte gegen es aufwerfen können: wer weiß, ob ich es gethan hätte? Es war doch eine Erlösung, als wir dem alten Herrn das letzte schwere Deckbett aus guter Dammerde auflegten.

Neben Jean Paul wäre vielleicht nur noch Büchner zu solch morbider Metaphorik imstande gewesen. An Fontane und seine berühmten Wortneuschöpfungen wiederum erinnern Kühnheiten wie der «Olimsblutundverwesungsquark», in den Stopfkuchens Frau ihr Näschen nicht hineinstecken möge. Und es gibt Sätze bei Raabe, die einen bei Eckhard Henscheid nicht überraschten: «‹Das war ein großes Wort von Deinem verstorbenen Herrn Vater, Frau Valentine Stopfkuchen,› grinste Heinrich Schauermann unverbesserlich drein.» Oder fast aphoristisch: «Diese ewige Aufgeregtheit in der jedesmaligen, eben vorhandenen Menschheit, bis sie sich hinlegt und todt ist!»

Ein Originalgenie als Stilist, weit mehr als Fontane oder Storm. Was Raabe auszeichne, sei sein Sound, wie der Kritiker Gustav Seibt bemerkt. Man höre nur den Anfang der Erzählung *Keltische Knochen*, mit seinen Wort- und Silbenwiederholungen, Steigerungen und klanglichen Reprisen:

> Festgeregnet! ... Wem und Welcher steigt nicht bei diesem Worte eine gespenstische Erinnerung in der Seele auf? eine Erinnerung an eine Stunde – zwei Stunden – einen Tag – zwei, drei, vier – acht Tage, wo sie ebenfalls festgeregnet waren – festgeregnet an einer Straßenecke, unter einem

> Thorwege, bei einem Freunde oder einer Freundin, in einer Dorfkneipe, auf dem Brocken, dem Inselsberge, dem Rigi oder dem Schafberge?
> Es ist eine leidige Vorstellung – festgeregnet! Grau, greinend und griesgrämlich kriecht sie heran, streckt hundert fröstelndkalte, feuchte Fangarme nach dem warmen Herzen aus und ist so schwer los zu werden, wie alles andere Unbehagliche, Unbequeme, Ungelegene in der Welt.

Der Kritiker hat recht, das ist Stil und Klang und musikalische Prosa, fast schon wagnerisierend und rhythmisch perfekt. Und Raabe-typisch schon darin, daß er sich gern auch mit dem Unbehaglichen der Welt befaßt.

Ausgesprochen gern. Raabe kann nicht anders: Er muß seine Nase in den Blutundverwesungsquark stecken. Er muß sich immer das Grausigste ausdenken. Als Stopfkuchens Freund bei seiner Ozeanüberquerung von einem Haifisch berichtet, den der Kapitän habe fangen lassen, so fügt er hinzu: «Das Vieh hat naturgeschichtlich-ausnahmsweise keinen Menschen gefressen, hat kein halb verdautes Matrosenbein, oder keine, noch auf ein Brett gebundene Kindesleiche in sich.» Wer außer Raabe hätte sich zu dieser Versicherung genötigt gesehen?

Raabe schreckt vor nichts zurück. Selbst jenes andere Gerippe, der allgemeine Freund Hein, löst bei ihm nicht nur Abscheu aus. Es ist eine Art Angstlust, die sein Alter ego ihm gegenüber schon früh empfand. Stopfkuchen erinnert sich, was er in seiner Kinderzeit «mit schauerlichem aber gar nicht unangenehmem Nerven- und Seelenkitzel mitgenossen hatte: ein Hineingucken auf einen Hausflur, wo ein Sarg steht».

Im wirklichen Leben verliert der Schöpfer Stopfkuchens 1892 seine jüngste Tochter, sie stirbt 16jährig an einer Meningitis. Raabe kam nie darüber hinweg.

Friedrich Nietzsche. Der Gefolterte und sein Schatten

Sein Lieblingsdichter war Hölderlin. Mit ihm teilt er nicht nur den Vornamen und das Los des jahrzehntelangen Vor-sich-hin-Dämmerns in geistiger Umnachtung – jener im Tübinger Turm, er in der Villa Silberblick in Weimar. Er teilt auch das tragisch Exzentrische mit ihm, den postum immer weiter wachsenden Ruhm und das nicht ganz unverschuldete Schicksal, in zwei Weltkriegen in deutschen Tornistern dichterischen Felddienst zu leisten.

Es ist bei Nietzsche ja die Frage, ob er eher Philosoph oder eher Schriftsteller, gar Poet gewesen sei (hätte sie singen sollen, nicht reden, diese Seele?); von der nächsten Frage, was denn das mögliche Scheidemittel wäre, ganz abgesehen. Aber keine Frage ist, daß er in seiner Glanzzeit, im mittleren Werk, zu den größten Stilisten überhaupt gehört.

Er selbst hat sich viel Gedanken über Stil gemacht, man könnte sagen, sein ganzes Werk rankt sich um Fragen des Stils, die bei ihm nie zu trennen sind von Fragen der Moral. Charakteristisch für beides, seinen Personalstil und seine Stil-Reflexion, ist folgende Passage aus der 1881 erschienenen Aphorismensammlung *Morgenröthe. Gedanken über die moralischen Vorurtheile.*

> *Esprit und Moral.* – Der Deutsche, welcher sich auf das Geheimnis versteht, mit Geist, Wissen und Gemüth langweilig zu sein, und sich gewöhnt hat, die Langeweile als moralisch zu empfinden, – hat vor dem französischen esprit die Angst, er möchte der Moral die Augen ausstechen – und doch eine Angst und Lust, wie das Vöglein vor der Klapperschlange. Von den berühmten Deutschen hat vielleicht Niemand mehr esprit gehabt, als *Hegel,* – aber er hatte dafür auch eine so grosse deutsche Angst vor ihm, dass sie seinen eigenthümlichen schlechten Stil geschaffen hat. Dessen Wesen ist näm-

> lich, dass ein Kern umwickelt und nochmals und wiederum umwickelt wird, bis er kaum noch hindurchblickt, verschämt und neugierig, – wie «junge Frau'n durch ihre Schleier blicken», um mit dem alten Weiberhasser Aeschylus zu reden –: jener Kern ist aber ein witziger, oft vorlauter Einfall über die geistigsten Dinge, eine feine, gewagte Wortverbindung, wie so Etwas in die *Gesellschaft von Denkern* gehört, als Zukost der Wissenschaft, – aber in jenen Umwickelungen präsentirt es sich als abstruse Wissenschaft selber und durchaus als höchst moralische Langeweile! Da hatten die Deutschen eine ihnen *erlaubte* Form des esprit und sie genossen sie mit solchem ausgelassenen Entzücken, dass Schopenhauer's guter, sehr guter Verstand davor stille stand, – er hat zeitlebens gegen das Schauspiel, welches ihm die Deutschen boten, gepoltert, aber es nie sich zu erklären vermocht.

Da hat man's: zwei sachte Backpfeifen, eine für Hegel, eine für Schopenhauer, seinen alten Lehrmeister, beide düpiert, und das mit höchst undeutschem Esprit, mit wahrhaft perfider welscher Subtilität. Bei ihm ist das anders, bei Nietzsche wird der Kern des Gedankens oder Einfalls nie kompliziert umwickelt oder verhegelt, und langweilig wird es auch nie bei ihm, jedenfalls nicht, solang er seine Affekte unter Kontrolle hat.

Er ist als Stilist auch Moralist, und zwar der feinsten und strengsten einer, wie folgende Stelle demonstriert:

> *Das gefürchtete Auge.* – Nichts wird von Künstlern, Dichtern und Schriftstellern mehr gefürchtet, als jenes Auge, welches ihren *kleinen Betrug* sieht, welches nachträglich wahrnimmt, wie oft sie an dem Gränzwege gestanden haben, wo es entweder zur unschuldigen Lust an sich selber oder zum Effect-machen abführte; welches ihnen nachrechnet, wenn sie

> Wenig für Viel verkaufen wollten, wenn sie zu erheben und zu schmücken suchten, ohne selber erhoben zu sein; welches den Gedanken durch allen Trug ihrer Kunst hindurch so sieht, wie er zuerst vor ihnen stand, vielleicht wie eine entzückende Lichtgestalt, vielleicht aber auch als ein Diebstahl an aller Welt, als ein Alltags-Gedanke, den sie dehnen, kürzen, färben, einwickeln, würzen mussten, um Etwas aus ihm zu machen, anstatt dass der Gedanke Etwas aus ihnen machte, – oh dieses Auge, welches alle eure Unruhe, euer Spähen und Gieren, euer Nachmachen und Überbieten (diess ist nur ein neidisches Nachmachen) eurem Werke anmerkt, welches eure Schamröthe so gut kennt, wie eure Kunst, diese Röthe zu verbergen und vor euch selber umzudeuten!

Man wird hier nur seufzen und sagen: In der Tat, vor solchem Argus-Auge kann man sich nur fürchten und ertappt erröten. Das nicht vom Gedanken getragene bloße Effektemachen ist es, das Nietzsche hier geißelt, wohl wissend, daß die Geißel den Pastorensohn gelegentlich auch selber trifft. Nein, Effekte machen ist ihm nicht ganz fremd, wäre es einem frankophilen Rhetor je fremd gewesen? Als wüßte er nicht genau darüber Bescheid! In einer kurzen historischen Abhandlung der *Fröhlichen Wissenschaft* erklärt uns Nietzsche den Ursprung des Deutschen und ex negativo die Quellen seines eigenen Stils. Der Paragraph ist überschrieben «Vom Klange der deutschen Sprache».

Laut Nietzsche verlief die Sprachgeschichte etwa so: Die Deutschen, mit ihrer Ehrfurcht «vor Allem, was vom *Hofe* kam», hätten sich seit ein paar Jahrhunderten geflissentlich die Kanzleien zum Muster genommen, «das war etwas Vornehmes, gegen das Deutsch der Stadt gehalten, in der man gerade lebte. Allmählich zog man den Schluss und sprach auch so, wie man schrieb, – so wurde man noch vornehmer, in den Wortformen, in der Wahl der Worte und Wendungen und zuletzt auch im Klange: man affectirte einen höfischen Klang, wenn man sprach, und die Affectation wurde zuletzt Natur.» Etwas Ähnliches habe sich vielleicht sonst nirgendwo ereignet: «die Uebergewalt des Schreibestils über die Rede und die Ziererei und Vornehmthuerei eines ganzen Volkes als Grundlage einer gemeinsamen nicht mehr dialektischen Sprache». (Nietzsche benutzt das «dialektisch» hier im nicht-Hegelschen Sinne für dialektal.) Für Montaigne oder gar Racine müsse trotz dieser Übung Deutsch unerträglich gemein geklungen haben, «und selbst jetzt klingt es, im Munde der Reisenden, mitten unter italiänischem Pöbel, noch immer sehr roh, wälderhaft, heiser, wie aus räucherigen Stuben und unhöflichen Gegenden stammend».

Nietzsche führt dann über die jüngste Entwicklung aus, wie sich durch den Einfluß des preußischen Offiziersdeutsch die Sprache militarisiert habe, sogar die kleinen Mädchen machten schon dieses Offiziersdeutsch nach. Dieser preußische Offizier sei, bei allem sonstigen Takt der Bescheidenheit, sobald er spreche, die «unbescheidenste und geschmackwidrigste Figur im alten Europa».

Ganz unabhängig von der Frage, ob heutige Germanisten diese Entwicklung ähnlich nachzeichnen würden, wird man zweierlei festhalten dürfen. Das erste und für Nietzsches Stil am wichtigsten: Er wehrt sich gegen die Übergewalt des kanzleihaften Schreibstils über das Gesprochene. Sein Stil-Vorbild ist die bewegte, gedankenbefeuerte, die Gedanken oft erst entwickelnde, lebhaft und mit rhetorischer Verve vorgetragene Rede. Nietzsches Stil ist vor dem Spätwerk, vor dem *Zarathustra*, der im Grunde nur noch mit sich selber spricht, immer an einen Zuhörer gerichtet und darin dialogisch: Der Sprecher will eine Zuhörerschaft überzeugen. Er setzt noch, anders als im *Zarathustra*, ganz aufs Argument und nicht aufs Rätselwort der Predigt. Dort, im Spätwerk, spricht der

Seher, und manchmal Schlimmeres; in der *Fröhlichen Wissenschaft* und der *Morgenröthe* noch der kühle oder äußerlich kühle Psychologe und Analytiker.

Nietzsche ist in dieser mittleren Phase, und das ist das zweite, stilistisch Kosmopolit und Europäer, stark französisch geprägt, mit Göttern wie dem Dramatiker Racine; einen vehementeren Gegner aller auch sprachlichen Nationalismen gab es nicht. Er ist der Anti-Wagner, leichtfüßig, ohne Pomp noch Bombast (wobei man nicht dem Klischee auf den Leim gehen sollte, Wagners Libretti, die Schopenhauer selbst über dessen Musik stellte, seien ohne Witz). Dennoch ist der Gestus ein genuin anderer: Der Nietzsche der *Morgenröthe* und der *Fröhlichen Wissenschaft*, der Nietzsche auf dem Höhepunkt seiner Kunst, ist näher bei Heinrich Heine oder Voltaire, dem er *Menschliches, Allzumenschliches* widmet, als bei all den Gundolf und Bertram und George, die ihn später – George allerdings mit einem gewaltigen Gedicht – auf die gravitätische Seite ziehen wollen. Der Nietzsche in dieser Phase ist «feind dem Halb- und Halben aller Romantik und Vaterländerei»; er lehnt nicht nur die alte Hof- und Kanzleisprache ab, sondern auch das neue Militärgebell: «Man gebe Acht auf die Commandorufe, von denen die deutschen Städte förmlich umbrüllt werden, jetzt wo man vor allen Thoren exerciert: welche Anmaassung, welches wüthende Autoritätsgefühl, welche höhnische Kälte klingt aus diesem Gebrüll heraus!»

Wir wissen nicht, ob Charlie Chaplin diese Stelle kannte, als er 1940 für *The Great Dictator* das Phantasie-Teutonisch erfand; wir wissen nur, daß Nietzsches Schwester Elisabeth sie offenbar nicht kannte, als sie jenem Diktator den Spazierstock ihres Bruders überreichte.

Dafür kannte sie einiges andere aus dem Nachlaß, und *alles* hat sie nicht gefälscht. Wie ist das bei Nietzsche, ab wann wird da etwas faul auf dem Weg des Willens zur Macht, ab wann, wie Thomas Mann es nennt, versteigt er sich? Hören wir noch einmal die *Morgenröthe*, deren Vorrede aus zwei Gründen hoch instruktiv ist.

> Nichts mehr zu schreiben, womit nicht jede Art Mensch, die «Eile hat», zur Verzweiflung gebracht wird. Philologie nämlich ist jene ehrwürdige Kunst, welche von ihrem Verehrer vor Allem Eins heischt, bei Seite gehn, sich Zeit lassen, still werden, langsam werden –, als eine Goldschmiedekunst und -kennerschaft des *Wortes*, die lauter feine vorsichtige Arbeit abzuthun hat und Nichts erreicht, wenn sie es nicht lento erreicht. Gerade damit aber ist sie heute nöthiger als je, gerade dadurch zieht sie und bezaubert sie uns am stärksten, mitten in einem Zeitalter der «Arbeit», will sagen: der Hast, der unanständigen und schwitzenden Eilfertigkeit, das mit Allem gleich «fertig werden» will, auch mit jedem alten und neuen Buche: – sie selbst wird nicht so leicht irgend womit fertig, sie lehrt *gut* lesen, das heisst langsam, tief, rück- und vorsichtig, mit Hintergedanken, mit offen gelassenen Thüren, mit zarten Fingern und Augen lesen … Meine geduldigen Freunde, dies Buch wünscht sich nur vollkommene Leser und Philologen: *lernt* mich gut lesen! –
> *Ruta* bei Genua,
> im Herbst des Jahres 1886.

Das ist der Schluß der Vorrede, und er ist fast ein Programm, ein Appell und eine Anweisung für die Art, wie wir hier lesen sollten; langsam, geduldig und mit allen möglichen Hintergedanken. Darüber hinaus zeigt dieser Schluß den Stilisten Nietzsche in all seinen Stärken und Eigentümlichkeiten und, vorausdeutend wie das Muttermal aufs Melanom, auch Schwächen und Gefährdungen.

Die Stärken liegen auf der Hand. Es ist ein schönes Parlando, lange Sätze werden nicht syntaktisch überreguliert, sondern fließen dahin, durch rhetorische Wiederaufnahmen sacht gelenkt; Abstrakta und Begriffs-Mumien, wie er sie später nennt, werden vermieden. Nietzsche bleibt immer anschaulich und findet die richtigen Bilder zur Beschreibung der philologischen Goldschmiedekunst.

Und die Gefährdungen? Es ist der *steile* Gestus, der sich schon ankündigt und später ins Sektiererische und schrill Befehlshaberische umschlagen wird. Der Leser, den Nietzsche sich wünscht (und welcher Autor wünschte sich ihn nicht?), ist nicht nur ein guter Leser oder ein genauer und aufmerksamer Leser, nein, es muß der «vollkommene» Leser sein. Wo soll's den geben hienieden? Aber darunter macht es Nietzsche nicht, schon hier nicht, wo er noch nicht ekstatisch mit dem Hammer philosophiert wie in der späten *Götzen-Dämmerung*, von deren Umwertung aller Werte er nicht weniger erwartet, als daß sie zu einer Spaltung der Geschichte der Menschheit in zwei Hälften führen müsse; wo er noch nicht, wie vom *Zarathustra*, verkündet, ein Goethe, ein Shakespeare könne nicht einen Augenblick auf der Höhe seines Buches atmen und Dante sei dagegen bloß ein Gläubiger.

Es ist trivial, aber dann auch wieder nicht: Man muß es schon sehr gut mit Nietzsche meinen, wenn man im Spätwerk nicht die ersten Lianen-Arme des Größenwahns sich um den Textkörper winden sieht, unter denen er am Ende ersticken wird. Andersherum: Dürfte man dem Autor *ohne* diese Wahn-Umklammerung verzeihen, wie er in einem späten Fragment in gräßlichster und gespenstischer Weise Himmlers Posener Rede vorwegnimmt?

Heinrich Himmler sprach am 4. Oktober 1943 in Posen vor einer Hundertschaft von SS-Offizieren davon, daß es zu den Dingen gehöre, die man leicht ausspreche: «‹Das jüdische Volk wird ausgerottet›, sagt ein jeder Parteigenosse, ‹ganz klar, steht in unserem Programm, Ausschaltung der Juden, Ausrottung, machen wir.›» Von allen, die so redeten, habe aber keiner zugesehen, keiner habe es durchgestanden. Die meisten seiner Zuhörer wüßten, was es heiße, wenn hundert Leichen beisammenlägen, fünfhundert oder tausend: «Dies durchgehalten zu haben, und dabei – abgesehen von menschlichen Ausnahmeschwächen – anständig geblieben zu sein, das hat uns hart gemacht und ist ein niemals geschriebenes und niemals zu schreibendes Ruhmesblatt unserer Geschichte.»

Nietzsche hätte sich sofort übergeben, wenn er auch nur eine einzige dieser Leichen zu Gesicht bekommen hätte. Aber geschrieben, in seinem späten Wahn, hat er es anders. Er ist großzügiger, um nicht zu sagen: realistischer in der Quantifizierung. Aber auch er legt vor allem Wert auf das singulär Ruhmreiche des Vorgangs: «Jene ungeheure *Energie der Größe* zu gewinnen, um, durch Züchtung und andrerseits durch Vernichtung von Millionen Mißrathener, den zukünftigen Menschen zu gestalten und *nicht zu Grunde* zu gehn an dem Leid, das man *schafft* und dessen Gleichen noch nie da war! –»

Desgleichen noch nie da war und nie da gewesen sein würde; und dabei anständig geblieben und nicht zugrunde gegangen! – Man kann ihn hassen für solche Sätze, aber man muß es nicht. Er war nicht mehr bei Trost, er hatte keine Ahnung, von nichts, oder allenfalls Ahnungen von künftigen Zusammenbrüchen der Zivilisation. Nicht bei Trost – denn woher ihn nehmen? Der arme, ärmste Hund, immerzu krank, immerzu in Schmerzen, am Ende fast blind, mit Dauer-Migräne und erotisch ein Hungerleider, immer am Rande des Freitods, in größter Vereinsamung, an etwas herumnagend, über das er nur indirekt sprechen kann, wie Hölderlin bipolar in mehr als einem Sinn – Thomas Mann hatte sich sein Teil gedacht, als er ihn mit Oscar Wilde verglich … So kryptisch wie vielsagend sein Aphorismus *Stolz*:

> Ach, ihr kennt alle das Gefühl nicht, welches der Gefolterte nach der Folterung hat, wenn er in die Zelle zurückgebracht wird und sein Geheimnis mit ihm! – er hält es immer noch mit den Zähnen fest. Was wisst ihr vom Jubel des menschlichen Stolzes!

Nicht viel wissen wir von ihm, nur daß der Jubel sich bei Nietzsche in Grenzen hielt, schon bevor er im Januar 1889 endgültig in Turin zusammenbricht und der getreue Overbeck ihn aus ekstatischer Auflösung zerren und nach Deutschland verbringen muß; die Diagnose damals lautete auf «Paralysis progressiva».

Soll man ihn hassen? Als Denker alles andere als schlackenlos, war der eigentlich zarte Geist ein Stilist mit fast unfehlbarem Sinn für Prosa-Rhythmus und Musikalität.

Rudolf Borchardt I: Über den Dichter

Es gibt nicht viele Stellen, an denen sich Rudolf Borchardt über ihn ausläßt, aber wenn er über ihn spricht, dann geradezu liebevoll. Er nennt Nietzsches Untergang die größte geistige Tragödie der Jahrhunderthälfte. Und er verwahrt es Stefan George in strengen, peitschenden Worten, Nietzsche in seine «Tropenzone der Päderastie» ziehen zu wollen. Vielmehr gelte:

«Misst man den Abweg der orgiastisch-ekstatischen Mächte des Jahrhunderts am Schema einer Kugel, so ist mit Nietzsche das Null ihres Äquators erreicht, und das Jahrhundert verlebt.»

Wir haben im Geometrie- und Geographie-Unterricht zu oft gefehlt, um Genaueres über die Korrektheit des Bildes sagen zu können. Der Ton Borchardts ist damit aber schon einmal angeschlagen. Fest steht, Nietzsche war für Borchardt ein Dichter. Und fest steht, dieser Begriff bedeutete für Borchardt etwas Besonderes.

Der 1877 in Königsberg/Ostpreußen in einem jüdischen Elternhaus geborene, in Berlin aufgewachsene und nach nie abgeschlossenen Studien in Berlin, Bonn und Göttingen von 1903 an überwiegend in der Toskana lebende Dichter, Übersetzer und Privatgelehrte hatte eine entschiedene Meinung zu den Fragen von Autorschaft und Stil. Man würde sie heute vielleicht als verstaubt bezeichnen, aber es ist nicht ganz ausgemacht, ob es nicht feinster Schmetterlingsflügelstaub ist. Borchardt unterscheidet, und läßt von dieser Unterscheidung alles abhängen, den Schriftsteller von dem, was er einen «unheimlichen Hochspannungsbegriff» nennt: vom ursprünglichen Dichter.

Berühmt war Borchardt weniger als Publizist denn als Redner. Diese Reden hielt er bis zu zwei Stunden lang ohne Manuskript frei, ohne ein Räuspern oder Verhaspeln oder nur eine Wiederholung, zur staunenden Bewunderung nicht nur Thomas Manns – wenn man die Zeitzeugen hört und die mitstenographierten Vorträge mit ihren halbseitenlangen Perioden nachliest, kann man es fast nicht glauben. Es ist wie ein Zauberkunststück, wie Rastelli, der mit zehn Bällen jongliert, wie die Selbstbefreiung des gefesselten Houdini aus einer vernagelt in den Fluß geworfenen Holzkiste. In drei dieser Reden entwirft Borchardt nun einen Dichter-Begriff, der so kühn und großartig wie versponnen, vor allem aber: der vollständig auf ihn selbst zugeschnitten ist.

«Poesie heißt nicht Verse reimen.» Der Dichter, nach Borchardt, hat nicht das geringste mit dem Schriftsteller, gar dem modernen Romanautor zu tun, eine Schwundstufe, die Borchardt Akzente äußerster Verachtung abnötigt. Dichtung ist Urphänomen und Muttersprache des Menschengeschlechts. Dichtung ist das Inkalkulable und Dämonische, sie hat weder mit Ästhetik noch mit Literatur zu tun, von der es ohnehin zu viel gäbe. Der Dichter ist oder war ein Mittler zum Hohen und Höchsten, Gefäß Gottes, er kann praktisch alles. Er ist nicht begrenzt und nicht in Schranken zu halten; Epos und Gedicht und, noch ursprünglicher, Gesang unterlaufen ihm, aber ebenso der bannende Zauber- und Gesetzesspruch oder die historische Chronik. Dieser originale Dichter ist, würde man heute sagen, wie eine Stammzelle – alles ist potentiell in ihm angelegt. Im Lauf der Zeiten differenziert sich alles aus und spaltet sich ab, der Priester übernimmt das Amt der Religion, die Musik wird selbständig, die Geschichtsschreibung, das Recht; der Dichter bleibt als seltenes, problematisches, von der Gemeinschaft getrenntes, leicht monströses Urtier zurück. Oft täuscht er die Zeitgenossen durch sein Metier. Plato war Dichter und war es um so mehr, als er die Dichter aus seinem idealen Staat vertrieb. Da Vinci war Dichter, Michelangelo war nicht Bildhauer, er war Dichter, Beethoven war nicht Komponist, sondern Dichter auch er. Unter den schreibenden Dichtern gab es Dante, der nach seinem Tod den Söhnen erschien, um ihnen zu bedeuten, wo die letzten Seiten der *Commedia* versteckt waren. Es gab Cervantes, in der wunderlichsten aller dichterischen Höhlen lebend, «der Höhle des Philisteriums». Dann kam Rousseau, dann Goethe, die Jahrtausendfigur des wiedergeborenen, wiedergewonnenen Dichters, der alles konnte und keine Begrenzung litt.

Und der Stilist? Ja, der hat hier eben gar nichts zu suchen. Der Stilist, sei's Flaubert oder Thomas Mann, betreibt Atelier-Geschäft: ein Wählen nach Valeurs, ein Arbeiten mit Pigmenten, «ein Abschätzen der Effekte, ein ruhiges Gegenüberstehen der Leinwand des Wortes, ein Zurücktreten von ihr und ein Beschatten der Augen». Alles das also, was der Dichter in seinem Raptus gerade nicht brauchen kann.

Es ist atemberaubend, wie Borchardt das alles in freier Rede und polyhistorisch verzweigt vorträgt und im Detail begründet, auch wenn man den Verdacht nicht abschütteln kann, daß er den Typus eigens für sich erfunden hat. Er kann unmöglich nicht an sich gedacht haben, wenn er ausführlich das Nicht-fertig-Werden bei Michelangelo und da Vinci zum Charakteristikum des Dichters erklärt; er, der auch alles konnte, in dem ebenfalls alles stammzellengleich angelegt war und der sich doch verzettelte und seine Dissertation nie fertig schrieb, dafür einen Abend lang in der prallgefüllten Aula so mitreißend daraus vorträgt, daß in Göttingen angeblich noch drei Jahrzehnte später mit Andacht davon die Rede ist. Allein, er hatte nichts, woraus er hätte vorlesen können – es war keine Zeile geschrieben, er hatte den Vortrag frei improvisiert. (So zumindest die von Max Rychner verbreitete Legende.) Als sich seine Begabung herumsprach, beorderte man ihn 1915 im Krieg zu Einsätzen bei der Truppe. Es gab einen Bataillonsbefehl, daß sämtliche Kompanien das Recht hätten, den Unteroffizier Borchardt zu Vorträgen anzufordern – er wurde eine Art Marlene Dietrich der Redekunst.

Fast alle waren sie gebannt von Borchardts Rhetorik – Rychner schreibt begeistert von ihm, er sei herrlich wie ein Kugelblitz und «ein Satan von Mensch» –, aber nicht alle waren unkritisch. Ludwig Marcuse schüttelt nur den Kopf über ihn: Die Sprache des metaphysischen Feldwebels sei «samtener Kasernenton, priesterliche Rohheit». Rudolf Alexander Schröder schreibt an Hofmannsthal über das sonderbar zwischen echtem und unechtem Pathos Schwebende: «Der Seher in großen Dingen & der Betrüger in kleinen rinnen bei ihm durcheinander und auseinander, wie geschütteltes Wasser und Öl.» Dennoch, wenn das alles Talmi sein solle, so sehe es doch echtem Gold verzweifelt ähnlich.

Schon von den zwanziger Jahren an mischen sich in die Borchardt-kritischen Porträts auch antisemitische Züge. In der «Bremer Volkszeitung» war 1927 über ihn zu lesen: «Hier kämpft ein Jude, der keiner mehr sein will (kann man Blut leugnen?), mit einem wahren Paroxismus [sic] um seine endgültige Assimilation.» Auch in seine Auseinandersetzung mit dem George-Kreis spielt dieses Motiv hinein; Borchardt firmierte dort als der «Mauschel-Pindar». Es erinnert wieder an den Streit zwischen Heine und Platen, wenn sich Borchardt durch eine Polemik rächt, in der Georges nicht nur platonischer Ephebenkult aufgedeckt wird («Algabal war keine literarische Fiktion, sondern Fleisch und Blut eines Menschen»). Auch hier tobt Haßliebe, wie bei Borchardt oft: Lange galt George ihm als der größte Dichter der Zeit.

Bei allem Pro-domo-Charakter seiner Dichter-Mythologie und allem Zeitgebundenen, in dem der Urborn nicht fehlen darf – bei allem, was man abziehen muß, kann man doch einen zweiten Eindruck ebenso wenig abschütteln: Irgend etwas ist dran. Borchardts Dichter-Rede selbst ist fast ein Beweis für die in ihr entfaltete These. Es fließt ihm zu – er macht es nicht. Techne, *τέχνη*, hat nichts mit dem Dichterischen zu tun. Der Dichter schöpft aus ihm unbekannten Quellen. Die andern bosseln und polieren; er greift blind um sich und faßt Phänomene am Schopf. Die meiste Zeit allerdings zieht er sich, mit der Welt zerfallen, in die Höhle zurück. Die Welt, vielleicht auch nur: Borchardts Familie, fordert ständig das Meisterwerk von ihm, man hat ihn ja lange genug unterstützt und sein Talent erkannt, aber was soll er tun? Er kann es nicht erzwingen, es liegt nicht an ihm, wann ihn die Inspiration überkommt, das halluzinative Fluidum.

Hier der Schluß seiner Rede über den Dichter und das Dichterische vom 30. März 1920:

> Wo denn ist noch der Held, wo denn ist noch der Richter, der Seher? Immer wieder wird für Momente dieses aus dem Nichts auftauchende, Ihnen unfaßbare Dämonenwesen die Attribute der Schöpfung der Welt und der Beherrschung der Welt und des Hausens in der kindlichen und jugendlichen Welt an sich nehmen, das Alter und den Schnee von Ihren Locken streichen und Sie wieder dort hinstellen, wo die Menschheit begann durch Liebe. Mann, Weib, Gott, Er-

> kenntnis des Guten und des Bösen, der Baum des Lebens, die Schlange, die Nacktheit und das Kleid, Sünde, Arbeit, Sintflut, Regenbogen und ein neues Geschlecht.

Unfaßbarer dämonischer Kitsch? Die geneigte Leserin entscheide selbst.

Rudolf Borchardt II: Der Gepard

Seine Reden hat er nie drucken lassen, trotz dringender, ja flehentlicher Bitten. Aber da war er wie immer herrisch. Dem Dichter floß es in einem Moment der Inspiration zu, der ließ sich nicht perpetuieren. Die Reden fanden nicht Eingang ins Werk. Das Werk wiederum ist, 75 Jahre nach Borchardts Tod, immer noch fast unbekannt. Es hat im Grunde keinen Kern, so reich es ist, es besteht aus Fragmenten, Nebenwerken, Sonderbarkeiten und mühsam in Jahrzehnten errichteten erratisch ragenden Monolithen wie der in ein erfundenes Mittelhochdeutsch übertragenen oder nachgedichteten *Göttlichen Komödie* Dantes, voller Zauber und Klangschönheit und Originalität; verständlich aber nur, wenn man etwa die Prosa-Übersetzung Kurt Flaschs oder die kommentierte Ausgabe Hermann Gmelins daneben legt. Zum Vergleich drei Terzinen von George und drei von Borchardt. Wir stehen im IX. Gesang des *Inferno*:

> *Stefan George*
>
> Wie bei der schlange nahn die auf sie lauert,
> Die frösche durch das Wasser hin zerstieben
> Bis jeder auf dem lande niederkauert:

Sah ich an tausend seelen aufgetrieben
Vor Einem fliehn, der auf den stygischen pfaden
Hinschritt dass ihm die sohlen trocken blieben.

Er fegte vom gesicht den dicken schwaden
Mit seiner Linken häufigem geschwenke,
Und nur von solcher müh schien er beladen.

Rudolf Borchardt

Als wie die Fretschen vor der Widersachin
Natter durchs Wasser hin allsamt zerschiessen,
bis sie ganz klein sich nah zur Erden machen:

So Seelen mehr denn tausend sah ich büßen
mit Flucht vor Einem, welcher da in Schritte
Stix überschreitend kam mit trocknen Füßen.

Er schob die feiste Luft sich aus der Mitte
jeweilen schlichtend mit der linken Hand,
und müdete nur dies etwan seine Tritte.

Bei George klingt Dante wie George. Oder wie Neumann, der George parodiert. Bei Borchardt klingt er wie ein unbekannter Dichter des provenzalischen Mittelalters. Was vielleicht noch schwerer zu machen war. Daß die Widersacher und -sachinnen kaum ausbleiben würden, war freilich abzusehen.

Bizarr? Und doch gibt es gewiegte Kenner, die alles gelesen haben und zu dem fast widerwilligen Schluß gelangen: Mögen würden sie ihn nicht, aber der größte Stilist, am Ende des Lebens, sei dann doch eben er, Rudolf Borchardt. «Wo gäbe es im Deutschen Sprache», fragt der Großfürst der älteren Germanistik Richard

Alewyn, «die gleichzeitig so improvisiert ist und so artikuliert, so spontan und so erudit?»

Borchardts Prosa: ein Gepard, mit langen Sprüngen und unermüdlich, etwas ganz Eigenes, Kraftvolles. Nervöse Prosa, nicht getüftelt und gedengelt, lebendig pulsierend, die «verrückteste Aufschraubung des Wilhelminismus» mit «verschnörkelten Peitschenhieben», wie es Martin Mosebach sehr komisch formuliert.

Borchardt konnte geißeln und tat es gern, aber wie erst konnte er rühmen! Eine persönliche Atmosphäre umgebe jeden außerordentlichen Menschen, schreibt er à propos seines Freundes Hofmannsthal, und sie teile sich seiner Umgebung ungewollt mit, wie eine schönere Luft an Stelle der schalen und verbrauchten.

«Aber diejenige Hofmannsthals war nicht eine Atmosphäre, sie war Äther, und nicht eine schönere Luft sondern ein neues Element das wie Wasser den Blick verlagerte, das Geräusch teils gedämpfter teils klingender machte, das Gewicht auf eine verringerte Skala umrechnete.» Nach Hofmannsthals Tod bekennt Borchardt in seiner Hommage, er hätte immer sein Leben für ihn gegeben. Und man glaubt es ihm. Aber es ist der Wortlaut, der hier wichtig ist:

> Bedenke ich welche Last der Zumutung für sein empfindliches und subtiles Organ, für seine durchsichtig und geordnete Welt der Schwall und Lärm meiner chaotischen Unordnung gewesen sein muß, welche Qual für sein zartes Ohr mein Versedonnern und Periodenrauschen war, dem er schließlich dadurch zu entfliehen trachtete, daß er mich nur im Freien rezitieren ließ, ermesse ich die ganze grenzenlose Güte und Geduld die er meinem unlieblichen Gemenge, der Dumpfheit eines Menschen der ihn durchaus nichts anging, widerfahren ließ, so weiß ich das eine wenigstens, mit welchem Rechte ich in jeder Stunde meines spätern Daseins mein Leben für das seine gegeben hätte.

Nicht jedem nimmt man solches Pathos ab, ihm durchaus – spöttelt nur! Borchardt ist überall leidenschaftlich, er hat aber nicht nur Pathos, er hat mitunter auch Witz. Wie er denselben verehrten Hofmannsthal in *Frühstück zu acht Gedecken* leise persifliert, ist außerordentlich komisch. Hofmannsthal, skeptisch über Rathenau sinnierend, der gleich ein Gast des großen Borchardtschen Vortrags sein wird:

> *Hofmannsthal.* Ja – Menschen, Menschen – das ist gar nicht zu sagen, was Menschen –
> Das steht nur in den Grimmschen Märchen, was Menschen für arme Teufel sind – die sehr großen, die sehr klugen, die sehr reichen – was für großartige Maschinen, an denen nur ein ganz nebensächliches winziges Rad gefehlt hat –

Der Satz über die Menschen fließt noch lange weiter, um dann unphilosophisch mit dem Akzent auf der Damenwelt zu enden: «ich bring jetzt den Borchardt zu seinem Hôtel und wir reden noch was unterwegs – also mit dem Rathenau, das wird ganz brillant gehen, das machen die Frauen – was sind das jetzt für Frauen, – das erzählst Du mir unterwegs –».

Borchardt war ein begnadeter Stimmenimitator; wie der Dschinn sich aus der Flasche materialisiert, so materialisieren und verlebendigen sich seine Figuren durch ihren jeweiligen Duktus – besonders prägnant, fast ausschließlich Frauen nebenbei, in seinem nachgelassenen Roman, der noch zu streifen sein wird. Sein Gedächtnis muß mirakulös gewesen sein. Es ist überliefert, daß er 1943 im italienischen Exil lange BBC-Beiträge, auf Kurzwelle knatternd und rauschend übertragen, am Abend wörtlich der gelangweilten Familie vortrug.

Selbst wer die Meinung vertritt, so recht lesbar sei bei ihm trotz furchtgebietender Bildung und überragender Intelligenz nur wenig, wird doch eine Ausnahme zubilligen: die Fragment gebliebene Kindheitserinnerung *Rudolf Borchardts Leben von ihm selbst erzählt* – ein Pendant zu Benjamins ebenso bedeutender *Berliner Kindheit.* Das Kindheitsfragment zeigt den Dichter auch als grimmigen Humoristen – denn Borchardt hatte, anders als George, Humor. Eine der komischen Nebenfiguren, sie könnte aus einem Roman Robert Walsers stammen, ist der für ihn engagierte Hauslehrer, der sich dadurch auszeichnet, daß er den Knaben nicht unterrichtet, sondern seinen Lohn versäuft. Die erste Begegnung:

> Beim Essen war er sehr freundlich, lachte über alles was ich äußerte, und sagte selbst sehr wenig. Am Nachmittag kam er einen Augenblick ins Schulzimmer wo ich an meinen Arbeiten herumnaschte, denn meine Aufregung über den ganzen neuen Lebenszustand machte mir jede Sammlung unmöglich, – lachte dort unaufhörlich ohne Grund, stand am Fenster und reckte sich so, daß ich vor Schrecken von meinem kleinen Pult aufstand weil ich fürchtete er könne wie im Märchen doppelt so lang werden als er schon war und dann gehe er vielleicht nicht mehr ins Zimmer; er aber drehte sich im halben Recken um, sah plötzlich wie Leute die eben heftig gegähnt haben, ganz blöde und schal drein und war fort.

Borchardts Kommasetzung, man hat es bemerkt, ist sparsam und originell. Vor Relativanschlüssen setzt er fast nie eines. Er darf das. Nur bei Benjamin ist das Satzzeichenfäßchen noch verstopfter und rieseln noch weniger Kommas heraus.

Wie Borchardt den Werdegang seines Vaters beschreibt, mit dem er lebenslang haderte, ist ein Muster seines bildreichen und langphrasierten Stils, ganz eigen, schwer zu imitieren, gedacht und nicht nur formuliert:

> Es waren schon zu viel Borchardts, denen man eine Zukunft geweissagt hatte, recht kleinlaut geworden, andere noch weniger, noch schlimmer als das, als armselige halb mitdurchgefütterte Prahler abgeglitten, als in meinem Vater, der es tief empfand, zur einzigen Hoffnung der Familie geworden zu sein, der Organismus des Ganzen gewissermaßen seine Kräfte anhielt, seine Gefäße verengerte, die Säfte sparsamer zuleitete und dazu ansetzte, statt abenteuerlicher Revolutionäre, statt lockiger Blender, Gelegenheitsdichter, Todeshelden und Verführer etwas Bestimmtes zu bilden – und zwar in den bedingten Formen, durch die allein auf dieser strengen Erde gebildet wird und bestimmt, unter Opfern und Schmerzen.

Das Ganze ist *ein* Satz! Die Pointe, daß der Sohn, wäre er nicht der überragende Stilist geworden, sich ganz komfortabel in die Reihe der Vorgänger-Borchardts eingegliedert hätte – denn auch er hatte etwas vom Prahler, vom Blender, vom Gelegenheitsdichter, vom Revolutionär, vom Verführer und wohl auch vom Todeshelden –, diese Pointe hatte er bei der Niederschrift seiner Erinnerungen sicherlich mitbedacht.

Dabei mangelte es ihm nicht an – überkompensatorischem – Selbstbewußtsein. Er habe sich nie daran gekehrt, ob seine Schriften «augenblicklichen, oder überhaupt, Erfolg haben könnten. Sie finden kein Publikum vor, sondern sie müssen es sich bilden.» Und er schließt: «Sie sind die Brücke für jeden, der auf meinem Lebenswege sich von der treibenden Scholle der Zeit auf das Festland des Ewigen retten will.»

Das ist leicht zu ironisieren, wie sein Pathos anläßlich Hofmannsthals; aber irgendwie auch *zu* wohlfeil und leicht. Von völlig verblüffender Seite – oder im nachhinein vielleicht auch nicht? – durfte man ihn schließlich im Jahr 2018 kennenlernen, als ein Werk aus dem Nachlaß erschien, das die Erben bis dahin unter Verschluß gehalten hatten: *Weltpuff Berlin,* ein tausendseitiges, 1938/39 im Exil in der Toskana verfaßtes und vor der eigenen Frau verheimlichtes pornographisches Romanfragment, in dem Borchardt unter Klarnamen sein bewegtes Sexualleben in Berlin im Jahr 1901 ff. schildert. Vielleicht ist dieses Buch das Werk, für das man ihn noch in Jahrhunderten kennen wird. Das Vögeln ist immer das gleiche, aber jede Frau in diesem Roman, und es sind Dutzende, spricht hier anders, das muß man ihm lassen. Daß es seitenlange Dialoge nicht nur auf Englisch und Französisch, sondern auch auf Altgriechisch darin gibt und amouröse Telefonate zur Tarnung auf Latein geführt werden, ja, das ist eben Borchardt. Sprachgenie und – spätestens für ihn hätte man das Wort erfinden müssen – Phallozentrismus gipfeln sich auf in einem Werk, das in der Literatur des 20. Jahrhunderts ungefähr so einsam ragt wie in einer Welt friedlicher Herbivoren ein Tyrannosaurus rex.

Rudolf Borchardt III: Der leidenschaftliche Gärtner

Sein üppigstes, reichstes, gelehrtestes und exzentrischstes Buch nach der *Göttlichen Komödie* und vor dem *Weltpuff Berlin* ist indessen das postum erschienene Gartenbuch, in dem er uns über die tiefe und innige Beziehung des Menschen zur Blume belehrt. Jeder Blumenfreund fände hierin seine Bibel, nur ist es wie die Bibel kaum am Stück zu lesen – man blättert darin. Sprachlich kennt Borchardt wieder nichts; will sagen: kennt er keine Hemmungen, nimmt er keine Rücksichten auf die weniger fixen Leser, auf die er bekanntlich pfeift, respektive die er sich allmählich, wie seinen Garten, herankultivieren will. Mit einer donnernden vibrierenden Prosa, die kaum einen Vergleich hat.

«Die Menschheit stammt aus einem Garten.» Borchardt kann

auch kurze prägnante Sätze, sie bilden das Eingangsportal, durch das er uns in seine zunehmend hypotaktischen Labyrinthe lockt. Man achte darauf, wie er in den folgenden drei Sätzen immer länger wird, wie er alles rhetorisch zulaufen läßt und zuspitzt auf das finale «feurige Schwert». Man beachte auch, wie er dabei, oft nur durchs Beiwort, ironische Farben funkeln läßt:

> Die Menschheit stammt aus einem Garten. Das meiste, was ihr seit ihrem Ursprunge zugestoßen ist, hängt mit Vorgängen zusammen, die sich als Gartenfrevel bezeichnen lassen, und zwar, tiefsinniger Weise, nicht als einfacher, sondern als doppelter. Die Verletzung der Gartenordnung durch philisterhaftes Aufessen von symbolischen Früchten führt automatisch zum noch bedenklicheren Mißbrauche schöner Vegetation für Werkstoff-Zwecke, nämlich für solche vergänglicher Kleidung. Mit der Kündigung des Gartengastrechts und dem Auszuge in die aus Acker und Kindbetten bestehende Welt beginnt das normale Dasein seine unabsehbare Kette von weiteren Vertreibungen aus immer wieder neuen Gärten, denen, im trotzigen Rhythmus des Menschenherzens, der Entschluß entspricht, in jedem Augenblicke des Verschnaufens von Acker und Kindbett das Paradies, und sei es am Fenster des sechsten Stocks im Hinterhause, für die nächste Vertreibung wiederaufzubauen und den Engel mit dem feurigen Schwert zu provozieren.

Ein kleines Eden also auch im Hinterhof in Neukölln. Borchardts im Gartenbuch entwickelte Thesen sind zum größten Teil schrullig, zum Teil hellsichtig und ihrer Zeit weit voraus. Er behauptet kurzerhand, der Mensch sei der Pflanze verwandter als dem Tier, von dem er, der Mensch, auch nicht stamme; das Tier sei vielmehr von ihm «abgefallen». Blumenduft – hat sich schon mal jemand nähere Gedanken über Blumenduft gemacht? Jedenfalls nicht so mystisch-tiefe, wenn auch schrullige wie Rudolf Borchardt, der das «ätherhafte Netz der Meldungen und Sendungen», heute: Pheromone, untersucht. Der Erotiker Borchardt feiert in der Pflanze, der duftenden Blume, das Geheimnis des Sexus. Die ganze Blumensprache der Liebe entsteht. Und es folgt jene oben zitierte Aufzählung der Blumen von Tausendschön bis Nachtschatten.

> Eine urtümliche Symbolik heftet an Veilchen und Lilie den höchsten Feierbegriff des weiblichen Gemüts, der dem unbescheidenen und unkeuschen Freier vorzuschweben vermag, – Reinheit, die sich verbirgt – und nennt das, was sie wörtlich zu gestehen nicht wagen darf, das Rosenbrechen; es ist das urälteste uns bekannte Symbol für die Überwindung des letzten Widerstandes, so als wäre es mit dem Menschen geboren, die Begehrte ihren Preis, als Blume, hochhalten zu sehen, und alles danach ringend, ihn zu pflücken oder zu brechen.

Bittersüß, Wermut, Natterzunge … Rudolf Borchardt, nicht immer sympathisch, furchtbar hochfahrend, auch leicht mythomanisch – er habe sich auf einen Turm von Lügen gestellt, um von der verlogenen Menge seiner Zeit gesehen zu werden, sagte Benjamin über ihn –, bleibt einer der merkwürdigsten Schriftsteller. Vielleicht war zu seiner Zeit keiner der Sprache *mächtiger* als er. Rastelli, Casanova, Don Quijote, von den Deutschen verfolgter und freigelassener jüdischer Goethe-Nachfahr – der Epigone als Jahrhundertgestalt.

*

Rudolf Borchardt und Bertolt Brecht – wenn die in der Bibliothek durchs Alphabet zur Nachbarschaft gezwungen würden, sprühte es Funken. Brechts epischer Materialismus und Borchardts althumanistische Exzentrik, wenn man die zusammenschlösse ... Die Prosa Bertolt Brechts ist dabei, anders als seine Lyrik und Dramatik, nicht nur verglichen mit Bochardt von eher unerheblichem Gewicht. Es ist ein Personalstil wie seine Lederjacke: regenfest, robust, ohne Applikationen; leicht zu imitieren durch Kleinschreibung und den Jargon des Klassenkampfes, dem erwähnten Moskauderwelsch.

Stilistisch interessanter geht es bei zwei Frauen zu, die Brecht politisch oder menschlich nahestanden, ohne von ihm erdrückt zu werden. Sie mögen die kleine Porträtreihe einleiten, in der die Herren einmal warten müssen.

Fegefeuer, Transit und Erlösung

Marieluise Fleißer: Zutritt für die arme Seele

> Damit ist auch der andorranische Tag zu Ende. Mein sanft gewordener Begleiter macht noch ein Gedicht darauf, die Wasser scheppern, die Nachtigallen tun ihre Pflicht und die schwarzen Bergschatten schlagen über dem Tal zusammen wie ein verbergender Mantel.

Sie ist bekannt für ihre Dramen, für das *Fegefeuer in Ingolstadt* und die *Pioniere*; für die frühen Theaterskandale im Gefolge Brechts, für ihre späte Wiederentdeckung, die ihr ein paar wilde Söhne bescherten (Fassbinder, Franz Xaver Kroetz) und eine dreibändige Werkausgabe bei Suhrkamp, die sie noch kurz vor ihrem Tod 1974 entgegennehmen kann.

Weniger bekannt ist Marieluise Fleißer für ihre leichten, flirrenden Reisestücke, die an Kurt Tucholsky erinnern. Bei Blindverkostungen, auf die wir verzichten, würde man die beiden verwechseln können. Unter dem Titel *Die Draws-Geschichten* erzählt die Fleißerin, wie Brecht sie nannte, die Reiseabenteuer mit Hellmut Draws-Tychsen, einem lettisch-nationalistischen Poeten und Halb-Hochstapler, Typus verzwergter Borchardt, mit dem sie sich 1929 in Schweden verlobt hatte und der sie 1932 an den Rand des Selbstmords trieb. Sie bereist Barcelona und Andorra mit ihm und schreibt darüber prägnant und voller Selbstironie, mit großer Diskretion, was ihren tyrannischen Reisebegleiter betrifft. Stilistisch sind diese Stücke ganz untypisch für den bayerisch gefärbten Ton, der sie bekannt gemacht hat. Hier ist ihr Lob des Zwergstaats, den man sonst nur aus dem Titel Max Frischs kennt: Andorra.

> Diese Menschen, die sich wie eine große Familie fühlen, keinen Polizisten brauchen, ihr Eigentum mitten auf die Landstraße stellen und ihre Bürger ins Exil schicken, wenn sie nicht Präsidenten werden, – diese Menschen haben die Gesichter von Bauern, die alt und fein geworden sind. Sie haben nichts als diese Berge erlebt. Ihre Vorfahren haben nichts als diese Berge erlebt. Es sind wenig Erbeigenschaften da, und diese wurden seit zwölfhundert Jahren zwischen denselben Familien wie Bälle hin- und hergeworfen. Jene, die auswandern, kehren nicht mehr zurück, und auf jene, die sich in den Bergen bescheiden, wartet nahe der Kirche der Friedhof ihrer Väter, der nur bei Todesfällen betreten wird und keine Wege hat. Jeder Schritt versinkt bis zu den Hüften im wuchernden Gras. Man zeigt alte Wälle, in die die Leichen wie in Backöfen geschoben und eingemauert wurden, wobei man nicht vergaß, ein handgroßes Loch zum ungehinderten Zutritt für die arme Seele auszusparen.

Ob das Loch wirklich den «Zutritt» für die Seele und nicht eher deren Austritt erleichtern soll, ist die einzige Frage, die sich bei dieser gut gefügten Prosa-Passage einer Klosterschülerin stellt. Typischer für Marieluise Fleißer als die feuilletonistische Impression ist ihr Ton einer, wie man es nannte, «zähen und gerissenen Komik».

In dieser zähen und gerissenen Komik hatte Fleißer ihren Meister in dem Stummfilmstar ihrer Epoche gefunden. Ihr 1930 veröffentlichtes Buster Keaton-Porträt ist unerreicht (das «wie» statt «als» im ersten Satz weist auf die süddeutsche Mundart). Hier ist alles genau gesehen und unverwechselbar in Worte gefaßt.

> Buster ist der Mann, der nicht mehr wie sterben kann. Er stirbt jeden Moment ein klein bißchen, unauffällig. Denn alle Bewegungen liegen für ihn auf derselben harten Ebene, jede ist gleich schwer und muß erst erfunden werden. Es gibt nichts, was er bereits kann und alles nimmt er grabesernst. [...] Wenn er gezwungen ist, ein weichgekochtes Ei aus einem großen Kessel herauszufischen, begibt er sich in dies Wagnis wie in den gewissen Tod.

Beim Gehen denke Buster daran, daß er jedes Bein einzeln vorsetzen müsse.

> Wenn er eine Bewegung zu machen hat, zieht er inwendig an einer bestimmten Strippe. Dadurch werden seine Gebärden lächerlich eindeutig. Denn Buster liebt, daß aufgeräumt ist, er will nicht an drei Strippen zugleich ziehen. Buster denkt hübsch nacheinander. Buster unterscheidet. Diese seine Eigenart verführt ihn zu einem kleinen Spaß. Er hält ein und dieselbe Bewegung mit Willen um zwei Sekunden zu lang an, er setzt sie noch fort, wenn sie durch die veränderte Situation inzwischen sinnlos geworden ist. Er geht z. B.

> so wunderschön, daß er gar nicht aufhören kann und ganz in Gedanken eine Hausmauer hinaufspaziert.

Doch man unterschätze Buster Keaton nicht!

> Der Zuschauer muß ihm sehr wach und bereit gegenübersitzen, wenn er ihn immer erraten will. Denn Buster läßt sich nicht mehr zusehen, wenn er nachdenkt, Buster zeigt sogleich das Ergebnis, den überraschenden Einfall. Dann ist er ganz fliegende Sehne, in seine leeren Augen mit dem verdrängten Blick tritt die dunkle Schärfe von Pfeilspitzen, sein mageres Gesicht wird zufassend wie die Kinnladen eines jungen Hais.

Und der Haifisch, der hat Zähne ... Am Schluß scheint der Fleißer das Buster-Keaton-Porträt mit dem des jungen mageren Brecht zu verschwimmen, über den sie im Alter unter dem Titel *Frühe Begegnung* eindrücklich geschrieben hat. Der junge Brecht war das erste Liebesmonstrum in ihrem Leben, ihm verdankte sie ihre frühen Erfolge und Skandale und die Ächtung in Ingolstadt, wo sie resigniert das dritte Monstrum heiratet – wir werden darauf zurückkommen. Es ist Brecht, der ihr den Tiefsinn des bayerischen «Da kenn i nix» auseinandersetzt; Brecht, der bei der Premierenfeier im Berliner Biergarten nach stundenlangem Brüten seinem gegenüber sitzenden Theater-Konkurrenten ein Salzfaß an den Kopf schmeißt; Brecht in Lederjacken, «in denen er mit vogelzarten Knochen fast verschwand»; Brecht, der ihr das Deklamieren erklärt:

> Und er stand auf und machte einen Schritt, wie auf der Bühne, wenn er mir vorsagte: «Wer will unter die Soldaten, der muß haben ein Gewehr, das muß er mit Pulver laden

und mit einer Kugel *schwer.*» Und die Kugel rollte gleichsam in seiner Hand nach vorn, da sagte er nochmal «und mit einer Kugel *schwer*», daß ich merkte, worauf es ihm ankam.

Es ist eines der schönsten Porträts des genialen Ogers, den die Fleißer, obwohl sie schwer unter ihm gelitten hatte, im Alter mit Milde und Wärme beschreibt. Eine Frage des Charakters; eine Frage des Stils.

Anna Seghers. Transit und Siebtes Kreuz

Auch sie verband eine jahrzehntelange, enge Freundschaft mit Brecht, allerdings war sie keines seiner Opfer, sie war ihm am Ende an Status sogar überlegen. 1900 als Netty Reiling geboren, in jüdischer Tradition erzogen – ihre Mutter Hedwig wurde 1943 deportiert und im Ghetto Piaski bei Lublin ermordet –, wurde Anna Seghers, wie sie sich seit ihrem Debut-Roman *Aufstand der Fischer von St. Barbara* nannte, für ebendiesen auf Vorschlag Hans Henny Jahnns schon 1928 mit dem renommierten Kleist-Preis bedacht.

Nach Bücherverbrennung und kurzer Verhaftung durch die Gestapo, nach Zickzack-Flucht unter tausend Gefahren und langem Exil kehrt sie 1947 mit ihrem Mann aus Mexiko (wo sie einen Heinrich-Heine-Klub gegründet hatte) nach Berlin zurück und zieht 1950 nach Ost-Berlin. Dort wird sie sämtliche Ehrentreppen hochgeleitet, wenn sie sie nicht selbst erklimmt: Nationalpreis der DDR, Präsidentin des Schriftstellerverbandes, Ehrenbürgerin von Ost-Berlin, zum Tod im Jahr 1983 ein Staatsakt in der Akademie der Künste. Sie war die große Dame der DDR. Anna Seghers schreibt in den sechziger Jahren vorbildlichen Sozialistischen Realismus und bleibt vorbildlich wortkarg, wenn es um den Ausschluß und die Drangsalierung unliebsamer Autoren geht. Eine angepaßte und politisch unbelehrbare Staatsschriftstellerin, wie man es sich rufschädigender nicht denken könnte? Vielleicht, aber doch eine große Autorin.

Zu Recht berühmt ist *Das siebte Kreuz*, ein Klassiker ohne Fehl und Tadel und feiner gesponnen, als das Sujet es vermuten läßt. Aber nicht weniger ruhmeswürdig ist ihr 1944 veröffentlichter, ihre Frankreich- und Exilerfahrung verarbeitender Roman *Transit*. Was dort als erstes auffällt, neben der klaren, leicht schwebenden und schönen, geheimnisdurchpulsten Prosa, ist eine erzähltechnische Besonderheit. Genauer gesagt, ist es eine erzähltechnische Fehlkonstruktion. Und was als zweites auffällt: Sie stört nicht, man vergißt sie.

Die vorgestellte Erzählsituation in *Transit* ist keine Sekunde lang glaubwürdig. Vorgeblich ist der komplexe und fein durchgearbeitete Roman von Anfang bis Ende die mündliche Erzählung des Helden. Dieser Held berichtet in Marseille einem Unbekannten, den er in seinem Stammbistro zu Rosé und Pizza einlädt, sein Leben. Von der ersten Seite bis zur letzten. Realistisch gesprochen hätte das Lokal, in dem sie sitzen, dreimal den Besitzer gewechselt, bis der Erzähler mit seinem Vortrag ans Ende gelangt wäre, und ein Weinberg hätte nicht genügt für den dafür benötigten Rosé. Aus irgendeinem Grund hat Anna Seghers sich nicht daran gestört, daß sie genau denselben Roman hätte schreiben können, ohne ihren Erzähler in eine solche, wie man in der Politik sagt, Glaubwürdigkeitsfalle zu locken. Ihr Erzähler hätte einfach zu Beginn seiner Erinnerungen erklären können, daß er sich Klarheit verschaffen wolle über sein verworrenes Leben. Und der Rest genauso wie gehabt. Aber nein, Seghers wollte einen mündlichen Bericht und eine dialogische Situation, wobei der unbekannte Zuhörer kein einziges Mal selbst zu Wort kommt und auch später nie wieder erwähnt wird.

Und das Beste ist: Ihr Trick funktioniert. Man wird genau durch dieses Entrée hineingelockt in ihr Gebäude, und wenn man erst einmal drin ist, stört man sich nicht mehr an den zwielichtigen narrativen Umständen. Das mag auch daran liegen, daß der Erzähler selbst merkwürdig irreal wird, bei aller Detailwahrhaftigkeit des Berichteten. Die Umstände der Flucht, des Verstecks im Exil, der dringend benötigten Visa und der tragischen Verwicklungen sind kompliziert, vor allem aber sind sie gefährlich. Und unser Held: Er fürchtet sich nie, er ist angesichts der Umstände fast überirdisch gelassen, er führt uns sein Leben wie eine große Kuriosität vor, wie einen luziden Traum, in dem ihm im Grunde nichts passieren kann. Er ist wie einer der Seher oder *Precogs* in Spielbergs *Minority Report.* In der Lage, in der er steckt, ist das durch nichts gedeckt, es ist eine Setzung Anna Seghers'. Und diese Setzung löst schließlich auch den Erzähler aus der Glaubwürdigkeitsfalle: Wenn alles ein luzider Traum ist, kann er auch sein Leben einem Unbekannten vorträumen.

Im *Siebten Kreuz* verwendet Anna Seghers einen anderen Erzähltrick. 1937 fliehen sieben Häftlinge aus dem Konzentrationslager Westhofen (nach dem Vorbild Osthofen bei Worms). Der Kommandant läßt sieben Bäume kappen und an den Stämmen je einen Querbalken anbringen. Es sind die sieben Kreuze für die innerhalb einer Woche zurückzubringenden Geflohenen. Wie wir Leser schon auf der ersten Seite erfahren, wird der Held überleben. Georg Heisler, der siebte der geflohenen Flüchtlinge, wird entkommen. Und alle enorme Spannung der Rück- und Nacherzählung entsteht aus der Frage nicht des Ob, sondern des Wie.

Anna Seghers' Plot ist ein dichtes Netz, durch das kein Motiv-Fischchen schlüpft, sie vergißt schlechterdings nichts. Seghers ist diskret in allen kruden Details, Häftlinge werden zu Tode geprügelt oder gefoltert, aber das deutet sie nur an und überläßt das Procedere der Phantasie des Lesers; wohl deshalb auch der Welterfolg.

Der *Roman aus Hitlerdeutschland*, der im letzten Drittel ganz leicht zur frommen Kommunistenlegende wird, spielt zeitlich vor den Moskauer Schauprozessen, wurde aber nach ihnen geschrieben; sein Gegenbuch ist Koestlers *Sonnenfinsternis*. Bei Seghers sind alle im Versteckten agierenden Kommunisten selbstlos, mutig und die besseren Menschen.

Stilistisch ist Seghers in ihrem bekanntesten Roman auf den ersten Blick unauffällig und klar. Es gibt keine imitierbaren Manierismen, keine Floskel, keine Formel, die Sprache ist straff und detailgenau, alles ist gesehen, gerochen, gehört, nichts bloß behauptet; ganz leicht regional rheinhessisch tingiert (Seghers wurde in Mainz geboren). Vielleicht verkörpert Anna Seghers das Ideal des Nicht-Stils, wie Döblin ihn forderte?

Auch in der Metaphorik ist Seghers wohldosiert. «Wozu denken, wenn es zu nichts mehr führt? Nur sein Herz klopfte, als ob es herausgelassen zu werden wünschte aus seiner unwirtlichen Wohnung.» Ein fast romantisches Bild, auch in den wohlklingenden *W*-Assonanzen. «Wer eben noch Schadenfreude in seinem Gesicht gehabt hatte, zog sie in sich hinein wie eine verbotene Flagge.» Hier ist die frappante Wahl des Bilds ein Reflex der Zeit, der Straßenkämpfe und des Siegs der Diktatur.

Groß und subtil ist Seghers als Psychologin. In der folgenden Szene versetzt sie sich in den alten Bauern Binder, der im Sprechzimmer des jüdischen Arztes Löwenstein zufällig Zeuge wird, wie der im ganzen Land gesuchte Flüchtling Heisler sich seine verletzte Hand behandeln läßt. Binder erkennt ihn nicht, erinnert sich aber tags darauf daran, als die Fahndung durchs Radio geht. Binders inkurables Leiden hat auch Dr. Löwenstein nicht mildern können, das vergrößert seinen Eifer und Grimm. Aber seine Motive, zeigt uns Seghers, sind verflochtener.

> Binder, der alte Bauer aus Löwensteins Sprechstunde, hatte gerade die Frau anbrüllen wollen, das Radio abzustellen. Seit er aus Mainz gekommen war, wälzte er sich auf seinem wachstuchüberzogenen Sofa – kränker als vorher, glaubte er. Da horchte er auf mit offenem Maul. Leben und Tod vergaß er, die sich in ihm balgten. Er brüllte die Frau an, ihm rascher in Rock und Schuhe zu helfen. Er ließ den Wagen des Sohnes ankurbeln. Wollte er sich an dem Arzt rächen, der ihm doch nicht helfen konnte, an dem Patienten, der mit verbundener Hand gestern ruhig seines Wegs gegangen war, wo ihm doch, wie sich eben herausgestellt hatte, gleichfalls der Tod gebührte? Oder glaubte er einfach, durch ein solches Gebaren sich mit den Lebenden gründlicher zu vermischen?

Daß sich Leben und Tod in Herrn Binder «balgen», ebenso wie seine Vorstellung, sich als Moribunder mit den Lebenden gründlicher zu vermischen, indem er dem andern Todgeweihten den letzten Tritt gibt, das sind die Formulierungen, durch die sich Seghers' Prosa die entscheidenden Millimeter über den planen Realismus erhebt. Sie benutzt einfache Wörter, aber sagt komplizierte Dinge, wie Schopenhauer es gefordert hatte.

Am beeindruckendsten ist, wie sie sich Zeit läßt für abseits Gelegenes und unfunktionale Details. Anna Seghers schreibt 1938 im Exil in Südfrankreich unter Umständen, unter denen andere nur zusammengekauert verstummt wären. *Das siebte Kreuz* ist ein Buch mit Botschaft – geschenkt. Aber die Kühnheit, in einer Telegramm-Situation gelassen episch auszufasern, mit lang geschilderten Landschaften, mit Nebenfiguren wie einem Schafshirten, dessen Befindlichkeiten *nichts* beitragen zur heroischen Flucht des KZ-Häftlings und aufrechten Kommunisten – genau darin liegt die literarische Qualität. Hier fallen Stil und Seelenstärke untrennbar in eins.

Christine Lavant: O ich spüre was Erlösung ist

Ihre Krankengeschichte ist ein Katalog des Grauens. Die Kärntner Dichterin Christine Lavant, 1915 als neuntes Kind einer armen Bergmannsfamilie geboren, wurde schon als Säugling von den Ärzten aufgegeben. Das skrofulöse Kind wurde im Dorf gehänselt, es kam Tuberkulose hinzu, wieder wurde sie fast schon aufgegeben. Eine schwere Röntgenbestrahlung rettete sie, aber verbrannte ihr Brust und Gesicht so stark, daß sie zur Verhüllung immer ein Kopftuch trug. Depressionen begleiteten die nicht nachlassenden körperlichen Foltern. 1935 läßt Lavant sich nach einem Suizid-Versuch in die Nervenheilanstalt einweisen (die dort entstandenen *Aufzeichnungen aus dem Irrenhaus* werden erst nach ihrem Tod veröffentlicht). Unter den neuen Herrschern in Österreich muß sie fürchten, dem Euthanasie-Programm zum Opfer zu fallen. Der Mann, den sie 1939 nach dem Tod der Eltern heiratet, ist sechsunddreißig Jahre älter als sie und genauso mittellos; sie ernährt ihn durch Stricken. Sie leben bis zu seinem Tod 1964 in einer Einzimmerwohnung.

Kurz nach dem Krieg wird ihr eines Tages ein Rilke-Band aufgedrängt, *Das Stunden-Buch*. Lavant, schon früh besessene Leserin und Quartalsdichterin, beginnt wie rauschhaft zu schreiben. Von 1946 bis 1960 trotzt sie ihren chronischen Leiden ein Werk ab, das schon als Lebensleistung ans Wundersame grenzt – weit mehr als 3000 Seiten Prosa und Gedichte. Man wird auf sie aufmerksam, sie wird gefördert und geehrt, den Trakl-Preis bekommt sie gleich zweimal; ihr einziger Trost im immer finsterer werdenden Schmerzenstal, das sie 1973, keine sechzig Jahre alt und schon lang wieder verstummt, als berühmte Dichterin verläßt. Auf sie, die Dichterin, wollen wir uns hier beschränken, obwohl ihre Prosa genauso viel Beachtung verdient.

Am Rad der Verzweiflung
schöpfe ich bleischwere Luft
und vergeude sie fluchend.

Ein Vogel fliegt trächtig zum Morgenstern
in mir singt Erschöpfung

Empfänden Engel so hohe Angst
wie Wölfe würden sie heulen.

Niemand hört wie mein neues Geschick
an meiner Gurgel das Beil wetzt.

Auf geht die Sonne das Martergestirn
O Rad zerquetsch mir die Stirne!

Die wichtigsten Motive ihres von beständiger Angst, Atemnot und Schlaflosigkeit bestimmten Lebens sind hier in Bilder gefaßt. Engel, die wie Wölfe heulen – ein typischer Lavant-Fund. Ein gewisser Leidensstolz schwingt mit, wenn selbst die gottgesandten Engel zu Tieren würden, hätten sie das auszuhalten, was Lavant aushält. Daß der Vogel «trächtig» ist, reflektiert ihren großen Lebensschmerz, den unerfüllten Kinderwunsch.

Unverdient wärmst du mich Sonne.
Ich hab meine Seele nicht abgezählt
aus meinem Leben ging kein Kind hervor
und von Diebstahl lebt meine Lunge.

Von solchen Qualgedichten gibt es Hunderte. Das Erstaunlichste aber kam erst 2017 ans Licht. Der Wallstein Verlag publizierte einen Band mit unbekannter Lyrik aus Lavants Nachlaß. Was sich dort offenbarte, war spektakulär. Lavant, der der Leib mehr Bürde war als Lust, wie man sagen könnte und dabei noch grausam untertriebe – Christine Lavant war die Verfasserin glühender erotischer Gedichte. Sie sind an ihren Geliebten gerichtet, den verheirateten Maler Werner Berg, der sie auch porträtierte und tiefe seelisch-künstlerische Verwandtschaft mit ihr empfand.

Mit der sanften Hostie des Monds
bin ich Sünderin nicht abzuspeisen,
nimmer loszusprechen von der Mittagsglut
dieser Formel zwischen Gott und Tier.

Ungereinigt steig ich aus der Flut
die des Schlafes Gnade mir bereitet.
Sakramente? – O ich kenn nur eins:
wach zu werden unter deinem Leib.

Das ist Losspruch, Speisung und das Meer
frömmster Gnade, Heil für Leib und Seele.
O ich spüre was Erlösung ist
wenn dein Blut in meinem sich erlöst.

Auffallend an dem Gedicht ist die christliche Begrifflichkeit. Ist diese Liebeslyrik religiös? Ja, weil das Hadern mit Gott den Glauben an ihn voraussetzt. Der Heide wird nicht blasphemisch; Christine Lavant durchaus. Manche ihrer Gedichte sind ketzerisch, man nannte sie «Lästergebete». In dem folgenden spricht sie den Herrgott mit «He?» an und redet ihm ins Gewissen. Der Ton ist salopp und unfeierlich. Lavant ist, anders als ihr Vorbild Rilke, nie prätentiös, manche Zeilen könnten von Gernhardt sein. Sie variiert volkstümliche Redensarten und endet mit dem starken Bild des Teufel-Fütterns:

Solchen gibt man für Zärtlichkeit Saures,
zeigt ihnen was eine Harke ist
und fährt gelegentlich Schlitten
mit ihren aufbrennenden Herzen.

Ist dies ganz gerecht Herrgott, Vater, he?
Denk nach darüber, denk urgründlich nach! [...]

Wann, glaubst du, schlägt ein verzweifeltes Kind
zum ersten Mal wohl seine Fingernägel
In jedes Gebet, das den Schutzengel preist
Und füttert damit alle Teufel?

Das «*ur*gründlich» verrät die Kärntnerin. In den frühen Veröffentlichungen in katholischen Verlagen wurde Lavant noch ganz ins christliche Licht gerückt. Das gelang nur durch Zensur, ihre andere Seite wurde dabei unterdrückt. «Für Geschöpfe meiner Art», schreibt sie einem Förderer – und sie meint damit: für Krüppel wie sie –, «ist es sehr weit bis zum Herzen Gottes.» Christine Lavant, zunehmend mystisch interessiert, rebelliert gegen Gott mit ihrer Feier des Eros. «Wach zu werden unter deinem Leib» – das ist das wahre Sakrament. Sibylle Lewitscharoff sagt von ihr, Lavant wirke auf sie, als randaliere ein Tiger im katholischen Gehäus. Manchmal fordert sie Gott geradezu heraus und verhöhnt ihn, als hoffe sie, ein strafender Blitzschlag könne ihrem Leiden ein Ende bereiten; wozu sie selbst, sooft sie's erwog, den Mut nie fand. Manchmal verschmilzt die Gottesliebe mit der körperlichen in panerotischer *unio mystica*.

Es ist etwas Wildes in ihr, etwas ganz Freies und Kühnes, viel Komisches auch, wie zu Recht Monika Rinck bemerkt. Sie ist fern von protestantischer Leidenslust, fern auch von beschönigender Sublimierung. Dazu gehört, daß Lavant keineswegs an die Kunst glaubt, nichts ist ihr mehr zuwider als Kunstreligion. «Kunst wie meine ist nur verstümmeltes Leben.» Sie *muß* schreiben, wenn sie kann, es ist ihre Wunde und die Salbe zugleich, aber der höhere Sinn? Da ist sie von Rilke wieder ganz entfernt. Die Kunst ist ihr etwas Luziferisches; worin sich freilich noch das Licht verbirgt.

«Im Buch der Natur lesen» ist ein Topos der Umschreibung für die Freuden des Sexus. Ein Buch, auf dem ihre Hand liegt, ist das Thema des folgenden an ihren Geliebten gerichteten Gedichts. Er wird es genauer verstanden und zu lesen gewußt haben als wir, die wir nur raten müssen. Denn es ist *sehr* rätselhaft.

Die Nacht ist halb vorbei und auf dem Buch
darin die Liebe nackt wie Notdurft stand
liegt meine magre dir bekannte Hand
und denkt an dich und ändert so den Fluch
des groben Vorgangs in was Zartes um.
Vielleicht ist diese Hand verstockt und dumm
weil sie behauptet dass du mehr noch bist
als bloß ein Leib mit Leibestrieb begabt?
Ihr Zittern das am Rand des Buches schabt
sieht sich so an wie eine liebe List.

Ich aber will nicht übertölpelt sein
nicht von dem Buch nicht von den Fingern hier
ich dulde gar nichts zwischen dir und mir
und gehe mutig in das Los hinein
uns beide anzusehn so wie wir sind
denn niemals soll mich meine Liebe blind
in deines Schauens klaren Umriss tun!
Wir beide wissen: Ja zu Ja klingt gut
dazu gehören Seele, Fleisch und Blut
und dann gerät das Ineinanderruhn.

So hat das Buch mir dennoch nichts vergällt
und meine Hand die langsam niederfällt
lässt alle List um das Erinnern los
wie traut sie einschlief über deinem Schoß.

Sehr schön und geheimnisvoll. Offenbar denkt das lyrische Lavant-Ich darüber nach, wach liegend mitten in der Nacht, wie es sich mit dem gelingenden Ineinanderruhen verhält. Ihre zitternde Hand, genauer gesagt, denkt darüber nach – sie erinnert sich daran, was sie, die magere ihm bekannte Hand, mit seinem Schoß getan hat, bevor sie über diesem Schoß einschlief. Ein Vorgang, der etwas Grobes hätte, wenn man ihn grob und uncodiert beschriebe. Eine Grobheit, dem bloßen Leibestrieb geschuldet, den sie, die Hand, das reflektierende Ich, in etwas Zartes umdeutet. Ist diese Umdeutung eines Fluches, der Fleischesgier, nur eine List, nur freundlicher Selbstbetrug? Im Lauf des Gedichts verlieren die Hand und ihre Trägerin die Scham und bekennen sich zu ihrem Im-Buch-der-Natur-Blättern.

Das nichtmetaphorische Buch, in dem das lyrische Lavant-Ich liest, ist eines, darin die Liebe «nackt wie Notdurft stand». Lavant ist die Meisterin der Doppeldeutigkeit. Was immer da steht oder stand, im Buch oder im Bett, es hat etwas leicht Vergällendes. Was stünde auf seinem Titelblatt? Es ist nicht anzunehmen, daß Lavant die *Mutzenbacher* las. Vielleicht liest sie in ihrem Tagebuch, in dem sie sich nackt gemacht hat, wie man sagt, und dessen Offenherzigkeit sie jetzt frappiert? Oder sie blättert in einem der dicken Schulhefte, in die sie ihre Gedichte schrieb? Welches Buch es auch war, sie betrachtet dabei ihre auf und ab schabende Hand, die ihrem Geliebten aus der Fleischesnot half. Vielleicht schabt die Hand auch, weil sie eine Feder führt? Dann wäre das versteckte Thema der Sublimierungsvorgang der Poesie selbst, die Vermittlung zwischen dem rohen Akt und der sprachlichen Verdichtung.

Wie auch immer, entscheidend ist die Zeile «Ja zu Ja klingt gut». Christine Lavant weiß: Seele, Fleisch und Blut gehören dazu. Was sie will, was sie erstrebt, ist etwas Zartes, etwas Inniges, die mystische Vereinigung. Nichts soll die Liebenden trennen, keine Täuschung, keine Scheu, kein Tabu – *Ich dulde gar nichts zwischen dir und mir.*

Ein solches geschundenes Leben, und dann solche Gedichte. Wo immer man aufschlägt – unfaßbar. Und dabei haben wir von der Prosa noch gar nicht gesprochen.

Regina Ullmann. Die Landstraße

«Man stand tatsächlich unter dem Eindruck, ein neues Metall des Geistes auf die innere Waage gelegt zu bekommen, fast bestürzt mußte man mit neuen Gewichten antworten», schreibt Rilke 1919 nach einer der raren Lesungen Regina Ullmanns.

Ihr selbst schrieb Rilke, der sie früh entdeckt und bis zu seinem Tod gefördert hatte, er staune darüber, wie bei ihr überall das Vorläufige, wie im Gleichnis, auf das Endgültige hinweise. Und dabei sei der Gegenstand oft so gering, daß man ihn für stumm und einfältig halten möchte. «Sie schneiden ihm einen Mund ein, und er redet das Große.»

Die 1884 in St. Gallen geborene Regina Ullmann, die heute als eine der bedeutendsten Schweizer Autorinnen gilt, mußte nach dem frühen Tod des Vaters 1902 mit der Mutter nach München ziehen, wo sie zu schreiben begann. In dem Porträt, das Peter Hamm über sie schrieb, firmiert sie durchweg als die Zurückgebliebene. Sie war es schon als Kind, schwerfällig und in der Schule immer die letzte, und blieb es ihr Leben lang: weltfremd oder wie aus der Welt gefallen, himmlisch naiv, entweder stammelnd oder in Zungen redend, von einem inneren Glühen erfüllt, das ihr so unterschiedliche Bewunderer eintrug wie Wolfskehl, Musil, Hesse und Thomas Mann.

Die Malerin Lou Albert-Lasard beschreibt sie so: «Steif saß sie da, mit auf bäuerliche Art gefalteten Händen. Mit ihrem intensiven, visionären Blick der ungleichen Augen erinnerte sie an eine alte volkstümliche Holzskulptur. Sie schien eher zu prophetisieren, zu verdammen, wenn sie schwerfällig, fast stotternd von Dingen sprach, die weit entfernt waren von denjenigen, welche die gewöhnlichen Sterblichen beschäftigten.»

Ein ganz archaisches Original, Dichterin im streng Borchardtschen Sinn; mit der Gabe des zweiten Gesichts geschlagen und bald sich, Tochter jüdischer Eltern, im katholischen Glauben bergend; physisch auffällig durch eine Fehlstellung der Augen; immer wieder von schweren Depressionen und Krankheiten gepeinigt, mit genauer Not der Deportation entkommen – Ullmann war 1938 zufällig in Florenz und nicht in Wien, als die neuen Machthaber einzogen –, auch nach der Rückkehr nach St. Gallen, wo sie für zwanzig Jahre Unterkunft im Marienheim findet, materiell immer knapp an der Elendsgrenze (sie versuchte, vom Verkauf selbstgezeidelten Honigs und selbstgeflochtener Weidenkörbe zu leben) – Ullmanns Leben war gewiß kein Honigschlecken, sondern eher das Abnagen eines mageren bitteren Knochens.

Als Schriftstellerin war sie trotz oft stockender, von Schüben abhängiger Produktion zunehmend geachtet und geehrt. Ein Jahr vor ihrem Tod im Jahr 1961, inzwischen von der Tochter in Oberbayern gepflegt, erlebt sie noch das Erscheinen der zweibändigen Werkausgabe. Aber wer heute auch nur ihren Namen kennt, außerhalb der Schweiz, tut es wegen Peter Hamm.

Ullmanns erster Erzählband *Die Landstraße* erschien 1921 beim Insel Verlag, Rilkes Verlag, und war kein Verkaufserfolg. Dennoch wurde Ullmann bald in die Tradition Gotthelfs und Stifters gestellt. Ihre Welt ist die kleine, ländliche, nur der Weltinnenraum ist bedrohlich groß. Die Sujets klingen verdächtig kitschnah: «Die blinde Bäckersfrau oder der taubstumme Köhler, der bucklige Geigenbauer oder der beschränkte Schweinehirt, das kinosüchtige Wäschermädchen oder der verlassene alte Glasschleifer». Aber Kitsch verlangt nach glatter Sprache, und Ullmanns Sprache ist das Gegenteil, höchst eigenwillig, oft leicht halluzinatorisch, wie von Stimmen von Irgendwoher diktiert, nicht kalkuliert, nie abgewogen oder gemessen.

> Traum, Sang, Klang gingen durcheinander; wie die Leuchtkäfer verfolgten sie sich. Es war kein rechter Bestand. Das Singen und Fliegen und Tanzen war eben ein Beruf für Vögel, Blumen und Schmetterlinge, allenfalls auch für Leuchtkäfer, aber nicht für Menschen. Und gar nicht für solche, die das Leben schon satt hatte, ehe es sie begann ... Oh, diese Vorstadtkreatur! Es schrie etwas in mir. Vielleicht war es auch meine Müdigkeit.
> Der Nebel ging auf den Wiesen wie eine Herde ferner Schafe. Der Wind trieb sie vorwärts. Eine Stunde wandelte um die andere.

Jeder zweite dieser Sätze ist leicht schräg, leicht bizarr. «Nicht für solche, die das Leben schon satt hatte» ist kein Druckfehler von «satt hatte*n*». Es sind nicht die Menschen, die das Leben schon satt haben, das Verb steht im Singular: Das Leben hat die Menschen schon satt, ehe es, das Leben, sie begann. Der Wechsel des erwartbaren Plurals zum Singular reißt eine ganz neue Sicht auf, die Sicht auf die schöpfende – hochgestochen, *natura naturans* – nicht die geschaffene Natur.

Die Metaphern bei Ullmann schöpfen immer aus der Natur. «Es war eine Luft, daß er sie sogar auf seiner Hand sitzen fühlte wie einen Marienkäfer. Und ein Eichhorn und wieder ein anderes schaute mit seinen Wacholderbeeraugen den Menschen an, wie er so mitten auf der großen Fahrstraße ging.»

Der Mensch, der dort in der Erzählung *Von einem alten Wirtshausschild* auf der Fahrstraße vom Eichhörnchen beäugt wird, hat ein großes Ziel. Er ist auf Brautschau unterwegs. Höchst raffiniert, wie Ullmann, als wäre sie Thomas Mann, das Erotische mit dem Sakralen unterlegt. Der junge Mann zieht los, «ohne Stock und so, wie man zur Kirche geht», nachdem er sich am Brunnen gewaschen hat «wie zum jüngsten Tag». Was aber geschieht ihm auf seinem entschlossenen Weg zur Jungfer Braut? Er wird von Hirschen zu Tode getrampelt. Das sakrale Ziel ist nicht die Ehe, sondern der Tod. Liebe und Tod stecken wie bei Gottfried Keller oder im *Zauberberg* unter einer Decke.

> Wie oft sie den Schädel getroffen, wie oft sie Arme und Füße gestreift, ist nur zu ahnen. Einmal gemerkt in ihrem Hirschherzen, vergaßen sie ihn auch nicht mehr. Darin bewährt das Tier noch seine urhafte Wesenheit. Es beharrt. Mit seinen röhrenden Lauten drang es auf ihn ein. Es machte einen furchtbaren Kampf mit einem wehrlosen Menschen. Seine Geweihe trugen ihn. Über den Bach, über den Nebel hinaus. Es schien die Last gar nicht zu spüren. Und wortlos, wie diesen der Schrecken gemacht hatte, schien er auch ihn fühllos zugleich zu machen. Und der freudige Zorn des Tieres trug ein scheinbar Unbewegliches mit seiner wachsenden Kraft hinfort. Einer jagte dem andern ihn ab. Einer sprang vor dem andern her, mit der Beute auf dem breiten Geweih.

Hier sehen wir wieder eine charakteristische grammatische Umdeutung: Von den einzelnen Hirschen wird nicht im Plural erzählt, sondern im Singular: *Es*, das Tier, macht einen furchtbaren

Kampf mit dem Menschen. «Es» tötet in freudigem Zorn. «Es» sind archaische Einheiten in archaischen Kämpfen.

> Die röhrenden Laute waren verstummt. Die Tiere schienen nur noch Freude zu sein, leerer Triumph.
> Aber so geht manche Nacht über einen Sterbenden und Toten.
> Der Himmel öffnete sich wieder mit einem leisen, roten Strich. Hunde brachten die erste Spur des Toten. Sie zogen, sie wedelten den alten Hirten und die Knaben herbei. Die Pferde berochen das Schlachtfeld. Ein Schmetterling setzte sich auf die Brust des Leichnams.

Starke Prosa, wie man schwer leugnen kann – nicht nur wegen des leisen, roten Himmelsstrichs. Eine letzte Probe:

> Denn so schwer das Leben ist, schwer mit dem Menschen und seiner Last, die er zu tragen hat hierhin und dorthin, und mit der kotig schweren Erde, die ihm an den groben Schuhen haftet; wenn das Leben auch schwer ist, auf eine unsichtbare Weise, auf eine geheime, ist es dennoch in einem Taumel. Dies Leben hat wahrhaftig noch irgendwo eine Tanzbodenmusik, der wir nur noch nicht genau auf die Spur gekommen sind.

Bei Robert Walser, mit dem Regina Ullmann früh verglichen wurde, einem anderen großen Schweizer Autor, hört man auch diese geheime Tanzbodenmusik. Das archaische Sterben und Wüten spart er aus.

Robert Walser. Der Gehülfe

Er starb diskret im Schnee, am ersten Weihnachtsfeiertag 1956, unweit der Heilanstalt Herisau, in die er 1933 eingewiesen wurde und die er auch dann nicht mehr verließ, als er keine Stimmen mehr hörte und keine Halluzinationen mehr hatte. Man vergißt es nicht, das Bild des von einer Herzattacke gefällten, im Schnee ausgestreckten Dichters, dessen Hut einen halben Meter hinter ihm liegt. Ein bescheidener, stiller Tod, wie er zu Walser paßte, der sich seit seiner Einweisung ins Schweigen zurückgezogen und nichts mehr veröffentlicht hatte.

Davor war er, seit 1907 sein erster Roman *Geschwister Tanner* erschien, schon bald als Autor anerkannt. Musil und Hesse, Kafka und Tucholsky hatten ihn gerühmt. Und bis heute ist es nicht anders: Nicht nur der Namensbruder Martin, kaum ein Autor von Rang und Namen, der nicht für den zarten, scheuen und halbverrückten Robert Walser schwärmt. Muß man ja auch, was den Menschen betrifft. Aber als Stilist?

Man sollte sparsam sein mit dem Wort, aber was der junge Robert Walser 1907 in Erinnerung an sein Jahr am Zürichsee in angeblich nur drei Wochen schrieb, verrät Genie. Was erzählt er uns? Ein halbes Jahr im Leben des Joseph Marti, der als Gehilfe bei einem erfolglosen Ingenieur und Erfinder angeheuert wird und dessen schleichenden Bankrott miterlebt. Die Handlung ist ganz unerheblich, aber die Sprache!

Wenn man einen großen Stilisten wie Robert Walser zum ersten Mal aufmerksam liest, ist es ein besonderes Erlebnis: Er schafft es in jedem Satz, uns zu überraschen. Man kommt nicht auf seine Masche, weil er keine hat. Es ist ein festliches Gefühl, wenn einem in ununterbrochenem Strom kleine Preziosen zukullern und man immerzu mit dem Bleistift markieren möchte, was so kurios oder gewagt oder abgefeimt komisch ist.

Das Schöne bei Walser ist immer leicht schräg: «Der Rauch des Dampfschiffes flog nach hinten und wurde von der Luft eingesogen. Die Berge am andern Ufer waren in dem Dunst, den der vollendet schöne Tag über den See verbreitete, kaum zu sehen. Sie schienen aus Seide gewoben zu sein.»

Soweit ist es noch hübsch und konventionell. Und dann wird es unmerklich schräg:

> Ja, die ganze runde Aussicht war blau, selbst das nahe Grün und das Rot der Dächer sahen sich bläulich an. Man hörte ein einziges Gesumme, wie wenn die ganze Luft, der ganze durchsichtige Raum leise gesungen hätten. Auch das Summen und Surren hörte und sah sich blau an, beinahe!

Wohlgemerkt, nur beinahe blau! Walser ist ein vorsichtiger Autor, kein Großsprecher oder wüster Übertreiber. Das Schwimmen im See:

> Einmal kam er einem kleinen Boot nahe, ein einzelner Mann saß drin, ein Fischer, der friedlich den Sonntag verangelte und verschaukelte. Welche Weichheit, welche schimmernde Helle. Und mit den nackten empfindungsvollen Armen macht man Schnitte in dieses nasse, saubere, gütige Element. Jeder Stoß mit den Beinen bringt einen ein Stück vorwärts in diesem schönen, tiefen Nassen. Von unten her wird man von warmen und kühlen Strömen gehoben. Den Kopf taucht man, um den Übermut in der Brust zu bewässern, auf kurze Zeit, den Atem und den Mund und die Augen zudrückend, hinab, um am ganzen Leib dieses Entzückende zu spüren. Schwimmend möchte man schreien, oder nur rufen, oder nur lachen, oder nur etwas sagen, und man tut's auch. […] Man plätschert mit den Händen und Füßen,

> steht im Wasser schwebend und trapezturnend, möchte man sagen, aufrecht, immer dazu die Arme bewegend. Und es gibt da kein Untersinken. Nun preßt man noch einmal die Augen geschlossen in das flüssige, grüne, feste Unergründliche hinab und schwimmt an Land.

Immer wieder drei Adjektive, jedes für sich unauffällig, aber kostbar in der Kombination. Robert Walser ist der Poet des Wassers, sein Übermut in diesem Element kennt keine Grenzen. Immer noch im Boot meditiert Joseph:

> Steige, hebe dich, Tiefe! Ja, sie steigt aus der Wasserfläche singend empor und macht einen neuen, großen See aus dem Raum zwischen Himmel und See. Sie hat keine Gestalt, und dafür, was sie darstellt, gibt es kein Auge. Auch singt sie, aber in Tönen, die kein Ohr zu hören vermag. Sie streckt ihre feuchten, langen Hände aus, aber es gibt keine Hand, die ihr die Hand zu reichen vermöchte. Zu beiden Seiten des nächtlichen Schiffes sträubt sie sich hoch empor, aber kein irgendwie vorhandenes Wissen weiß das. Kein Auge sieht in das Auge der Tiefe. Das Wasser verliert sich, der gläserne Abgrund tut sich auf, und das Schiff scheint jetzt unter dem Wasser ruhig und musizierend und sicher fortzuschwimmen. –

Und schon kippt der Erzähler den poetischen Nachen ins Komische und fährt fort: «Es muß zugegeben werden, daß Joseph sich ein wenig zu sehr seinen Einbildungen überlassen hatte.»

Robert Walser ist immer evokativ und manchmal am Rand des Durchgeknallten. Burleske Szenen kann er auch. Josephs Büro-Vorgänger, der Quartalsäufer Wirsich, treibt es wieder einmal zu bunt und wird vom Chef mit einem Hagel von Stockschlägen bedacht.

> [Da] erhob sich Wirsich auf allen Vieren, um aus dem Garten zu rutschen. Einige Male fiel die Gestalt des Säufers, vom Mond beleuchtet, so daß die Obenstehenden jede seiner ungeheuerlichen Bewegungen verfolgen konnten, wieder an die Erde, stand wieder auf und warf sich endlich, einem plumpen Bären ähnlich, vollends zum Garten an die Landstraße hinaus, worauf sie sich gänzlich verlor.

Was diese Szene so eindrücklich macht, ist der vom Mond beschienene plumpe Bär.

Walsers Kunst des Beiworts wurde erwähnt. «Joseph hatte das eben Vorgefallene, das Wüste, nicht vergessen, er trug es beschämt mit sich, aber es hatte sich in etwas Unbekümmert-Leidvolles, in etwas Ebenmäßig-Verhängnisvolles verwandelt.» Das jeweils zweite Beiwort steht leicht quer zum ersten, Unbekümmertheit und Leid scheinen sich nicht zu vertragen; aber genau dadurch erreicht Walser die gewünschte Gefühlspräzision.

Robert Walsers Stärke ist, daß ein Psychologe von Nietzschescher Schärfe in ihm steckt, worüber die anmutige, oft scheintäppische Oberfläche leicht hinwegtäuscht. Joseph Marti, der schüchterne, unbeholfene Gehülfe, hat, in veralteter Bildlichkeit, einen Röntgenblick. Seine Empfindlichkeit hat offenbar auch einen soziologischen Grund; man merkt dem Gehülfen wie seinem Erfinder die Erniedrigungen an, die der nicht gutbürgerlich Geborene zu schlucken hatte.

Der Psychologe über die Frau seines Chefs, die Frau Tobler: «Die Wohlhabenheit und Gutbürgerlichkeit demütigt gern, nein, vielleicht das nicht gerade, aber sie schaut doch ganz gern auf Gedemütigte hernieder, was eine Empfindung ist, der man eine gewisse Gutmütigkeit, aber auch eine gewisse Rohheit nicht absprechen kann.»

Marti entwirft ein umfassendes Psycho-Porträt dieser Frau Tobler, er entblättert sie seelisch, nicht ohne Sympathie und nicht ohne poetisch-humoristische Details:

> Nein, diese Frau hat keinerlei Farbensinn oder dergleichen, sie versteht nichts von den Gesetzen der Schönheit, aber gerade deshalb fühlt sie, was schön ist. Sie hat nie Zeit gehabt, ein Buch voller hoher Gedanken zu lesen, ja, sie hat noch kein einziges Mal auch nur daran gedacht, was hoch und was niedrig sei, aber der hohe Gedanke selber besucht sie jetzt, und das tiefere Gefühl selber, angezogen von ihrer Unwissenheit, netzt ihr mit dem nassen Flügel das Bewußtsein.

Denn das ist die zweite Stärke des Stilisten Robert Walser: Er ist, unter derselben scheintäppischen Oberfläche, ein großer Humorist. Überall summt ganz leicht Selbstironie mit. Wer die Menschen durchschaut, nimmt auch sich selbst nicht mehr übertrieben ernst; jedenfalls Walsers Gehülfe nicht.

Vergleichen wir den Walser-Ton einmal mit dem seines weltberühmten Prager Verehrers, der gerade den *Gehülfen* sehr genau gelesen hat.

> Zu Hause rief man ihm schon von Weitem entgegen, es warte ein Herr unten im Bureau auf K. Es war der Verwalter […], ein sonderbar verwilderter Herr, der aber, wie es schien, die demütigsten und sanftesten Manieren hatte. Die Herren begrüßten sich gegenseitig freundschaftlich, beinahe brüderlich, obschon ein bedeutender Altersunterschied sie trennte. Das gleichsam zerzauste und zerfetzte Gesicht des Verwalters ließ K. an längst überstandene Dinge denken. Eine armselige Schreibstube tauchte vor seinen inneren Augen auf, sich selber sah er dort an einem Pult sitzen, dann sah er den Herrn […] zur Tür eintreten, den Verwalter vom Platz aufstehen,

> wie er sich umguckte nach dem passenden Menschen, der diesem Herrn […] dienen konnte.

Ersetze K. durch Marti, und man ist wieder bei Walsers *Gehülfen*, aus dem das Zitat stammt. Warum konnte man die beiden verwechseln? Weil die stilistische Ähnlichkeit so unverkennbar ist.

Es ist vor allem ein besonderes Stilmerkmal Kafkas, das sich hier findet: Walser gibt auf engstem Raum Informationen, die sich widersprechen oder gegenseitig ins Schwanken bringen und dadurch etwas leicht Irreales erzeugen. Der Verwalter ist sowohl verwildert als auch demütig. Dazu kommt die Hyperbel; das Gesicht des Verwalters ist «gleichsam zerfetzt», ein viel zu starker Ausdruck für ein gefurchtes Altersgesicht.

Was Franz Kafka bei Walser übers Sprachliche hinaus angezogen haben dürfte, war die Atmosphäre des Asketisch-Bisexuellen. Der Gehülfe Joseph Marti schläft mit dem Trinker Wirsich in einem Bett; auf einem Silvesterspaziergang denkt er darüber nach, wie man sich, «wenn es halb erlaubt gewesen wäre, hätte küssen können». In der Gefängniszelle genießt er das «Schinkenklopfen», das ihm von einem attraktiven Mithäftling zuteil wird, der für Joseph von Anfang an «eine gewisse Zärtlichkeit» empfindet.

Bisexuell, weil der keusche Marti auch mit der von ihm seelisch entblätterten Frau des Chefs flirtet, deren Porträt zum Phänomenalsten des Romans zählt. Es ist wohl seit Emma Bovary das erste Mal, daß eine Mutter bekennt, ihr Kind zu hassen, und es beständig malträtiert. *Der Gehülfe* ist, von allen Stil-Meriten abgesehen, ein bedeutender Roman über Kindesleid und das, was später Schwarze Pädagogik heißen wird.

Malte, Krull und noch jemand

Wenn man sonst nichts von Kafka weiß, so weiß man doch eines: Er war lärmempfindlich.

> Elektrische Bahnen rasen läutend durch meine Stube. Automobile gehen über mich hin. Eine Tür fällt zu. Irgendwo klirrt eine Scheibe herunter, ich höre ihre großen Scherben lachen, die kleinen Splitter kichern. Dann plötzlich dumpfer, eingeschlossener Lärm von der anderen Seite, innen im Hause. Jemand steigt die Treppe.

Dieses Zitat allerdings ist nun nicht von Kafka, sondern von dem acht Jahre älteren, ebenfalls in Prag geborenen (und ebenfalls furchtbar jung an Tuberkulose sterbenden) Rainer Maria Rilke. In den *Aufzeichnungen des Malte Laurids Brigge,* seinem einzigen umfassenden Prosawerk – Rilke selbst nannte es nie einen Roman –, schlägt er Töne an, die sich von denen Kafkas oft kaum unterscheiden lassen, jedenfalls in der kurzen Probe nicht. Ab einer halben Seite erkennt man Kafka immer und unfehlbar als Kafka. Daß er mit Robert Walser und Rilke stilistische Schnittmengen bildet, ist immerhin bemerkenswert. Die gediegen-solenne Prosa des *Tod in Venedig*, der fast gleichzeitig mit dem *Malte Laurids Brigge* erschien, ließe solche Verwechslungen mit Rilke oder Kafka keinen Moment lang zu; so todestrunken sie beide sind, der *Malte* und die Venezianische Novelle.

Rilke schreibt im *Malte Laurids Brigge* vom Sterben des Großvaters, des alten Kammerherrn Brigge:

> Das lange, alte Herrenhaus war zu klein für diesen Tod, es schien, als müßte man Flügel anbauen, denn der Körper des Kammerherrn wurde immer größer, und er wollte fort-

während aus einem Raum in den anderen getragen sein und geriet in fürchterlichen Zorn, wenn der Tag noch nicht zu Ende war und es gab kein Zimmer mehr, in dem er nicht schon gelegen hatte. Dann ging es mit dem ganzen Zuge von Dienern, Jungfern und Hunden, die er immer um sich hatte, die Treppe hinauf und, unter Vorantritt des Haushofmeisters, in seiner hochseligen Mutter Sterbezimmer, das ganz in dem Zustande, in dem sie es vor dreiundzwanzig Jahren verlassen hatte, erhalten worden war und das sonst nie jemand betreten durfte. Jetzt brach die ganze Meute dort ein. Die Vorhänge wurden zurückgezogen, und das robuste Licht eines Sommernachmittags untersuchte alle die scheuen, erschrockenen Gegenstände und drehte sich ungeschickt um in den aufgerissenen Spiegeln.

Man unterschätzt bei Rilke oft, weil man ihn nur von den Elegien kennt, ein kaum nachweisbares, untergründiges Rieseln von Humor – wenn uns unsere Wünschelrute nicht trügt. Die «Meute», die im Sterbezimmer der Mutter einbricht, das erst robuste, dann ungeschickt sich in den Spiegeln umdrehende Nachmittagslicht, die erschrockenen Gegenstände, die genau so auch bei Nabokov stehen könnten – hätte ihr Schöpfer sie ohne Sinn für Komik aufgeführt? Und damit ist wohlkalkulierte und nicht etwa unfreiwillige Komik gemeint, über die man bei Rilke nicht reden darf, ohne die Fatwa der Jünger zu riskieren.

So, also hierher kommen die Leute, um zu leben, ich würde eher meinen, es stürbe sich hier. Ich bin ausgewesen. Ich habe gesehen: Hospitäler. Ich habe einen Menschen gesehen, welcher schwankte und umsank. Die Leute versammelten sich um ihn, das ersparte mir den Rest. Ich habe eine schwangere Frau gesehen. Sie schob sich schwer an einer hohen, warmen Mauer entlang, nach der sie manchmal tastete, wie um sich zu überzeugen, ob sie noch da sei. Ja, sie war noch da. Dahinter? Ich suchte auf meinem Plan: Maison d'Accouchement. Gut. Man wird sie entbinden – man kann das.

Man kann das – das weiß sogar der achtundzwanzigjährige kinderlose Erzähler, den es mittellos nach Paris verschlagen hat, wo er seine Neurasthenie und die Berufung zum Dichter pflegt. Schon die erste Seite des *Malte Laurids Brigge* hat diesen ganz merkwürdigen Ton, lakonisch, spätjuvenil abgeklärt, fast sarkastisch, dabei zugleich zerstreut und intensiv und immer knapp neben der Spur. Sehr schwer nachzumachen, ein echter eigener Prosastil.

Untergründige Komik, die nur durch das leicht danebenliegende Wort entsteht, zeigt sich bei Rilkes Prosa auch in der Metaphorik. In seinen Erinnerungen an Maltes Jugend, mit denen er die Pariser Momentaufnahmen unterlegt, schildert er einen Jungen am Tische des Großvaters:

«Seine Lippen waren schmal und fest geschlossen, seine Nasenflügel zitterten leise, und von seinen schönen dunkelbraunen Augen war nur das eine beweglich. Er blickte manchmal ruhig und traurig zu mir herüber, während das andere immer in dieselbe Ecke gerichtet blieb, als wäre es verkauft und käme nicht mehr in Betracht.»

Erzähle uns keiner, bei der Idee des verkauften Auges habe nicht ein Sinn für ruhige und traurige Komik mitgewirkt!

Wie anders und unkomisch im Ton der ebenfalls einem schönen Jungen huldigende *Tod in Venedig*. Thomas Manns Novelle erschien 1911, wie erwähnt nur wenige Monate nach den *Aufzeichnungen des Malte Laurids Brigge*. Dies der Beginn des antikisierenden vierten Kapitels:

> Nun lenkte Tag für Tag der Gott mit den hitzigen Wangen nackend sein gluthauchendes Viergespann durch die Räume des Himmels, und sein gelbes Gelock flatterte im zugleich ausstürmenden Ostwind. Weißlich seidiger Glanz lag auf den Weiten des träge wallenden Pontos. [...] Aber köstlich war auch der Abend, wenn die Pflanzen des Parks balsamisch dufteten, die Gestirne droben ihren Reigen schritten und das Murmeln des umnachteten Meeres, leise heraufdringend, die Seele besprach.

Es ist heiß in Venedig, soll das bedeuten, weil der Sonnengott viel unterwegs ist. Daß nicht nur das Meer, sondern auch der Stilist leicht umnachtet gewesen sein muß, als er sich diesem strengen Rausch und hexameterholden Hymnus ergab, wurde ihm später selber klar. Später hat sich Thomas Mann von diesem hohen Ton distanziert und behauptet, er sei schon immer parodistisch gemeint gewesen. War er das wirklich? Wir haben unsere Zweifel. Und wie könnte man es nachweisen? Am besten durch einen Vergleich mit dem unbestreitbar parodistisch gefärbten Ton des *Felix Krull*, Thomas Manns 1910 begonnenem und Fragment gebliebenen Roman, den fingierten Memoiren eines Hochstaplers.

> Indem ich die Feder ergreife, um in völliger Muße und Zurückgezogenheit – gesund übrigens, wenn auch müde, sehr müde (so daß ich wohl nur in kleinen Etappen und unter häufigem Ausruhen werde vorwärtsschreiten können), indem ich mich also anschicke, meine Geständnisse in der sauberen und gefälligen Handschrift, die mir eigen ist, dem geduldigen Papier anzuvertrauen, beschleicht mich das flüchtige Bedenken, ob ich diesem geistigen Unternehmen nach Vorbildung und Schule denn auch gewachsen bin. Allein, da alles, was ich mitzuteilen habe, sich aus meinen

> eigensten und unmittelbarsten Erfahrungen, Irrtümern und Leidenschaften zusammensetzt und ich also meinen Stoff vollkommen beherrsche, so könnte jener Zweifel höchstens den mir zu Gebote stehenden Takt und Anstand des Ausdrucks betreffen, und in diesen Dingen geben regelmäßige und wohlbeendete Studien nach meiner Meinung weit weniger den Ausschlag als natürliche Begabung und eine gute Kinderstube.

Der Unterschied zum *Tod in Venedig* springt ins Auge. Hier sind die Ironie-Signale nicht zu übersehen. Der Verfasser weiß, anders als seine Figur, daß ihr die Selbstverliebtheit nur allzu deutlich aus der sauberen und gefälligen Handschrift abzulesen ist; er weiß, daß das «geduldige» Papier ein Klischee ist und daß der Hochstapler auch im Wortschatz immer etwas zu weit nach oben greift; er weiß, daß bei Krulls mäanderndem Redefluß, einer Vorwegnahme der stockenden Suada Serenus Zeitbloms im *Doktor Faustus*, den klassischen Rhetor einige Zweifel beschlichen. Die Fallhöhe ist hier, anders als beim nackenden Sonnengott, kalkuliert.

Doch hören wir einen weiteren Memoirenschreiber, der trotz mangelnder Vorbildung seine Erfahrungen und Leidenschaften in völliger Muße und Zurückgezogenheit dem geduldigen Papier darlegt; ein Mangel, den er wie Krull durch natürliche Begabung mehr als ausgeglichen sieht.

> Daß ich mittellos und arm war, schien mir noch das am leichtesten zu Ertragende zu sein, aber schwerer war es, daß ich nun einmal zu den Namenlosen zählte, einer von den Millionen war, die der Zufall eben leben läßt oder aus dem Dasein wieder ruft, ohne daß auch nur die nächste Umwelt davon Kenntnis zu nehmen geruht. Dazu kam noch die Schwierigkeit, die sich aus meinem Mangel an Schulen er-

> geben mußte. Die sogenannte «Intelligenz» sieht ja ohnehin immer mit einer wahrhaft unendlichen Herablassung zu jedem herunter, der nicht durch die obligaten Schulen durchgezogen wurde und so das nötige Wissen sich einpumpen ließ. Die Frage lautet ja doch nie: was kann der Mensch, sondern was hat er gelernt? Diesen «Gebildeten» gilt dann der größte Hohlkopf, sofern er nur in genügend Zeugnisse eingewickelt ist, mehr als der hellste Junge, dem diese kostbaren Düten eben fehlen. Ich konnte mir also leicht vorstellen, wie mir diese «gebildete» Welt entgegentreten würde, und habe mich dabei auch nur insoferne getäuscht, als ich die Menschen damals doch noch für besser hielt, als sie leider zu einem großen Teile in der nüchternen Wirklichkeit sind. Freilich läßt dies aber dann, wie überall, die Ausnahmen um so heller erstrahlen. Ich lernte dadurch erst recht immer mehr entscheiden zwischen den ewigen «Schülern» und den wirklichen Könnern.
> Nach zweitägigem qualvollen Nachgrübeln und Überlegen kam ich endlich zur Überzeugung, den Schritt zu tun. Es war der entscheidendste Entschluß meines Lebens.

Das schreibt ein junger, ungefestigter und aufstrebender Mann, wie Malte Laurids Brigge oder Felix Krull. Auch bei ihm hat es zum wohlbeendeten Studium nicht gereicht, noch nicht einmal zum Realschul-Abschluß. Wie Felix Krull fühlt er sich im Grunde als Künstler und gerät mehrfach mit dem Gesetz in Konflikt; wie Krull kennt er das Zuchthaus von innen, ja er schreibt seine Memoiren in einem.

Anders als bei Malte oder Krull ist eines bei ihm offenkundig: Der Mann hadert. Allein die schnaubenden Anführungszeichen, mit denen er die «Intelligenz» und die «Gebildeten» bedenkt! Zu denen er gerne gehörte, die ihn aber mit unendlicher Herablassung strafen, so wie die nächste Umwelt, die im Falle seines Hinscheidens nicht Kenntnis von ihm zu nehmen «geruht» hätte – ein Umstand, den zu ändern er sich vornimmt und nach jenem Entschluß auch gewaltig ändern wird.

Der Schöpfer Felix Krulls hatte Anlaß, von ihm Kenntnis zu nehmen und sich mit ihm zu befassen, er wurde von ihm ins Exil getrieben. Daß er sich ihm sogar verglich und ihn einen Bruder nannte – ein «etwas unangenehmer und beschämender Bruder; er geht einem auf die Nerven, es ist eine reichlich peinliche Verwandtschaft» – beweist seinen moralischen Mut.

Thomas Manns 1938 entstandener Essay zählt zu den Ruhmesstücken der politischen Essayistik. Wie leicht, sich von der zu behandelnden trüben Figur zu distanzieren! Wieviel schwerer, die psychischen Schlünde und Gruften mit ihm hinabzusteigen. Mann scheut nicht einmal davor zurück, ihn ein Genie zu nennen: «Wenn Verrücktheit zusammen mit Besonnenheit Genie ist (und das *ist* eine Definition!), so ist der Mann ein Genie.» Was macht ihn zu einem wenn auch peinlichen Bruder?

> Künstlertum … Ich sprach von moralischer Kasteiung, aber muß man nicht, ob man will oder nicht, in dem Phänomen eine Erscheinungsform des Künstlertums wiedererkennen? Es ist, auf eine gewisse beschämende Weise, alles da: die ‹Schwierigkeit›, Faulheit und klägliche Undefinierbarkeit der Frühe, das Nichtunterzubringensein, das Was-willst-du-nun-eigentlich?, das halb blöde Hinvegetieren in tiefster sozialer und seelischer Boheme, das im Grunde hochmütige, im Grunde sich für zu gut haltende Abweisen jeder vernünftigen und ehrenwerten Tätigkeit – auf Grund wovon? Auf Grund einer dumpfen Ahnung, vorbehalten zu sein für etwas ganz Unbestimmbares, bei dessen Nennung, wenn es zu nennen wäre, die Menschen in Gelächter ausbrechen

> würden. Dazu das schlechte Gewissen, das Schuldgefühl, die Wut auf die Welt, der revolutionäre Instinkt, die unterbewußte Ansammlung explosiver Kompensationswünsche, das zäh arbeitende Bedürfnis, sich zu rechtfertigen, zu beweisen, der Drang zur Überwältigung, Unterwerfung, der Traum, eine in Angst, Liebe, Bewunderung, Scham vergehende Welt zu den Füßen des einst Verschmähten zu sehen ...!

Es ist der verhunzte Künstler, den Thomas Mann im andern erkennt, in einer Analyse, die ebenso den eigenen narzißtischen Anfängen gilt. Der Porträtierte steht zum Zeitpunkt dieser Durchleuchtung auf dem Höhepunkt seiner Macht; sieben Jahre später hätte Mann nicht mehr so über ihn schreiben können. Das Kernstück des kurzen Essays ist eine gewaltige Periode, nicht mehr als zwei Sätze, durch drei Pünktchen getrennt. Man muß sie vollständig zitieren, es ist der Passus aus dem Werk Thomas Manns, in dem sich alles, was er kann und weiß und spürt, zu einer Art kalt lodernder Flammenfackel ballt.

> Wie die Umstände es fügen, daß das unergründliche Ressentiment, die tief schwärende Rachsucht des Untauglichen, Unmöglichen, zehnfach Gescheiterten, des extrem faulen, zu keiner Arbeit fähigen Dauer-Asylisten und abgewiesenen Viertelskünstlers, des ganz und gar Schlechtweggekommenen sich mit den (viel weniger berechtigten) Minderwertigkeitsgefühlen eines geschlagenen Volkes verbindet, welches mit seiner Niederlage das Rechte nicht anzufangen weiß und nur auf die Wiederherstellung seiner ‹Ehre› sinnt; wie er, der nichts gelernt hat, aus vagem und störrischem Hochmut nie etwas hat lernen wollen, der auch rein technisch und physisch nichts kann, was Männer können, kein Pferd reiten, kein Automobil oder Flugzeug lenken, nicht ein-

mal ein Kind zeugen, das eine ausbildet, was not tut, um jene Verbindung herzustellen: eine unsäglich inferiore, aber massenwirksame Beredsamkeit, dies platt hysterisch und komödiantisch geartete Werkzeug, womit er in der Wunde des Volkes wühlt, es durch die Verkündigung seiner beleidigten Größe rührt, es mit Verheißungen betäubt und aus dem nationalen Gemütsleiden das Vehikel seiner Größe, seines Aufstiegs zu traumhaften Höhen, zu unumschränkter Macht, zu ungeheueren Genugtuungen und Über-Genugtuungen macht – zu solcher Glorie und schrecklichen Heiligkeit, daß jeder, der sich früher einmal bei dem Geringen, dem Unscheinbaren, dem Unerkannten versündigt, ein Kind des Todes, und zwar eines möglichst scheußlichen, erniedrigenden Todes, ein Kind der Hölle ist … Wie er aus dem nationalen Maß ins europäische wächst, dieselben Fiktionen, hysterischen Lügen und lähmenden Seelengriffe, die ihm zur internen Größe verhalfen, im weiteren Rahmen zu üben lernt; wie er im Ausbeuten der Mattigkeiten und kritischen Ängste des Erdteils, im Erpressen seiner Kriegsfurcht sich als Meister erweist, über die Köpfe der Regierungen hinweg die Völker zu agacieren und große Teile davon zu gewinnen, zu sich hinüberzuziehen weiß; wie das Glück sich ihm fügt, Mauern lautlos vor ihm niedersinken und der trübselige Nichtsnutz von einst, weil er – aus Vaterlandsliebe, soviel er weiß – die Politik erlernte, nun im Begriffe scheint, sich Europa, Gott weiß es, vielleicht die Welt zu unterwerfen: das alles ist durchaus einmalig, dem Maßstabe nach neu und eindrucksvoll; man kann unmöglich umhin, der Erscheinung eine gewisse angewiderte Bewunderung entgegenzubringen.

Nein, das schriebe ihm keiner so schnell nach, und man hätte nur gerne gesehen, wie es im Gesicht des Porträtierten, wäre ihm

Manns Pamphlet unter die Augen gekommen, gezuckt hätte. Besonders hübsch ist der Zusatz: aus Vaterlandsliebe, «soviel er weiß»; er bereitet Manns Conclusio vor, die ins nicht benannte Wien führt.

> Wie muß ein Mensch wie dieser die Analyse hassen! Ich habe den stillen Verdacht, daß die Wut, mit der er den Marsch auf eine gewisse Hauptstadt betrieb, im Grunde dem alten Analytiker galt, der dort seinen Sitz hatte, seinem wahren und eigentlichen Feinde, – dem Philosophen und Entlarver der Neurose, dem großen Ernüchterer, dem Bescheidwisser und Bescheidgeber selbst über das ‹Genie›.

Die letzte Vermutung ist historisch falsch, Freud entkam nach England, was höheren Ortes hätte verhindert werden können. Aber bleiben wir in Wien, wo nicht nur Sigmund Freud seinen Sitz hatte. In Wien, wo man den gewissen Kunstmaler in die Akademie hätte aufnehmen sollen, was der Welt viel Grauen erspart hätte.

Wien – für die deutschsprachige Literatur in alten Zeiten das Mekka, wohin man nicht pilgern muß, weil man dort eh schon im Kaffeehaus sitzt.

K. u. K.

Franz Werfel. Eine blaßblaue Frauenschrift

Österreich ist literarisch ein Unikum. Bei einem Zehntel der Bevölkerung Deutschlands hat es sehr viel mehr bedeutende Autoren hervorgebracht, als statistisch erlaubt wären. Ohne Österreich fehlten der Landschaft der Prosa die schönsten Seenplatten und Almhänge und Gipfelmassive. Das geheime Zentrum dieser Literatur aber ist die Stadt voll Staub und Wunden, wie Alfred Polgar sie beschrieben hat, das fidele Grab an der Donau, die gemütliche Katakombe Mitteleuropas, wo man nur an den Erschütterungen der Decke merke, daß noch Leben sei.

Franz Werfel lebte mit Alma Mahler in Wien, bevor es sie ins Exil nach Kalifornien trieb. Auch sein Roman *Eine blaßblaue Frauenschrift* spielt in Wien. Der Held, der aus kleinen Verhältnissen stammende Leonidas – sein heroischer Name ist das einzige, was ihm der Vater, ein Gymnasiallehrer, hinterlassen hat –, steigt durch Charme, durch reiche Heirat und eisernen Fleiß zum Sektionschef im Unterrichtsministerium auf. Gerade fünfzig geworden, wird er durch den Brief seiner jüdischen Jugendgeliebten Vera von seiner Vergangenheit eingeholt. Drei große Gespräche führt Leonidas im Lauf der Novelle, bei jedem reagiert er überraschend anders, als er es sich vorgenommen hat. Er ist ein schwacher, dabei nicht unsympathischer Charakter, der sich bei seinem steilen Aufstieg immer so fühlt, als sei er ein demnächst abstürzender Hochstapler. Nur durch Vera, die Liebe seines Lebens, weht ihn etwas an, das sein wahres Inneres berührt.

Das erste dieser Gespräche findet bei der Sitzung im Ministerrat statt, bei der Leonidas sich zum ersten Mal gegen den Komment auflehnt. Es geht um das Medizin-Ordinariat, das zu vergeben ist und von dem man den renommierten Herzspezialisten Alexander Bloch, der bald nur noch Abraham Bloch genannt wird, mit allerlei Ausflüchten fernzuhalten gedenkt. Man schreibt das Jahr 1937 und will den deutschen Nachbarn nicht reizen. Leonidas, der sich durch Veras Brief unversehens als Vater eines nichtarischen Sohnes fühlt, verteidigt Bloch und wehrt auch die Kompensationsvorschläge des Ministers ab, der sich gerne als schlichtes bäuerisches Gemüt tarnt – «Er zeigte seine schlechten Zähne und erklärte gutmütig: ‹No, no, ich habe das nur als ein einfacher Mensch gesagt, als ein Bauer …›»

Wie lange Leonidas die Opposition aufrechterhält und wie es weitergeht, muß man selber nachlesen, mit den zwei großen Beichtgesprächen, das eine mit Leonidas' Frau, das zweite mit Vera, beide mit den kühnsten Wendungen; sie alleine machen Werfels Novelle zu einer der Preziosen der österreichischen Literatur. Aber Werfel kann alles, den Monolog des Kabinettschefs über seinen Urlaub, wie wir gehört haben – «Ich bitte!» –, aber er kann auch Wetterbeschreibungen:

> Die Welt präsentierte sich heute als ein lauer Oktobertag, der in einer Art von launisch gezwungener Jugendlichkeit einem Apriltage glich. Über den Weinbergen der Bannmeile schob sich dickes hastiges Gewölk, schneeweiß und mit scharf gezeichneten Rändern. Wo der Himmel frei war, bot er ein nacktes, für diese Jahreszeit beinahe schamloses Frühlingsblau dar. Der Garten vor der Terrasse, der sich noch kaum verfärbt hatte, wahrte eine ledrig hartnäckige Sommerlichkeit. Kleine gassenbübische Winde sprangen mutwillig mit dem Laub um, das noch recht fest zu hängen schien.

Jedes Detail, jedes Beiwort bis zum «gassenbübischen» ist schön gefunden, schön gesehen und spiegelt die gute Laune des seine Geburtstagspost durchmusternden Leonidas. Aber noch am selben Tag wechseln das Wetter und die Stimmung des Beobachters, die umgeschlagen ist nach der Lektüre des Briefes in blaßblauer Frauenschrift.

> Der Himmel war überall zugewachsen und zeigte keine schamlos nackten Stellen mehr. Die Wolken eilten nicht länger dampfweiß und scharfgerändert, sondern lasteten

unbeweglich tief und hatten die Farbe schmutziger Möbelüberzüge. Eine Windstille wie aus dickem Flanell herrschte ringsum. […] Ein unnatürlich warmes, ein verschlagenes Wetter, das bei älteren Leuten die Angst vor einem plötzlichen Tode förderte. Es konnte sich zu allem entscheiden: zu Gewitter und Hagelschlag, zu griesgrämigem Landregen oder zu einem faulen Friedensschluß mit der Herbstsonne. Leonidas mißbilligte von ganzem Herzen diese Witterung, die den Atem bedrängte und auf seinen eigenen Gemütszustand zweideutig gemünzt schien.

Der faule Friedensschluß ist nicht nur mit der Herbstsonne möglich, wie man spätestens bemerkt, wenn man das Buch zugeschlagen hat. Leonidas hat ganz recht mit seinem Verdacht, die Witterung sei auf seinen Gemütszustand gemünzt. Der faule Friedensschluß ist das, was sein Leben am Ende bestimmen wird. Das Ende der Erzählung: Leonidas ist in der Oper eingeschlafen, aber er weiß im Schlaf, «daß heute ein Angebot zur Rettung an ihn ergangen ist, dunkel, halblaut, unbestimmt, wie alle Angebote dieser Art. Er weiß, daß er daran gescheitert ist. Er weiß, daß ein neues Angebot nicht wieder erfolgen wird.»

Werfel kann mehr, als man denkt, nicht nur gut Wetter machen, das steht nun einmal unzweideutig fest.

Alexander Lernet-Holenia. Der Baron Bagge

Kennt man den Autor noch? Alexander Lernet-Holenia, 1897 in Wien geboren – als illegitimer Sohn des Erzherzogs Karl Stephan, wie er glaubte –, 1976 ebendort gestorben, war zu seiner Zeit berühmt, eine Weile sogar österreichischer PEN-Präsident; heute ist er fast vergessen. Sein Talent hatte sich früh gezeigt, sein Freundeskreis war illuster. Seine ersten Gedichte wurden von Rilke gefördert, 1926 bekam er den Kleist-Preis, er schrieb ein erfolgreiches Stück mit Stefan Zweig *(Gelegenheit macht Liebe)*, er war Trauzeuge von Ödön von Horváth, er gab Leo Perutz' letztes Buch heraus, und er prüfte die militärischen Details des *Radetzkymarsch*.

Er war wohl, was man einen Vielschreiber nennt. Seine Freundin Hilde Spiel erinnert sich: «Er schrieb zumeist flink, leicht und wie unter einem Diktat, als hätte der Mensch, der da am Schreibtisch saß, mit ihm und seiner gesellschaftlichen Erscheinungsform nichts zu schaffen. Der unerklärte Begriff der Inspiration, hier war er am Platz.»

Nach Auffassung Hilde Spiels, die wir teilen, ist Lernets Meisterwerk die 1936 veröffentlichte, auch von Borges hochgeschätzte Novelle *Der Baron Bagge*. Ihre Pointe ist es, daß sich beim Leser erst ganz allmählich ein bestimmter Verdacht regt: daß es bei allem, was uns der schwerverletzte Held erzählt, nicht mit rechten, sondern mit ungeheuerlichen Dingen zugeht – aber wir wollen nichts zu früh verraten.

«Winter 1915. Der österreichische Baron Bagge reitet in den nördlichen Karpaten am Schluß einer Schwadron. Auf einer Brücke kommt es zum Gefecht, das die angreifenden Russen für sich entscheiden können. Doch die weiteren Geschehnisse nehmen einen unerwarteten Verlauf.» So kündigt der Buchrücken seinen Inhalt an. Und so liest sich das dann im Detail:

> Als ich auf die Straße trat, schneite es, und der Wind wehte. Ich tat noch etwa zwei Stunden Dienst, stolperte an der Ortslisiere herum und inspizierte die Posten. Man sah nicht zwei Schritte weit. Indessen wuchs auch der Wind weiter an, und als wir in der Dämmerung aufbrachen, war es schon ein veritabler, mit fliegendem Sand untermischter Schneesturm. Als die Schwadron sich sammelte, waren die Pferde

> und Reiter auf einer Seite sofort ganz verschneit. Das Tageslicht, weißlichblau und als käme es von überall und nirgends zugleich, ergoß sich über uns wie eine milchige Masse.

Nicht nur verschneit, das wäre ungenau: auf einer Seite! sofort! und ganz! verschneit. Das ist etwas anderes, das ist genau gesehen, und genau das ist Stil.

Lernet ist ein Meister der Anschaulichkeit in der Beschreibung. Der Befehl, der seiner Schwadron gegeben wurde, lautete, gegen die Karpaten aufklärend vorzudringen.

> Die Division sollte alsbald folgen. In der Tat wimmelte, als wir zu Pferde aufsaßen, die Ebene rings um Tokaj von den diversen Formationen der aus ihren Quartieren rückenden und sich sammelnden Regimenter. Die einzelnen Reiter sahen, auf Entfernung, aus wie kleine, nach rückwärts abfallende Dreiecke, und von den vielen roten Hosen schien das Schneefeld wie mit winzigen Bluttropfen übersprüht.

Das ist nicht nur als Vorausdeutung des späteren Gemetzels groß gefunden. Der folgende Satz weist auf die erwähnte Stärke Lernets hin, seinen Sinn für Akustik. Auf der Anhöhe in einer Kapelle schauen die Soldaten auf das Tal der Laborza:

> Wir sahen nicht die Spur von Menschen, weder Bauern noch Fuhrwerke oder Truppen, nicht einmal Rauch lag über den Dächern der Dörfer. Das Land lag reglos da, wie aus Eisen. Auch war alles totenstill, kein Hund bellte, und keine Wagen hörte man rattern, nur aus Nagy-Mihaly selbst, das sich in einen rosigen Lichternebel zu hüllen begann, stieg ein leises Brausen, wahrscheinlich vom Lärm der vielen Menschen, bis zu uns herauf.

Die Erinnerung des Ich-Erzählers an die Männer seiner Schwadron, die kurz davor steht, eine von Russen belagerte Brücke zu nehmen (und dabei vollständig aufgerieben wird), ist ein Muster der Beschreibungskunst:

> Ich sehe sie übrigens noch oft vor mir: Semler auf einem hohen Halbblut, einem Dunkelbraunen, den Pelzkragen aufgestellt und die Goldschnüre drumgewickelt, die Zügel über den Arm gehängt und die Hände, weil er an den Fingern fror, in den Taschen, weit vor der Schwadron haltend und vor sich hinbrütend, der eiskalte Rückenwind wehte dem Braunen den Schweif an die Kruppe und an die Hinterbeine, und überhaupt war es immer so, als würde dieser Rittmeister und als würden wir alle von etwas, das unsichtbar war wie der Wind, irgendwohin geweht; Hamilton hatte den hohen, grau überzogenen Helm, den wir damals noch trugen, immer irgendwie ein wenig auf dem Hinterkopf auf, etwa wie die Amerikaner auf Bildern aus dem Anfang des vorigen Jahrhunderts ihre Zylinder; und ich sehe Maltitz' verfrorenes Kindergesicht wieder und die ein wenig stumpfen slawischen Bauerngesichter der Chargen und Mannschaften in ihren damals noch farbigen Uniformen, unter die sich nur hin und wieder erst hechtgraues Tuch gedrängt, alle vermummt in ihre Pelze und Schneehauben, in hochüberpackten Sätteln, auf zottigen Pferden in spannenlangem Winterhaar ...

Man beachte die präzisen Beiwörter, hechtgrau, hochüberpackt, spannenlang; überhaupt das genau Gesehene. Der Dragonerfähnrich, der im Ersten Weltkrieg Ungarn und Ruthenien durchritten hatte, wußte, wovon er schrieb. Es folgt die Coda mit einer langen elegischen Aufzählung und einem riskanten Bild zum Schluß.

> Sie sind alle dahin, alle zugleich. In Wahrheit, wollte einer die Schwadron wieder ausgraben, wo sie verscharrt und verfault liegt, so würde, bis auf mich und drei oder vier Reiter, keiner fehlen, kein Mann und kein Pferd, keine Waffe, nichts, kein Hufeisen, kein Riemen, keine Eßschale, keine Schnalle am Sattel, aber die Wirklichkeit wäre nicht deutlicher als meine Erinnerung, denn es ist, als hätten die Geschehnisse jede Linie mir mit glühenden Nadeln in die Augen geschrieben, und ich vergesse nichts und werde es nicht vergessen, nie, niemals!

Zugegeben, man wird streiten können über die Nadellinien im Auge, aber vergessen wird man das Bild nicht.

Kurz vor der Auflösung kommt alles zusammen in einer großen Vision. Die Männer reiten durch ein nebliges Tal, das sich immer tiefer senkt. Wieder die starke akustische Metapher: «Der San rauschte zu unserer Rechten so laut, als führe er Glasscherben statt Wasser, ein gewaltiges Klirren stieg aus dem Flußbett zu uns herauf.»

In der Tiefe der Schlucht hat sich der Tag zur Nacht rückverwandelt.

> Doch stieg zugleich ein sonderbares Glimmern aus dem Flußbett zu uns herauf, etwa wie Meeresleuchten, und auch der Boden selbst begann nun, als sei er mit Phosphorspuren bestreut, zu schimmern, ja von den Reitern und Pferden selber ging ein unnatürliches Licht aus, oder vielmehr: sie waren von einem Lichtschein umrandet, als brennte hinter jedem eine Kerze.

Der Erzähler hat das Gefühl, in einem Alptraum zu liegen, er kann sich nicht bewegen, nicht sprechen oder schreien. Die andern ziehen gleichmütig weiter, als wunderten sie sich über nichts.

> Indessen zeigte sich vor uns auf dem Wege auf einmal ein starkes, metallisches Glänzen, und im Näherkommen nahm ich wahr, daß es von einer Brücke ausging, die hier über den Fluß führte. Ein ungeheures Tosen wie von himmelhohen, gläsernen Wasserfällen, und ein Dampf wie von sehr heißen Wassern stieg regenbogenfarben aus der Tiefe herauf. Die Brücke selbst aber war mit metallenen Blechen beschlagen, die leuchteten wie Gold.

Wenn das nur ein bißchen schlechter erzählt wäre, geriete es in die Nähe des religiösen Kitsches (Lernet war als Protestant 1923 zum Katholizismus konvertiert). Aber es ist so beschrieben, daß man umgekehrt in die Gefahr des Konvertierens gerät; und jedenfalls leichte Gänsehaut bekommt. Selten ist das, was man technisch als Nahtoderfahrung bezeichnen würde, in einer Vision so zwingend und strahlend gestaltet worden.

Der Erzähler selbst reitet noch nicht über die goldene Brücke; er wacht auf. Er erwacht aus dem neun Tage währenden Intervall. Wie er erst jetzt erfahren wird und wie der Leser erst jetzt erfährt, hat sich die ganze Novelle nach der Brückenattacke ab dem Satz «Das Ganze mochte nur wenig über eine Minute gewährt haben» im Intervall, im Zwischenreich unter Toten abgespielt. Darum hatte es so laut aus dem Städtchen Nagy-Mihaly gebraust: Es war von Ermordeten überfüllt.

Wenn es einen Club der unterschätzten Dichter gäbe, Lernet-Holenia wäre ihr Ehrenvorsitzender.

Stilvergleich II: Die Gehängten

Zu Beginn des Krieges, der sich zum Ersten Weltkrieg auswuchern sollte, hatten die Österreicher in den Grenzgebieten willkürlich angebliche Spione oder Kollaborateure aufgehängt. Das ist das historische Faktum, auf das sich die zwei folgenden Auszüge beziehen. Sie ähneln sich nicht nur durch biographische Nähe ihrer Verfasser, sie ähneln sich auch im literarischen Rang. Man könnte nicht sagen, der eine sei dem andern stilistisch überlegen. Gerade darum erlaubt der Vergleich den Blick aufs Feingewebe des Stils.

Die Vorpatrouille reitet über den Schnee, der Erzähler ist unter ihnen.

> Ein leichter Wind kam auf und wehte uns ins Gesicht. Es roch, sonderbarerweise, süßlich, aber nicht nach Schnee, sondern etwa nach ungelüfteten Stuben und nach Holzrauch, und ich bildete mir auf einmal ein, so sei der Geruch des Todes, oder so ähnlich müsse er zumindest sein, obwohl ich mir darunter eigentlich nichts vorstellen konnte.
> Doch sollte ich die Ursache davon bald vor Augen bekommen. Die Vorpatrouille nämlich, nachdem sie plötzlich einen Moment angehalten, stieß einen Ruf aus und sprengte, mit ergriffenen Karabinern, auf einen einzeln stehenden Baum zu. Unter dem Baum standen drei Männer. Das heißt: es sah von weitem so aus, als ob sie stünden. Als wir aber hinkamen, sahen wir, daß sie hingen.
> Sie hingen, nebeneinander, von einem starken waagrechten Ast, indem sie mit den Füßen den Boden zu berühren schienen. In Wirklichkeit aber berührten sie ihn nicht, sondern der Wind schaukelte sie leicht hin und her. Dabei knarrte der Ast ein wenig.

Der Autor führt uns durch den genau beschriebenen Geruch auf die Spur. Es folgt die kurze Täuschung, ein *Suspense*-Motiv – die Reiter sehen etwas, was sie nicht erkennen. Nach dem Olfaktorischen und dem Visuellen folgt das Akustische. Sprachlich lebt die Szene vor allem durch die Verben: das Sprengen der Pferde, das Stehen, Hängen, Schaukeln der Männer, das Knarren des starken Asts.

Der Autor des folgenden Zitats setzt viel stärker auf die Beiwörter. Es gibt kein *Suspense*, jeder weiß, worum es geht und was vor ihm hängt.

> Tagelang hingen die echten und die vermeintlichen Verräter an den Bäumen auf den Kirchplätzen, zur Abschreckung der Lebendigen. Aber weit und breit waren die Lebenden geflohen. Rings um die hängenden Leichen an den Bäumen brannte es, und schon begann das Laub zu knistern, und das Feuer war stärker als der ständige, leise rieselnde, graue Landregen, der den blutigen Herbst einleitete. Die alte Rinde der uralten Bäume verkohlte langsam, und schwelende, winzige, silberne Funken krochen zwischen den Rillen empor, feurige Würmer, erfaßten die Blätter, das grüne Blatt rollte sich zusammen und wurde rot, dann schwarz, dann grau; die Stricke lösten sich, und die Leichen fielen zu Boden, die Gesichter verkohlt und die Körper noch unversehrt.

Hier haben wir den Korporal des Details und des genau gesehenen Adjektivs – es ist Joseph Roth. Anders als sein Lektor Lernet-Holenia, der Autor des ersten Zitats, war er nicht selbst in Kriegshandlungen verwickelt, er saß im militärischen Pressedienst. Lernet konnte den langsamen Anritt auf den Baum der Gehängten vermutlich aus Erfahrung schildern; Roth wählte die Nahaufnahme. Bei der folgenden Passage findet er noch die Metapher, die dann vielleicht doch nur er hatte finden können. (Die Wiederholung im zweiten Satz hätte Hemingway ihm gestrichen.)

> Vor dem großen, grauen, weitgeöffneten Tor des Friedhofs hingen drei Leichen, in der Mitte ein bärtiger Priester, zu beiden Seiten zwei junge Bauern in sandgelben Joppen, grobgeflochtene Bastschuhe an den reglosen Füßen. Die schwarze Kutte des Priesters, *der in der Mitte hing*, reichte bis zu seinen Schuhen. Und manchmal bewegte der Nachtwind die Füße des Priesters so, daß sie wie stumme Klöppel einer taubstummen Glocke an das Rund des Priestergewandes schlugen und, ohne einen Klang hervorzurufen, dennoch zu läuten schienen.

Leo Perutz: Mystik und Mathematik

Lernet-Holenia war in vielem einem Landsmann sehr nahe, dessen letztes Buch er herausgegeben hatte und der 1957 bei ihm in Bad Ischl zusammenbrach und im Spital verstarb: Leo Perutz, ein einzigartiger Stilist (Pleonasmus!) auch er.

Auch der 1882 in Prag geborene Perutz hatte eine Neigung zum Mystischen, die sich nach dem Tod seiner geliebten Frau verstärkte (das spiritistische Medium, das er in seiner Not zu Rate zog, soll ihm offenbart haben, wo die Verstorbene Korallkettchen für die Töchter versteckt hatte). Der Gegenpol dieser mystischen Neigung war die mathematische Ratio. In seinem Brotberuf war Perutz Versicherungsmathematiker; eine Zeitlang arbeitete er für dieselben *Assicurazioni Generali* wie der ein Jahr nach ihm geborene Franz Kafka.

Der logisch-kalkulierende Habitus zeigt sich bei Perutz vor allem in den Konstruktionen seiner Romane, kunstvoll schwebende Mobiles einander widersprechender Lesarten, die er sorgfältig austariert. In den zwanziger Jahren des letzten Jahrhunderts bekannt und beliebt, mußte Perutz nach der Übernahme Österreichs ins Exil nach Palästina flüchten. In der Nachkriegszeit wurde er aus Verlegenheit und weiterschwelendem Antisemitismus totgeschwiegen.

Wie Lernet-Holenia ist Leo Perutz vor allem bedeutend in der Schilderung von Grenz- oder Zwischenzuständen. Seine Themen funkeln im Zwielicht von Aberglaube und Metaphysik. Kehlmann nennt ihn zu Recht den großen magischen Realisten der deutschen Literatur. Und schon Borges erkannte mit seinem unfehlbaren Adlerauge Perutz' Rang – wenn man das von einem blinden Bibliothekar sagen darf.

Die Atmosphäre, die Perutz in *Der schwedische Reiter* schafft, seinem unheimlichsten, 1936 veröffentlichten Roman, verdankt sich einem leicht archaisierenden Duktus. Es ist der Stoff, der hier seine eigene Sprache fordert und schafft (die Döblin-Schule würde sich bestätigt fühlen), wobei Perutz' Personalstil in jedem seiner Werke erkennbar durchschlägt. Dieser Stil ist weniger elegant als kernig, oft der Kolportage, manchmal sogar dem Kitsch nicht fern; nicht verfeinertes Jung-Wien, nicht hofmannsthalesk, oft nah am Märchen- oder Legendenton, farbenfroh und im Zweifelsfall eher populär als hochgestochen, wobei das Populäre täuscht und sich, nun doch wieder mit Hofmannsthal, die Tiefe an der Oberfläche versteckt.

Der schwedische Reiter spielt im Schlesischen Krieg des frühen 18. Jahrhunderts in einer verwahrlosten, verwüsteten, brutalisierten Welt. Der Held, der schwedische Reiter, ein bis zum Schluß namenloser Dieb, stiehlt einem Adligen die Persönlichkeit und die Verlobte; eine vertrackte Doppelgänger- oder Mr.-Ripley-Geschichte zwischen Liebe, Tod und Teufel, die man noch bei der dritten Lektüre liest wie zum ersten Mal. Wenn es eine Arche gäbe für Bücher, die Stellplätze beschränkt auf ein paar Dutzend deutschsprachige, *Der schwedische Reiter* gehörte unbedingt hinein.

Wie in Lernets *Baron Bagge* bleibt im *Schwedischen Reiter* in den entscheidenden Momenten das Wichtigste kurz in der Schwebe: Was sind die Figuren hier – lebendig oder tot? Die Szene ist die folgende: Der «Rührum» genannte Adlige, dem der namenlose Dieb die Identität gestohlen hat, ist nach neun Jahren Fron in der Eisenhütte des Bischofs gerade dabei, einen Gulden zu werfen, um sich bei einer Weggabelung im Wald zu entscheiden. Da erscheint ihm jemand und spricht ihn an. Er ist derselbe Jemand, in dessen Mühle sich neun Jahre zuvor das Schicksal des Rührum entschieden hatte. Der Müller war schon damals tot, es heißt aber, als Selbstmörder geistere er noch einmal jährlich durchs Land.

> Doch wie er ihn [den Gulden] in die Höhe werfen wollte, da rief ihn plötzlich eine Stimme an: «Links den Weg, wenn's dem Herrn beliebt. Links den Weg und geradeaus weiter, so wird der Herr finden, was er sucht.»
> Der Rührum blickte auf, da stand zwölf Schritte weit von ihm ein Mann, der trug ein rotes Wams und einen Fuhrmannshut und auf dem Hut eine Feder, und in der Hand hielt er eine Fuhrmannspeitsche.
> «Kerl! Wie kommst du her?» rief der Rührum verwundert. «Bei meiner Seele, ich hab' dich nicht kommen gesehen, noch gehört.»
> «Der Wind hat mich vom Baum heruntergeblasen», lachte der Mann im roten Wams und ließ seine Peitsche knallen. «Kennt der Herr mich nicht?»
> Er kam heran und der Rührum sah in ein Gesicht, das gelb war und voll Runzeln und Falten wie ein altes Handschuhleder, und die Augen staken dem Mann so hohl im Kopf, daß

> einer sich hätte fürchten mögen. Doch der Rührum fürchtete sich nicht, vor dem Bösen selbst wär' er nicht erschrocken, denn er wußte, es konnte in der Hölle keinen schlimmeren Teufel geben, als ein Mensch dem anderen ist.
> «Ja, ich kenn' dich», sagte er. «Du bist der, den die Leut' im Stiftsgut den ‹toten Müller› nennen. Sie sagen, du seist keine irdische Kreatur. Sie sagen, du dürftest nur einen Tag im Jahr auf Erden gehen, und wenn dieser Tag um ist, verkehrst du dich in ein Säcklein Staub und Aschen, dann könnt' dich ein Hund in seinem Maul davontragen, sagen die Leut'. Ist heut dein Tag, mit Vergunst zu fragen?»
> Der Mann im roten Wams verzog mißmutig den Mund, daß man seine bleckenden Zähne sehen konnte.
> «Was der Pöbel redet, des soll der Herr nicht achten», meinte er. «Der Pöbel redet gar viel, ich find' nicht Vernunft noch Kurzweil darin. Der Herr kennt mich und weiß, daß ich Seiner fürstlichen Gnaden, des Herrn Bischofs Fuhrmann bin. Ein Jahr war ich auf Reisen, ich komme von Haarlem und Lüttich, hab Seiner fürstlichen Gnaden von dort Damastzeug gebracht, Brabanter Spitzen und holländische Tulpenzwiebeln. [...]

Das sieht leichter aus, als es zu machen ist. Die Gefahr liegt darin, es zu überziehen. Gefahr liegt im Brokat. Aber Perutz appliziert die kleinen alten Sprachflicken mit Maß. Das Sprachgewand des Spätbarock, in das er die Geschichte hüllt, ist nicht aufgeputzt mit Brabanter Spitzen, es ist eher Sackleinen als Samt. Wohl darum sprach Alfred Polgar bewundernd von Perutz' puritanischer, phrasenloser, fast keuscher Darstellung.

In dieser gemessen barockisierenden Sprache räumt Perutz zwei Kapitel später letzte Zweifel über den ontologischen Status jenes Müllers aus. Diesmal ist es der namenlose Dieb, der auf dem Weg in die Eisenhütte ist – der Adlige, dessen Identität er gestohlen hat, macht sich auf den Weg in den Krieg. Es ist eine schwer beeindruckende Stelle, und man muß sie länger zitieren; die Wirkung, die Perutz entfaltet, läßt sich nicht am einzelnen Satz ablesen.

> Jetzt gingen sie durch den dichten Wald, der Regen rauschte, der Wind fuhr durch die Baumkronen. Immer langsamer wurden die Schritte des toten Müllers, er stolperte über jeden Stein, über jede Baumwurzel auf seinem Weg, es sah aus, als ob die Kräfte ihn verlassen wollten.
>
> Bei einem schmalen Erdhügel, der, mit zerzausten Grasbüscheln bewachsen, am Wegrand lag, blieb er stehen.
>
> «Du mußt den Weg allein weiter gehen, du wirst ihn nicht verfehlen», sagte er zu seinem Begleiter. «Mir wird er sauer. Scher dich nicht um mich, ich bleibe hier.»
>
> «Du gehst ihn aber nicht zum erstenmal», meinte der Namenlose.
>
> «Zum erstenmal oder zum letztenmal – es ist zu viel, ich kann nicht weiter», stöhnte der tote Müller. Er ließ sich auf den Erdhügel niedergleiten, die Laterne stellte er neben sich. «Geh hundert Schritt', so wirst du die Flammen aus den Schmelzöfen zucken sehen.»
>
> «Liegt hier einer begraben?» fragte der Namenlose. «Ich seh' kein Kreuz.»
>
> «Hier liegt einer in ungeweihter Erd'», sagte der gewesene Müller. «Einer, der sich in einer schlimmen Nacht den Strick selbst um den Hals gelegt hat. Laß dir erzählen, wie's geschah. Wie sich die Schlinge zuzog, da hörte er den Wind heulen: ‹Es ist Sünd'! Es ist Sünd'!› – da war's zu spät. Die Eule schlug mit den Flügeln ans Fenster und rief: ‹Der höllische Pfuhl! Der höllische Pfuhl!› – da war's zu spät.»

Der Müller ließ den Kopf auf die Brust sinken, seine Stimme wurde leise wie das Knistern eines dürren Zweiges.
«Wie die Leut' ihn am Strick sahen», fuhr er fort, «da liefen sie zum Dorfschulzen, der aber sagte, das sei des Henkers Sache, der müßt' ihn herunterschneiden, die Gemeinde könnt's nicht tun. Der Kreishauptmann wiederum sagte, die Gemeinde müßt' es tun, weil der Tote vor den Scharfrichter nicht gehöre. So hing er und hing, als aber dann der Dorfschulze kam, da war er abgeschnitten, der Teufel hatte es getan, der hat ihn auch im Wald verscharrt, und niemand im Dorf weiß, wo.»
Der Wind schüttelte die Bäume, daß ein Regenschauer nach dem anderen niederging. Der Müller sank immer mehr in sich zusammen.
«Hier liegt er unter der Erd' und wartet, daß Gott ihm gnädig sei», flüsterte er. «Du gehst jetzt deinen Weg. Geh zwei Vaterunser weit, so wirst du die Knechte des Bischofs sehen. Sie werden dich schlagen, sie sind's so gewohnt, du mußt's ertragen. Sag ihnen dann, ich hätt' dem Herrn Bischof den letzten Pfennig von meiner Schuld bezahlt und ich käm' nicht wieder.»
Der Namenlose ging zwei Vaterunser weit durch den Wald, dann wandte er sich um. Das Licht der Laterne war erloschen und er sah den toten Müller nicht mehr und nicht sein Grab. Und wie er nun weiterging auf die zuckenden Flammen zu, traten hinter den Bäumen die Knechte des Bischofs hervor.

Dies der Schluß des Kapitels. Und ist dieser letzte Satz irgendwie spektakulär? Für sich genommen nicht, mit seinem Vorlauf, seiner Vorgeschichte aber ist er lakonisch-großartig und gruselig – man weiß, der schwedische Reiter wird jetzt übel verprügelt und in die

Hölle des Bischofs geführt werden und wird sie nicht lebend verlassen.

Perutz erinnert an eine große und grundsätzliche Frage, die sich beim Flanieren durch die Bibliothek immer wieder stellt: Wie und durch welche Stilmittel entsteht Wirkung, wie erzeugt man Atmosphäre durch Sprache? Es ist ein komplizierter chemischer Prozeß, es muß alles miteinander reagieren und ineinandergreifen, der Satzbau, die Wortwahl, der Rhythmus, die Bilder, und nur durch Gegenproben, bei denen man einzelne Elemente durch andere ersetzt, könnte man der Formel des Gelingens näher kommen – aber es gibt keine Formel, es kann sie nicht geben, es ist das Geheimnis der großen Literatur und des Stils.

Man ersetze, als Gegenprobe, das rote Wams des Müllers durch einen «gelben Mantel des Schmieds». Man ersetze das Längenmaß der «zwei Vaterunser» durch vierhundert Meter; man ersetze die drei festen Schritte der Parataxe: «Sie werden dich schlagen, / sie sind's so gewohnt, / du mußt's ertragen» durch eine schlängelnde Hypotaxe: «Sie werden dich, weil sie es so gewohnt sind, schlagen, was du ertragen mußt» – schon ist die halbe Wirkung verloren. Man ersetze die «zuckenden» Flammen durch lodernde, man ersetze «stöhnte der tote Müller» durch «wisperte der Müller», man ersetze die Stimme, so leise wie das «Knistern eines dürren Zweiges» durch das «Rascheln eines Zweigs» – schon ist es ein kleines bißchen schlechter. In der Chemie des Stils kommt es auf jedes Element an. Perutz schrieb eine Seite bis zu vierzig Mal um und zerriß jede, bei der ihm nur eine rhythmische Schwäche auffiel. Was allenfalls möglich gewesen wäre: den «letzten Pfennig» der Müllersschuld durch einen Groschen oder einen Kreuzer zu ersetzen. Aber das ist es, was Polgar das fast Keusche der Perutzschen Darstellung nennt. Der korrekte, aber bescheidene Pfennig genügt ihm hier, da muß er nicht unter Beweis stellen, daß er sich auch noch ins Münzwesen des Spätbarock eingefriemelt hat.

Obwohl er genau das hat und an anderer Stelle auch demonstriert. In dem 1951 in Tel Aviv beendeten Novellenzyklus *Nachts unter der steinernen Brücke* zeigt Perutz, wie man den Geist einer Epoche durch hundert Sach- und Sprachdetails farbig hervortreten läßt. Eines dieser Details ist numismatischer Natur. Die Handlung spielt in Prag um 1600 zwischen dem Hradschin und dem Judenviertel. Zwei junge böhmische Adlige gehen durch die Altstadt und betrachten das Gewimmel: «Der spanische Gesandte fuhr in seinem Galawagen, von Hartschierern und Hellebardieren geleitet, zum erzbischöflichen Palais. Im Wacholdergäßlein sprach ein närrischer Bettler die Vorübergehenden mit den Worten um ein Almosen an, er nehme alles: Dukaten, Dublonen, Rosenobels und Portugalöser, nichts sei ihm zu gering.»

Hier tragen die Portugalöser und Rosenobels (beides immerhin Goldmünzen, der Bettler sollte nicht so bescheiden tun) zum Kolorit der Zeit bei, so wie die darauf folgende Mohrentaufe, das Innungsfest, die Predigt des Kapuzinermönchs:

> In der Teinkirche wurde unter großem Gepränge die Taufe eines Mohren, der zur Dienerschaft des Grafen Kinsky gehörte, vollzogen, und der hohe Adel Böhmens drängte sich zu diesem Schauspiel. Die Buchdrucker und die Zeltmacher, die beide an diesem Tage ihre Innungsfeste hatten, begegneten einander in der Plattnergasse mit ihren Fahnen und gerieten in Streit, weil keiner der beiden Züge dem anderen den Weg freigeben wollte. Auf dem Johannesplatz hielt ein Kapuzinermönch eine Ansprache an die Moldaufischer, in der er sagte, er sei auch ein Fischer, das Misere sei seine lange Rute, an der hänge das Paternoster als eine goldene Angel, und das de profundis, der Toten liebste Speise, sei der Köder, und damit zöge er die armen Seelen wie Karpfen oder Weißfische aus dem Fegefeuer. Und vor einer Schenke

auf dem Kreuzherrnplatz waren zwei Schlächtermeister aneinandergeraten, weil der eine das Pfund Schweinefleisch um einen Heller billiger hergab als der andere.

Haben wir uns gelangweilt bei diesem Spaziergang durch die Prager Altstadt? Keine Sekunde – dabei hat uns Perutz aufs präziseste einen sozial-religiösen Mikrokosmos entfaltet. Zu diesem Mikrokosmos gehört die Ständeordnung zwischen Bettler, Metzger, Drucker, Mönch, Hochadel und Rudolf II. mit den sich abzeichnenden Religionskonflikten, die sich im *Schwedischen Reiter* schon fast ausgetobt haben. Und es gehört die jüdisch-mystische Welt des Schtetl dazu, in der Zauberei und Totenkontakt wie im *Schwedischen Reiter* selbstverständlich sind. Im Prag von Perutz plaudern Hunde miteinander, und der Rabbi Loew verwandelt einen vom Attentäter gelösten Mauerstein, kurz bevor er das Haupt des Kaisers trifft, in ein Schwalbenpaar.

Anders als bei der düsteren Welt des Schlesischen Kriegs gewinnt Perutz dem alten mystischen Prag auch komische Züge ab. Es tritt dort ein Musikantenduo auf, Koppel-Bär und Jäckele-Narr, die aus Berufsgründen – sie sind Spaßmacher auf christlichen Festen, bei denen sie gelegentlich einen Branntweinkrug mitgehen lassen – auch bei ihrem privaten Austausch ins Reimen verfallen. Ihre Gespräche sind so kurios, daß wir kurz hineinhören wollen. Und die Pointe so gnadenlos – aber das ist keine Frage des Stils mehr, sondern des mathematisch gewebten Plots.

«Dir kann man es nicht recht machen», klagte der Koppel-Bär und er ging an des Jäckele-Narr Seite weiter. «Bin ich bei dir, schickst du mich zum Henker. Geh' ich, schreist du: Bleib, wo du bist. Sitz' ich, sagst du, ich vertrödel' die Zeit, lauf' ich, heißt es, ich zerreiß' die Schuh'. Schweig' ich, fragst du: Bist du stumm? Red' ich was, so nimmst du's krumm.

> Bring' ich Seide, willst du Zwilch, bring' ich Bier, verlangst du Milch. Koch' ich Kraut, so willst du Zwiebel, ist mir wohl, so ist dir übel. Mach' ich Knödel, willst du Grütze, heiz' ich ein, schreist du …»
> «Schweig still!» unterbrach ihn der Jäckele-Narr. «Siehst du nichts? Hörst du nichts?»
> «… ich schwitze», beendete der Koppel-Bär seinen gereimten Singsang, und dann blieb er stehen und horchte.

Perutz scheut hier nicht die Nähe zur Albernheit, genauer gesagt: Er bereitet durch die Albernheit den größten Schrecken vor. Denn was hören die beiden Musikanten? Sie stehen vor der Altneuschul, in der noch Licht brennt; ein leises Singen und Summen ist zu vernehmen. Traditionsgemäß versammeln sich dort eine Woche nach dem Neujahrsfest die Toten, um die Namen derer auszurufen, die noch in diesem Jahr zu ihnen stoßen werden. Die beiden bleiben stehen und lauschen. Stimmen dringen aus der Kirche. Es wird aufgerufen: der Schmaje, Sohn des Simon, der Metzger. «‹Der die Fleischbank in der Joachimsgasse hat›, fügte eine andere Stimme erläuternd hinzu, als wolle sie verhüten, daß in dieser Sache eine Verwechslung unterlaufe.» Als nächstes folgt der Mendl, Sohn des Ischiel, der Goldschmied. «‹Der auch Perlen, einzeln oder nach dem Unzengewicht, kauft und verkauft›, ließ sich die andere Stimme vernehmen. ‹Der das Haus und den Laden in der Schwarzen Gasse hat.›»

Jäckele-Narr und Koppel-Bär schaudert es etwas, sie kommentieren die Todgeweihten und verfallen dabei wieder ins Reimen. Da plötzlich hören sie:

> «Jakob, Sohn des Juda, den sie den Jäckele-Narr nennen! Dich rufe ich», erklang die Stimme.
> «Der sich sein Leben lang mit seiner Geige ernährt hat. Der

auch oft am geheiligten Sabbat zu Gottes Ehr und Preis in der Schul aufgespielt hat, daß jedermann seine Freude daran hatte», erläuterte die andere Stimme, als gäbe es in der Judenstadt oder sonst irgendwo im Land noch einen zweiten Jäckele-Narr, der mit diesem nicht verwechselt werden sollte.
«Jakob, Sohn des Juda! Du bist gerufen», kam die erste Stimme wieder.
Da war eine Minute lang ein banges Schweigen und dann sagte, zutiefst erschrocken, aber dennoch gefaßt, der Jäckele-Narr:
«Gelobt seist Du, ewiger und gerechter Richter! Dein Tun ist ohne Fehle!»
«Allmächtiger!» schrie der Koppel-Bär auf. «Hab' ich recht gehört? Was ist mit dir geschehen, Jäckele-Narr? Was will man von dir?»
Allgütiger! Schenk mir jetzt eine Lüge! flehte der Jäckele-Narr zu Gott, doch nichts fand sich, womit er den Koppel-Bär auch nur für einen Augenblick hätte täuschen und betrügen können.

Denn sie haben sich nicht verhört, Jäckele-Narr wurde laut vernehmbar aufgerufen, eine Verwechslung ist nicht möglich. Jäckele-Narr ist für dieses Jahr gebucht als Passagier ins Totenreich.

Und nun die kühle, elegante Plot-Pointe: Als letztes aufgerufen wird der Mordechai Meisl. «‹Der ein armer Mann ist›, setzte die andere Stimme fort. ‹Der nicht einen halben Gulden im Hause hat. Der nichts besitzt, nichts sein eigen nennt.›»

Wie, der Mordechai Meisl ein armer Mann? Der nichts sein eigen nennt? Meisl mit seinem legendären Reichtum, der nicht weiß, wohin mit dem Geld, und der den Kaiser höchstselbst finanziert? Da hat sich wohl jemand einen Jux erlaubt. Jäckele-Narr und Koppel-Bär beschließen, sie seien einem bösen Scherz aufgesessen, und ziehen erleichtert nach Hause. Und nicht einmal der Krug Branntwein ist ihnen zerborsten.

> «[…] Ich einen Zug, du einen Zug, mit einemmal ist leer … Nun?»
> «… der Krug», beendete der Jäckele-Narr mit einem Wiegen des Kopfes, das Anerkennung bedeutete, den Vers.

Was die beiden nicht wissen und auch der Leser erst sehr viel später erfährt: Die Abgeschiedenen haben es korrekt vorhergesagt. *Nachts unter der steinernen Brücke*, abgründig komponiert wie wenige Werke der Novellenliteratur, erzählt die Geschichte der heimlichen Liebe Rudolfs II. zur Frau des den Hof finanzierenden Mordechai Meisl. Und was macht dieser steinreiche Meisl, als ihm kurz vor seinem Tod klar wird, wer ihn mit seiner Frau betrog? Aus Rache, denn der Kaiser würde es erben, verschenkt er bis auf den letzten Gulden, bis auf den letzten Heller, bis auf den letzten Kreuzer, Pfennig und Rosenobel sein gesamtes Geld … *Ganz* schlecht für Jäckele-Narr.

Alfred Polgar, Marquis Prosa

«Mein Geburtsort ist Wien; auch sonst eine bezaubernde Stadt. Ich beherrsche die deutsche Sprache, aber sie gehorcht nicht immer.» Alfred Polgar, ein großer Fürsprecher Leo Perutz', ist selbst unter den Wiener Autoren eine Ausnahme. Die Glatze wurde noch nicht geschoren, auf der Polgar nicht hinterher Löckchen gedreht hätte – würden die ungerechten Kritiker sagen. Tatsächlich war Polgar der geheime Wiener Meister, der keinen falschen Zungenschlag ertrug, er war der Kritiker, dem alle huldigten, sein Wort hatte Gewicht. Joseph Roth bekennt, von ihm habe er die sprachliche Behutsamkeit gelernt. Selbst Arthur Schnitzler, der sich von Polgar verfolgt fühlte, mußte zugeben, er sei der einzige seiner Feinde mit Talent. Ganz unrecht hatte Polgar übrigens nicht, wenn er über *Das weite Land* schrieb: «Ohne ein paar Tropfen Verwesungsparfum im Taschentuch geht Schnitzlers Muse niemals in Gesellschaft.» Nett war das nicht, aber gut charakterisiert. Auch Carl Sternheim wird sich nicht gefreut haben, als er über seine Stücke las, hier seien «die Stuben wegen der Spinnen da».

Polgar steht für die Stil-Schule der geschliffenen Miniatur und des Wortwitzes (bei einem Autor, der das Schreiben haßte). Hermann Broch sagte über ihn, Polgar könne Tiefseefische fangen an der Oberfläche. Ähnlich maritim in der Bildlichkeit äußerte sich, skeptischer, Robert Musil: Es sei leichter, eine Forelle mit der Hand zu fangen, als mit Polgar eine ernste Unterredung zustande zu bringen, er benutze «mit ungeheurer Gewandtheit die trennenden Eigenschaften von Raum und Zeit».

Polgar war der Anti-Epiker, sein Element ist die knappe Sentenz; ein Aphorismus pro Absatz ist nicht ungewöhnlich. «Wer den Aphorismus schreiben kann, sollte sich nicht in Aufsätzen zersplittern» – der Satz Karl Kraus' könnte von Polgar sein, und jedenfalls trifft er ihn. Polgar ist voller sprachlicher Einfälle, voller Witz, hochgenau in seiner Bildlichkeit und so reich darin wie Kraus oder Benjamin (der ihn den «Obersten der Saboteure» nannte), dabei weniger *tordu* und insgesamt gelassener. Vor allem ist er kein Schwätzer, sondern klug. Eine kleine Beobachtung, die typisch ist für ihn: «Unausstehlicher als offene Sentimentalität ist jene, die hinter einer spanischen Wand von Ironie sich bemerkbar macht.» Erledigt das nicht, ganz ohne Absicht, einen ganzen Roman wie Thomas Manns *Königliche Hoheit*?

Polgar sieht sich als Geistesbruder dem Karikaturisten verwandt: Auch der sei ein wortgeiziger Kritiker, der aus zehn Zeilen eine mache. Daß Polgar ein Bewunderer Hemingways war, versteht sich fast von selbst. Wie beim Journalisten Hemingway ist bei Polgar noch etwas vom Ethos des guten Handwerks zu spüren. Er schreibt ein Porträt des Wiener Schuhmachers Prattner, in dem er die jeweiligen Fertigkeiten übereinanderblendet. Da stecke viel Gustiererei und Prüferei und Überlegung in so einem Ding, führt er den Schuhmacher an: «‹Aber das verstehen Sie ja nicht!› ‹Und ob ich es verstehe! Alles genau bedacht, bis auf das kleinste Komma … bis auf den kleinsten Nagel, wollt' ich sagen.›» Und Polgar tröstet den resignierten Prattner, der die Nähte auf Kosten seiner Augen so fein macht, daß man sie nicht mehr merkt: «Es schafft doch Genugtuung, etwas fertigzubringen, von dem man sich selbst sagen kann: Das ist richtig. Da ist nichts zuviel und nichts zuwenig. Da läßt sich keine Silbe wegnehmen oder hinzufügen.»

Das war das Prinzip Polgars, der etwas darunter litt, wenn die Verdichtungsleistung seiner Miniaturen weniger gewürdigt wurde als die Auswalzungen bei den Kollegen vom Roman. Was uns betrifft: lieber eine halbe Seite Polgar als hundert Seiten *Tod des Vergil.* Aber das ist, wie fast alles in diesem Buch, Geschmackssache.

In Polgars *Handbuch des Kritikers* steht kein einziger schlechter oder auch nur müder, halbgarer Satz. Es gibt darin eine Seite über den braven Soldaten Schwejk, die zum Besten gehört, was über dieses tschechische Antiheldenepos geschrieben wurde – Prosa für die Schulbücher, Prosa zum Auswendiglernen –, eine Seite, die in den Satz mündet, der brave Soldat Schwejk sei «gehorsam dem Gott, der die Flinten wachsen ließ und das Korn, in das man sie wirft». Ein Prosit auf Polgar, ein Prosit auf Schwejk, ein Prosit auf die Kornfelder und die Humanität in den Zeiten des Kriegs.

Joseph Roths Hiob

Der heilige Trinker war, sobald er seinen Bleistift in der Hand hielt, ein heiliger Pedant. In seinem Nachruf auf ihn hebt Stefan Zweig nicht zufällig den Stilisten hervor, der jeden Satz poliere, bis der Rhythmus perfekt sei und die Farbe glänze. Roths frühe Vorbilder waren Schiller und Heine. In Paris las er Proust und Flaubert.

Seine Hiob-Geschichte schließt bis auf ihren versöhnlichen Schluß und das ostjüdische Grundthema an Flauberts Erzählung *Un cœur simple* aus den *Trois Contes* an, in welcher der armen, gläubigen Magd Félicité ein geliebtes Wesen nach dem andern entrissen wird, bis sich ihr am Ende ein ausgestopfter Papagei als letzter Fetisch zum Heiligen Geist erhöht.

Der Held der Erzählung Mendel Singer hat eine Tochter, die er über alles liebt (und selbstverständlich verlieren wird).

Der Stilkritiker stolpert nur einmal gleich am Anfang, wenn es von dieser Tochter heißt: «Sie hatte sein schwarzes Haar und seine schwarzen, trägen und sanften Augen. Ihre Glieder waren zart, ihre Gelenke gebrechlich. Eine junge Gazelle.» Ohne Zoologe zu sein: Wenn alle Mädchengelenke so gebrechlich wären wie die der springfreudigen Gazellen, herrschte bei den Orthopäden ewiger Sabbath.

Der Stilkritiker verstummt nach wenigen Seiten und wandelt sich zum erst stillen und dann immer vehementeren Bewunderer. Es beginnt mit der Schilderung von Singers Frau Deborah, die den Fußboden scheuert: «Wie ein breites, gewaltiges und bewegliches Gebirge kroch sie durch das kahle, blaugetünchte Zimmer.» Bald darauf kommt es zum Ende der körperlich vollzogenen Singerschen Ehe. Deborah, das bewegliche Gebirge, glaubt sich eines Nachts, als sie sich nackt vorm Spiegel prüft, von ihrem Mann beobachtet.

«Seit diesem Tage hörte die Lust auf zwischen Mendel Singer

und seiner Frau. Wie zwei Menschen gleichen Geschlechts gingen sie schlafen, durchschliefen sie die Nächte, erwachten sie des Morgens. Sie schämten sich voreinander und schwiegen wie in den ersten Tagen ihrer Ehe. Die Scham stand am Beginn ihrer Lust, und am Ende ihrer Lust stand sie auch.»

Es sind hier schon viele typische Stilmerkmale Joseph Roths enthalten: der alttestamentarisch-bibelnahe Ton mit all seinen Reizen und gelegentlichen Gefährdungen, ein immergleicher schöner Singsang, der von rhythmischen Wiederholungen, Permutationen und Leitmotiven lebt. «Nur der Himmel blieb still und blau, blau und still.»

Dazu kommt die Neigung zum Ausschütten des Füllhorns, wie folgendes Beispiel zeigt. Der behinderte Sohn der Singers, der kleine Menuchim, sagt zum ersten Mal klar und vernehmbar «Mama».

> Deborah stürzte sich auf ihn, und aus ihren Augen, die lange schon trocken gewesen waren, flossen die Tränen, heiß, stark, groß, salzig, schmerzlich und süß. «Sag Mama!» «Mama», wiederholte der Kleine. Ein dutzendmal wiederholte er das Wort. Hundertmal wiederholte es Deborah. Nicht vergeblich waren ihre Bitten geblieben. Menuchim sprach. Und dieses eine Wort der Mißgeburt war erhaben wie eine Offenbarung, mächtig wie ein Donner, warm wie die Liebe, gnädig wie der Himmel, weit wie die Erde, fruchtbar wie ein Acker, süß wie eine süße Frucht.

Süß wie eine süße Frucht ... Man müßte hart sein wie ein harter Stein, um sich am Pleonasmus zu stören. Und man wird schon aus Pietät darauf verzichten, einen Instrumentenbauer zu Rate zu ziehen, wenn Deborah bald darauf erfährt, daß ihre Söhne in die Armee des Zaren einberufen worden sind und ein Schrei aus ihr bricht, «der klang wie aus einem Horn, in dem ein menschliches Herz eingebaut ist». Ein Schrei, den man im ganzen Städtchen hörte, aber man vergaß ihn sofort. «Denn die Stille, die hinter ihm folgte, wurde nicht mehr gehört.» Wenig Wunder – wie sollte man die Stille hören?

Der Grund für Deborahs Schmerzensschrei wird so gefaßt: «Das Militär erhob sich vor ihrem bekümmerten Aug' wie ein schwerer Berg aus glattem Eisen und klirrender Marter.» Der Berg aus Eisen ist die große Metapher für das Militär; in dieser großen Metapher steckt wie in der Matjroschka eine kleinere, die Marter, die «klirrt».

Zu welchen poetischen Höhen der Ton Joseph Roths sich aufschwingen kann, sieht man an der Passage, in der die Tochter der Mendels, die nymphomanische Mirjam, vor ihrer Abreise nach Amerika von einem Kosaken Abschied nimmt: schlicht, rhetorisch am Märchen geschult, eindringlich; manchmal, ganz selten, nicht durch Ozeane getrennt vom Kitsch.

> Sie umarmten sich, wie gestern und vorgestern, mitten im Feld, eingebettet zwischen den Früchten der Erde, umgeben und überwölbt von dem schweren Korn. Willig legten sich die Ähren hin, wenn Mirjam und Iwan niedersanken; noch ehe sie niedersanken, schienen sich die Ähren zu legen. Heute war ihre Liebe heftiger, kürzer und gleichsam erschreckt. Es war, als müßte Mirjam schon morgen nach Amerika. Der Abschied zitterte schon in ihrer Liebe. Während sie ineinanderwuchsen, waren sie sich schon fern, durch den Ozean voneinander getrennt. Wie gut, dachte Mirjam, daß nicht er fährt, daß nicht ich zurückbleibe. Sie lagen lange matt, hilflos, stumm, wie Schwerverwundete. Tausend Gedanken schwankten durch ihre Hirne. Sie merkten nicht den Regen, der endlich gekommen war. Er hatte

> sacht und tückisch begonnen, es dauerte lange, bis seine Tropfen schwer genug waren, das dichte, goldene Gehege der Ähren zu durchbrechen. Plötzlich waren sie den strömenden Wassern preisgegeben. Sie erwachten, begannen zu laufen.

Die Natur – erst gibt sie willig der Liebe nach und beugt fürsorglich die Ähren; post coitum wird sie tückisch.

Roths *Hiob* ist Prosa ohne ein falsches Wort und mit immer wieder verblüffenden Bildern. Kurz bevor Deborah aus Schmerz über die Nachricht, daß ihr Sohn gefallen ist, stirbt, rauft sie sich die Haare, nein, zieht sie sich die Strähnen einzeln aus. «Ihre beiden Hände zupfen abwechselnd an den Haaren. Ihre Hände sehen aus wie bleiche, fleischige, fünffüßige Tiere, die sich von Haaren nähren.»

Deborahs Mann Mendel hat nach all den Schicksalsschlägen mit Gott gebrochen. Die jüdischen Freunde reden begütigend auf ihn ein. Mendel erwidert:

> «Nein, meine Freunde! Ich bin allein, und ich will allein sein. Alle Jahre habe ich Gott geliebt, und er hat mich gehaßt. Alle Jahre hab' ich ihn gefürchtet, jetzt kann er mir nichts mehr machen. Alle Pfeile aus seinem Köcher haben mich schon getroffen. Er kann mich nur noch töten. Aber dazu ist er zu grausam. Ich werde leben, leben, leben.»
> «Aber seine Macht», wandte Groschel ein, «ist in dieser Welt und in der andern. Wehe dir, Mendel, wenn du tot bist!»
> Da lachte Mendel aus voller Brust und sagte: «Ich habe keine Angst vor der Hölle, meine Haut ist schon verbrannt, meine Glieder sind schon gelähmt, und die bösen Geister sind meine Freunde. Alle Qualen der Hölle habe ich schon gelitten. Gütiger als Gott ist der Teufel. Da er nicht so mäch-

tig ist, kann er nicht so grausam sein. Ich habe keine Angst, meine Freunde!»

Zu solch Shakespearescher Wucht wächst Mendels Verfluchung Gottes an. Daß ihm wie Hiob am Ende alles zurückgegeben wird und der behinderte Sohn Menuchim sich als – aber hier keine Spoiler für die zukünftigen Hiobisten. Man darf nur andeuten, daß selbst Roth-Verehrer bei diesem Ende nicht ganz sicher sind, ob er der Kitsch-Gefahr nicht doch erlegen sei.

Der Schlußsatz in *Hiob* zeigt noch einmal den Stilisten als Klangmeister – das «w» und das «g», im Krebs:

«Mendel schlief ein. Und er ruhte aus von der Sch*w*ere des *G*lücks und der *G*röße der *W*under.»

Robert Neumann hat Roth nicht aufgenommen in sein Stil-Bestiarium, aber er hätte es können. Roths Ton ist relativ leicht nachzumachen, muß man sagen, obwohl das auch täuschen kann. Im September 1913 hätte Joseph Roth auf dem XI. Zionisten-Kongreß in Wien auf Franz Kafka treffen können. Was für eine kuriose Vorstellung! Jedoch, die Prosa Kafkas trennen noch Klippen und Firste von Roth; bei aller Liebe für *Hiob* und den *Radetzkymarsch*. Auf die einsame Insel oder Strafkolonie nähmen wir übrigens dennoch lieber die fünf Bände Roth.

K – Das Alien

Kafka ist ein Magier. Egal, wo man aufschlägt: Die Magie wirkt sofort. Wie es Magie an sich hat, läßt sie sich nicht gut erklären. Seine oft zitierte Selbsteinschätzung im Tagebuch, er müsse nur einen Satz wie zum Beispiel «Er schaute aus dem Fenster» hinschreiben, so sei er schon vollkommen – dieser Satz hat die kleine Pointe, daß er stimmt.

Er ist eine Ausnahmeerscheinung. Der Illustrator Nikolaus Heidelbach, der ihn angemessen dämonisch bebildert hat, vergleicht ihn mit dem Solitär Van Eyck. Er ist rätselhaft und einzigartig, dabei ohne jede Manier oder Manierismen. Und doch gibt es keine halbe Seite bei ihm, sei's in den Tagebüchern, Erzählungen oder den zuverlässig als Fragment endenden Romanen, die von einem andern Autor hätte geschrieben worden sein können. Nicht nur den *Process* oder *Die Strafkolonie*, auch den *Wunsch, Indianer zu werden* konnte kein Mensch auf der Welt außer Franz Kafka schreiben.

Was ist sein Geheimnis?

Seine Atmosphäre läßt sich imitieren, aber die eigentliche Sprache kaum. Schlank, altmodisch und leicht k. u. k.-bürokratisch gefärbt (Kafka-Kritiker, die es tatsächlich gibt, finden: gar nicht so leicht), fast auf jeder Seite von zarter untergründiger Komik, mit kleinem Wortschatz und grosso modo fremdwortfrei, ohne erkennbare Tics, nur gelegentlich zu Kleistschen Hypotaxen sich aufschwingend … Man schlage irgendwo auf, man wird auf nichts anderes stoßen als auf unprätentiöse Prosa, aus der sich ab und zu ein kühnes Bild erhebt wie der Phönix aus dem Aschgrau des Prager Amtsstubendeutschs.

Woher also die Magie? Sind es die Bilder? Sie sind ein kleiner Teil davon. Die Macht seiner Metaphorik hat selbst Brecht ihm zähneknirschend zugestanden, dem Judenjungen, wie er ihn nannte: Kafkas Bilder seien ja gut, gab er Walter Benjamin zu, der Rest sei eben Geheimniskrämerei. Anders als bei Benjamin ist es bei Kafka aber kein gleichmäßiger Magmastrom an Metaphern, sie sind im Gegenteil sogar eher selten. Bei Kafka springt das Bild plötzlich aus dem Kasten der fast unpersönlichen Prosa hervor wie das rot bewamste Teufelchen. Diese Bilder haben es an sich, daß sie rätselhaft bleiben. «Ich irre ab», beginnt eines von ihnen: «Der wahre Weg geht über ein Seil, das nicht in der Höhe gespannt ist, sondern knapp über dem Boden. Es scheint mehr bestimmt stolpern zu machen als begangen zu werden.»

Kann uns das einer übersetzen? Mit Hofmannsthals Seil, auf dem der Sprachartist balanciert, hat das jedenfalls nichts mehr zu tun. Das Bild ist aber so stark, daß man zumindest zu ahnen meint, was es ausdrücken will. So wie man ahnt, was der ewige Sohn meint, wenn er im nie abgeschickten Brief an den Vater zur Erklärung seiner Ehelosigkeit den fast schon komischen Vergleich zieht: «Es ist so, wie wenn einer gefangen wäre und er hätte nicht nur die Absicht zu fliehen, was vielleicht erreichbar wäre, sondern auch noch undzwar gleichzeitig die Absicht, das Gefängnis in ein Lustschloß für sich umzubauen. Wenn er aber flieht, kann er nicht umbauen und wenn er umbaut, kann er nicht fliehn.»

Man sieht hier noch etwas anderes Kafka-Typisches: eine Logik, die sich mit eisernen Ärmchen nicht selten ins Sophistische streckt.

Seine versteckte Komik und seine Metaphorik sind Elemente der Magie, aber was ist es noch? Es ist zuallererst die Summe seiner scheinbar überflüssigen Details. Beschränken wir uns auf Kafkas ersten Roman, den von Max Brod noch *Amerika* genannten *Verschollenen.* Im ersten Kapitel *Der Heizer*, eines der wenigen zu Kafkas Lebzeiten veröffentlichten längeren Prosastücke, begleitet der vor New York noch im Passagierschiff ankernde jugendliche Held Karl Rossmann seinen neugewonnenen Freund, den Heizer, in die Kabine des Kassenwarts, in der sich viele wichtige Herren um den Kapitän versammelt haben. Vor diesem Kapitän will der Heizer bittere Klagen über seine ungerechte Behandlung erheben. Nach dem Eintritt in die Kabine schaut Karl sich um:

> Auf dem Tisch lagen hochaufgeschichtet verschiedene Dokumente, welche der Officier zuerst mit der Feder in der Hand überflog, um sie dann den beiden andern zu reichen, die

> bald lasen, bald excerpierten, bald in ihre Aktentaschen einlegten, wenn nicht gerade der eine, der fast ununterbrochen ein kleines Geräusch mit den Zähnen vollführte, seinem Kollegen etwas in ein Protokoll diktierte.

Warum kann das nur von Kafka sein? Wegen des die Handlung um keinen Millimeter befördernden kleinen Geräuschs mit den Zähnen. Einer der Herren in der Kabine gibt sich bald darauf als Karl Rossmanns Onkel zu erkennen. Er erklärt der Runde, was es mit dem Vorleben seines Neffen auf sich habe: Er wurde von seinen Eltern nach Amerika geschickt, weil er das Dienstmädchen geschwängert hat (es hatte Karl eher mißbraucht als verführt). Sein Onkel, ein Senator, der in New York lebt, hatte aus einem Brief des Dienstmädchens von Karls baldiger Ankunft erfahren. Und der Begleiter des renitenten Heizers war ihm sogleich aufgefallen, die wenn auch ungenaue Beschreibung des Dienstmädchens schien auf den jungen Mann zu passen. «‹Und so findet man seinen Neffen›, schloß er in einem Tone, als wolle er noch einmal Gratulationen bekommen.»

Mehr braucht Kafka nicht, um einen eitlen Charakter vorzuführen. Seine Details zeichnen sich dadurch aus, daß sie überhaupt nur dem schärfsten Blick und Gehör zugänglich sind. Im zweiten Kapitel des *Verschollenen* bekommt Karl es mit einem gewissen Herrn Green zu tun, von dem noch zu sprechen sein wird. Dieser Herr Green sitzt mit Karl bei einem Freund des Senator-Onkels und der jungen Klara beim Abendessen. Karl ist aus guten Gründen appetitlos. Herr Green wendet sich an ihn: «‹Ich werde schon morgen dem Herrn Senator erzählen, wie Sie das Fräulein Klara durch Ihr Nichtessen gekränkt haben›, sagte Herr Green und beschränkte sich darauf, die spaßige Absicht dieser Worte durch die Art, wie er mit dem Besteck hantierte auszudrücken.» So genau beobachtet seit Robert Walser nur Kafka.

Die Komik, die Bilder, der Reichtum an genau gesehenen Details, all das trägt bei zu Kafkas Magie. Aber das alleine genügt nicht. Gehen wir, bevor wir weiter der Spur des *Verschollenen* folgen, noch etwas tiefer ins Sprachdetail. Machen wir die Probe aufs Exempel an wenig bekannter, unauffälliger Stelle – die markanten Stellen bei Kafka sind alle überzitiert. Sein folgendes kurzes Prosastück trägt den (nicht von Kafka vergebenen) Titel *Kleine Maus*.

> Als die kleine Maus, die in der Mäusewelt geliebt wie keine andere gewesen war, in einer Nacht unter das Falleisen kam und mit einem Hochschrei ihr Leben hingab für den Anblick des Specks, wurden alle Mäuse der Umgegend in ihren Löchern von einem Zittern und Schütteln befallen, mit unbeherrscht zwinkernden Augen blickten sie einander der Reihe nach an, während ihre Schwänze in sinnlosem Fleiß den Boden scheuerten. Dann kamen sie zögernd, einer den andern stoßend, hervor, alle zog es zu dem Todesort. Dort lag sie die kleine liebe Maus, das Eisen im Genick, die rosa Beinchen eingedrückt, erstarrt den schwachen Leib, dem ein wenig Speck so sehr zu gönnen gewesen wäre. Die Eltern standen daneben und beäugten die Reste ihres Kindes.

Was macht diese Miniatur zu etwas Besonderem? Es sind die kleinen Abweichungen vom Erwartbaren. Die Maus stirbt nicht mit einem Schrei, sondern mit einem «Hochschrei», der etwas Jubelndes anklingen läßt. Sie stirbt nicht, sondern gibt ihr Leben hin, was eine gewisse Freiwilligkeit unterstellt, als opfere sie sich bewußt. Sie gibt ihr Leben nicht für den Speck hin, den sie ja nicht mehr zu kosten bekommt, sondern für den «Anblick des Specks» – Juristen sind präzise. Bei der Reaktion der Mäuse auf ihren Tod findet Kafka das jeweilige *mot juste*, jedes andere würde die Szene schwächen: das Zittern und Schütteln, die unbeherrscht zwinkernden Augen, am stärksten die «in sinnlosem Fleiß» den Boden scheuernden Schwänze, als vollzögen die aufgeregten Mäuse den Dienst einer Putzkolonne. «Schwänzchen», was sich angeboten hätte, verbot sich, weil im folgenden Satz schon die rosa «Beinchen» vorkommen. Im vorletzten Satz fällt der einzige auktoriale Kommentar: Der Speck wäre der schwachen Maus doch «so sehr zu gönnen» gewesen. Ein Satz, bei dem der Verfasser keine Miene verzieht, man weiß nicht, ist er mitleidig oder ironisch gemeint? Und dann der nackte, antimetaphysische Schluß, bei dem es wieder Verb plus Substantiv sind, an denen alles hängt: Die Eltern beäugen die Reste ihres Kindes. Beäugen ist ein kühles Verb, es ist nüchtern analytisch und zeugt für Interesse, nicht Erschütterung. Beäugt werden Reste: die Reste des toten Kindes, der eben noch wie keine andere geliebten kleinen Maus. Genau diese grausam unterkühlte Kombination konnte nur Kafka finden.

Doch zurück zu Karl Rossmann und zum *Verschollenen*. Wir sind immer noch auf der Suche nach den geheimen Mitteln der Kafkaschen Stil-Magie, salopper gesagt seinen Tricks – aber es sind keine Tricks, letztlich sind es die Gedankenbewegungen. So komisch verzwickt und juristisch ausgetüftelt das Einer- und Andererseits in das Groteske münden lassen – ja, wer außer Kafka soll's denn machen? Wer außer ihm könnte es?

Karl Rossmann avanciert nach dem Rausschmiß beim Onkel (wir kommen darauf zurück) zum Liftboy im Hotel *Continental* und wird dafür eingekleidet:

> Die Uniform mußte auch vor allem über der Brust eigens für Karl erweitert werden, denn keine der zehn vorliegenden wollte auch nur beiläufig passen. Trotz dieser Näharbeit die hier notwendig war, und trotzdem der Meister sehr peinlich schien – zweimal flog die bereits abgelieferte Uniform aus seiner Hand in die Werkstatt zurück – war alles in kaum fünf

> Minuten erledigt und Karl verließ das Atelier schon als Liftjunge mit anliegenden Hosen und einem trotz der bestimmten gegenteiligen Zusicherung des Meisters sehr beengenden Jäckchen, das immer wieder zu Athemübungen verlockte, da man sehen wollte, ob das Athmen noch immer möglich war.

Noch einmal: Warum könnte dieser letzte Satz weder von Werfel noch von Robert Walser, noch von Joseph Roth sein? Es ist neben der verblüffend komischen Schlußwendung die Mischung aus Präzision und Übertreibung. Man kann eine Uniform nicht in knapp fünf Minuten dreimal umnähen. Und wenn man sie dreimal im Brustbereich umnäht, ist es nicht sehr wahrscheinlich, daß ihr Träger danach fast keine Luft mehr bekommt. Die komische Pointe, daß Karl nur deshalb Atemübungen macht, weil er prüfen will, ob er überhaupt noch atmen kann, diese Pointe wäre vielleicht auch Robert Walser eingefallen. Aber typisch für Kafka ist der Einschub «trotz der bestimmten gegenteiligen Zusicherung des Meisters». Der Meister hatte dem neuen Liftboy bequeme Brustfreiheit versprochen, und dann erstickt Karl fast bei seinem Zwölfstundendienst. Es zeigt sich hier im Kleidungsdetail ganz nebenbei das große Gesetz, unter dem Kafkas Werk steht: Die Dinge nehmen die schlimmstmögliche Wendung. Die Sachen glücken nicht, sie klappen nicht. Sie klappen nie. Nur darauf ist Verlaß – darauf aber felsenfest. Immer schieben sich bei Kafka neue unerwartete Hindernisse vors Ziel. Und das Ende ist immer das gleiche, sei es im *Urteil*, in der *Verwandlung*, im *Process*, in der *Strafkolonie*, im *Hungerkünstler*. Die Männer (nie Frauen) sterben – sie ertränken sich, werden wie ein Haufen Unrat aus der Stube gekehrt, sie werden erstochen oder zu Tode gefoltert, sie verhungern oder brechen erschöpft zusammen wie der Landvermesser K. im *Schloss*.

Sein jugendlicher Held Karl Rossmann hat noch einige Illusionen, aber die werden ihm bald zerstört, oder schlimmer: Er hält, obwohl sie ihm zerstört werden, naiv an ihren Splittern fest. Am Anfang ist er noch kampfesbereit. Die Situation ist die folgende: Karl hat sich nach einem tränenreichen Abschied vom Heizer im New Yorker Hafen unter die Obhut des erwähnten Senator-Onkels begeben, der streng und eifersüchtig über ihn wacht. Gegen den Willen dieses Onkels läßt Karl sich für eine Nacht von dessen Freund namens Pollunder, der ihn später beständig betätscheln wird, auf dessen Landhaus einladen. Vielleicht ist dieses antizipierte Betätscheln ein Grund für des Onkels Eifersucht. Nach der langen Autofahrt tritt bei Pollunder als Überraschungsgast ein anderer Freund des Onkels auf, der erwähnte Herr Green. Daß dieser Herr Green eine böse Mission hat, wissen zu diesem Zeitpunkt weder der Leser noch Karl, dem der Besucher dennoch bald spanisch vorkommt. Nachdem er schon Greens Spott über seinen mangelnden Appetit ertragen mußte, hält Karl es nicht länger aus, steht auf und verläßt den Tisch.

> Während Herr Pollunder mit freundlichem Blick Karl zur Türe folgte, sah sich Green, trotzdem man doch schon unwillkürlich sich den Blicken seines Gegenübers anzuschließen pflegt, auch nicht im geringsten nach Karl um, welchem in diesem Benehmen der Ausdruck einer Art Überzeugung Greens zu liegen schien, jeder, Karl für sich, und Green für sich solle hier mit seinen Fähigkeiten auszukommen versuchen, die notwendige gesellschaftliche Verbindung werde sich schon mit der Zeit durch den Sieg oder die Vernichtung eines von beiden herstellen.

Blicke und Gesten sind Kafka immer wichtiger als das Gesagte; die Beobachtung, daß man normalerweise der Blickrichtung des Gegenübers am Tisch folgt, ist eines seiner bezwingenden Details. Der zweite Teil des langfließenden Satzes formuliert eine Spekulation Karls, dem Herrn Greens ostentantives Nicht-Nachschauen nicht entgeht. Und hier, am Ende des Satzes, zeigt sich, warum er nur von Kafka sein konnte. Kafka verstellt während eines Satzes unmerklich die Maßeinheiten. Er beginnt mit Gramm und endet mit Tonnen. Es ist völlig überzogen, aus dieser Winzigkeit der Blickrichtung nichts Geringeres als einen Kampf um «Sieg oder Vernichtung» abzuleiten. Oder geht es eben doch genau darum, weil Karl in dieser Nacht heimat- und beschützerlos ins Nichts verstoßen wird?

Dieser Green wird nämlich verhindern, daß Karl seinem schlechten Gewissen folgt und vorzeitig zurück zu seinem Onkel aufbricht. Das Perfide dabei ist, daß Herr Green einen Brief des Onkels in der Tasche trägt, in dem dieser seinem Neffen als Strafe für dessen eigenmächtigen Besuch bei Pollunder für immer die Freundschaft und Protektion aufkündigt. Dieser Scheidebrief soll Karl von Herrn Green pünktlich um Mitternacht überreicht werden, wenn klar sein wird, daß Karl tatsächlich entgegen dem Onkelwunsch über Nacht aushäusig bleibt. Herr Green verzögert alles, nur um diesen Brief auftragsgemäß ab Mitternacht überreichen zu können, ungeachtet Karls verzweifeltem Wunsch, schon vorher, und sei's mit der Stadtbahn, zum Onkel zurückzukehren. Nach der Briefübergabe begreift Karl plötzlich das üble Spiel des Herrn Green: «Karl sah Green mit scharfen Augen an und erkannte wohl wie in Green die Beschämung über diese Entlarvung mit der Freude über das Gelingen seiner Absicht kämpfte.»

Wieder eine der schönen Mimik-Beobachtungen. Aber schon die bloße Nacherzählung zeigt das entscheidend Typische: Kein einziges Element der Handlung ist glaubwürdig oder realistisch verankert. Nichts hätte wirklich so passieren können, in unserer Welt. In unserer Welt trägt auch die Freiheitsstatue im New Yorker Hafen eine Fackel und kein Schwert, wie es Karl auf der ersten Seite erblickt. Alles ist verzerrt und leicht schief, alles schimmert opak. Kafkas Kosmos ist gebaut wie in Nabokovs *Ada*, es gibt auffällige Ähnlichkeiten mit der uns bekannten Welt, aber auch bizarre Abweichungen, im Grunde sind es Parallelwelten.

Nicht anders ist es mit Kafkas einzelnen Sätzen. Sie ähneln normalen Sätzen, aber immer haben sie ihre kleine Abweichung, die sie als Abkömmlinge einer Parallelwelt verraten. Diese minimal verzerrten Sätze, kann man sie eigentlich verstehen? Reiner Stach bemerkt in seiner Biographie sehr klug: «Er hat seine Werke niemals deuten wollen. Die Frage ist, in welchem Maße er es *gekonnt* hätte.»

Die Frage, die sich vielleicht anknüpfen ließe: Kann man Träume verstehen? Die genaueste Entsprechung dieser literarischen Parallelwelt, die der realen verschwistert scheint, findet sich ja in der Welt des Traums. Wer kennt es nicht aus Träumen: daß nichts gelingt, daß sich immer ein neues Hindernis vors Ziel schiebt und man einen Irrweg nach dem andern geht? Wer kennt es nicht, daß die Kulissen immer wieder plötzlich wechseln, daß auf keinen Handlungsfaden Verlaß ist, daß man sich nach dem Erwachen an überscharfe Details erinnert? Man kennt es aus Träumen, und das entscheidende ist: *Jeder* kennt es aus Träumen. Und genau hierin liegt, wie Stach vermutet, der Grund für Kafkas weltweite Wirkung. Die Traumlogik kennt wenig interkulturelle Grenzen. Man versteht Träume nicht, man muß auch Kafka nicht verstehen, vielleicht kann man es gar nicht; aber Träume berühren die Menschen und das Vorbewußte, wo immer der Zufall der Geburt sie hingewürfelt hat.

Er bestehe aus Literatur und könne nichts anderes sein, beichtet oder droht Kafka einmal Felice Bauer. Das Schreiben sei ihm das Wichtigste auf Erden, «wie etwa einem Irrsinnigen sein Wahn … oder wie einer Frau ihre Schwangerschaft». Anders als die Schwangere fühlt Kafka sich dabei ewig einsam, als eine Art Untoter, der als bloße Hülle in sich zusammensänke, wäre der Dämon der Literatur einmal ausgetrieben. Im Juli 1913 schreibt er Felice (ganz Galan, der die Braut bezaubern will): «Ich bin kein Mensch.»

War er ein Alien? Seine Geliebte Milena Jesenská sah es anders. Nach der Trennung von Frank, wie sie ihn nannte, schrieb sie über seine angebliche Nicht-Normalität: «Ich glaube eher, daß wir alle, die ganze Welt und alle Menschen krank sind und er der einzige Gesunde und richtig Auffassende und richtig Fühlende und der einzige reine Mensch.»

Was den Stilisten betrifft, hatte sie ziemlich sicher recht. Ihr Frank dürfte der reinste Autor deutscher Sprache sein.

Tommy: Der Papst. Bauschan

Daß Kafka laut lachte bei den wenigen Lesungen aus seinen Manuskripten, wird oft kolportiert und scheint glaubwürdig belegt. Es hatte seinen guten Grund. Auch Thomas Mann liest Kafkas Tagebücher, wie er Max Brod schreibt, mit Ergriffenheit, «die oft mit phantastischer Erheiterung gemischt ist. Wie komisch konnte dieser Dulder sein! Ich rechne es ihm besonders hoch an.»

Man freut sich, daß Thomas Mann die Größe dieses Antipoden so früh erkannt hat. Die zwei Autoren trennt so ziemlich alles, bis auf den geringen Sinn fürs Feminine und den großen Sinn fürs Komische; alles in Herkunft, Vita, Status und Stil, wenn man davon absieht, daß sie beide bürgerlich lebten und für die Bohème nichts übrig hatten. Der eine wächst in Prag im kleinbürgerlich-jüdischen Krämerladen auf, der andere in Lübeck in der Senatorenvilla. Der eine stirbt ledig und kinderlos mit vierzig an Tuberkulose, der andere wird doppelt so alt, feiert goldene Hochzeit und zeugt fünf Nachkommen. Der eine veröffentlicht zu Lebzeiten zweieinhalb Bücher, der andere bekommt den Nobelpreis fast zweimal und hinterläßt eine dreizehnbändige Werkausgabe.

Der eine bestimmt testamentarisch, man möge alles Schriftliche von ihm verbrennen. Der andere gibt die Gesammelten Tagebücher dem Blick der Nachwelt mit einer Sperrfrist von 25 Jahren – nein, doch lieber nur zwanzig Jahren frei.

Der eine ist der reinste Autor deutscher Sprache; der andere vielleicht der reichste.

Thomas Mann, so ganz anders geartet als Kafka, wird als Stilist nicht über-, sondern unterschätzt. Das liegt daran, daß es einen parodierbaren Teil an ihm gibt. Robert Neumann hatte leichtes Spiel mit dem *Tod in Venedig* und dem gravitätischen Ton, den Thomas Mann selbst in einer späteren schwachen Stunde als halbgebildet und falsch empfand. Ebenfalls leichtes Spiel hätte Neumann mit den Zeitblomschen Umständlichkeiten des *Doktor Faustus* gehabt; ein schwereres schon mit den Beschreibungen der Leverkühnschen Musik.

Aber die Tagebücher? Die Kunst des Beiworts? Die Variationstiefe, von *Buddenbrooks* zum *Erwählten*, vom *Zauberberg* zum *Felix Krull*?! Der schwächere Mann ist der Pathetiker; der Humorist ist schwer zu übertreffen. Daß er dabei einerseits immer als derselbe Autor zu erkennen ist, andererseits aber einen Tonumfang von drei Oktaven hat, sieht man schon an den Anfangssätzen. Blättern wir nur einmal auf:

«Still! Wir wollen in eine Seele schauen.»

Ja, so kann man eine Erzählung anfangen! Es ist nur vor ihm noch keiner darauf gekommen. Allenfalls H. C. Andersen, der zu ähnlichen Aplomb-Einsätzen in der Lage war und von dem Thomas Mann es letztlich auch hat. Lyrisch-zart der Anfang der nachmals so populären Erzählung des das Bürgerliche mit dem Bajazzohaften etwas übersymbolisch zusammenzwingenden *Tonio Kröger*.

Die Wintersonne stand nur als armer Schein, milchig und matt hinter Wolkenschichten über der engen Stadt. Naß und zugig war's in den giebeligen Gassen, und manchmal fiel eine Art von weichem Hagel, nicht Eis, nicht Schnee.

Wir überspringen den allzu oft zitierten Auftakt des zweiten *Tod in Venedig*-Kapitels, der beginnt: «Der Autor der klaren und mächtigen Prosa-Epopöe vom Leben Friedrichs von Preußen», fordern den Leser allerdings auf, in dem Mammutsatz, der nun die Werke Gustav von Aschenbachs aufzählt, den subtilen Grammatikfehler zu finden. Der größere Kunstfehler ist, daß dieser lange Satz in mattester Kadenz endet: Der Autor der mächtigen Prosa-Epopöe – folgen zwölf Zeilen Schilderung der Werke, in der sich auch der Grammatikfehler versteckt – war da und dort als Sohn eines Justizbeamten geboren.

Na allerhand! Und dafür der Aufwand? Man denkt an den kauernden Tiger aus Aschenbachs Vision, die ihn nach Venedig und in den Tod locken wird, und daran, wie dieser Tiger redensartlich nach schlappem Sprung landen kann.

Und wenn wir bei Bettvorlegern sind: Auf einem Eisbärfell treibt es das erste inzestuöse Paar in *Wälsungenblut*, dessen Schlußsatz Thomas Mann aus innerfamiliären Rücksichten ändern mußte. Er war frisch verheiratet mit einer Tochter aus jüdischer Familie. Aus dem nicht nur für heutige Ohren mißtönenden «Beganeft haben wir ihn, den Goi» – die Schwester hat gerade mit ihrem Bruder den Gatten gehörnt – machte der Schwiegersohn Alfred Pringsheims: «Er wird ein minder triviales Dasein führen, von nun an.» Ein Fall von Selbstzensur, den man nicht bedauern muß.

Das Gesetz, die Meistererzählung vom Mann Moses und vom Ursprung der Zehn Gebote, eine Auftragsarbeit, von der er danach nicht unberechtigt fand, die Katze im Sack, als die er sie pauschal verkauft hatte, habe sich als Löwe herausgestellt, beginnt mit drei aufeinander aufbauenden, antithetisch geformten Sätzen in gemessen biblischem Ton:

> Seine Geburt war unordentlich, darum liebte er leidenschaftliche Ordnung, das Unverbrüchliche, Gebot und Verbot.
> Er tötete früh im Auflodern, darum wußte er besser als jeder Unerfahrene, daß Töten zwar köstlich, aber getötet zu haben höchst gräßlich ist, und daß du nicht töten sollst.
> Er war sinnenheiß, darum verlangte es ihn nach dem Geistigen, Reinen und Heiligen, dem Unsichtbaren, denn dieses schien ihm geistig, heilig und rein.

Und viel mehr braucht es nicht zur freudianisch-feuerbachschen Erklärung der alttestamentarischen Religion.

Episch-indisch der Beginn der *Vertauschten Köpfe*:

> Die Geschichte der schönhüftigen Sita, Tochter des aus Kriegerblut stammenden Kuhzüchters Sumantra, und ihrer beiden Gatten (wenn man so sagen darf) stellt, blutig und sinnverwirrend, wie sie ist, die höchsten Anforderungen an die Seelenstärke des Lauschenden und an sein Vermögen, den grausamen Gaukeleien der Maya des Geistes Spitze zu bieten.

Der Witz dieser schönschwingenden Einführung ist der eingeklammerte Halbsatz «wenn man so sagen darf», denn er verrät fast schon die ganze Geschichte. Kann man im strengen Sinn von zwei Gatten sprechen, wenn sie zur Hälfte der alte sind und nur jeweils Leib und Kopf vertauscht? Wer ist der Freund, wer ist der Gatte – was macht sie aus, ist es das Haupt, oder ist es der Leib? Auf diese verwickelten Fragen bereitet der kleine Einschub vor; durch die Adjektive «blutig» und «grausam» auch schon auf das

Ende, den Scheiterhaufen, auf dem die schönhüftige Sita – nachdem ihre beiden Gatten (wenn man so sagen darf) einander einvernehmlich mit Schwertern zu Tode befördert haben, «ein jeder getroffen in des anderen Herz» – auf eigenen Wunsch als Witwe verbrennt.

Dagegen nur sechs Worte für den Beginn seines vieltausendseitigen Meisterwerks *Joseph und seine Brüder*. «Tief ist der Brunnen der Vergangenheit. Sollte man ihn nicht unergründlich nennen?»

Oder hört das!

> Glockenschall, Glockenschwall supra urbem, über der ganzen Stadt, in ihren von Klang überfüllten Lüften! Glocken, Glocken, sie schwingen und schaukeln, wogen und wiegen ausholend an ihren Balken, in ihren Stühlen, hundertstimmig, in babylonischem Durcheinander.

Eine ganze Seite lang läuten so die Glocken Roms zum großen Fest – der Papstwahl, die den armen Inzest-Sünder Gregorius am Ende des Romans ereilt. Aber wer läutet die Glocken? Niemand anderes als der Geist der Erzählung, zu dem Clemens, der fromme Mönch und Chronist der Sündenmär, sich kurzerhand selbst erhöht. Erfindungsreicher als *Der Erwählte*, unter seinen Spätwerken das kostbarste, ist wohl kein anderer Roman Thomas Manns. Es ist Sprachmusik, nicht jeder muß sie mögen. Heinrich, sie hören, und wandte sich grausend ab (er hat sie freilich nicht mehr erlebt).

Nur ein paar Takte daraus: Gregor, nach siebzehn Jahren Büßertum auf dem Stein nicht viel größer als ein Igel, wird von den nach ihm suchenden Geistlichen Probus und Liberius entdeckt. Liberius ist anders als Probus skeptisch, ob dieses kümmerliche Wesen wirklich zum Papst tauge und die Kirche nicht den Spott der Türken und Heiden riskiere. Da schaltet sich der Büßer selber ein: «Nehmt nicht Anstoß an meiner Gestalt! Kindische Nahrung und der Widerstand gegen die Wetter des Himmels setzten sie so herab. Erwachsenheit wird mir zurückkehren.»

Im letzten Wort der darauf folgenden Replik zeigt sich der ganze Thomas Mann: «‹Hörst du? Hörst du?›» triumphierte Probus. «‹Seine Erscheinung ist verbesserungsfähig.›»

Es ist dieses Spiel mit den unterschiedlichen Stilhöhen, aus dem *Der Erwählte* so viele komische Effekte zieht. Man möchte unentwegt aus ihm zitieren, aber wir müssen weiter. Nur diesen einen Dialog noch: Probus und Liberius sind an der Hütte des gehässigen Fischers angelangt, der den Sünder siebzehn Jahre zuvor samt Fußeisen auf den kahlen Felsen verbracht hatte. Die aus Rom angereisten Prälaten, durch einen übereinstimmenden Doppeltraum in Marsch gesetzt, sehen sich nah am prophezeiten Ziel. Der eine fragt den Fischer:

> «Freund, ist dies eine Einöde?»
> «Zu dienen, ja, eine Einöde», belebte sich der.
> «Eine vollkommene Einöde?» fragte der Lange und sah den Fischer tiefen Blickes an, indes ihm ein Mundwinkel schwer und gottergeben hinabhing.
> «Man kann es nicht leugnen, Herr. Diese Hütte steht in größtmöglicher Vereinzelung hier am See.»

Allein für die «größtmögliche Vereinzelung» sei dieser Autor zum Papst der komischen Prosa gekürt. Und für den Schluß des *Erwählten* zum Papst der ergreifenden. Der Mönch Clemens hält den Nekrolog auf die vertrackt mit Gregor verwandten Nachfahren, die Enkel seiner Mutter, Tante und Frau. Diese Enkel, ordentlich gezeugt, leben noch eine ganze Weile.

> Wie lange aber, so gilbten auch sie, wie das Laub eines Sommers, und düngten den Boden, darauf neue Sterbliche wan-

delten, grünten und gilbten. Die Welt ist endlich und ewig nur Gottes Ruhm.

Zu diesem Zeitpunkt hatte Thomas Mann schon Proust gelesen, der hier ganz leicht anklingt. Zum Ende der *Recherche* sinniert der Erzähler über das grausame Gesetz der Kunst: «Daß die Menschen sterben und daß wir selbst sterben, wobei wir das Leiden bis auf den Grund ausschöpfen, damit das Gras nicht des Vergessens sondern des ewigen Lebens sprießt, jenes dichte Gras fruchtbarer Werke, auf denen die Generationen voller Heiterkeit und ohne Sorge um die, die darunter schlafen, abhalten werden ihr *déjeuner sur l'herbe.*»

Auch Thomas Mann hat diesen Rasen nach Kräften mitgedüngt. Die größte Sterbeszene gelingt ihm in den *Geschichten Jaakobs.* Rahel und Jaakob haben sich endlich aus dem Vaterhause Labans gelöst. Sie ziehen gemeinsam in ihr neues Leben, Rahel ist hochschwanger.

«Ein sehr alter, großenteils hohler Maulbeerbaum neigte seinen Stamm, von aufeinandergestellten Steinen gestützt, über den Weg. Hier ritt man eben vorbei, als Rahel ohnmächtig vom Tiere sank.»

Die folgende fünf Seiten lange Schilderung davon, wie Rahel an der Geburt des Benjamin stirbt, kann und sollte man nicht anders als ungekürzt darbieten, was hier nicht gut möglich ist. Sie zählt zum Stärksten, was Thomas Mann geschrieben hat. Daß Erinnerungen an die Gebärqualen seiner schmalhüftigen Frau Katia mit einflossen, dürfte zur Eindringlichkeit beigetragen haben. Und dennoch ist es wieder so bezeichnend für Thomas Mann, der höchstens dann einmal sentimental wird, wenn es ums Jungmännliche geht, daß er sogar dieser Szene jenes Gran Komik beimischt, das man gern und aus guten Gründen seinem inneren Eiseskern zuschreiben mag.

Rahel, Jaakobs geliebte Frau, Mutter des Joseph, jetzt sterbend unter der Geburt ihrer zweiten Leibesfrucht, gedenkt aller tiefen und innigen Gefühle zwischen ihr und ihrem Erwählten, und woran denkt sie als allerletztes? An ein harmloses Vergehen, daran, daß sie ein paar Hausgötter hatte mitgehen heißen, als sie mit Jaakob von ihrem Vater Laban loszog.

«‹Und verzeih auch›, hauchte sie schließlich, ‹daß ich die Teraphim stahl.› Da ging der Tod über ihr Antlitz und löschte es aus.»

Doch noch einmal zurück zum großen Mann der mittleren Epoche: nach dem *Tod in Venedig*, vor dem *Zauberberg*.

*

Die 1919 entstandene Erzählung *Herr und Hund. Ein Idyll* schildert das trotz der Gattungsbezeichnung nicht ganz spannungsfreie Zusammenleben des Ich-Erzählers mit seinem Hund Bauschan, den er täglich in den Münchener Auen ausführt. Bauschan, eine Promenadenmischung, ist seinem Herrn treu ergeben, aber bei einem dieser Spaziergänge, bei denen Bauschan gerne und vergeblich Enten jagt, kommt es zu einem Zwischenfall, der eine vorübergehende Erkältung des Verhältnisses zwischen Herr und Hund bewirkt. Die beiden bleiben stehen, als sie sehen, wie am jenseitigen Ufer des Flusses ein Mann mit Wickelgamaschen, weiten Hosen aus Manchester-Stoff und Lodenhut aus dem Gebüsch tritt und eine Flinte schräg gegen den Himmel richtet.

> Unsere achtungsvolle und eindringliche Anschauung aber konnte nur einen Augenblick währen – da platzte drüben der flache Knall, auf den ich mit innerer Anstrengung gewartet hatte, und der mich also zusammenfahren ließ; ein Lichtlein, blaß vor dem hellen Tag, blitzte gleichzeitig auf, ein Wölkchen dampfte ihm nach, und während der Mann sich einen Opernschritt vorwärts fallen ließ, Brust und Angesicht

> gen Himmel geworfen, die Flinte am Riemen in der rechten Faust, spielte sich dort oben, wohin er blickte und wohin auch wir blickten, ein Vorgang kurzer, stiebender Verwirrung ab: die Entengruppe fuhr auseinander, ein wildes Flattern entstand, wie wenn ein Stoßwind in losen Segeln knallt, der Versuch eines Gleitflugs folgte, und plötzlich zur Sache geworden, fiel der getroffene Körper, rasch wie ein Stein, in die Nähe des jenseitigen Ufers auf die Wasserfläche hinab.

Um zu beschreiben, wie Bauschan auf diesen unerhörten Vorfall reagiert, macht der Erzähler nun etwas Ungewöhnliches. Er teilt dem Leser mit, aus welchen Gründen er das Folgende so und nicht anders darstellen will. Er reflektiert über das Handwerk des Schreibens und teilt uns eine goldene Regel jeder Stillehre mit.

> Geprägte Redensarten bieten sich an, um sein Verhalten zu kennzeichnen, Kurrentmünze, gangbar in großen Fällen, ich könnte sagen, er sei wie vom Donner gerührt gewesen. Allein das mißfällt mir, und ich mag es nicht. Die großen Worte, abgenutzt wie sie sind, eignen sich gar nicht sehr, das Außerordentliche auszudrücken; vielmehr geschieht dies am besten, indem man die kleinen auf die Höhe treibt und auf den Gipfel ihrer Bedeutung bringt. Ich sage nichts weiter, als daß Bauschan beim Flintenknall, bei seinen Begleitumständen und Folgeerscheinungen *stutzte*

– und es folgt eine halbe Seite, die dieses Stutzen beschreibt, das Bauschans Körper nach hinten, nach links und nach rechts schleudert, das ihm beim Zurückprallen den Kopf gegen die Brust reißt und das aus ihm zu schreien scheint: «Was? Was? Was war das? Halt, in drei Teufels Namen! *Wie war das?!*»

Und sehen Sie, lieber, verehrter Herr Neumann, mit allem Verlaub, an dieser Passage wären Sie dann vielleicht doch gescheitert. An dem in die Segel knallenden Stoßwind, dem plötzlich zur Sache gewordenen Entenleib, an dem rhythmisch perfekten Parlando, das durch seine leichte Überhöhung («Angesicht gen Himmel») ein selbstironisches Timbre hat. Und wissen Sie, woran Sie vor allem gescheitert wären? Erstens an dem «also» im Eingangssatz, mit dem Knall, «der mich *also* zusammenfahren ließ». Denn genauso ist es: Gerade wenn man auf etwas wartet, es kann auch die Türklingel sein, zuckt man zusammen, sowie diese Klingel schrillt; in dem «also» steckt eine schöne wahre Alltagsbeobachtung, die erwartete Überraschung. Und zweitens, im nächsten Absatz: an dem lakonischen, alle Mann-Klischees sprengenden «ich mag es nicht».

Bauschan also stutzt, und als der Herr zum Weitergehen drängt, wendet er nur äußerst kurz den Kopf nach seiner Seite hin, «wie wenn jemand nicht ohne Barschheit sagt: ‹Bitte mich nicht zu stören!›» Die Ente treibt auf dem Wasser, der erfolgreiche Schütze fängt sie mit dem Flintenkolben ab und zieht sie an Land. «Nun, der hat seinen Braten für morgen», denkt der Erzähler mit «Beifall und Mißgunst». (Das Idyll entsteht 1919, als in München Hunger herrscht.) Er will nun endlich den Heimweg antreten, aber Bauschan, anders als sonst, läuft nicht schräg vor ihm, sondern etwas hinter ihm und zieht dabei «eine Art von Maul», wie sein Herr bemerken muß, wenn er sich zufällig einmal nach ihm umsieht.

> Das hätte hingehen mögen, und viel fehlte, daß ich mich dadurch in Harnisch hätte jagen lassen; im Gegenteil war ich geneigt, zu lachen und die Achseln zu zucken. Aber alle dreißig bis fünfzig Schritte *gähnte* er, und das war es, was mich erbitterte. Es war das unverschämte, sperrangelweite, grob gelangweilte und von einem piepsenden Kehllaut begleitete Gähnen, das deutlich ausdrückt: ‹Ein schöner Herr!

Kein rechter Herr! Ein lumpiger Herr!›, und wenn der beleidigende Laut mich niemals unempfindlich läßt, so war er diesmal vermögend, unsre Freundschaft bis in den Grund zu stören.

Was folgt, ist eine der lustigsten Strafpredigten deutscher Prosa. Der Erzähler steigert sich, auch wenn er seine Worte nicht laut werden läßt, um nicht exaltiert zu erscheinen, in eine scharfe Abrechnung hinein.

«Geh» sagte ich. «Geh fort! Geh doch zu deinem Herrn mit der Donnerbüchse und schließ dich ihm an, er scheint ja nicht im Besitze eines Hundes, vielleicht kann er dich brauchen bei seinen Taten. Er ist zwar nur ein Mann in Manchester und kein Herr, aber in deinen Augen mag er ja einer sein, ein Herr für dich, und darum empfehle ich dir aufrichtig, zu ihm überzugehen, da er dir denn nun einmal einen Floh ins Ohr gesetzt hat, zu deinen übrigen.» (So weit ging ich.)

Und er wird, einmal in Fahrt geraten, noch viel weiter gehen. Daß niemand so spricht, ist hier kein Einwand, zumal Thomas Mann tatsächlich so hätte gesprochen haben können: Es ist genau der Höhenunterschied zwischen dem sachlich Verhandelten und der solennen Stilebene, aus der die Ironie ihren Schwung bezieht. Welcher rhetorische Aufwand für einen räudigen Hund! Aber sein Herr ist ihm tief verbunden, und was er empfindet, ist nichts anderes als Eifersucht. Oben fiel das böse Wort «Promenadenmischung». In seiner kalten Rage spielt der Erzähler auch auf dieses hereditäre Faktum an, auf Bauschans niedere Geburt.

«[...] Es gibt Dinge und Unterschiede, für die solche bewaffneten Leute viel Sinn und Blick besitzen, natürliche Ver-

> dienste oder Nachteile, um meine Anspielung *schon deutlicher* zu machen, knifflige Fragen des Stammbaumes und der Ahnenprobe, daß ich mich ganz unmißverständlich ausdrücke, über die nicht jedermann mit zarter Humanität hinweggeht, und wenn er dir bei der ersten Meinungsverschiedenheit deinen Knebelbart vorhält, dein rüstiger Herr, und dich mit mißlautenden Namen belegt, dann denke an mich und diese meine gegenwärtigen Worte ...»

Und Bauschan kann, davon ist sein Herr überzeugt, zumindest der Hauptlinie seines Gedankengangs sehr wohl folgen.

Daß Thomas Mann sich in seiner Empfindlichkeit, in seinem so leicht zu kränkenden Narzißmus so ungeschützt dem Leser preisgibt, trägt zur Komik der Szene bei, gibt ihr aber auch etwas Rührendes: Hier wird das Tier, und sei's darin, daß man es verschilt, als ebenbürtig ernst genommen – wie sonst nur die Fliege bei Musil, das Eichhörnchen bei Hebbel, die Katze bei Kronauer, das Reh bei Salten, die Kuh bei Mosebach, das Pferd bei Roth, der Panther bei Rilke, der Bär bei Walser, der Babyelefant bei Schopenhauer oder der Drache bei Doderer.

Stilvergleich III: Zu den Wasserfällen

In Heimito von Doderers spätem und bestem Roman, wenn man die *Dämonen* einmal aus dem Spiel läßt, gipfelt die Handlung im Getöse der titelstiftenden *Wasserfälle von Slunj*. Es ist ein beeindruckendes Naturspektakel, bei dem sich das Verführerische mit dem Tödlichen mischt, von Doderer beeindruckend ausgemalt.

Es gibt zu dieser Szene einen Vorläufer. In Thomas Manns vierzig Jahre zuvor erschienenem *Zauberberg* besucht eine kleine Reisegruppe um Mynheer Peeperkorn einen Wasserfall, in dessen

Donnern Peeperkorn eine unhörbare, hilflose Predigt hält. Es ist seine Abschiedsrede und eine Abendmahl-Travestie: In derselben Nacht nimmt er sich das Leben.

In beiden Romanen ist der Ausflug zum Wasserfall symbolisch reich unterlegt, in beiden ist er Höhe- und Wendepunkt mit tödlichen Folgen – bei Doderer stürzt der Held Donald Clayton vom Steg über den Wasserfällen in die Tiefe. Man darf annehmen, daß Doderer die Szene durchaus in Überbietungsabsicht verfaßt hat; er schätzte Thomas Mann später zwar ostentativ gering, aber hatte ihn darum nicht weniger studiert. Den *Zauberberg* hatte er schon 1926 gelesen und seinem Verfasser den Nobelpreis, den er dafür verdiene, vorhergesagt.

Vergleichen wir also zwei Wasserfälle und ihren jeweiligen Stil, in vertauschter Chronologie.

Zdenko von Chlamtatsch und sein Knappe Ivo sind reitend auf dem Weg zu ihrem Ausflugsziel und hören schon die Fälle, zuerst kaum wahrnehmbar, «das dumpfe Geräusch schien als ein schwaches Rumoren aus dem Erdboden zu kommen». Dann immer deutlicher: «Das Lärmen und Toben des Wassers wurde bald gewaltig. Hätte man sprechen mögen, wäre es nur schreiend möglich gewesen.»

> So näherten sie sich der Mitte der Fälle, ohne daß irgendwer ihnen begegnet wäre. Das Übermächtige an diesem Gange, der drohende Überhang gleichsam, unter welchem er sich verzog, war die Wucht des Wasserlärms, der, mochte er immerhin schon beim Passieren der ersten Mühle so angewachsen sein, daß jede Verständigung, außer durch Schreien, bereits ausgeschlossen blieb, bald eine weitaus gewaltigere Stärke erreicht hatte. Hier auch stäubten schon die Wasser allenthalben hoch auf, fielen in Schleiern nässend auf die Stege, unter welchen anderwärts wieder die Strömung in

> dicken Schlangen zwischen den Mühlen durchschoss, glatt und glashart aussehend infolge ihrer Geschwindigkeit. Der Lärm schien viele Lagen oder Schichten zu haben, höhere und tiefere, Donnern sowohl wie helles Pfauchen, dumpfes Mahlen ebenso wie schneidendes Gespritze; und darunter, als das eigentlich Schrecklichste, war ein ununterbrochenes Heulen hörbar.

Auch Doderers Beschreibungskunst hat beeindruckend viele Lagen und Schichten, wie man merkt. Es folgt die so knappe wie unvergeßliche Schilderung, wie Ivo und Zdenko in einiger Entfernung hinter drei Mühlenarbeitern – man sieht sie hämmern, «doch freilich konnte man den Schlag nicht hören» – einen vierten Mann entdecken, der von der anderen Seite des Falles aus über die Stege sich nähert, «die linke Hand dann und wann auf das Geländer legend. Als er von der Mühlenhütte und den werkenden Männern noch etwa zwanzig Schritte entfernt war, fuhr etwas aus seiner linken Hand empor wie ein Stab oder eine Lanze, im nächsten Augenblick aber sah man dieses Geländerstück fallen, und hinter ihm Donald, gegen den Katarakt hinab.»

Die drei kroatischen Mühlenarbeiter eilen zur Hilfe, der älteste läßt sich vom Steg abseilen, um den auf einen Felsvorsprung gestürzten Donald Claytons zu bergen. Er ist tot; gestorben nicht am Aufprall, wie man später erfährt, sondern am Schock. Die beiden jüngeren Kroaten tragen die Leiche Claytons über den gefährlichen Steg zurück.

> Bevor man die Stelle passierte, wo jetzt gegen den Absturz zu das Geländer fehlte, untersuchte der Alte die Pfosten, denen es aufgelegen hatte. Sie standen freilich fest. Aber jene Zimmermanns-Kerben, darin die Stange eingesenkt gewesen war, erwiesen sich als stark verquollen, und das mochte

> wohl auch bei den aufliegenden Enden der Stange selbst ganz ebenso gewesen sein, so daß diese durch die Feuchtigkeit, und vielleicht auch die vom Wasser erzeugte Vibration, schließlich samt dem großen Nagel aus ihrer Bettung hatte gedrängt werden können.

Das massive Wasser, das dem unglücklichen Donald Clayton als Vision schon seit seiner Kindheit erschien, das Wasser mit seinem schrecklichen Mahlen, Heulen und Spritzen, war schuld an seinem Tod, und man sieht es noch einmal vor sich, wie das nur noch lose aufliegende Geländerstück in dem Moment, in dem Donald sich darauf abstützt, emporspringt wie ein Stab oder eine Lanze; ein Bild, das erst einmal gefunden sein wollte (auch wenn physikalisch, was den Hebelpunkt angeht, ein Restzweifel bleibt).

Thomas Mann kann mit solchen dramatischen Szenen nicht dienen. Aber beim Motiv des zunehmend die Verständigung erschwerenden Höllengeheuls, dem die Mynheersche Gefolgschaft sich nähert, erweist auch er seine Expertise.

Bald wird dem auf zwei Kutschen verteilten Reisegrüppchen ein fernes Geräusch bewußt, ein leises, «zuweilen der Wahrnehmung noch wieder entkommendes Zischen, Schüttern und Brausen, das zu unterscheiden man einander aufforderte und auf das man gefesselten Fußes horchte». Settembrini bemerkt, jetzt lasse es sich noch schüchtern an, aber an Ort und Stelle sei es brutal um diese Jahreszeit, «machen Sie sich gefaßt, wir werden unser eigen Wort nicht verstehen». Und in der Tat, das Rumpeln und Zischen wird allmählich zum Getöse, und dann das – die *pièce à faire* des Kapitels:

> – es war ein Höllenspektakel. Die Wassermassen stürzten senkrecht nur in einer einzigen Kaskade, deren Höhe aber wohl sieben oder acht Meter betrug und deren Breite eben-

> falls beträchtlich war, und schossen dann weiß über Felsen weiter. Sie stürzten mit unsinnigem Lärm, in welchem sich alle möglichen Geräuscharten und Lauthöhen zu mischen schienen, Donnern und Zischen, Gebrüll, Gejohle, Tusch, Krach, Geprassel, Gedröhn und Glockengeläut, – wahrhaftig wollten einem die Sinne davon vergehen. Die Besucher waren dicht herangetreten auf schlüpfrigem Felsengrunde und betrachteten, feucht angeatmet und angesprüht, in Wasserdunst eingehüllt, die Ohren überfüllt und dicht verpolstert vom Lärm, dazu Blicke tauschend und mit verschüchtertem Lächeln die Köpfe schüttelnd, das Schauspiel, diese Dauerkatastrophe aus Schaum und Geschmetter, deren irres und übermäßiges Brausen sie betäubte, ihnen Furcht erregte und Gehörstäuschungen verursachte. Man glaubte hinter sich, über sich, von allen Seiten drohende und warnende Rufe zu hören, Posaunen und rohe Männerstimmen.

Im Vergleich zu Doderer? Es ist rhythmisch strenger durchgearbeitet und reicher orchestriert, mit Geprassel und Männerstimmen und Glockengeläut; bei allem Musikalisch-Akustischen kommt der spätere Verfasser des *Doktor Faustus* auf seine Höhe. Der apokalyptische Hintergrund des Höllenspektakels ist nicht zu übersehen, die Posaune der Johannesoffenbarung nicht zu überhören – in diesem Kapitel findet nicht nur Peeperkorn sein Ende, ab jetzt stürzt der Roman in den Höllenschlund des Krieges, auf dessen flandrischen Feldern Hans Castorp fallen wird.

Das Kuriose ist, daß man nicht darauf käme, daß die eine Szene vierzig Jahre später entstand als die andere, besser gesagt, man hätte die Reihenfolge eher vertauscht. Doderer ist fast altmodischer, umständlicher, es geht ihm nicht zuerst um Eleganz, sondern um notfalls behäbige Genauigkeit. Es ist auch eine Genauigkeit des Hinsehens oder überhaupt der Erfahrung, die bei Thomas

Mann manchmal ersetzt wird durch Fülle des Wohlklangs. Bleiben wir, als letztes Beispiel, noch einmal beim Wasserfall und dem Weg zu ihm.

Bei Doderer machen Zdenko und sein Bursche auf ihren Pferden halt, als sie das schwache Rumoren aus dem Erdboden hören.

> Auf die Pferde wirkte das augenscheinlich nicht. Die standen ruhig. Das Pferd ist für Plötzlichkeiten am meisten anfällig. Das hier war nichts weniger als plötzlich. Es wäre vielleicht schon früher hörbar gewesen, hätten sie anhalten mögen. Es gehörte zur Gegend, es war immer da und lag mit den Sonnenkringeln am Grunde des Laubwalds so ruhig wie der blaue Himmel über den Kronen.
> Aber auf Zdenko wirkte mächtig der tief stehende Ton, und Zdenko war es, der, wenn auch nur figürlich, die Ohren zurücklegte, und nicht sein Reitpferd, das dazu ohne weiteres und wirklich befähigt gewesen wäre.

Das schüttelt der ehemalige Dragoner als Seitenbeobachtung und hübschen auktorialen Schlenker aus dem Handgelenk. Bei Thomas Mann erfahren wir über die Kutschenanreise:

«Sie hatten beste Fahrt. Die Pferde, muntere Blessen alle vier, gedrungen, glatt und satt, schlugen in festem Takt die gute Straße, die noch nicht staubte.»

Bei Mann steht der feste Takt und der Assonanzen-Wohlklang im Vordergrund, das «glatt und satt» der, nun ja, «munteren» Blessen. Es kommt hier aber auch nicht auf die Pferde an, und wenn die Stelle etwas Postkartenhaftes hat, so entspricht das den touristisch gestimmten Berghof-Ausflüglern, die sich das genaue Hinsehen in ihren langen Tuberkulose-Ferien längst abgewöhnt haben und nicht ahnen, daß ihnen gleich Hören und Sehen vergehen wird.

Der austriakische Kaktus: Heimito von Doderer

Eines ist bei Doderer immer völlig ausgeschlossen, die Nähe zum Kunstgewerbe oder zur bloßen Rhetorik. Bei Thomas Mann ist sie das nicht immer. Doderer kann derb sein, sackgrob sogar und manchmal unverschämt misogyn. Wenn er Figuren aus seinem Roman kickt, wie die erwähnten Finy und Feverl in den *Wasserfällen*, dann können sie von Glück reden, wenn er es nicht mit Stiefeln, sondern nur mit Filzpatschen tut.

Der austriakische Kaktus, wie er selbst sich nannte, war stachlig. Dabei ist er höchst sensitiv. Doderer ist ein kakanischer Proust, überschäumend von schwarzem Witz. Ganz wie Proust – und anders als Mann – hat er ein meditatives Verhältnis zu Weißdorn, Flieder, Kastanie; anders als beide war er nicht nur in Filzpatschen im Salon unterwegs. Doderer war als berittener Soldat viel unter freiem Himmel. So unnachahmlich er das Straßenbahnquietschen eines Wiener Platzes im neunten Bezirk oder das Weichbild einer balkanischen Großstadt schildern kann, am eigentümlichsten, am dodereskesten ist er in der Natur. Es gibt seit Adalbert Stifter keinen Autor, der Landschaften so stark und geheimnisvoll auflädt. Schattige Wälder und besonnte Täler, Gebirgsauen und Bäche und Tümpel, in denen sich Wasserschlangen oder Molche tummeln – Doderer malt sie so eindringlich, als sähe er sie gleichsam von innen. Wer wie Doderer in der *Strudlhofstiege* eine Bärenjagd beschreibt, der hat eben eine Bärenjagd mitgemacht. Ausnahme von der Regel: Die Wasserfälle von Slunj hat er nie gesehen; er hat sie nach Ansichtskarten beschrieben. Wenn man in einem Satz sagen müßte, was Doderer allen zeitgenössischen Autoren voraushat: Kein anderer erreicht ihn in der Intensität des Waldgefühls.

Unübertroffen ist er aber auch als Seelenschilderer. Bei Doderer gibt es Sätze, über die man einfach nur staunen kann. Sie folgen keinem erkennbaren und darum nachzuahmenden Prinzip, sie drücken sehr spezielle Gedanken auf die offenbar einzig mögliche, diesem Speziellen Genüge tuende Weise aus. Behelfsweise möchte man das Wort *Wahrheitsdringlichkeit* vorschlagen. In seiner eigenen verstiegenen Schreibmetaphysik ging es Doderer immer ums kontemplative Sich-Versenken und den Aufstieg aus dem Vorsprachlichen. Im Tagebuch liest sich das so:

> Sehen wir in unser Inneres, so ist's wie ein gestörter Teich durch die Steine des Wort-Denkens, die da unaufhörlich hineinfliegen … Man muß lange warten, lang durch den endlich beruhigten Spiegel gegen den Grund blicken, bis im geklärten Wasser sich endlich wieder was regt und heranschwimmt: silbernes Fischlein, ich grüße Dich! – schon aber fesselt mein Aug' tiefere Bewegung, am Grunde: ja, es ist ein langsam kriechender Krebs; und wer weiß, wer weiß, was Du da drunten noch alles wirst zu sehen bekommen … Wir haben gestört. Nun rühren wir uns nicht mehr … Kälte und Nüchternheit steh' uns immer bei! Laß' uns das nüchterne Chaos sehen, und nicht von den Reflexen der zittrigen Oberfläche geblendet werden, wo unsere Wörter und Worte wie berauschte Korken tanzten …

Thomas Mann hätte mit einer solchen Stelle überhaupt nichts anfangen können. Es wäre halbgare Mystik für ihn gewesen. Sein Konkurrent, gläubiger Katholik, traute dem bewußten Schöpfungsvorgang nicht, für ihn kam immer noch etwas geheimnisvoll anderes dazu. Er werde nie verstehen können, daß er umfängliche, komplizierte und gelungene Arbeiten habe hervorbringen können, schreibt Doderer im Tagebuch: «der Scherben, der ich bin, macht das Gewächs unverständlich». Umgekehrt hatte Doderer dem *Zauberberg*-Verfasser zwar den Nobelpreis gegönnt, ihn aber letztlich als Auslaufmodell empfunden. Auf ihn, den Lübecker Großschriftsteller, der sich jeden Vormittag pedantisch sein Pensum abzwang, paßte sicher nicht, was Doderer in das strenge Bild faßt:

«Denken wie der Tiger springt; schreiben wie der Bogenschütze schießt; wachsam sein und scharf sehen wie ein Raubvogel in den Lüften: das zusammen macht einen Autor.»

Zum Niederknien das Folgende, ein Herbstbild von berückender Präzision.

> Die Wiesen lagen unter leichten feinen Batistkissen, die jedoch vor der Sonne schnell und fast diskret verschwanden. Die Sonne erzeugte jetzt Zustände im Prater, die man herbstrauchig aber nicht eigentlich neblig nennen könnte. Manche Bäume ließen eine Art langer Schoten fallen, gewunden wie Schlangenleiber; so lagen sie auf dem feuchten Gras. Und dann war es so weit, daß die ersten Roßkastanien fettglänzend hellbraun aus ihren beim Herabfallen geplatzten Stachelbälgen lugten und auf der Hauptallee immer mehr tabakfarbene fingrige Kastanienblätter den Boden bedeckten.

Makellos, wie die frisch geschlüpfte Kastanie. Dann hier – die ländliche Nacht:

> Von den Gärten und Wiesen kam dick und stark ambrosischer Gründuft, der in der Windstille ruhte, verstärkt durch das nächtliche Ausatmen der Bäume. Auf den Wiesen lag zum Teil noch die zweite Mahd. Conrad sah den Mond als Sichel über dem Dorfe; und hier, auf dem eingezäunten Wege zwischen den Feldern, stand der Grillenton ohne Unterbrechung im Ohr.

Ist das guter Stil oder nicht? Dafür läßt mancher seinen Thomas Mann stehen.

Und um ein letztes Mal zu den Wasserfällen zu pilgern: Eingeschoben in die dramatische Handlung finden sich Schilderungen des Innenlebens Zdenkos, der sich auf seinem Pferd auf einmal überwältigt fühlt von einer neuen Erkenntnis, von der Erkenntnis seiner Furchtlosigkeit. Der Grund dafür klingt bizarr: Es ist der Fortfall einer Gefühlserscheinung, die er schon in Wien erfahren hatte und die darin bestand, daß er den Sonnenglast «oft als dunkel empfand, bei leichtem Schwindel».

> Plötzlich erkannte er's mit voller Klarheit, daß der Gang hier über den Fall ihm hätte furchtbar werden können, wäre jenes dunkelnde und schwindlige Gedrücktsein gegen den Boden noch in ihm gewesen. Es war fort. Scharfen Lichtes, hell und glänzend, lag die Weiße des schäumenden Wassers in der Sonne. In diesem Augenblick empfand er Sicherheit, ja Kraft. Was er vor sich sah, das hatte er gleichsam fest und bändigend in der Hand. Vielleicht lächelte Ivo eben deshalb, als Zdenko ihm jetzt in die Augen sah. Dieses Lächeln war anschmiegsam und unterwürfig zugleich.

Der Ausdruck Ivos wird sich freilich ändern, als er bemerkt, daß Zdenko diese neugewonnene Sicherheit auch nach dem schrecklichen Unglück nicht verliert. Der Autor schildert diese doppelte Perspektive wieder durch den Austausch von Blicken. Zdenko und sein Knappe Ivo stehen neben dem Leichnam Donalds:

> Zdenko blickte, nachdem gebetet worden war, in die Planei hinaus, über das schäumende Wasser, in die Sonne. Dann auf Ivo. Es mag sein, daß Zdenko's Augen geblitzt hatten. In den noch feuchten Blick des Reitburschen trat etwas wie ein

> erschrockenes Staunen, fast ein ehrliches Entsetzen. Zdenko sah weg. Von jetzt an wußte er, daß es galt, sich zu beherrschen, den seltsamen neuen Mut zu verbergen, der ihn, und gerade angesichts dieses Toten, erfüllte, notwendigerweise beleidigend für jeden Zeugen der Stunde, die Trauer gebot.

Die komplizierte Syntax des Schlußsatzes entspricht den komplizierten, fast nicht in Worte zu bringenden Gefühlen. Der Roman ist demnächst zu Ende, es folgt rein gar nichts auf diese geheimnisvolle innere Entwicklung einer Nebenfigur. Aber genau darin besteht Doderers Größe, daß er noch auf dem vorletzten Meter vorm Ziel nicht müde wird, uns etwas menschlich Sonderbares, etwas Dunkles, aber Wahres möglichst genau zu erhellen. Es sind Stellen, in denen Stil so sehr verschmilzt mit dem subtil Empfundenen und Gedachten, daß man auf der Sprachebene fast nichts mehr zeigen oder nachweisen, sondern nur noch ergeben die Hände nach außen wenden kann.

Essays wie *Bruder Hitler* freilich durfte man von ihm nicht erwarten.

Hans Henny Jahnn. Krokodile unter sich

Wird ein Geheimtip nicht irgendwann auch modrig? Seit Erscheinen des *Fluß ohne Ufer,* seinem Hauptwerk, ist er ein Geheimtip geblieben, der Mann mit dem unbuchstabierbaren Namen: Hans Henny Jahnn. *Fluß ohne Ufer* – gerühmt sei, wer ihn überquerte. Jahnn wird, ähnlich wie Musil oder Döblin, immer wieder von Thomas-Mann-Verächtern gegen ihn, Mann, in Stellung gebracht. Botho Strauß hält den *Fluß ohne Ufer* für eines der prächtigsten Prosawerke deutscher Sprache. Wolfgang Rihm schließt sich

Strauß an, und auch er weiß, wovon er spricht. Das Folgende ist also das Einbekenntnis einer Schwäche.

Der Verfasser gesteht, daß es ihm unmöglich ist, das Werk Hans Henny Jahnns in toto oder auch nur in längeren Kapiteln zu lesen. Wer malt seine Erleichterung, als ihm der Kritiker Felix Philipp Ingold die Mühe abgenommen und ein hochdosiertes Stil-Extrakt aus *Perrudja* ausgezogen hat? Wir zitieren mit Dank aus dem kritisch-sympathisierenden Essay, der folgende Passage aus dem 19. *Perrudja*-Kapitel für repräsentativ erklärt:

> Sie schrieen sich an, weil sie sich schön fanden, bissen ihre Zähne ineinander, weil sie sich fühlten und der Schmerz eine taube Nuss war. Und eine Stille kam. Das Meer wie Glas. Wie eine Kerze die Sonne. Das Grün der Bäume hielt an. Die Hunde wedelten mit dem Schwanze. Die Pferde fraßen. Die Neger lachten. Libellen schwebten. Teichrosen: weiß, grün, gelb. Siebenblättrige Lotosblüten. Schnecke am Blattrand. Dengelndes Schiff. Dünen. Sand rieselte. Ein Buch. Die Buchstaben tot. Kirchhof der Worte. Kein Richter. Leere Gefängnisse. Die letzte Gerichtete ist zum Himmel eingegangen. Alle schwarzen Mondsteine wurden weiß. Zwillingsbrüder schliefen im gemeinsamen Bett. Eine Tigerin, eine Tigerin, die schwanger ist und deshalb frisst. Frisst, um zu gebären. Gebiert um zu säugen. Säugt, damit die Nacht still wird. Das Krokodil schloss das Maul und war nicht mehr. Die Zeit hielt tausend Jahre an.

Ein Stil? Ganz sicher. Expressionistisch nennt man ihn wohl, voller Lyrismen, die die Prosa durchsetzen oder überwuchern. Kein Kirchhof der Worte, sondern verrätselt-anspielungsreich, halluzinativ an der Grenze zum Delirierenden, man möchte nicht wissen, welchen Tigerkrallensud der Autor zu sich genommen hat vor der

Niederschrift. Daß Jahnns Tigerin auch dann fressen müßte, wenn sie nicht trächtig wäre, ist angesichts dieser zwischen Teichrosen und Mondsteinen, zwischen Ekstase und Erlösungsvision aufgespannten Prosa ein kleinlicher Einwand. So wie der, daß die Zeit, wenn sie anhält, sich nicht den Wecker für tausend Jahre später stellen kann, um dann wieder anzuspringen; dafür brauchte es eine im Hintergrund tickende Parallelzeit.

Aber Poesie darf alles. – Ein Stil, ganz sicher, aber ein auf Dauer in Prosaform schwer erträglicher. Warum genau? Abgesehen vom strengen Krokodil- und Pferdestallgeruch bei Jahnn und dem Säftemix aus Blut, Schweiß, Sperma und Urin ist es das Fehlen eines anderen Fluidums, das Jahnns Prosa so schwer goutabel macht. Es gibt in ihr keinen Tropfen Humor. Dafür droht ihr immerzu die Gefahr der unfreiwilligen Komik. Alles Steile, expressiv Gesteilte bis hin zu George schwebt in dieser Gefahr.

Thomas Mann – und Kafka – trieben ähnliche Unaussprechlichkeiten um wie George oder Jahnn. Ein Krokodil gibt es auch beim Autor der *Joseph*-Romane. Allerdings schließt es nicht wie in *Perrudja* das Maul, sondern frißt sich im Gegenteil, in der Drohung von Potiphars lüsterner Gattin, am Schenkel des spröden Beischlafverweigerers Joseph empor. Eine Schilderung, durch die ihr Erfinder ausweislich des Tagebuchs «sinnliche Erschütterung» erfuhr. Krokodil hin, Krokodil her – wo ist der Unterschied?

Es gibt einen großen Unterschied. Thomas Mann hat, anders als George oder Jahnn, seine Dämonen in das konservierende Kältemedium der Ironie getaucht. Darum, unter anderem, hat er heute mehr Leser als die kleine Gemeinde am Fluß ohne Ufer oder die Besucher des totgesagten Parks; wobei die Leserzahl nichts über die Qualität besagen muß, darüber keine Mißverständnisse.

Und auch darüber keine: Wilde Metaphorik muß nicht pathetisch und kitschnah sein wie bei Jahnn. Lesen wir einmal ganz neutral folgende Stelle:

Da stand zum Beispiel die Sonne und schrie mit tausend Stimmen auf den Sand. Da wand sich das Meer wie ein Tuch, unter dem eine Bestie springt. Das Haus lebte am Abend, ein alter Mann mit weißem Haar und einem Krückstock. Das Haus hustete über die weiten menschenleeren Wiesen hinweg, Schatten flogen als große Krähenschwärme, aus den weidenüberhangenen Bächen wehten die Nebel und drohenden Gebärden. Im Haus des Schulmeisters war ein Kind gestorben. Es lag im offenen Sarg mit gefalteten Händen und einem ernsten gelblichen Gesichtchen, das die Erinnerungen an alle Leiden, Zurücksetzungen und Beschimpfungen sichtbar trug.

Interessante Prosa, kühne, aber einleuchtende Bilder – was ist das für kurioses Zeug? Es ist aus dem Roman *Doctor Billig am Ende* des sich selbst so titulierenden Dadasophen Richard Huelsenbeck (1892–1974), ein Freund Hugo Balls, Psychiater im Brotberuf, Mitbegründers des Cabaret Voltaire. Ja, und warum nicht?

Unica Zürn: Seide, Nebel, Tinte, Schaum

Das folgende Gedicht trägt den Eichendorffschen Titel: *Aus dem Leben eines Taugenichts*. Es ist aber mehr als ein Titel, es ist eine Gebrauchsanweisung, eine strenge Rezeptur.

Es liegt Schnee. Bei Tau und Samen
Leuchtet es im Sand. Sieben Augen
saugen Seide, Nebel, Tinte, Schaum.
Es entlaubt sich eine muede Gans.

Was soll das bedeuten? Wieso ist die sich entlaubende Gans «muede» und nicht müde? Weil ein *u* und ein *e* zu verwerten waren. Unica Zürn war eine Anagrammdichterin. Der Eichendorff-Titel wird in jeder Gedichtzeile neu zusammengesetzt, kein Buchstabe darf fehlen, keiner hinzugefügt werden. (Bei der letzten Zeile hat sie ein bißchen gemogelt, ein «n» ersetzt ein «e».) Ein Geduldsspiel, und verblüffend, ja stupend, welche poetischen Qualitäten sich durch tausendfaches Scrabbeln herauslösen lassen. Je strenger die Form, desto höher die Anforderung ans dichterische Ingenium. Wie viele Kombinationen mußte sie im Geiste durchspielen, um auf diese vier so schönen wie auratischen Zeilen zu kommen? Es ist zum Verrücktwerden.

Wie taktlos. Unica Zürn, 1916 in Berlin geboren, wurde verrückt. 1959 wurde sie das erste Mal in eine psychiatrische Klinik eingewiesen und litt bis zu ihrem Freitod 1970 unter psychotischen Schüben. Es entleibte sich eine müde, seit langem sehr müde und hochpotente Dichterin mit größten Gaben. Minus der, nicht an die falschen Männer zu geraten (ein Dauerthema bei Dichterinnen). Zürn lebte, nach ihrer ersten gescheiterten Ehe, mit dem Surrealisten Bellmer in Paris, sie verkehrten mit der künstlerischen Avantgarde, es half nur alles nichts, sie blieb krank, und bei einem kurzen Klinikurlaub stürzte sie sich aus dem Fenster.

Avantgarde war Zürn in gewisser Weise selbst. Ihre Anagramm-Exerzitien nahmen etwas voraus, was in Paris in der *Oulipo*-Gruppe um ihren Gründer Raymond Queneau Schule machte. Der Begriff war ein Akronym aus L'*Ou*vroir de *Li*ttérature *Po*tentielle (Werkstatt für Potentielle Literatur), und die Idee war wie bei Zürn die einer freiwillig angelegten Fessel, einer sogenannten *Contrainte*. Freiwillige Exzentrik ist keine mehr, könnte man sagen. Es ist Geistes-Akrobatik, es ist das Go innerhalb der Poesie.

Ein Jahr vor Zürns Suizid schrieb Georges Perec einen Roman mit einer besonders stachligen solchen Fessel, ein sogenanntes

Lipogram. In dem ganzen Text durfte der Buchstabe «e» nicht vorkommen. Der Titel enthielt schon den verschwiegenen Hinweis auf sein Programm: *La Disparition.* Disparu, verschwunden, war dieser nicht ganz unwichtige Vokal. Ein früher Rezensent bemerkte, irgendetwas sei *sehr* sonderbar an diesem Buch, man wisse nur nicht genau, was.

Dreißig Jahre nach Perecs Tod fand sein Roman einen deutschen Übersetzer, der bereit war, sich dieselbe stachlige Fessel anzulegen. Auch er entfernte das «e» aus seiner Tastatur, bevor er *La Disparition* übertrug. Bei Eugen Helmlé lautete der neue Titel *Anton Voyls Fortgang.* Nachweisbar «e»-frei. Und was macht Helmlé, wenn jemand aus dem Fenster schaut? Grinst uns aus dem Fenster nicht der e-Beelzebub entgegen? Das Unaussprechliche heißt bei Helmlé «Wandloch mit Glas davor». Respekt! Und dennoch: Feiern wir unsere Vokale.

Thomas Bernhard: Schnörkelzorn

Als einen Tag vor Heiligabend im Jahr 1966 die Nachricht vom Tode Heimito von Doderers ausgestrahlt wurde, soll Thomas Bernhard vor dem Fernseher in Jubel ausgebrochen sein: «Jetzt ist die Bahn frei, jetzt komme ich!»

Und er kam. Kein anderer österreichischer Autor hat seine Zeit stärker geprägt als der monoton randalierende dauermorose Bernhard, dieser Bruckner der Prosa, mit immer wieder gnadenlos dem gleichen Thema, dem Unglück seiner frühen Jahre, der Verfallenheit an den Tod, der Verkommenheit Österreichs …

Die Redundanz als Stilprinzip, die Hoffnung auf die komischen Effekte, die sich durch Wiederholung und Variation einstellen – man muß es mögen, diese Monotonie-Maschine, und viele mögen sie und lieben ihn, viele finden sie auch musikalisch. Was er schreibt, sind Bandwurmsätze, aber gut gegliederte. Der Berserker als Stilist? Unbedingt! Bei dem man wiederum Kafka-Lektüre veranschlagen dürfte beziehungsweise längst nachgewiesen hat, die einen bestimmten Ton mitschwingen läßt, der noch bei Martin Walser, der seinerseits über Kafka promovierte, herauszuhören ist …

Bernhards absatz- und kapitellose Suada, das ist Prosa als Mahlstrom. Das träfe auch zu auf Marcel Proust? Bitte keine Gotteslästerung! Prousts Satzgirlanden sind ganz anders aufgehängt und funkeln ganz anders als die letztlich verhockten und vermufften Bösartigkeits-Sermone und Grollschwälle des menschlich ohnehin unerträglichen, wenn auch von jeher schwer gebeutelten Herrn Bernhard!

Bernhards *Kalkwerk*, 1970 veröffentlicht, ist eines jener Bücher, die man irgendwo aufschlägt und die auf jeder Seite gleich aussehen. Was daran liegt, daß, um das Bild zu wechseln, die Hauptakteure nie von der Bühne verschwinden, vier oder fünf Substantive und Nomen, die immer vorne an der Rampe stehen, vor der immer gleichen Kulisse: *Konrad*, *Wieser*, *Fro*, *Kalkwerk*, *Toblach*; die dürfen nicht mal kurz in die Kantine und sich eine belegte Semmel holen, die haben bis zum Fall des Vorhangs auf der letzten Seite Dauerdienst.

> Die Schnörkel, die, bevor er das Kalkwerk gekauft habe, da und dort am ganzen Kalkwerk gewesen wären, Kennzeichen zweier geschmackloser Jahrhunderte, habe er, so Konrad zu Wieser, entfernen lassen, alle Schnörkel sofort, zu einem Großteil habe er diese Schnörkel mit seinen eigenen Händen aus den Wänden heraus- und von den Wänden heruntergerissen, herausgebrochen und herausgeschlagen und herausgerissen und heruntergeschlagen und heruntergebrochen und heruntergerissen und er habe all diese heraus- und

heruntergerissenen Schnörkel durch keine neuen Schnörkel ersetzt.

So verhält es sich mit Bernhards Schnörkelzorn, mit seiner Mahlstrom-Prosa; mehr muß man hier nicht von ihm hören. Die nachfolgenden Generationen, die sich ihm stilistisch nicht entziehen konnten, hat Bernhard zerschlagen, zerdengelt, zerquetscht, zermalmt, er hat sie niedergewälzt, zerwalzt und übel fehlgeimpft – kurz: als Lehrer eine Katastrophe. Bernhard-Schüler und Schülerinnen, österreichische, sind schwer auszuhalten. Schon der Meister ist es oft kaum, wenn man ehrlich ist.

Aber sehr komisch kann er sein, in seinem Holzfäller-Charme und Dauerzorn, das muß man zugeben. Und daß Österreich diesen Zorn verdient hat, daß Salzburg und Wien ihn mehr als verdient hatten, versteht sich ohnehin. Die Skandale, die er liebte, weil sie ihm hohe Auflagen brachten, gehen durchaus auf Kosten der (*folgt Bernhardsche Tirade*).

W. G. Sebalds Ringe des Saturn

Thomas Bernhard hat sehr viel mehr Komik als der nicht ganz zu Recht als sein Schüler geltende W. G. Sebald. Bei Sebald liegt der Fall verwickelter. In seinem Modulationsreichtum ist er eher ein später Schüler Thomas Manns.

Daß er minimal gravitätisch schreibt, war das Entreebillett zu seinem großen Erfolg – mit dem Wagnis der Hypotaxe, dem leicht vergüldeten Verb, der stupenden Detailgenauigkeit. Damit stand er quer zum Stil-Modell seiner Zeit, und das machte ihn allmählich interessant.

Was als erstes bei ihm ins Auge fällt: eine vollendete Kunst des Periodenbaus und rhythmisch genau durchgetaktet.

Ein beliebiges Beispiel aus seinem Hauptwerk *Die Ringe des Saturn.* Das Buch schildert in zehn Großkapiteln oder Kürzesterzählungen die Reisen des Ich-Erzählers durch die Grafschaft Suffolk und die englische Ostküste. Elegisch eher als befeuert von Humboldtscher Energie zieht der Erzähler durch die Wiesen, die Heide, die Marsche. Ab und zu menschliche Siedlungen:

> Als ich, auf der Mole sitzend, auf den Fährmann wartete, brach die Abendsonne aus den Wolken hervor und überstrahlte das weithin sich krümmende Ufer des Meers. Die Flut stieg den Fluß hinauf, das Wasser glänzte wie Weißblech, von den hoch aus den Marschwiesen aufragenden Radiomasten ging ein gleichmäßiges, kaum hörbares Sirren aus. Die Dächer und Türme von Orford, zum Greifen nah, schauten zwischen den Baumkronen heraus. Dort, dachte ich, war ich einmal zu Hause, und dann, in dem immer blendender werdenden Gegenlicht, schien es mir auf einmal, als drehten sich hier und da zwischen den dunkler werdenden Farben die Flügel der längst verschwundenen Mühlen mit schweren Schlägen im Wind.

«Die Flügel der längst verschwundenen Mühlen / Mit schweren Schlägen im Wind»: – Das geht nicht immer, sonst ist es rhythmisch wie der Anfang des *Radetzkymarsch*, aber als Abschluß eines Bilds schwingt es wohlgesetzt aus.

Das zweite, was bei Sebalds Prosa auffällt, auch im zitierten Schluß, ist die klangliche Schönheit. Bei der folgenden Stelle ist es die zunächst unauffällige Wiederholung des Buchstabens «l», die am Schluß im Doppelklang kulminiert:

> Wo vor kurzer Zeit noch bei Anbruch des Tages die Vögel so zahlreich und so lauthals gesungen hatten, daß man manch-

> mal die Schlafzimmerfenster zumachen mußte, wo die Lerchen am Vormittag über die Felder gestiegen waren und wo man in den Abendstunden bisweilen sogar eine Nachtigall aus dem Dickicht hörte, da vernahm man jetzt kaum noch einen lebendigen Laut.

Man muß sich solche Passagen laut vorlesen. In der folgenden Beschreibung des Nürnberger Sankt-Sebald-Grabmals achte man, außer auf den angemessen archaisierten Rhythmus, auf den anmutigen Wechsel von «g» und «sch».

> Und im Innersten des von achtzig Engeln umschwebten, in einem Guß gemachten Gehäuses ruhen in einem mit Silberblech beschlagenen Schrein die Gebeine des exemplarischen Toten und Vorläufers einer Zeit, in welcher uns die Tränen abgewischt werden von den Augen und in der weder Leid sein wird noch Schmerz oder Geschrei.

Wenn Sebald als Stilist nicht nur Bewunderer hat, liegt es unter anderem daran, daß er manchmal einen Hauch *over the top* ist – das, was der unbestechliche James Wood mit Sebalds «sly faux antiquarianism» meint. Sebald schreibt nicht, er träume von einem Bild, sondern «es träumte ihm von einem Bild». Er sagt nicht ein Drittel der Bäume, sondern ein «Dritteil». Als ein Beispiel, durch das sich Bewunderer wie Kritiker bestätigt fühlen würden, seine Beschreibung eines Waldes:

> die winzigen Blütenstände der Moospolster, die haarfeinen Halme des Grases, die zitternden Farne und die gerade aufragenden grauen und braunen, glatten und borkigen Stämme der Bäume, die in einer Höhe von ein paar Metern verschwanden in dem undurchdringlichen Blattwerk

> der zwischen ihnen aufgewachsenen Stauden. Weiter droben noch breitete ein Meer von Mimosen und Malvazeen sich aus, in welches wiederum, aus der nächsten Etage dieser wuchernden Waldwelt, in teils schneeweißen, teils rosafarbenen Wolken hunderterlei Schlingpflanzen herabhingen aus den mit Orchideen und Bromelien überladenen, den Querrahen großer Segelschiffe gleichenden Ästen der Bäume. Und darüber, in einer Höhe, in die das Auge kaum mehr vordrang, schwankten Palmenwipfel, deren fein gefiederte und gefächerte Zweige von jenem unergründlichen, scheinbar mit Gold oder Messing unterlegten Schwarzgrün waren, in dem die Kronen der Bäume in den Bildern Leonardos gemalt sind [...].

«Überladen» – ja, das Wort fällt, und man kann diesen floralen Urwald als stilistisch überladen empfinden, adjektiv-überladen zumal; man könnte für Leonardos goldunterlegtes Schwarzgrün sogar das vernichtende Epitheton «geschmäcklerisch» zücken. Rhythmisch und klanglich, mit seinen reichen Assonanzen, ist dieses Prosa-Waldweben dennoch beeindruckend (nicht zuletzt wegen der botanischen Expertise).

Man unterschätzt Sebald aber, wenn man ihn als antikisierenden Ornamentdichter oder Spitzenklöppler abtut. Dazu fällt ihm im Detail, auch in der Metaphorik, zu viel ein, dafür ist er auch oft zu trocken und wuchtig.

> Im August 1861, nach Monaten der Unentschlossenheit, dämmerte der Kaiser Hsien-feng im Exil von Jehol dem Ende seines kurzen, von Ausschweifungen zerstörten Lebens entgegen. Das Wasser war ihm aus dem Unterleib bereits bis ans Herz gestiegen, und die Zellen seines sich allmählich auflösenden Körpers trieben in der aus den Blutbahnen in

> sämtliche Zwischenräume des Gewebes einsickernden salzigen Flüssigkeit wie die Fische im Meer.

Hey! Mit so einem Absatz könnte man einen Roman beginnen! Das hätte Márquez nicht besser gekonnt. Aber solche Hechte zieht Sebald pro Seite drei Stück an Bord. Die folgende Schilderung eines für deutsche Touristen angelegten englischen Seebads hat in seiner Kunst der Zeitraffung fast den Klang Johann Peter Hebels:

> Der Krieg wurde erklärt, die deutschen Hotelbediensteten wurden zurückgeschickt in die Heimat, die Sommergäste blieben aus, wie ein fliegender Walfisch erschien eines Morgens ein Zeppelin über der Küste, jenseits des Ärmelkanals rollten endlose Truppen- und Materialzüge ins Feld, ganze Landesteile wurden vom Granatfeuer umgepflügt, in der Todeszone zwischen den Fronten phosphoreszierten die Leichen.

Ein Satz wie in gleichmäßigen, langen Wellen, die mit dem wohlgesetzten Verb «phosphoreszieren» mit einem kleinen Gischtspritzer am Strand anbranden.

Sebalds überempfindliche, überwache Wahrnehmung gilt nicht nur der Natur. Nennt mir einen anderen Autor, der die Dürre und Hungersnot in China ähnlich hätte beschreiben können, vor allem mit der finalen Fata Morgana des Morgentraums:

> Einzeln, gruppenweise und in zerdehnten Zügen schwankten die Menschen durchs Land und wurden nicht selten von einem schwachen Lufthauch nur umgeweht, um am Wegrand liegenzubleiben für immer. Über dem bloßen Anheben einer Hand, dem Senken eines Augenlids, dem Verströmen

> des letzten Atems verging, so schien es bisweilen, ein halbes Jahrhundert. Und mit der Auflösung der Zeit lösten auch alle anderen Verhältnisse sich auf. Eltern tauschten untereinander ihre Kinder aus, weil sie die Sterbensqualen ihrer eigenen nicht mitansehen konnten. Dörfer und Städte waren von Staubwüsten umgeben, über denen wiederholt zitternde Trugbilder von Stromtälern und umwaldeten Seen erschienen. Im Morgengrauen, wenn das Rascheln der an den Zweigen ausgetrockneten Blätter in den schwachen Schlaf hineindrang, glaubte man manchmal, für einen Sekundenbruchteil, in dem das Wünschen noch stärker war als das Wissen, es hätte begonnen zu regnen.

Das Rascheln der dürren Blätter als kostbares Regenprasseln – wie grausam.

Besonders groß ist Sebald in der Kunst des Übergangs. Unmerklich verschiebt sich etwas, wie in einem Panorama, und unser Blick fällt auf eine ganz neue Landschaft. Aber es ist wie in einem Rundgang; man sieht immer etwas Neues, und am Schluß kehrt man dorthin zurück, woher man seinen Ausgang genommen hat. Sebald, anders gesagt, hat seine Motive streng unter Kontrolle, er setzt nichts zufällig und läßt den Leser oft erst am Schluß erkennen, wie behutsam ein Thema sich schon früh angekündigt hatte.

Leicht gefallen zu sein scheint ihm das nicht. Am Schluß der *Ringe des Saturn* versteckt Sebald ein schönes Selbstporträt in der Schilderung der Weber an ihren Webstühlen und den mit ihnen vergleichbaren «Gelehrten und sonstigen Schreiber[n]». Sie neigten zur Melancholie und zu allen aus ihr entspringenden Übeln, was sich bei einer Arbeit verstehe, die einen zu beständigem, krummen Sitzen zwinge, zu andauernd scharfem Nachdenken und zu endlosem Überrechnen weitläufiger künstlicher Muster. «Man macht sich», schließt er, «nicht leicht einen Begriff davon, in welche Ausweglosigkeiten und Abgründe das ewige, auch am sogenannten Feierabend nicht aufhörende Nachsinnen, das bis in die Träume hineindringende Gefühl, den falschen Faden erwischt zu haben, einen bisweilen treiben kann.»

Der sogenannte Feierabend wurde wie die «Vierzig=Stunden=Woche» auch von Arno Schmidt, dessen Woche immer hundert habe, mit Hohn bedacht. Bei Sebald ist die Klage verhalten und diskret; auch das eine Frage des Stils.

Im Literaturkampf konnte Sebald sehr ruppig sein; seinen *selling point* des angeblich nie thematisierten alliierten Luftkriegs verteidigte er mit breiten Ellenbogen. In seiner Literatur überwiegt die sympathetische Einfühlung. In den *Ausgewanderten* schildert Sebald das Schicksal seines Allgäuer Dorfschullehrers Paul, eine Erzählung, mit der er 1990 im Klagenfurter Bachmann-Wettbewerb durchfiel, was manches über den deutschen Literaturbetrieb sagt. Sebald denkt sich am Schluß dieser Erzählung in die letzten Sekunden des Grundschullehrers Paul Bereyter hinein, er sieht ihn hingestreckt auf dem Geleis, auf dem Paul sich gleich von der Lokomotive der Lokalbahn zerfetzen lassen wird. Das Vorbild des Lehrers war Armin Müller, der in Sonthofen als Jude keine deutschen Kinder hatte unterrichten dürfen.

> Er hatte, in meiner Vorstellung, die Brille abgenommen und zur Seite in den Schotter gelegt. Die glänzenden Stahlbänder, die Querbalken der Schwellen, das Fichtenwäldchen an der Altstädter Steige und der ihm so vertraute Gebirgsbogen waren vor seinen kurzsichtigen Augen verschwommen und ausgelöscht in der Dämmerung. Zuletzt, als das schlagende Geräusch sich näherte, sah er nurmehr ein dunkel Grau, mitten darin aber, gestochen scharf, das schneeweiße Nachbild des Kratzers, der Trettach und des Himmelsschrofens.

Man beachte das Detail der abgelegten Brille! Dann, und hier hat Sebald sogar einmal Humor: Der Lehrer Paul weigert sich, beim Religionsunterricht dabei zu sein; die katholische Salbaderei ist ihm zuwider. Und jedes Mal vor seinem raschen Abgang, bevor der Katechet Meier in den Klassenraum kommt, füllt Paul ein neben der Tür angebrachtes Weihwasserbehältnis mit einer Gießkanne bis an den Rand, so daß es nicht mit Weihwasser nachgefüllt werden kann. Die Pointe ist nicht dieses an sich schon komische Detail, sondern die Reaktion des Benefiziaten: Er schwankt zwischen der (korrekten) Vermutung systematischer Böswilligkeit und der «bisweilen aufflackernden Hoffnung, es handle sich hier um einen höheren Fingerzeig, wo nicht gar um ein Wunder».

Wolfgang Hilbig: Alte Abdeckerei

Der aus Meuselwitz bei Leipzig stammende, in einer Bergarbeiterfamilie aufgewachsene Dichter, der im Westen, wohin er 1985 übersiedelte, so wenig zurechtkam wie im alten Osten, hat eine nicht riesige, aber stabile Lesergemeinde, die oft den Erfahrungshorizont der DDR-Sozialisation – Sozialismus-Sozialisation wäre ein Zungenbrecher – mit dem Autor teilt. Als West-Pflanze tut man sich vielleicht etwas schwerer mit ihm.

Hilbigs melodiöse Prosa, wie sie sich in der 1990 veröffentlichten Erzählung *Alte Abdeckerei* entfaltet, die vielen als sein Hauptwerk gilt, fällt zunächst ins große Fach der Sprache, die sich selbst zum Dauerthema macht. Diese Meta-Ebene erklärt Ingo Schulze in seinem Nachwort zur *Abdeckerei* zum geradezu notwendigen Merkmal moderner Prosa.

Solche selbstreflektive Literatur neigt sonst zum Blassen oder Anaeroben. Die Prosa Wolfgang Hilbigs ist im Gegenteil tellurisch-vegetativ. Sie hat, um es im Bild zu sagen, etwas hochprozentig Dünstendes und Dampfendes, sie ist eher liquid als luzid, eher assoziativ als cartesianisch – eher Kröte als Kranich. Die Handlung kriecht fiebrig-phantasmagorisch nur zäh sickernd voran. Stilistisch gibt es einige Hinweise auf nie ungefährlichen, wenn auch von Hilbig bestrittenen Kafka-Übergenuß.

Frei davon, und am stärksten, sind Hilbigs Naturschilderungen:

> Ich ließ den Blick weiter schweifen: das Flüßchen enteilte in eine Wildnis mannshoher Brennesseln, die noch grün waren; irgendwo schnellten, die Weiden ablösend, Pappeln in die Höhe, die offenbar zuerst kahl waren im Herbst; und bald sah ich sie von den reglosen Klumpen schwarzer Vögel belaubt, die auf den Sonnenuntergang mit klagenden Schreien reagierten.

Da möchte man kein Wort verändern, es ist gesehen, gehört und vor allem in dem Verb «belauben» gefunden. Klanglich wie rhythmisch ohne Fehl ist auch das folgende originelle, aber nicht überkünstelte Bild:

«In einiger Entfernung, in einer Senke, lagen die reglosen Augen zweier runder Waldseen, den Blick nach innen, schon halb unter die dunklen Lider gekehrt, die der Schatten des Waldrands über ihren gleichmütigen Schlummer schob.»

Bei dem «Wer ist wer?»-Quiz, das bald folgen wird, bliebe Hilbig mit diesem Satz sicher undetektiert.

Hans im Pech. Der Fall Wollschläger

Der Fall Wollschläger: Ein Schüler Arno Schmidts, wohl neben Reinhard Jirgl der einzige; ein hingebungsvoller Verehrer von Schopenhauer, Nietzsche, Freud, Karl Kraus, Thomas Mann und

Theodor W. Adorno, ein profunder Karl-May-Versteher und noch profunderer Hörer und Exeget Gustav Mahlers und Bachs; ein Rhetor und Rezitator von Qualtingerschen Graden; ein Polemiker und begnadeter Pamphletist, dessen Philippiken gegen die Schinderei unserer Mitgeschöpfe (*«Tiere sehen dich an» oder das Potential Mengele*), gegen die Katholische Kirche (*Die Gegenwart einer Illusion*) und die *Bewaffneten Wallfahrten gen Jerusalem* ihm den Ruf des wortgewaltigen, wenn auch sachlich umstrittenen Weisen vom Berg, genauer Bamberg eintrugen, indes sein 1982 erschienener Faust-Roman *Herzgewächse oder Der Fall Adams* (achten Sie auf den Doppelsinn) ihn Jahrzehnte lang als deutschen Joyce und geheimen Shaolin-Meister der Gegenwartsliteratur gelten ließ – ebenso viele Jahrzehnte lang, wie die respektvoll gespannte Öffentlichkeit mit der Ankündigung eines Zweiten *Herzgewächse*-Bandes auf die Folter gespannt oder genarrt wurde –: dieser Fall Wollschläger, ein Über-Stilist, der seine Nachmittage zwischen Sanskrit, Quantenphysik und dem Muret-Sanders aufteilte, sich als Präzeptor der deutschen Sprache und nach dem Tod Arno Schmidts als deren Statthalter ausrief und doch nie ganz aus den Schatten trat, den die Über-Ichs auf seinen Schreibtisch warfen, vielleicht weil ihm zum eigenschöpferischen Ingenium dann trotz aller Eleganz und Sagazität doch ein paar Moleküle fehlten: Dieser Fall des genialischen, groß gedachten, groß gewollten und dann doch *too clever by half*-artig irgendwie pathetisch versandeten Wollschläger-Œuvres hat etwas entschieden Tragisches. Was nicht hindert, daß ihm, dem Werk, was jedenfalls die Übersetzungen und den deutschen *Ulysses* betrifft, durchaus auch etwas Hochstaplerisches eignete. Wie Harry Rowohlt, der, anders als Hans Wollschläger, Englisch sprach und an Witz ihm schwer überlegen war, aufs beißendste zu demonstrieren pflegte.

Wenn es ein schlagendes Beispiel dafür gibt, wie Manier in überraschungslosen Manierismus umschlägt, dann ist es das

Werk Hans Wollschlägers. Einen Wollschläger-Satz erkennt ein Blinder mit Krückstock. Der typische Wollschläger-Satz zeichnet sich durch eine überschaubare Anzahl immer gleicher aufmerksamkeitsheischender Stilmittel und Autoritätsformeln aus. Dazu zählen –: der vom Doppelpunkt gefolgte Gedankenstrich; die Worttrennung mitten im Einzelwort – das «Merk-Mal» der «Hand-Werker des Wegschaffens»; die «Ur-Sache» der «Lebe-Wesen», die man «selbst-verständlich» nicht «aus-denken» kann; das pathetische Großschreiben (die Erhabene Aufgabe für die Guten Leser der Guten Bücher); das «Dieser»-und-«jener»-Verwirrspiel, um nur nicht das gemeinte Substantiv noch einmal hinzuschreiben und es dem Leser ordentlich sauer zu machen; der nie erlahmende «Zuletzt»-Gestus, andeutend, jetzt endlich, nachdem man der Sache tief genug auf den Grund geschaut und alles zu Ende meditiert habe, belohne man, in diesen geistfernen Zeiten, den Guten Leser unterm Gestirnten Himmel mit dem Finalen Weisheits-Schluß ... Die hypotaktische Syntax –: frei oder unfrei nach Karl Kraus (trotz dessen «Einzig-Art»), mit Wiesengrund unterlegt – –

Von Kraus auch die Gepflogenheit, Sprichwörter, Volksmund oder Sentenziöses aufzugreifen und auf den Kopf zu stellen: «Auch Rom ist nicht an einem Tage zerstört worden», sehr hübsch, und sehr hübsch auch der Nachruf auf Vladimir Nabokov, in dessen Gegenwelten «eine Schwalbe einen Sommer macht»; ein Nachruf übrigens, in dem Wollschläger ausgerechnet den *Lolita*-Verfasser mit Freud traktiert; was nicht viel taktvoller ist, als wenn ein Priester sich ans Sterbebett eines Atheisten schleicht. Etwas Priesterhaftes war dem Pastorensohn dabei nie ganz fremd.

In diesem Krausschen Sinne: Er, Wollschläger, war, nehmt alles nur in allem –: zuletzt der Hans im Pech. Dies alles gesagt habend, muß der Verfasser bekennen, daß er den Menschen hinter der *persona* Hans Wollschläger geliebt hat und sehr vermißt.

Eckhard Henscheid. Laufender Schwachsinn und Maria Schnee

Lange mit ihm befreundet, später fast sein bester Intimfeind, teilt Eckhard Henscheid mit Hans Wollschläger ein ähnliches literarisches Los. Die Manier, der Manierismus bedrohte sie am Ende beide. Davor steht ein erzählerisches Werk, das mit der Novelle *Maria Schnee* einen bis heute merk- und denkwürdigen Höhepunkt erreicht.

Der raffiniert schlichte Ton, in dem sie eine Episode aus dem Leben des unklar vagabundierenden Helden Hermann erzählt, hat Anklänge, aber keine direkten Vorläufer. Wenn Stil unter anderem bedeutet, nach drei Sätzen erkannt zu werden, ist Henscheid unter den Stilisten der Neuen Frankfurter Schule der mit Abstand markanteste.

Der sonst auch zu Satzkaskaden fähige Autor wählt in *Maria Schnee* einen behutsam parataktischen Prosafluß, in dem etwas vom Kafka des *Verschollenen* anklingt, etwas vom *Schatzkästlein* des Johann Peter Hebel, mit Anklängen auch an Thomas Bernhard, dessen minimalistische Monotonie Henscheid in einer Erzählung parodiert hat. Es ist ein brüchig-goldener Legendenton, der zwischen dem Rührenden und dem Komischen hin- und herschwingt. Das Geheimnis dieses Tons und der zart komischen Grundierung liegt in der Erzählperspektive. Sie ist strikt personal. Der Autor bleibt in der Figur, es gibt keinerlei auktoriale Draufsicht, wir Leser sind eingesperrt in die Hirnstube jenes Hermann. Und dieser Hermann ist ein moderner Parsifal, ein reiner, gutmütiger Tor, der höchstens die Hälfte von dem begreift, was um ihn herum geschieht.

> Vor Hermanns Augen flimmerte weich die Luft. In seinem Bauch klopfte etwas. Das war sicherlich der Hunger. Her-

> mann ließ den Blick zufrieden über das gelbe und grüne Land hin wandern. Ein bißchen Sorge nagte. Der Hund ließ sich nicht abschütteln. Aus einiger sicherer Entfernung sah er streng nach Hermann hin, als heische er von diesem Auskunft. Frischer und würziger Geruch strömte vom Kornfeld her, duftig fächelnd kühl strich hin die Morgenbrise.

Nun, wenn es im Magen klopft, dann mag es wohl der Hunger sein. Gibt seine Begriffsstutzigkeit dem Helden etwas leicht Komisches, so macht ihn seine Ängstlichkeit und Hypochondrie wiederum rührend. Bei der zitierten Stelle stehen wir kurz vor dem stillen Höhepunkt der stark christologisch unterfütterten Novelle. Hermann, halb Schubertscher Wanderer, halb grenzdebil, drückt vergeblich die Klinke eines leeren Kirchleins. Will sagen: Der sakrale Raum ist versperrt, er ist nur mehr ein Sehnsuchtsort, zu dem es keinen Zugang mehr gibt.

Der eigentliche Plot-Höhepunkt ist, daß diesem Hermann in dem Wirtshaus, in dem er abgestiegen ist, ein Baby zum Kauf angeboten wird. Für 10 Mark könne er es jederzeit haben, erklärt ihm die junge, überforderte Mutter. Der liebesbedürftige Hermann willigt in den Kauf ein. Diese unerhörte Begebenheit bereitet die Novelle zweihundert Seiten lang im Schneckentempo vor; Schneckentempo nicht nur im Vergleich zu einer Novelle Kleists.

Der Schluß, Hermann ist das Baby wieder losgeworden und nimmt Abschied von dem Gasthaus, klingt milde bizarr und unvergeßlich aus:

> Hermann straffte den Körper unter seinem Reisebündel und drehte ihn herum, einen wahrscheinlich letzten Blick noch auf das gelbe Haus zu werfen. Stahlblauer Rauch drang aus dem Schornstein in den strahlend blauen Himmel. Hermann sah lang in die Luft hoch und ließ endlich die Augen

> wieder zurückfallen. Im geöffneten linken Parterrefenster war Hubmeiers Rumpf erschienen, mitsamt dem Kopf schon leicht nach draußenhin geneigt. Etwas ertappt nickte dem Wirte Hermann zu. Hubmeier lächelte diskret und hob auch schon den rechten Arm. Mit der flachen fächelnden Hand winkte er Hermann bewegt und freundlich zu und ihm noch lange nach.

Nicht: Im Fenster war Hubmeiers Kopf erschienen. Henscheid weiß, wir Leser wissen, daß es schlecht anders möglich ist, als daß mit dem «Rumpf» des Wirts auch dessen Kopf im Fenster erscheint. Aber genau diese fast nonsensehaften Partikel machen Henscheids unverwechselbaren Ton. Ein anderes Mittel dieses Tons sind die kleinen Wortumstellungen, wie sie sich z. B. Joseph Roth nur selten erlaubt hat (und Heinrich Mann sie sich immerzu erlaubt). Henscheid schreibt nicht: Ertappt winkte Hermann dem Wirte zu, sondern: «ertappt nickte dem Wirte Hermann zu». Er schreibt nicht: strich die Morgenbrise hin, er schreibt: «strich hin die Morgenbrise». «Am Himmel die Sterne blinzelten golden und silbrig.» Das ist nun allerdings doch Joseph Roth. Die Wortstellung richtet sich gegen das Gewohnte und die Gepflogenheit, sie unterwirft sich ganz dem Rhythmus. Bei der flachen, fächelnden freundlichen Hand regieren die sanften Assonanzen.

Ist das manieriert, gar kokett? Das wiederum nicht. Henscheid schmiegt sich, darin Robert Walser nah, seinem schüchternen, unbeholfenen Helden an, der sich die Welt, die ihm fast vor Sinnlosigkeit birst, verschönern will. Es ist etwas Zwangsneurotisches an dieser Prosa, ja fast etwas Katatonisches. Biegsam hypotaktische, logisch in Unter- und Nebensätze gegliederte Sätze verbieten sich für diesen Typus Held.

Die Novelle *Maria Schnee* leitet Henscheids Spätwerk ein, oder dieses Spätwerk besteht schon fast aus ihr. Bekannt, ja über Jahrzehnte berühmt gemacht hat den Autor aber seine frühe *Trilogie des laufenden Schwachsinns* aus den Jahren 1973–1978. Ihr zweiter Band mit dem Titel *Geht in Ordnung – sowieso – – genau – – –* führt schon den Ton vor, den Henscheid erfunden hat. Ihn zu parodieren ist leicht, er selbst gerät später in die Nähe der Selbstparodie; erfinden mußte man ihn:

> Auf Herrn Leobolds bewegende Bitte hin nahmen auch wir Wanderer rasch noch einen Obstschnaps, ein «Zischerl», wie Alfred Leobold sich neuerdings ausdrückte, dann ging es hinein in die erhabene und glänzende Bergwelt, Hölderlin nennt sie sogar «edelmütig», und recht hat er. Auf einer Wiese lungerten ein paar Golfspieler. Beim näheren Hinsehen stellte sich heraus, daß es scheckige Kühe waren. Naja, auch gut.

Was macht diesen Ton? Er ist uneigentlich, sich immer selbst bewußt, er pastichiert und überzieht und quillt über, er ist unökonomisch und alliterationssüchtig, er mischt das Sublime mit dem Groben, das Ätherische mit dem Vulgären, den Nonsense mit dem Theologischen. Obwohl überall sofort wiederzuerkennen, ist der Henscheid-Ton dabei variabel und registerreich, in *Maria Schnee,* wie wir gesehen haben, viel zurückgenommener als in der frühen Trilogie.

Was Henscheid mit anderen großen Autoren – und eben nicht Wollschläger – verbindet, ist die Kunst des genauen Hinhörens. In *Geht in Ordnung* sind es weizenbierselige Wirtshaus-Grantler, die der Erzähler so plastisch-komisch zu Wort kommen läßt, daß man meint, es habe ihnen noch nie jemand so aufmerksam gelauscht. Der Ort des Geschehens ist die süddeutsche Stadt Seelburg, die sich von dem oberpfälzischen Vorbild Amberg, der Heimatstadt Henscheids, ableiten läßt, wenn man das «Am» zur französischen

Seele «âme» umdeutet. In Seelburgs nicht ARO, sondern ANO genannten Teppichladen entwickelt sich die immer dicht am Rand des Absurden lavierende Handlung, wie Henscheid sie bei seinen verehrten Meistern Italo Svevo und Dostojewski vorgezeichnet fand – *Die Vollidioten*, der erste Band der Trilogie, versteht sich als direkte Hommage an Dostojewskis *Idiot*. Im zweiten Band läßt Henscheid viel Thomas-Bernhardschen Beschimpfungsfuror anklingen, aber auch Nabokov winkt im Hintergrund; der Erzähler vergleicht seine Verklärung des hingegangenen Alfred Leobold mit der Verklärung der toten Lolita durch Humbert Humbert. Mit dessen preziös-polyglotter und sprachmächtiger Gelehrtheit es Henscheids Erzähler durchaus aufnehmen kann.

In Seelburg also lauscht dieser Ich-Erzähler den wortkargen Äußerungen des inzwischen aus dem Teppichladen ausgeschiedenen Herrn Leobold, dessen Erdenwandel und versteckte Heiligkeit schriftstellerisch nachzubilden er kurz vor Romanschluß beschließt. Sein zärtliches Überwachen des Todkranken findet im «Seelburger Hof» oder der italienischen Velhornwirtschaft «Wacker-Mathild» statt. Dort verbringen die Herrschaften um Alfred Leobold und seinen Ex-Kollegen Hans Duschke ihre Tage bei Bier, Schnaps und Kartenspiel. Was Kneipenszenen betrifft, gibt es ein prä- und ein post-Henscheid, das muß man nüchtern feststellen, auch wenn schon Heimito von Doderer ein Meister der Kaffee- und Wirtshausszene war. Hören wir einen Moment hinein, es geht um eines der verzwicktesten Probleme beim Kartenspiel «Watten»: Ob man mit zwei Achten und zwei Königen die Könige als Trumpf ansagt?

> Holzmann atmete tief und mit Wonne durch. «Freilich, schau, das ist so», rief er in den Freiraum, «du mußt ja bedenken, daß einer von den vier Königen – der Max – Trumpf von Haus aus ist, so daß nur noch drei Könige Trumpf wer-

> den können – dagegen bei Achtern vier. Jetzt ist natürlich die Chance, daß dein Partner noch Trumpf kriegt, bei Königen geringer als bei Achtern, weil ja bloß drei Könige im Spiel sind, aber vier Achter. Aber du mußt ja bedenken, daß das für die anderen, unsere Feinde, auch gilt, jetzt wenn du also zwei Achter hast, daß die anderen auch zwei Achter haben, dann heißt es 2:2. Wenn du aber Könige sagst, dann ist zwar für mich die Chance auch geringer, verstehst? Daß ich einen König hab, aber die anderen können miteinander garantiert nur noch einen König haben, dann heißt es also 2:1 für uns, klar? Und deswegen war's auf jeden Fall besser, daß du die Könige angesagt hast, klar?»
> «Er kann natürlich», sagte nach vielleicht einer Sekunde Pause Alfred Leobold leise, aber fest, «auch Achter sagen.»

Es ginge also auch umgekehrt. Die Kunst des Dialogs zeigt sich gerade in der Demonstration seiner Sinnlosigkeit. Auch Samuel Beckett ist einer der Ahnen Henscheids und Leobolds. Richtig zuhören kann nur der spätere Erzähler, alle andern reden aneinander vorbei. Auch der Erzähler ist dabei tingiert von der Höllenwelt, in die er sich als mitwirkender Inspektor begibt. «Herrgottl von Biberach!» klagt er über die vermuffte Bundesrepublik in den Zeiten der 1970er. Die folgenden Adjektivhäufungen, schiefen Bilder und italienischen Einsprengsel sind Henscheids stilistisches Erkennungsmerkmal.

> Herrgottl von Biberach! Diese saurierzäh-mesozoisch abgebrühte, sturmgestählte, entfesselte, dröhnende Kardinalsnarkose! Ah! Sii Maledetto! Im Souterrain, in den Gewölben der Katholizität und der Handelsblüte die ganze, schöne, abgestandene Pornographie des lauthals verglimmenden Daseins – – – Und ich in meinem behaglichen Lotterle-

> ben schon damals immer voll dabei. Na prima! – Noch vor Weihnachten wurde Hans Duschke zum Vormund seines Schwagers Malitz ernannt, ‹und umgekehrt›, hieß es, das mag aber auch ein Spötter nur erfunden haben.

Das «Umgekehrt»-Motiv wiederholt sich bei einem gravierenderen Thema: Angeblich erwäge Herr Leobold, seine geschiedene Frau mit in den Hades zu zerren. Es sei dort über die Feiertage das Gerücht aufgetaucht, Alfred Leobold habe 2000 Mark für jemanden ausgelobt, der seine geschiedene Frau töte.

> «Und das Schönste!», lachte der Runzelige, «und das will auch der Mogger gehört haben, das mit den 2000 Mark hat er nicht gehört, aber das hat er gehört: der Leobold hat gesagt: ‹zuerst bring ich mich um und dann bring ich sie um.› Jetzt hat der Mogger, erzählt er mir, gesagt: ‹Umgekehrt, Alfred! Wenn schon, dann zuerst sie, dann dich umbringen!› Da hat Leobold», nicht ganz ohne Gefühl, aber überwiegend lustig schleuderte Hans Duschke den Kopf hin und her, «hat der Alfredl angeblich geantwortet: ‹Oder umgekehrt!›»

In dieser Szene, in ihrer grotesken Komik, hat man den ganzen Henscheid. Was den Stil seiner Trilogie auszeichnet, sind die großen Sprachamplituden. Der arme Hund Alfred Leopold, der sich zum Romanende erschießt (nicht aber danach noch seine geschiedene Frau), kommt praktisch mit den drei Floskeln des Titels aus: Geht in Ordnung. Sowieso. Genau. Herr Leobold trinkt mehr Sechsämter am Tag, als ihm Worte zu Gebote stehen. Der Erzähler dagegen schwelgt und badet in Wörtern, seine Sprache ist so funkelnd reich und hochprozentig barock wie romantisch verplappert. Sie übertönt, dies die ästhetische Idee, das sprachnackte Elend im Innern der verfumfeiten Existenzen. Kurz vorm Ende des Passionsspiels, kurz vorm Suizid des heiligen Zischerl-Königs, geht dem Erzähler auf, daß dessen sinnlos repetiertes «genau» nicht mehr und nicht weniger bedeute als «grauenhaft».

*

In der Bibliothek, in der wir hier von Regal zu Regal schlendern und unsere Lieblingsbücher herauszupfen, findet man eine Unterscheidung nicht: die zwischen Hoch- und Unterhaltungsliteratur. Es gibt Bücher, die man gerne liest, und es gibt die anderen. Bitte, seien wir ehrlich: Wer würde auf die einsame Insel *Finnegans Wake* mitnehmen, wenn im Köfferchen auch Platz für *Harry Potter* wäre? Darum sei niemand überrascht, wenn wir uns einer Autorin zuwenden, die in den üblichen Literaturbetrachtungen fehlt.

Hildegard Knef: Der Kudu und der geschenkte Gaul

Ob sie einen Ghostwriter hatte, bleibt die offene Frage, aber: Im Zweifelsfall für die Angeklagte respektive Sünderin (so der Titel des Films, der sie 1951 wegen einer kurzen Nacktszene zur Skandalfigur machte). Hildegard Knef ist zumindest einer älteren Generation sowohl bekannt als auch erschreckend unbekannt. Bekannt aus den Coverbildern von *Stern* und *Quick* und als Chansonnière mit rauchiger Stimme. Unbekannt als Virtuosin der Sprache. Die Verfasserin der Memoiren *Der geschenkte Gaul* ist eine Erzählerin ersten Rangs. Ihre in vielen Dialekten und Argots gewiefte, expressiv farbige, nervöse, klischeefreie, immer originelle, lustvoll übertreibende und sicher oft auch flunkernde Prosa erinnert an den Ulrich Becher der *Murmeljagd*, die ein Jahr vor dem *Geschenkten Gaul* erschien. Wie blaß dagegen die gerühmte

Kunstprosa Christa Wolfs. Sakrileg! Aber wir stehen hier und können nicht anders: Für Knefs Memoiren gäben wir die ganze *Kassandra.*

Knef setzt die Pointen vom ersten Satz an. Sie beginnt ihr Buch mit einer Hommage an ihren geliebten Großvater.

> Er trug den Kopf sehr gerade, die Wirbelsäule auch, und er hatte einen großen Mund mit vielen Zähnen; er hatte sie noch alle 32, als er mit 81 Jahren Selbstmord machte. Sein Jähzorn war das Schönste an ihm, erstens weil er sich nie gegen mich richtete und weil er so wild und rasch kam, wie er verging, und wenn vergangen, wurde sein Gesicht warm wie ein Dorfteich in der Sommersonne und seine Bewegungen verlegen und einem fischenden Bären gleich.

Da pfeift der Teufel durch die Zahnlücke, wie man in Norddeutschland sagt. Allein das Bild des verlegen fischenden Bären! Was zeichnet ihn noch aus, den jähzornigen Großvater? «Er klopfte jeden Abend mit der rechten großen Zehe gegen die untere Bettwand – sechsmal – und schwor darauf, daß er nur dadurch Punkt sechs erwachen könne.» Eines der hundert Knef-Details, die man nicht vergessen wird. So wie die Schilderung ihres ersten Hollywood-Aufenthalts 1948, der ihr zwar keine Filmrollen eintrug, aber den Rat, Marcel Proust und Manns *Doktor Faustus* zu lesen. Beides hat sie offenbar getan. In dieser Zeit freundet Knef sich mit Marlene Dietrich an. Ihr erstes Treffen: «Aus dem Dunkel des teuersten und finstersten Restaurants in Hollywood, dem philippinischen ‹Beachcomber›, leuchtete ein weißes, hellumrandetes Dreieck. ‹Hallo›, hauchte es über das Gesäge der Hawaiigitarren hinweg und lächelte amüsiert.» Es folgen fünf Seiten von akkuratester Komik – allein für diese Szene lohnte sich der *Geschenkte Gaul.*

Der auch *Die Sieben Leben der Hilde Knef* hätte heißen können. Es ist schwer vorstellbar, was sie alles durchgestanden und doch überlebt hat, angefangen mit den letzten Kriegsmonaten im zerbombten Berlin. Die junge Frau auf der Flucht vor der einrückenden russischen Armee:

> Über uns Bomber, Jagdflieger. Zwei Jäger kommen, spielen Mäusebussard, gucken mal rein, machen brr brrr, sind weg – holen Verstärkung, kommen wieder. Der neben mir sagt Himmel, Arsch und Zwirn, springt durchs Fenster, springt auf Schienen und Schotter, reißt Beine nach hinten, reißt Arme nach vorn, brüllt. Aus der Jacke quillt Rotes. Sie wühlen zur Tür, lassen sich fallen, zwischen Waggons, kriechen runter – ich lieg zwischen Puffern, denk: Wenn der Zug jetzt fährt, bin ich Matsch. Er fährt nicht, die Lok brennt. Bussardfamilie weg. Es weint und röchelt, es macht tatütata. Ich sitz' auf der Böschung, guck' anderslang. Laufe ein, zwei Stunden – komm zum Bahnhof, frag', wo ich bin – nicht mal Nürnberg. Zwanzig Stunden unterwegs und nicht mal Nürnberg. Um vier Uhr morgens kommt Sonderzug, stottert weiter, verschnauft in Salzburg. Ich sehe Häuser, Häuser mit Dach, mit Fenster, Balkon mit Blumen, sage: Ist Österreich schön. Der mit der roten Mütze und Kelle dreht sich um, glotzt mich an, wird mützenrot petunienlila, brüllt: Sie meinen wohl Ostmark.

Das Stakkatohafte, der Verzicht auf Artikel, das syntaktisch Gehetzte – der Stil paßt sich dem Geschilderten an, der ruhelosen, fiebrigen Flucht. Die politische Pointe der «Ostmark» setzt Knef an den Schluß. Sie erzählt hier, wie es auch Johannes Mario Simmel hätte erzählen können. Was keineswegs abschätzig gemeint ist: Simmels *Es muß nicht immer Kaviar sein* ist ein so reicher und praller Roman, daß vieles aus der Hochliteratur dagegen anämisch wirkt.

Anämie, war sie auch unter ihren Krankheiten? Nein, aber Typhus, Gelbsucht, Kinderlähmung, Meningitis, Encephalitis, Blinddarmdurchbruch – die Aufzählung erstreckt sich über weitere neun Zeilen. Hildegard Knef ist von Kindheit an mit allen nur denkbaren Gebresten geschlagen. In einer Szene schildert sie, wie sie 1968 nach einer Gallenkolik in ihrem Pariser Hotel von einem Arzt nach ihren Vorerkrankungen befragt wird. Ihr Mann geht solange ins Kino, trinkt Kaffee und kehrt anschließend zu ihr ins Hotel zurück. Da ist Hilde im Jahr 1959 angelangt. «Du weißt», erklärt der Arzt ihm nach weiteren dreißig Minuten aschfahl, «ich habe Hilde immer für ein Musterbeispiel des kraftvollen deutschen Weibes gehalten, und nun erfahre ich, daß sie ein Museum des Grauens ist.»

Knefs Selbstironie ist bezaubernd, ihr Blick auf die Menschen scharf, aber nicht ätzend. Von einem mächtigen Studioboß, der sie vergeblich in sein Schlafzimmer zu locken versucht, sagt sie nur: «Seine Persönlichkeit würde kaum das Wandsafe eines Dorfnotars füllen.» Ihre Charakterisierungen Edith Piafs, Henry Millers, Billy Wilders oder Friedrich Torbergs sind so pikant wie präzis. «Wieder lächelte sie dieses spöttische Lächeln, wie jemand, der sich gern hat und seine kleinen Fehler in Kauf nimmt» – das Lächeln Marlene Dietrichs.

Auch das Aussparen gehört zur Kunst des Erzählens.

> Jahre später, in Rhodesiens Busch, sah ich einen Kudu. Er stand, nur wenige Meter von mir entfernt, auf langen graziösen Beinen, stand hoheitsvoll und unerschrocken, seine sich nach oben verjüngenden Korkenzieherhörner endeten wie Ausrufezeichen. «Er ist alt, die Herde hat ihn verstoßen», sagte der Landrover-Fahrer. Stolz, unzugänglich sah er

uns an, nichts erwartend und durch nichts mehr zu enttäuschen.

Ende des Absatzes. Ausbuchstabieren muß es sich die Leserin selbst, was der Kudu zu tun hat mit der durch eine Wüste der Krankheiten und Mißerfolge gehetzten Knef. Außer dem Anfangsbuchstaben.

Ein letztes Beispiel für ihre Kunst des Porträts. Ihr alter Berliner Theaterregisseur Barlog besucht sie in New York. Im Taxi rutscht er tiefer in den Sitz und versucht, die Spitzen der Wolkenkratzer auszumachen. «‹Mensch, Mensch›, murmelte er, offenlassend ob überwältigt oder enttäuscht.» Er hat Hilde in ihrem Broadway-Stück gesehen. Anschließend bei ihr auf dem Sofa folgt die Detailkritik:

> «Paß ma auf, in der eenen Szene, wenn er det Lied singt und du stur dasitzt, also da kiek nich jradeaus, kiek runter.» Er hielt den Kopf schräg, sah angewidert auf den Boden, als verfolge er den Weg einer Küchenschabe. «Und wenn de auftrittst, laß die Pause länger, bevor du redest. Dann, det Abendkleid, also wenn du det vorführst, sei noch unsicher, det darf nich elejant sein, vastehste.» Er drehte sich hin und her wie eine Robbe, die einen Wasserball balanciert: «Det muß ihr richtig peinlich sein – komm, steh ma uff ...»

Nicht nur die Stimmenimitation, auch die Vergleiche, besonders die Robbe mit Wasserball, verraten die genuin komische Erzählerin. Hildegard Knef – Berliner Pflanze, Berliner Schnauze, Herz am rechten Fleck: hier werden die Klischees, die sie immer mied, einmal wahr.

Brigitte Kronauer. Die Kleider der Frauen

Bei ihrer Laudatio auf den Kleistpreis-Träger Martin Mosebach im Herbst 2002 geriet Brigitte Kronauer kurz vorm Ende ihrer Rede ins Stocken. Sie hatte die letzte Seite ihres Manuskripts verlegt. Es war ein Discursus interruptus; das Publikum mußte der anschließenden Dankesrede des Preisträgers lauschen, ohne in den Genuß des Lob-Finales gekommen zu sein. Daß sie selbst nicht in den Genuß einer Kleist-Laudatio kam, ist ein historisches Versehen.

Ein *chef d'œuvre* in Kronauers reichem Werk vom *Berittenen Bogenschützen* aus dem Jahr 1986 bis zu den 2019 postum veröffentlichten Romangeschichten *Das Schöne, Schäbige, Schwankende* ist ein trügerisch schmales Bändchen, eine Sammlung von 26 Kurztexten, betitelt *Die Kleider der Frauen*. Alles, was Kronauer kann, entfaltet sich in diesen jeweils nur wenige Seiten langen Prosa-Miniaturen.

Eine dieser Kurzgeschichten, mit einem an die *Berliner Abendblätter* erinnernden Stoff, heißt *Die Verfluchung*. Kronauer beschreibt am Anfang, wie eine Frau in Depression verfällt, weil in ihrer Stadt nach dem Wechsel des Bürgermeisters immer mehr alte Häuser abgerissen werden.

«Ein Baum nach dem andern fiel, nein, sank nicht tragisch, sondern wurde am Stamm lächerlich zerstückelt. Neue Häuser beseitigten mit ihrem rundum aus allen Fensterlöchern dringenden Elektrizitätsüberschwang die ehemals schwarzen Nächte der Waldkäuzchen.»

Was macht diesen Stil? Man muß es nicht erklären: Der «Überschwang» macht es, das Waldkäuzchen in der schwarzen Nacht; die Klangschönheit mit ihren Assonanzen und der Poetisierung im Kontrast zur häßlichen Zerstückelung. Kronauer hat einen ganz eigenen Ton und einen ganz eigenen Blick, den sie in den *Kleidern der Frauen* raffiniert rückbindet, falls man Blicke binden kann, an die Perspektive eines noch jungen und klugen, aber kenntnisarmen Mädchens.

Auch *Tante Fritzchen in Weiß* erzählt aus der Sicht dieses scharfsichtigen naiven Mädchens. Die geliebte Tante, die sonst immerzu Tränen hinter ihrer dicken Brille vergießt, putzt plötzlich auffällig oft die Fenster. Das Mädchen bemerkt bald, warum: Vor dem Fenster arbeitet ein Kranführer, dem die Tante ihre Brüste präsentiert. Das Mädchen und ihr älterer Bruder sind über diese Brüste empört. Die Tante erschien ihnen geschlechtlos, und nun trägt sie sogar spitze Büstenhalter. «Jaja, in den Märchen und Filmen ist es beliebt, eine Figur zu zeigen, die man für jung hält, dann wendet sie sich um oder hebt den Schleier, und man nimmt zu seinem Entsetzen auf einen Schlag, noch mit der Erwartung des Glatten, ihr runzliges Alter wahr wie etwas Abscheuliches, wie einen Fluch und eine Strafe Gottes.» Hier nun, mit Tante Fritzchen, passiert das Umgekehrte: «Sie enthüllte in unverschämter, nicht erlaubter Offensichtlichkeit, daß sie gar nicht alt, sondern eine junge Frau war!»

Die Erzählung beginnt mit dem Satz «Für mich ist die Farbe des Verrats ein schreiendes Weiß». Die Erklärung erfolgt drei Seiten später; wieder geht es um den Besuch Tante Fritzchens und ihre immer auffälliger werdenden Brüste. Der Kronauersche Twist liegt in dem Vergleich, den das Mädchen findet – halb komisch, halb poetisch oder umgekehrt.

> Dann hatte sie plötzlich an ihrem freien Mittwochnachmittag, an dem sie uns gehörte mit Haut und Haar, einen schneeweißen Angorapullover an, der wie das Bauchstück eines Katzenfellchens die offenbar noch etwas spitzeren Brüste umschmeichelte. Ihre obere Hälfte sah aus wie im Jahr davor ein wilder Kirschbaum am Bahndamm in voller Blüte, auf dessen Früchte man allerdings pfeifen konnte.

Das Mädchen assoziiert noch nicht die verbotenen Früchte des Paradiesgartens, sondern die normalerweise eßbaren des Kirschbaums.

Die Kurzerzählung *Die kleinen Hunde an ihren Leinen* beginnt unverkennbar kronauersch, das heißt: scharf konturiert im Abseitigen, überraschend in den Synonymen und im Gedanken- und Satzverlauf, mit kühler Komikunterströmung:

> Noch immer, als wäre nichts passiert, als wäre heute in Wirklichkeit vorgestern und viel weiter zurück, sieht man die angeleinten Hunde der älteren Frauen zwischen Krokussen an den Straßenrändern ihre anders gefärbten Häufchen absondern und einfach dazugruppieren. Die Frauen stehen daneben, sprechen auf die endlich erschienenen Blumenwitzbolde ein, entschuldigen sich und ruckeln ab und zu an der Leine, um irgendwie den Schein guter Sitte aufrechtzuerhalten. Es gehört seit Jahrhunderten unbedingt dazu, dieses Ruckeln, wie früher die Straßenbahnschaffner es mit der Leine über ihrem Kopf machten, um zu klingeln. Danach gehen sie schrittchenweise, beige Zylinder mit leicht gesenktem grauweißem Kopf, weiter voran, der kleine Seelentröster vornewegziehend oder hinterhergezogen.

Zu den grauweißen Köpfen äußert sich die Erzählerin auch ein andermal. Sie beschreibt ihre gealterte Mutter aus den Augen des Kindes, das Spezielle ihres Körpers, der ein sehr langer Kinderkörper war «unter den wie aus Zerstreutheit grau gewordenen Haaren». Das ist wieder gefunden und nicht gesucht, und also Stil.

In der Geschichte *Annegret,* die in Sachen Frauenpsychologie Romane ersetzt, ist die Erzählerin eine Sprachmimose, die einen bestimmten Abschiedsgruß nur schwer erträgt. Die Pointe ist, daß sie ihn nur beschreibt, aber nicht nennt.

Wir sehen zwei Frauen am See, die dort Dehnübungen gemacht hatten und von der Erzählerin beobachtet werden:

> Sie verabschiedeten sich mit einer vorsichtigen Umarmung, umfaßten sich und hielten zugleich beide gekonnt Abstand, da sie schwitzten, und während sie jeweils in ihr Auto einstiegen, brachen sie in den mir verhaßten, hoch angesetzten, im Norden weit verbreiteten einsilbigen, jedoch vor lauter Herzlichkeit auf zwei Silben gestreckten Schrei aus. Der Umlaut wird dabei zerschlagen von einem eingefügten «h» oder, wenn man es lieber möchte: Er nimmt das «h» sandwichartig in die Klemme, aber richtig macht man es nur, und keine einzige Frau macht das hier falsch, wenn man das «h» als Schubkraft für den Ausstoß der zweiten, langgezogenen Silbe benutzt.

Und hört man es nicht vor sich, das hanseatisch skandierte «Tschü-hüüüß»?

Um aber zurückzukommen auf *Die Verfluchung* und die Stadt, in der seit dem Bürgermeisterwechsel die Bäume am Stamm lächerlich zerstückelt werden: Das Ende dieser großen Miniatur wird schon auf der zweiten Seite vorweggenommen, aber so verschlüsselt, daß man es noch nicht verstehen kann. Die Erzählerin kündigt die Geschichte einer Frau an, die ihr neues Kostüm, den passenden Hut, Tasche und Schuhe, alles sehr auffällig, «aus schwermütigem Eigennutz an ihre Putzfrau verschenkte». Aus schwermütigem Eigennutz verschenkt – was soll das denn heißen? Vier Seiten später erfahren wir es. Die depressive schöne Frau, um die ihr Mann, ein erfolgreicher häßlicher Anwalt, sich Sorgen macht, weshalb er die gemeinsame Tochter ein Auge auf sie haben läßt, scheint eines Tages besserer Stimmung: Sie geht endlich wieder einmal ins Städtchen und kleidet sich neu ein. Heimlich schenkt sie am nächsten Tag alles ihrer Putzfrau, die ihr als Gegenleistung nur versprechen muß, in den neuen Kleidern am Nachmittag zu einer festgesetzten Stunde das Haus zu verlassen und in die Straßenbahn Nummer drei einzusteigen.

Es folgt der gewaltige Schluß, die Coda, die man in ihrer Pointiertheit und der Sicherheit, mit der es syntaktisch gedrängt über viele kleine Dämme und Staustufen hinweg auf das letzte Verb hinausläuft, als ein Beispiel für souveräne Kleist-Nachfolge ansprechen darf.

> Die Putzfrau machte alles wie besprochen und bemerkte nicht oder bemerkte doch, wunderte sich aber nicht darüber, wie ihr die kleine Tochter der Frau folgte, treulich auch in die Straßenbahn folgte bis zum Ziel außerhalb. Dort erst, abgelenkt von der neuen Kleidung und bemüht, die Mutter zu überwachen, heimlich, wie vom Vater eingeschärft, wohl weil seine Frau ihm Vorwürfe wegen der Observierung gemacht hatte, erkannte das Kind die Täuschung, während sich die Frau des Anwalts zur selben Zeit ungehindert im See ertränkte.

Kronauer hatte beim Kleistpreis nur die Lobrede gehalten, fast bis zu Ende; niemand hätte ihn mehr verdient gehabt als sie.

Herta Müller. Der Sandpfirsich

Die Atemschaukel hat ihr den Nobelpreis eingetragen, und es gab unwürdigere Empfänger. Die Prosa der als Banater Schwäbin in Rumänien aufgewachsenen Autorin ist wie diejenige Eckhard Henscheids unverwechselbar. Ihr Deutsch hat den leichten, kaum nachweisbaren Metallgeschmack des in einer Sprach-Enklave

Konservierten. Das Buch stützt sich auf Oskar Pastiors Erinnerungen, er war 1945 als Siebzehnjähriger von den Russen verschleppt worden und mußte fast fünf Jahre lang in sowjetischen Lagern Zwangsarbeit leisten. *Die Atemschaukel* ist Müllers stärkstes Buch, weil es das stärkste Material bearbeitet und nur selten in die Zone gerät, in der, wie in manchen ihrer früheren Bücher, die Sprache um sich selbst zu kreisen beginnt.

> Was kann man sagen über den chronischen Hunger. Kann man sagen, es gibt einen Hunger, der dich krankhungrig macht. Der immer noch hungriger dazukommt, zu dem Hunger, den man schon hat. Der immer neue Hunger, der unersättlich wächst und in den ewig alten, mühsam gezähmten Hunger hineinspringt. Wie läuft man auf der Welt herum, wenn man nichts mehr über sich zu sagen weiß, als dass man Hunger hat. Wenn man an nichts anderes mehr denken kann. Der Gaumen ist größer als der Kopf, eine Kuppel, hoch und hellhörig bis hinauf in den Schädel. Wenn man den Hunger nicht mehr aushält, zieht es im Gaumen, als wäre einem eine frische Hasenhaut zum Trocknen hinters Gesicht gespannt.

So beschreibt Pastior und nach ihm Herta Müller das große Mono-Thema des Buchs, den täglich und stündlich quälenden Hunger. Das Poetisieren des Scheußlichen gerät dabei an eine Grenze, die Herta Müller nicht übertritt, aber doch manchmal streift. Geht der «Hungerengel» nicht zwei-, dreimal zu oft durchs Lager? Aber vielleicht fordern körperlich-seelische Grenzzustände auch sprachliche Grenzüberschreitungen? Herta Müller wird wortschöpferisch und bilderstark, weil die normale Sprache das Extrem nicht ausdrücken kann. Sie ist dabei hochkontrolliert. Die Hasenhaut im Gaumen deutet voraus auf das Motiv des Hasenbrots.

Der Erzähler erklärt: «Vor dem Hungertod wächst ein Hase im Gesicht.» Gemeint ist damit, daß der Moribundus mit seinen behaarten eingefallenen Wangen an ein Hasengesicht erinnert. Das «Hasenbrot» bezeichnet das Stück Brot, das der zum Hungertod Verdammte wie jeder andere morgens ausgeteilt bekommt und das ihn doch nicht mehr retten kann, weshalb es ihm von den andern Lagerhäftlingen besonders geneidet wird.

Zugespitzt wird dieses Verfremdungs-Prinzip, wenn die Figuren nicht nur durch Lagerhaft und Hunger traumatisiert sind, sondern auch noch schwachsinnig. Eine der Lagerinsassen ist die Planton-Kati, die ausnahmslos alles ißt und in ihrer eigenen Wahnwelt lebt. Der Erzähler begegnet ihr auf dem kahlen Weg außerhalb des Lagers.

> Auf dem Rückweg wollte ich nicht mehr durchs Unkraut schwimmen und ging am kahlen Weg entlang. Neben dem Zeppelin saß die Planton-Kati. Ihre Hände lagen auf einem Ameisenhügel und wimmelten schwarz. Sie leckte sie ab und aß. Ich fragte: Kati, was machst du.
> Ich mach mir Handschuhe, die kitzeln, sagte sie.
> Ist dir kalt, fragte ich.
> Sie sagte: Heute nicht, morgen. Meine Mutter hat mir Mohnkipfel gebacken, sie sind noch warm. Geh nicht mit den Füßen drauf, kannst doch warten, du bist doch kein Jäger. Wenn die Kipfel alle sind, werden die Soldaten beim Apfel gezählt. Dann fahren sie nach Hause.
> Da waren ihre Hände wieder wimmelnd schwarz. Bevor sie die Ameisen ableckte, fragte sie: Wann ist der Krieg aus. Ich sagte: Der Krieg ist schon zwei Jahre aus. Komm, gehen wir hinüber ins Lager.
> Sie sagte: Siehst du nicht, jetzt habe ich keine Zeit.

Die Planton-Kati weiß weder vom Kriegsende, noch weiß sie, daß man beim *Appell* gezählt wird und nicht beim Apfel (eine akustisch durch unterschiedliche Betonung nicht ganz glaubwürdige Verwechslung). Die schwachsinnige Kati hat wie Büchners Woyzeck ihre eigene Logik und eigene Poesie. Herta Müllers Metaphern sind überhaupt immer wieder Büchner-nah.

> Wenn mich nachts die Gegenstände heimsuchen und mir im Hals die Luft abdrosseln, reiße ich das Fenster auf und halte den Kopf ins Freie. Am Himmel steht ein Mond wie ein Glas kalter Milch, sie spült mir die Augen. Mein Atem findet wieder seinen Takt. Ich schluck die kalte Luft, bis ich nicht mehr im Lager bin. Dann schließe ich das Fenster und leg mich wieder hin. Die Luft im Zimmer schaut mich an und riecht nach warmem Mehl.

Was auffällt, ist das völlige Fehlen von Fragezeichen, als gäbe sie es nicht in der Herta-Müllerschen Tastatur. Endet in der *Atemschaukel* nicht jeder Fragesatz mit einem Punkt. Doch, und das hat vielleicht sogar einen sachlichen Sinn. Wo der Mensch reduziert wird auf das tägliche Überleben, in der Welt des Lagers, gibt es nur Tatsachen, nur Kargheit, nur das beißend Reale, nur den Indikativ, da bleibt für Fragezeichen keine Kraft. Eine Frage eröffnet Räume, diesen Raum gibt es im Lager nicht. Man könnte allerdings umgekehrt argumentieren: Besteht nicht gerade dann, wenn man nicht weiß, ob man den Tag überleben wird, alles aus Fragen? Einigen wir uns auf einen Deutungsverzicht, und vermuten wir einen Müllerschen Manierismus.

Nur manchmal an der Grenze zum Preziösen, ist es doch eine Prosa, die nicht als trotzige oder dauerbeleidigte *Arte povera* auf sich aufmerksam machen will. Müllers Prosa steht im Dienst der Genauigkeit. Wenn man etwas ganz genau beschreiben wolle, ende man bei der Metapher – dieser oft zitierte Satz erweist auch bei Herta Müller seine Gültigkeit. Ihre Wortschöpfungen und Metaphern sind nicht Schmuck, es sind lange Nadeln, mit denen sie ins Seelenfleisch stechen, oder Hämmerchen, mit denen sie etwas ins Relief treiben will.

Das Motiv des Alles-Essens der Planton-Kati greift Herta Müller ein zweites Mal auf mit der Erinnerung an einen Lagerhäftling Karli, schon klanglich mit Kati verwandt. Karli Halmen liegt mit dem Ich-Erzähler in einer Sandgrube, in der sie schaufeln müssen, und erzählt:

> Als Kind habe ich die Pfirsiche angebissen und mit dem Biss nach unten fallengelassen, sagte er. Dann habe ich sie aufgehoben und die sandige Stelle gegessen und sie wieder fallengelassen. Bis nur der Kern übrig war. Mein Vater ist mit mir zum Arzt gegangen, weil ich nicht normal bin, weil mir der Sand schmeckt. Jetzt habe ich Sand genug und weiß gar nicht mehr, wie ein Pfirsich ausschaut.
> Ich sagte: Gelb, mit feinen Härchen und ein bisschen roter Seide um den Kern.
> Wir hörten das Auto kommen und standen auf.
> Karli Halmen begann zu schaufeln. Wenn er die Schaufel füllte, liefen die Tränen gerade herunter. Wenn er den Sand fliegen ließ, liefen sie links in den Mund und rechts ins Ohr.

Die letzte Beobachtung zeigt die große Stärke Herta Müllers, ihre Lakonie und Detailgenauigkeit. Der Deportierte ist durch die Erinnerung an den Kindheitspfirsich aus der sonst mühsam bewahrten Fassung geraten und weint beim Sandschaufeln, aber das sagt Herta Müller gerade nicht, sondern beschreibt den Verlauf, den Flüssigkeiten beim Herabrinnen auf dem Gesicht nehmen, wenn dieses Gesicht sich ruckartig wegdreht.

Das Detail, das dem Sand-Pfirsich wie all dem geschilderten Kruden zur poetischen Dignität verhilft, ist das bißchen rote Seide um seinen Kern.

Marie-Luise Scherer. Unter jeder Lampe Tanz

Die Präzision hätte auch einer anderen Autorin gefallen, die mit Herta Müller den bewundernswerten Drang des Alles-genau-wissen-Wollens teilt und die Allergie gegen jedes sentimentale Ungefähr. Marie-Luise Scherer: Ihr Ruf ist so legendär wie ihr Œuvre schmal. Sie sei nicht nur die Beste, wenn sie schreibe, befand ein Kollege von ihr, sie sei auch noch besser als die meisten, wenn sie nicht schreibe. Marie-Luise Scherer hat aus den Reportagen, die sie von 1974 bis 1998 für den *Spiegel* verfaßte, eine eigene Kunstform geschaffen, für die der rechte Begriff noch nicht gefunden ist. Scherer sucht nächtelang kettenrauchend nach dem *mot juste* und hat einen Proustschen Sinn fürs Detail. Anders als Herta Müller ist sie dabei nicht sprachschöpferisch ambitioniert. In ihren kalt schimmernden, gehärteten Prosastücken emaniert der Stil aus der ganz hinter die Sache zurücktretenden Genauigkeit. Die berüchtigten *fact checker* beim *New Yorker* könnten bei Marie-Luise Scherer ihr Büro verlassen und Kaffepause mit einem Donut machen – bei ihr stimmt jede Winzigkeit. Wenn sie in ihrer Studie über einen Serienmörder *Die Bestie von Paris* einmal erwähnt, in ihrer Erregung setze eine Madame Bailiche «die Tüte mit dem Vogelfutter zu hart auf ihrem Wohnzimmertisch auf, sodass die Körner auf den Boden rieseln», hat sie es offenbar von Madame Bailiche persönlich, erfunden haben wird sie es jedenfalls nicht.

Marie-Luise Scherer, 1938 in Saarbrücken geboren, begann als Berliner Lokalreporterin, wovon ihr Vater, ein großzügiger, fallierter und leicht mythomanischer Geschäftsmann, nichts wissen wollte. Um in der Straßenbahn, wenn Bekannte ihn ansprachen, von der eigenen Schande abzulenken, erklärte er seine Tocher zur Kulturreferentin bei der UNESCO in New York. Scherers Aufzählung ihrer tatsächlichen Tätigkeit zeigt neben ihrer Selbstironie ihren Sinn fürs Kuriose:

> In Wahrheit schrieb ich über Inventuren in Berliner Zoogeschäften; über die Darmverschlingung des See-Elefanten Bolle; von einem Eichhörnchen, das Pipo hieß und an einer Pfeife zog, in der eine nahrhafte Paste steckte. «Pipo Paste» lautete die Titelzeile. Ich besuchte die Weihnachtsfeier des Pinselohraffenclubs in der Marokko-Bar. Titelzeile: «Bürsten Sie Ihren?» Ein belangvolleres Stück handelte von der Abluft aus Krematorien, mit der man Wohnungen beheizen sollte. Ein anderes von den Plänen des Senats, vom Fluglärm zermürbte Mieter aus Tempelhof umzusetzen und statt ihrer Taubstumme anzusiedeln.

Unter Scherers frühen Reportagen werden bis heute die Porträts *Der RAF-Anwalt Otto Schily*, *Ungeheurer Alltag* oder *Wenn Lehmann nich mehr is* hervorgehoben. Ihr Berlinerisch in *Lehmann* ist bedeutend besser als das von Döblin im *Alexanderplatz*, dabei ist er Berliner und Scherer Saarländerin. Lehmann ist übrigens ein Hund.

Burkhard Müller rühmt zu Recht zwei Eigenschaften, aus deren Balance Scherers Stil hervorgehe: Neugier und Takt. Die Neugier führe sie zu Stoffen, an denen andere vorbeigegangen wären. Ihr Taktgefühl verhindere, daß diese auf Anhieb bloß skurril wirkenden Funde der Lächerlichkeit preisgegeben würden.

Skurril, auf den ersten Blick, ist auch das Thema ihres 1994 im Spiegel veröffentlichten großen Stücks *Die Hundegrenze*. Mit ihm beweist Marie-Luise Scherer, wie durchlässig und unbewacht die Grenze zwischen Reportage und literarischer Hochkunst ist.

Worum geht es? Mitte der sechziger Jahre hatten die Grenztruppen der DDR begonnen, zur Bewachung schwer zu sichernder Abschnitte im Sperrgebiet sogenannte Hundelaufleinenanlagen zu installieren. Durch einen Signalzaun von den Bewohnern des Sperrgebiets getrennt, liefen die Hunde an einem Drahtzaun entlang, an der gesamten Grenze zuletzt fast tausend Hunde (957, um es mit Scherer zu präzisieren). Die Grenzkommandos unterhielten ein verzweigtes System der Hundebeschaffung in der gesamten DDR. Die auf knapp 90 Seiten dokumentierte Geschichte dieser Hunde, die am Ende mit einer Ausnahme (dem gelben Colliemischling Alf) auf tauendem Eis einbrechen und jämmerlich ersaufen, bezieht ihre literarische Energie nicht allein aus der Schererschen Detailfreude, die sich bei ihrem Spezialgebiet, den Hunden, noch einmal steigert. Der erste Auftritt des gelben Alf:

> Er war inzwischen halb aus dem Gebüsch getreten, was ihn die volle Länge seiner Laufleine kostete. Seine Erscheinung strahlte eine gewisse Festlichkeit aus. Ein Geriesel von Schafgarbenblüten bildete ein Dreieck auf seiner Stirn, passend darunter die erfreute Miene. Das gelbe Gesicht lag in einem löwenhaften, etwas helleren Kragen. Die Ohren hielt er so lange hochgestellt, bis Herbig ihn ansprach und er in Überschwang geriet. Wie eine Machete schlug die Rute aus, dass es den ganzen Körper mitriss bis zum Kopf, und die kleine Wildnis, aus der er ragte, rechts und links zur Seite knickte. Gleichzeitig wollte er nach vorne springen, wobei die stramm gespannte Leine ihn zurückriss. Aufrecht, mit rudernden Pfoten, hing er in seiner Fessel. «Das ist Alf», sagte der Soldat, «den könnten Sie mit einer Mütze totschlagen.»

Alf, der als einziger überleben wird. – Die Pointe der *Hundegrenze* ist nicht, daß sie mit Thomas Manns *Herr und Hund* konkurrieren kann, was die Einfühlungsgabe betrifft. Ihre Pointe ist, daß sie etwas viel Größeres erzählt, als sie es vorgeblich tut. Wie dieser Staat funktionierte oder dysfunktionierte, wie bürokratisch-ausgeklügelt er noch das allerletzte Schlupfloch zu versiegeln suchte, durch das man dem sozialistischen Zwangsparadies hätte entwischen können; wie die einfachen Leute sich durch Tauschhandel über Wasser hielten und mit dem Machtapparat arrangierten, wie genuin *sick* in seiner preußisch-sächsischen Ausgetüfteltheit dieser von Stalin-Traumatisierten gelenkte Apparat dabei war – wer *Die Hundegrenze* gelesen hat, der weiß, warum es schiefgehen mußte mit der Deutschen Demokratischen Republik. Scherer verliert darüber kein Wort. Das Große Ganze zeigt sich im pfeifenden Drahtseil, an dem die Hunde angekettet sind.

> Wilhelm Tews hatte einen Logenplatz auf die Hunde an der Staatsgrenze. […] Das engmaschige Rhombengitter entrückte das dahinterliegende Geschehen etwas. Für den flüchtigen Blick war alles weichgezeichnet wie durch Gaze, die Hunde einvernehmlich mit der Natur, in gleichmäßigem Eifer ihr Revier ausmessend. Sie liefen ein kleines Oval um ihre Hütte und längs des Drahtseils ein großes, als vollführten sie eine Kür auf Schienen. Sie trugen, als wollten sie Kunststücke zeigen, ihre Näpfe hin und her. Sie gruben Löcher, in denen sie ganz verschwanden. Über Stunden schossen die Sandfontänen hoch.

Wilhelm Tews aber ist ein Hundekenner wie Scherer.

> Tews wusste, dass diese Erdarbeiten Verzweiflungstaten waren. Nicht Possierlichkeit, sondern Verlassenheit schickte

> den Pottschlepper und Kürläufer auf seine Bahn. Die ganze Szenerie des Fleißes und der Fertigkeiten war ein Trugbild. Tews kannte alle Nuancen des Hundeunglücks.

Vor allem hat Tews auch ein empfindliches Gehör:

> Unter allen akustischen Besonderheiten, die die Grenze bereithielt, fand Tews nur eine wirklich behelligend: die von Anschlag zu Anschlag jagenden Eisenrollen, an denen die Laufbahnen hingen. Das pfiff und riss an den Nerven. Und die Hunde, die es bewirkten, machte es verrückt. Je besessener sie liefen, um dem Pfeifen zu entkommen, um so schneidender pfiff es. Tews konnte der Entstehung des Hundewahnsinns vom Garten aus zusehen.

Und wir Leser der *Hundegrenze* können dank Scherer dem schneidend pfeifenden Wahnsinn dieses Systems vom Logenplatz unseres Sessels aus zusehen, mit dem schlechten Gewissen der westseitig Nachgeborenen.

Ein anderes Genre, in dem Scherer eigene Maßstäbe setzt, ist die Dankesrede. Ihre in dem Band *Unter jeder Lampe gab es Tanz* veröffentlichten Reden sind fast Novellen und überbieten einen nicht geringen Teil der jährlichen Belletristik-Produktion. Immer Verlaß ist bei ihr auf die Motivkombination Hund und Tod. In ihrer Rede zum Ludwig-Börne-Preis erzählt sie von einem Kuba-Besuch im Jahr 1994. Scherer streift durch Havanna und bemitleidet nicht etwa die darbenden Menschen. Sie hält es mehr mit den herumstreunenden Hunden und sammelt in ihrem Hotel Essensreste, um sie damit zu füttern. Weil sie aber nun einmal Marie-Luise Scherer ist, entgeht ihrer Beobachtung nicht, was sie damit bei den anderen auslöst.

> Ich spürte auch bald den Blick der Kellner. Sie standen am Fenster aufgereiht, jeder von tadelloser Erscheinung, und traten nur heran, um abzutragen und Platz zu schaffen für den jeweils nächsten gefüllten Teller, mit dem der Gast zurückkam vom Buffet. Ich hätte ihnen gern den Grund meiner Gier erklärt, fürchtete aber ihr Unverständnis, welches ich ihnen gleichzeitig zugestand.
> So verlegte ich mich darauf, erst spät beim Essen zu erscheinen, wenn im Speisesaal fast nur noch Raucher saßen. Ich konnte jetzt die Reste überblicken, auch fremde, halbvolle Teller in meine Tüte kippen. Die Kellner standen jetzt mit dem Rücken zum Saal, was mich glauben machte, sie täten es – meines unappetitlichen Hantierens wegen – aus Diskretion. Ich schob nämlich auch Rührei in die Tüte. In Wahrheit wollten sie selber an die Reste. In jeder Fiber gespannt, manche sogar mit einem Bein zitternd, erwarteten sie mein Verschwinden.

Es ist nur ein Verb, das die ganze Geschichte erzählt: Im Zittern der vor Hunger fast umfallenden Kellner steckt die Selbstanklage der Erzählerin, deren Hunde-Puschel eine Seite hat, die ans Inhumane grenzt.

Mit den Hunden hat sie es wirklich, wie auch eine Bemerkung in ihrer Dankesrede zum Heinrich-Mann-Preis verrät: «Wie jeder, der noch lebt, weiß ich nichts vom Tod, bin aber ständig mit ihm befasst. Bei jeder Zigarette rechne ich mit seiner Ungeduld und habe soweit alles geregelt, auch den Verbleib meines frisch geimpften Hundes.» Scherer läßt so schnell nichts ungeregelt, sie überweist dem Friedhofsamt zu jedem 1. Dezember 47 Euro für ihr auf dreißig Jahre Liegedauer gebuchtes Grab, am liebsten hätte sie, genierte sie sich nicht vor ihrem Rechtsanwalt, auch noch testamentarisch angeordnet, bei ihrem Leichenschmaus «zu den Mettbrötchen beim gemütlichen Teil auf dem Saal mehr Zwiebeln zu reichen». *On s'en occupera.*

Undine Gruenter. Sommergäste in Trouville

Das Leseerlebnis mit Undine Gruenters Hauptwerk *Sommergäste in Trouville* ist das Folgende: Nach ein paar Seiten perfekter Prosa wartet man, halb bang, halb mißtrauisch, auf den ersten nicht guten, auf den ersten störenden Satz. Er kommt nicht.

Sommergäste in Trouville versammelt fünfzehn Erzählungen, die lokal an den Titelort gebunden sind und einen Reigen von Personal vorführen, vom Aristokraten zum Dienstmädchen, vom pubertierenden Mädchen zum Greis, alles unauffällig, aber hochmusikalisch miteinander verbunden, oft in Rondo-Form.

Was zeichnet Gruenters Prosa vor allem aus? Sie ist eine Meisterin der Atmosphäre und der stillen, unausgesprochenen Pointe. Ihr Stilgestus ist nicht auftrumpfend: metaphernsparsam, präzise, rhythmisch schön tariert, kein falsches Wort, nie auf den Effekt bedacht. Gruenter aquarelliert Stimmungen und Lebensmomente so sicher und schlank; entsetzlich schwer nachzumachen und fast ebenso schwer vorzuführen. Zitieren ist darum fast sinnlos, es ist das Gewebe, das feinste Textgewebe, das ganz leise knisternde atmosphärische Spannung erzeugt, obwohl nicht das geringste von novellistischem Interesse passiert. Diese Spannung ist besonders erotischer und darin wiederum erotisch-illegitimer Natur: Ehefrau mit gerade eingetroffenem Sommergast, Stiefmutter Miriam mit dem jungen Alexandre –

> Sie hatten ein Picknick, in einem schattigen Tal, einem Hain, in dem Elstern und Krähen von Wipfel zu Wipfel flogen und ein später Kuckuck rief, bevor gegen drei unter den

> brütenden Kronen die Stille ausbrach. Alexandre schlief, auf dem Bauch liegend, das Gesicht zwischen den Ellbogen, und vielleicht fiel eine Haarsträhne so über Stirn oder Arm, daß Miriam sich verlieben mußte. Sie kaute auf einem Strohhalm und bewachte den Schlaf der Haarsträhne, und bei jedem Atemzug des Schlafenden zitterten ihre kleinen Herzkammern.

Der «Schlaf» der Haarsträhne, die streng genommen zwar wachsen, aber weder wachen noch schlafen kann, ist die kleine poetische Freiheit und der Witz der Szene. Erzählt wird bei Gruenter immer nur die Vorgeschichte der jeweiligen *liaison dangereuse*, die Luft flimmert, die Erzählung stoppt an der Stelle, an der es zu einer heimlichen Verabredung kommt. Der Vorhang wird nicht gelüftet, aber eine zarte Hand öffnet einen feinen Spalt. Es ist ungefähr das Gegenteil von Borchardts *Weltpuff Berlin*.

Hier abermals eine Picknick-Szene, ein Champagnerfrühstück im Park eines verfallenden Schlößchens, geschildert aus der Sicht der Tochter Satie. Zum Geburtstag ihres Vaters, eines illustren Opernleiters und Lebemanns, reisen dessen zahlreiche früheren Frauen und Geliebte an, von der Tochter «Tanten» genannt. Eines der Geschenke für Papa ist eine ziselierte Silberkrücke, mit der er, wie die Großmama sagt, nach den «Enkeln junger Mädchen» angle. (Hier wird sich bei der polyglotten Großmama eine Verwechslung eingeschlichen haben, «Enkel» haben die jungen Mädchen sicher nicht, wohl aber die auf englisch ähnlich ausgesprochenen «ankles», Fußknöchel, die sich von einem Krückstock mit gerundetem Griff durchaus angeln lassen.)

> Die Tanten machten ein wenig grämliche Gesichter, weil Papa tatsächlich bei seinem bevorzugten Alter blieb, wenn die Wahl auf eine neue Favoritin fiel: über zwanzig und un-

ter dreißig. Auf einer winzigen Platte gab es jetzt winzige Sandwiches mit Kaviar, und die Sonne stand über den Wipfeln und trocknete Tau und kühle Schatten weg. Schon um acht spürte man die Hitze, und die ersten Hummeln flogen zwischen Mohn und Klee, wo der Park in die Landschaft überging. Auf der Treppe lag jetzt ein blaues Samttuch, auf dem die Geschenke, in einem kleinen Köfferchen transportiert, ausgebreitet lagen, hübsche Päckchen aus Rom, München, Paris und Nizza, und Tante Erste Ehefrau erinnerte Satie daran, daß sie selbst nach ihrer ersten Proust-Lektüre befunden habe, seine Sätze seien Pralinen für alte Tanten, in bonbonfarbenes Seidenpapier eingewickelt.

Wenn man diese von Proust und Keyserling getränkte Prosa delikat oder gar deliziös nennen würde, hätte man nichts Falsches gesagt, aber doch einen falschen Eindruck befördert: den des Bonbonfarben-Geschmäcklerischen. Das kann auf den deutschen Leser so wirken, weil alles in Frankreich und oft, keineswegs immer, in feiner Gesellschaft spielt und die Namen – Alexandre, Satie, Sorel – bedeutungsvoll abgekostet sind. Kaviar, Veuve Cliquot, Madeleines – schon klar. Aber Gruenter ist nicht geschmäcklerisch, sie kennt das beschriebene Milieu und kann auch ganz handfest sein. Auch der junge Ich-Erzähler als Gast auf dem Schloß der Fürstin kennt es:

«Und in der Nacht, wenn sie mich in meinem Zimmer besuchte und keine Lust hatte, durch den langen Flur bis zum Bad zu laufen, drehte sie den Wasserkran auf, und ich sah durch den transparenten Stoff ihre langen Beine, wenn sie sich – ganz aristokratische Freiheit – hinter dem Paravent auf das Waschbecken setzte.»

Undine Gruenter, erschütternd früh gestorben, kaum fünfzigjährig, balanciert mit den *Sommergästen* auf einem Stilniveau, einem Höhenpaß, zu dem berühmtere und wirkmächtigere Autoren nur matt hochlinsen könnten.

Gertrude Leutenegger. Panischer Frühling

Aus Schwyz stammt eine andere subtile Stilistin, deren Rang vermutlich deshalb gelegentlich unterschätzt wird, weil sie, musikalisch gesprochen, eher in der Chopin-Tonlage schreibt als in derjenigen Bruckners. Getrude Leuteneggers Prosastücke sind nicht umfangreich, ihre Sprache ist makellos und graziös, mit ab und zu aufblitzendem schalkhaftem Witz. Es ist eine Prosa zum Lautlesen, jeder Satz ist unauffällig rhythmisiert, diese Alchemie beherrscht sie wie wenige. Thematisch wurzelt sie in der Schweiz; als zartes Wasserzeichen auf ihrem Büttenpapier ist etwas Katholisches eingeprägt, was so wenig wie bei Doderer oder Mosebach einen Zug ins Humoristische hindert. Das Anti-Dramatische – das, was man gewöhnlich das *Stille* nennt – teilt sie mit dem zehn Jahre älteren Salzburger Walter Kappacher, auch er ein Prosa-Autor von Rang.

Leutenegger hat den Blick für das kleine farbige Detail; zum Beispiel die ungebührlichen Schürzen in Gletschernähe:

«Mit Beschwörungen versuchte man einst dem stark zunehmenden Fieschergletscher im Wallis Einhalt zu gebieten und gelobte für immer drei Dinge: jährlich eine Prozession in den Ernerwald zu machen, den verborgenen Tänzen abzuschwören, Frauen und Töchter keine roten Schürzen mehr tragen zu lassen.»

Offenbar hatte man sich daran gehalten und die roten Schürzen verbannt; heute ist der Gletscher stark abgeschmolzen. Die Miniatur ist aus der Sammlung *Das Klavier auf dem Schillerstein*, darin ein Stück besser als das andere, am besten vielleicht der fast reportagehaft einsetzende Essay über Catherine Colomb (1892–1956), eine fast vergessene französischsprachige Schweizer Autorin.

> Blick, vor dem Morgengrauen, ins Innere eines Hauses: Eingesperrt in ihrem Zimmer schlafen, angekleidet, mit offenem Mund, die Luft ist zum Ersticken, Laubschneiderinnen aus Savoyen. Bei unverschlossener Tür wären sie schon um zwei Uhr nachts hinausgelaufen, blind und schweigend durch die Schlucht gewatet, wie Plesiosaurier in den Weinbergen eingefallen und hätten, bevor es hell wurde, vielleicht sogar das Tragholz abgeschnitten, denn sie drängen darauf, nach Leistung bezahlt, zu ihren an der Wand aufgehängten, mit Branntwein betäubten Säuglingen zurückzukehren [...]

Allein die Plesiosaurier! Und die betäubten Säuglinge an der Wand. Schreibt's besser, Schweizer oder nicht!

Und dann gibt es auch noch den Roman. Erinnern sich die Leserinnen noch an *Eyjafjallajökull?* Das war der isländische Vulkan, der 2010 explodierte und durch seinen Ascheausstoß den Flugverkehr über Nord- und Mitteleuropa lahmlegte. Hätte der Vulkan ruhig gehalten, gäbe es das schönste Buch Leuteneggers nicht: *Panischer Frühling.* Die Autorin war zum Zeitpunkt des Flugverbots in London gefangen und hatte viel Zeit fürs Flanieren am Ufer der Themse.

> Fast unmerklich stieg die Flut, umspülte die Steine, vertrieb die herumhüpfenden Tauben, löschte Spuren von Menschen und Tieren. Eine Flipflopsandale, eingebacken in Sand, leistete lange Widerstand, dann wurde sie fortgeschwemmt. Der Meergeruch hatte sich verflüchtigt. Die Sphinxe träumten mit offenen Augen, ihre Blicke gingen die Themse hinauf und hinab, aber sie hatten das Chaos der schwankenden Segler und Schiffe mit ihren exotischen Frachten nicht mehr gesehen.

Viel Zeit hat sie auch zum Sinnieren. Die erzwungene Freiheit läßt auch in ihr etwas aufsteigen, sie wird überschwemmt von den Erinnerungen an ihre Kindheit, ihre Eltern, Tanten und Onkel, den Pfarrhof, das Sommerhaus. Und dann entdeckt sie eines Tages auf der London Bridge einen jungen Mann, der eine Obdachlosenzeitung verkauft. Er hat ein großes verunstaltendes Feuermal im Gesicht. Sie kommen ins Gespräch, der junge Mann erzählt von seiner Kindheit in einem Fischerdorf in Cornwall. Ein merkantiles Genie ist er nicht, er weigert sich geradezu, ihr ein Exemplar der Zeitung zu verkaufen. Sie möge auf die nächste Nummer warten, da werde vielleicht vom Vulkanausbruch die Rede sein. Die Erzählerin ist halb abgestoßen, halb zieht es sie zu ihm hin.

Bald darauf könnte sie wieder fliegen, das Verbot ist aufgehoben, aber da geht es der Erzählerin nicht anders als Hans Castorp im Hotel Berghof: Irgend etwas, genauer: irgend jemand hindert sie an der Abreise. Sie spaziert jetzt täglich auf die London Bridge und spricht mit ihrem Zeitungsverkäufer. Auch sie erzählt jetzt von ihrer Kindheit, sie braucht ihn als Zuhörer, und allmählich schlingt sich ein zartes Band um die beiden. Wie heißt er überhaupt?

> Jonathan! Das also war sein Name. Achtlos, bestimmt ohne es zu bemerken, hatte er mir seinen Namen zugeworfen, aber ich hielt ihn fest wie eine jener vom Meer auf die Promenade von Penzance geschleuderten Meeralgen, samt dem bizarr geschwollenen Wurzelstock, und die Algenblätter klebten nun an mir wie eine zerfledderte schwarze Fahne.

Unmerklich wird ihr Jonathan immer wichtiger. Das Band zieht sich immer enger. Sie ist viel älter als er, und er ist unberechenbar. Er spricht oft von aufgespießten Köpfen und gepfählten Verrätern; er hat einen Hang zum Morbiden.

Aus seinen grauen Augen traf mich, kurz, doch unmißverständlich, etwas Drohendes. Die scharf begrenzte Linie seines Feuermals wirkte so rot und geschwollen, als könnte die Entstellung jeden Augenblick, wie bei einem Dammbruch, überschwappen auf die unversehrte Gesichtshälfte.

Dammbruch, der droht auch bei ihr; weshalb sie zu dieser Metapher greift. Ist sie verliebt? Oder ist es katholische Caritas, daß sie sich dem entstellten Outsider widmet? Ist es eine moderne Version von *La Belle et la Bête*? Im Panischen des Titels steckt immerhin der große Pan, der Hirtengott und Wollüstling mit dem virilen Unterleib. Aber nein, es bleibt alles ganz keusch, die Erzählerin berührt ihren Jonathan nicht bis zum Schluß. Und dann ist er plötzlich verschwunden. Jetzt wird ihr bewußt, wie sehr sie ihn vermißt: «Ich ertappte mich, daß ich in meinem Inneren mit Jonathan schon wie mit einem Toten redete. Jetzt, da du alles weißt, und ich ergriff seine beiden Hände. Stürmisch!»

Leutenegger ist eben nicht nur zart und apart, sie kann auch stürmisch sein. Der *Panische Frühling* handelt auf versteckte Art nicht nur von Liebe und Eros, sondern vom Tod. Im Roman, anders als im Leben, behält er bei ihr nicht das letzte Wort. Im Schlußsatz beschließt die Erzählerin – aber bitte, das lese man selber nach. Es gibt Züge nach Cornwall, soviel sei angedeutet. Wir danken Island und seinen Vulkanen für die Mitwirkung an diesem schlanken schönen Roman.

Walter Kappachers Selina

Stefan, ein Lehrer aus dem Salzburger Land und Alter ego des Autors, zieht sich in Freijahren gern für den Sommer in ein altes abgelegenes Bauernhaus in der Toskana zurück, das ihm zur Wiederinstandsetzung von dem deutschen Eigentümer überlassen wird. Die Handlung spielt zu einer Zeit, als Toskana-Trips noch nicht modisch waren, wie der Autor dieses Romans, Walter Kappacher, überhaupt quer zu allen Moden steht. Stefan schätzt das einfache Leben und stört sich nicht daran, daß es weder Strom noch fließendes Wasser gibt. Bei der Ankunft überprüft er das Wichtigste:

> Es wurde dunkel. Fledermäuse flatterten und kreisten jetzt über ihm, seit vielen Jahren boten die Ställe ihnen Unterschlupf. Er ging noch einmal in den Stall auf der Südseite des Hauses, dem einzigen verschließbaren, wo er die Gasflasche, den Campingkocher, die Sense und den Werkzeugkasten untergebracht hatte. Als er den fest zugeschraubten Verschluß der Gasflasche mit dem Schraubenschlüssel ein wenig aufdrehte, zischte es: Der Tee am nächsten Morgen war gesichert.

Walter Kappachers scheuer, introvertierter Held werkelt herum, er mäht und rodet Gestrüpp, er liest italienische Klassiker, er hat Kontakt mit den Dorfbewohnern, sitzt aber am liebsten vorm Haus auf einem Stuhl und läßt die Natur auf sich einwirken. Schwalben fliegen, Grillen zirpen, später kommen die hell summenden Stechmücken; die Olivenbäume verlieren in der Dämmerung ihre Farbe, ein Käuzchen schreit, eine Wildkatze läßt sich nicht von kleinen Schinkenstückchen anlocken, im Dachbalken versteckt sich eine Fledermaus. Abends enthüllen sich die Sternbilder: «Zuerst war Arktur zu sehen, eine Viertelstunde später die Wega, dann, über dem Hügel im Norden der am stärksten leuchtende Stern des großen Bären.»

Und das sind schon, mit zwei Ausnahmen, die Höhepunkte der Handlung. Unerhört, aber wahr: Auf 250 Seiten passiert in diesem Roman so gut wie nichts. *Nichts.* Und man wundert sich, warum man sich dennoch nicht langweilt. Wie schafft es der von Handke wie von Wollschläger gerühmte Autor, eine so strahlende Stille zu erzeugen? Es muß eine Art Übertragungsprozeß sein. Es überträgt sich bei der Lektüre etwas von dem kontemplativen Gefühl, mit dem Stefan das bloße Verstreichen der Zeit genießt. Jeder seiner Tage verläuft ähnlich, wie jeden Morgen die Sonne aufgeht, aber in ihrem Licht glitzern jeden Tag neue Details. Man könnte *Selina* eine Schule der Wahrnehmung nennen, wenn Schule nicht zu pädagogisch klänge.

> Im Geäst des Pflaumenbaums lärmte eine Zikade. An der Hausmauer dröhnte eine Hummel auf und ab, inspizierte die Mauerlöcher und Ritzen. Wenn die eine Zikade im Pflaumenbaum schwieg, zirpte in den Büschen auf den Terrassen, die sich rechts vom Haus den Hang hinaufzogen, wie als eine Antwort ein ganzer Schwarm. Am Gegenhang vorne, auf den Feldern von Gello, blubberte kaum hörbar ein Traktor. Wohltuend die Pausen, wenn alles schwieg. Er erhob sich vom Stuhl, suchte die Zikade im Baum. Sie stand gut getarnt auf der Rinde des Stamms. Dunkelgrauer Leib, die großen angelegten Flügel durchsichtig; obwohl sie vor seiner Nase gelärmt hatte, hatte er sie lange nicht entdeckt.

Kappachers Stil ist uneitel und zurückgenommen, bei allem Gleichförmigen ohne Bernhardschen Wiederholungsfuror, sparsam in der Metaphorik, bedächtig genau bis zur Umständlichkeit, darin spät-stiftersch, nie auf den Effekt bedacht. Kappacher sucht nicht die Pointe, er will die Gegenstände aus sich selbst heraus zum Leuchten bringen. Er ist das Gegenteil dessen, was man im Schauspieler-Jargon einen Fliegenfänger nennt: die Nebenfigur, die während des dramatischen Monologs des Helden am Rand der Bühne nach einer imaginären Fliege hascht, um die Blicke des Publikums auf sich zu ziehen.

Der Titel *Selina* greift das letzte, Fragment gebliebene Buch von Jean Paul auf, eine an *Das Kampaner Tal* anknüpfende Reflexion über die Unsterblichkeit. Stefan liest darin, als sich seine Toskana-Zeit dem Ende nähert. Auch er denkt über die Unsterblichkeit nach, das ist der Unterstrom all seiner einsamen Träumereien. Auch die Gottesfrage stellt er sich. Aber wie sollte ein Mensch, bescheiden wie Stefan, sich anmaßen, etwas über allen Begriffen Stehendes zu beurteilen?

Unsterblichkeit, Gott, die großen Themen fehlen nicht in *Selina*; und auch die Liebe fehlt nicht. Immer wieder grübelt Stefan über seine Freundin nach, von der er sich getrennt hat und die ihm in der Klausnerei doch manchmal fehlt. Und dann geschieht die unerhörte Begebenheit, wie sie in einer Novelle gefordert würde. Stefan ist auf dem Trödelmarkt in Arezzo und trifft die italienische Bekannte Loretta, die sich ihm anschließt – der Leser, wenn auch nicht Stefan, merkt: die sich ihm, unglücklich mit ihrem Ehemann, geradezu aufdrängt. Sie essen Lasagne bei einer Tante und fahren in Stefans Gehöft. Und nun die bemerkenswerte Szene, in der Stühle näher gerückt werden. Die beiden sitzen sich vor Stefans Haus gegenüber.

> Da passiert jetzt etwas, das sehr schön ist, dachte er, während er sich leicht vom Stuhl erhob und ihn wieder ein Stück näher zu ihr rückte, was mit dem Weinglas in der Hand schwierig war. Etwas geschah, das nicht mehr aufzuhalten war. Loretta tat es ihm gleich, aber sie reichte ihm vorher ihr Glas. Bald würde er die Beine spreizen müssen, um ihr noch näher zu kommen, um Platz zu schaffen für Loretta und ihren Stuhl. Wenn uns jemand sehen würde, dachte er. Es dämmerte. Zum Essen hatten sie in Bibbiena eine halbe Fla-

> sche Roten bestellt, dann aber die ganze Flasche getrunken, und nun war auch diese Flasche leer; aber unmöglich durfte er sie jetzt fünf Minuten allein lassen, und beide hatten sie ja noch zwei Fingerbreit Wein im Glas. Dann war es soweit, Stuhl stand an Stuhl, sie hatte ihre Schenkel gespreizt und sie ihm auf seine gelegt, und jetzt küßten sie sich, und kein Gekicher und kein Lachen wäre jetzt mehr zu hören gewesen, falls oben auf der Straße jemand vorbeigegangen wäre. Er streichelte ihre Wange: «Du gefällst mir … sei molto … eccitante», er nahm ihre Hand und legte sie an sein Herz: «Senti …» – «Caro …» flüsterte sie und stellte ihre Füße auf die Erde, «du hast mir noch gar nicht dein Haus gezeigt, hast du auch ein Bett?» – «Gern zeig ich dir mein Bett», sagte er, «mein schmales Bett», und sah im Aufstehen die beiden Autos in der Zufahrt stehen und auf der Windschutzscheibe seines Simca sich irgendetwas widerspiegeln.

Als sie ins Haus treten, schließt Stefan die Türen und verriegelt sie. Kappacher ist viel zu diskret, um das Folgende noch weiter auszumalen.

Es gibt eine zweite unerhörte Begebenheit, auf die Kappacher von Anfang an unauffällig zusteuert oder die er anschwirrt wie eine Fledermaus. Wer hat seinem Stefan das Bauernhaus überhaupt verschafft? Heinrich, ein schon lange in der Toskana lebender älterer deutscher Herr mit einer gewissen Grandezza, einer Herzschwäche und einer Nichte namens Selina (ihre Mutter schwärmte für Jean Paul). Als Selina anreist, um ihren kranken Onkel zur Rückkehr nach Deutschland zu bewegen, verliebt sich Stefan in sie. Dann stirbt Heinrich, Selina fährt nach der Beerdigung zurück, ohne eine Adresse zu hinterlassen, und Stefan beginnt, *Selina* zu lesen.

Frau und Buch verschmelzen, sie sind nur durch eine Kursivierung getrennt. Erst das wahre Leben und der wirkliche Tod – Selina; dann die Lektüre über die Unsterblichkeit – *Selina.* Walter Kappacher war in seinem früheren Leben Motorradmechaniker, er versteht auch etwas von Technik und Montage und ist kein wirrer Träumer. Auch sein Buch, so somnambul es wirkt, ist klug montiert. Am Schluß macht es «klack», wenn er das letzte Kapitel mit dem ersten zusammensteckt. In beiden spricht die Hauptfigur jemanden direkt als «Du» an, jenen Heinrich, der zum Ende des Buchs unter der Erde liegt. Der ganze Roman, bemerkt man erst jetzt, ist eine Totenrede.

Er endet mit einem Satz, wie ihn nur Kappacher schreiben konnte, der nie aufs Pedal drückt, außer bei seinem Simca. «Beim Hineingehen streifte eine Spinnwebe seine Stirn und erinnerte ihn an irgend etwas Vergangenes.»

Sehen Sie, liebe Leserinnen und geschätzte Leser: *Das* sind Schlußsätze.

Wolfgang Herrndorf. Tschick

Sommerferien, zwei Außenseiter, der vierzehnjährige Ich-Erzähler Maik aus Marzahn und der rußlandstämmige Tschick, machen zusammen in einem von Tschick geklauten Lada einen Trip mit dem vagen Ziel der Walachei, von der niemand genau weiß, ob es sie überhaupt gibt. Sie fahren durch den kargen Osten, und irgendwann landen sie in einem Kornfeld.

Stilistisch fällt Wolfgang Herrndorfs 2010 veröffentlichter Roman *Tschick* ins Fach der Rollenprosa. Wenn der Autor in seinem später als Buch veröffentlichten Blog *Arbeit und Struktur* Tagebuch führt, dann schreibt er als Wolfgang Herrndorf. Das heißt nicht, daß er nicht seine Gedanken in literarische Formen gießt, aber er spricht für sich als Person. Wenn er *Tschick* schreibt, kommt die zweite Instanz dazu, der Erzähler, der sich den Ton und die Sprache des fiktiven Ich-Erzählers anverwandelt. Herrndorf schreibt den Roman in mimetischer Sprache; nicht persifliert, sondern nachempfunden aus der Perspektive eines Jugendlichen. Die Gefahr dabei ist das Verfallsdatum des Jugendjargons, wie Herrndorf völlig klar war. Mit dem Wortschatz gehe das nicht, hatte er gemeint, das werde in kurzer Zeit hinfällig, er regle das durch die Syntax. Hören wir uns an, wie die Freunde ins Feld fahren.

> Ich schlug vor, Tschick sollte versuchen, unsere Namen in den Weizen zu schreiben, sodass man sie von einem Hubschrauber aus lesen konnte oder später bei Google Earth. Schon beim Querbalken vom T verloren wir die Übersicht. Wir fuhren einfach nur herum, krochen immer weiter einen Hügel hinauf, und als wir ganz oben waren, war das Feld plötzlich zu Ende. Tschick bremste in letzter Sekunde. Mit der hinteren Hälfte standen wir noch im Korn, mit der Schnauze guckte der Lada in die Landschaft hinaus. Sattgrün und steil abfallend erstreckte sich eine Kuhweide vor uns und gab den Blick frei auf endlose Felder, Baumgruppen und kleine Straßen, Hügel und Hügelketten und Berge und Wiesen und Wald. Man sah Wetterleuchten über einem fernen Kirchturm, aber es war totenstill. Der vierte Regentropfen klatschte auf die Scheibe. Tschick stellte den Motor ab. Ich drehte Clayderman aus.
> Minutenlang schauten wir einfach nur. Kleinere, hellere Wolken flogen unter den schwarzen hindurch. Blaugraue Schleier liefen über die entfernten Hügelketten, über die näheren Hügelketten. Die Wolken hoben sich und kamen wie eine Walze auf uns zu.
> «Independence Day», sagte Tschick.

Das ist Eichendorff in der östlichen Pampa, mit fliegenden Wolken und Wetterleuchten über Kirchtürmen; statt des Einspänners ein Lada und statt des Posthorns immerhin Richard Clayderman. Es ist *Aus dem Leben eines Taugenichts* von heute. Erst der letzte Satz pfropft den apokalyptischen Reiser auf den romantischen Stamm. In Roland Emmerichs *Independence Day* steht die Welt kurz vor der feindlichen Übernahme durch Aliens, deren Raumschiffe sich in den heranwälzenden Wolken verstecken.

Als Tschick und Maik das Benzin ausgeht, suchen sie auf einer Müllkippe nach einem Plastikschlauch. Dort streunt ein Mädchen herum, das ihnen hilft und sie schließlich auf der gemeinsamen Suche nach Brombeeren verfolgt. Die beiden halten das für keine gute Idee, zumal das Mädchen schon lange kein Bad mehr genommen hat; für eine ähnlich schlechte Idee wie eine freiwillige Fußamputation. Dann jedoch fängt Ida an zu singen.

> Ich dachte auch, dass das Mädchen irgendwann von allein zurückgehen würde, aber sie lief wirklich drei oder vier Kilometer weit mit bis zu dieser Brombeerhecke. Mittlerweile hatte ich auch schon wieder Hunger und Tschick auch, und wir stürzten uns zu dritt in die Brombeeren.
> «Wir müssen die irgendwie loswerden», flüsterte Tschick, und ich sah ihn an, als hätte er gesagt, wir sollten uns nicht die Füße absägen.
> Und dann fing das Mädchen an zu singen. Ganz leise erst, auf Englisch, und immer unterbrochen von kleinen Pausen, wenn sie Brombeeren kaute.
> «Jetzt singt sie auch noch kacke», sagte Tschick, und ich sagte nichts, denn im Ernst sang sie nicht kacke. Sie sang «Survivor» von Beyoncé. Ihre Aussprache war absurd. Sie konnte überhaupt kein Englisch, hatte ich den Eindruck, sie machte nur die Worte nach. Aber sie sang wahnsinnig schön. Ich

> hielt eine Ranke mit Daumen und Zeigefinger vorsichtig von mir weg und schaute zwischen den Blättern auf das Mädchen, das da singend und summend und Brombeeren kauend im Gebüsch stand. Dazu dann noch der Brombeergeschmack in meinem eigenen Mund und die orangerote Dämmerung über den Baumkronen und im Hintergrund immer das Rauschen der Autobahn – mir wurde ganz seltsam zumute.

Es ist ganz zurückgenommen und zart, wie Herrndorf sich die Jugendsprache anverwandelt – seit Salingers *Catcher in the Rye* ist es nicht mehr so geglückt wie in *Tschick*; ein Vergleich, dessen der Autor bald überdrüssig wurde. Motivisch bleibt seine Welt ganz nah bei der Romantik, nicht nur mit der Zaubermacht der Musik und des Gesangs, auch mit der romantischen Vorliebe für den Zusammenklang der Sinne: Maik fühlt die dornige Ranke, er schmeckt die Brombeeren, er sieht das Rot der Abenddämmerung, er hört das Mädchen singen und den Verkehr rauschen, und die Sinne verschmelzen zu einem seltsamen, Freud hätte gesagt: ozeanischen Gefühl.

Ida, das letztlich doch schön singende, brombeeressende Mädchen, wird in Herrndorfs letztem, unvollendeten Roman *Bilder deiner großen Liebe* zur Hauptfigur. Es ist eine große, leicht halluzinierende Prosa, weniger an Eichendorff erinnernd als an Büchners *Lenz*.

> Über mir steht eine schwarze Wolke. Dann wird der ganze Himmel schwarz, es fängt schlagartig an zu schütten. Mit dem Rücken an den Stamm einer Eiche gelehnt hocke ich da. Wasser und Schlamm spritzen hoch bis an meine Knie. Der Wind wird heftiger, er treibt mich um den Stamm herum. Die Wiese schäumt und wirft Blasen. Im Licht der Blitze

> werden hinter dunkelvioletten Wolken Fetzen weißen Himmels sichtbar, später mit Kobaltblau verschmiertes branstiges Orange. Zerfetzte Ambosswolken wandern über den Horizont wie Herden riesiger ausgestorbener Tiere. Der Donner rollt Metallfässer unter ihnen hindurch über sie hinweg.

Im Kobaltblau und dem branstigen Orange verrät sich eher der Maler, der Herrndorf war, als die verwirrte jugendliche Isa, auch die starken Metaphern traut man ihr kaum zu, was nichts an deren Stärke ändert. Der Autor, wenige Wochen vor seinem Suizid, mit den sich emsig weiterspinnenden Tumorfäden im Hirn, die den Geist zunehmend abschnürten, konnte nicht mehr Rücksicht auf formale Erzählregeln legen und spricht, anders als noch in *Tschick*, über den Horizont der Figuren hinaus.

Isas Abschied, Herrndorfs Abschied, der Abschied von allem, findet auf einem Boot statt.

> Langsam entfernen die Stimmen sich, werden leiser, zuletzt kaum hörbares Lachen, dann Stille, und dann nur noch das am Bug kaum wahrnehmbare Surren des Motors, so gleiten wir in die Nacht, untermalt vom Plätschern der Wellen unten, Castor und Pollux über uns.

So gleiten wir in die Nacht. Wolfgang Herrndorf ist einer der Großen, nicht nur mit *Tschick.* Sein Anti-Thriller *Sand* ist ein düster-komisches Monument ohne Vorbild; *Bilder deiner großen Liebe* bleibt ein schwarzschimmerndes Fragment, für das man bedenkenlos jedes frühromantische gäbe.

Botho Strauß. Der Bergmann in der Grube

Ein anderer Romantiker ist Botho Strauß. Als 1993 im *Spiegel* sein *Anschwellender Bocksgesang* erschien, wurde ihm eine stilkritische Polemik des Verfassers zuteil. Inzwischen sind fast drei Jahrzehnte vergangen. Und was Botho Strauß in seiner Prosasammlung *Der Fortführer* vorlegt, ringt dem früheren Kritiker mehr als Respekt ab, nämlich Bewunderung.

Was als erstes auffällt: Botho Strauß zeigt im Spätwerk überraschend komische Züge.

> Vieles zu sagen schwer mir fällt. Nicht gut. Ich meine: Vieles fällt mir schwer zu sagen. Nicht gut. Ich will sagen: Es fällt mir vieles zu sagen schwer. Nicht gut. Ich will sagen: Vieles, was ich sagen will, fällt mir schwer. Ich krieg's nicht hin.

Er kriegt's nicht hin, und das Verrückte ist: Er steckt den Leser damit an. Wie *würde* man es denn richtig sagen? Wir bekämen es auch nicht hin. Es fiele uns zu schwer. Ratlosigkeit. Auch über die hat Strauß einen trutzigen Eintrag: «Gäbe es für mich ein Problem, würde ich sofort die Weltgemeinschaft um Rat fragen. Aber ich habe keine Probleme.»

Erleichterung bei der Weltgemeinschaft! Und was die Probleme betrifft, von denen hat Strauß zumindest eines nicht mehr, das Problem der Prätention. Wenn er das Bildungsschwere pflegt, dann nicht ohne Selbstironie. Sehr schön seine die Zeitachse spiegelnde stolze Bemerkung: «Meine Minuzien werden auch im 17. Jahrhundert noch zu verstehen sein.» Will sagen: Natürlich glaubt er momentweise, er wär der Kääs, wie es im Schwäbischen heißt. Aber vielleicht ist er es?

In seinem Alterswerk zeigt Strauß sich als wahrer Stilist, dem es immer um die Sache geht. Kann er die immer einfach ausdrücken?

Strauß steht in der Schule Meister Eckharts und der deutschen Mystik. Die Sprache rückt hier möglichst nah ans Unsagbare heran. Es sind Sätze darunter, die aus einer Rilkeschen Elegie sein könnten. «Vorbei, daß es war, wie es war. Der Lilienton unendlich reiner Zeit: nie.» Schwierige Gedanken suchen ihre Sprachprägung, die nicht immer simpel ausfallen kann; nicht aus Prätention, sondern weil Sprache und Gedanke unter niedrigeren Temperaturen nicht amalgamieren. Das liest sich dann nicht immer leicht, aber es lohnt sich; die Gedanken sind es wert.

Der Stilist hat Einfälle – Botho Strauß hat viele davon. Es ist ein Aphoristiker an ihm verlorengegangen. «Ich habe nie mitten im Leben gestanden. Wo mag das sein?» Die Frage, die das «mitten im» als Ortsbezeichnung wörtlich nimmt, hat den Tiefsinn von Kinderfragen. Dichtermund tut Wahrheit kund. Aber auch dem Dichter fällt es schwer, zu sagen, was er leide. «Den Kummer etwas sagen zu lassen ist beinahe wie ein Pferd zum Sprechen zu bringen.» – Ein anderer Satz – man streicht so viele bei ihm an – könnte aus Canettis *Masse und Macht* sein: «Der Krieger, gewohnt, tiefe Verletzungen auszuhalten, glaubt am Ende, daß auch der Tod nur eine weitere Verletzung sei, eine Wunde, die dann anderswo heilt.»

Dieses Anderswo, kann man sich darüber humoristisch äußern? Nein, eigentlich nicht. Aber Strauß gelingt dieses Schwierigste überraschenderweise doch, weil das Thema die eigene Profession ist: «Das Jenseits der Schriftsteller: Sie stehen am Weg der sich hinschleppenden Seelen, jeder hält sein aufgeschlagenes Hauptwerk vor die Brust wie die Zeugen Jehovas ihren ‹Wachtturm›.»

Botho Strauß hat nicht nur Humor, er bemerkt die Kleinigkeiten. Die hundert Gedanken, die hinter dem Zusammenstellen eines Blumenstraußes stehen; der Moment, wenn er dann überreicht wird. «Geschenke begegnen zuweilen einer urtümlichen Enttäuschung. Diese wird binnen Sekunden zivilisiert. Manchmal dauert es etwas zu lange, man hört es im archaischen Grund förmlich knirschen beim Umdrehen der Gefühle.» Jeder kennt es. Jeder kennt es, daß man beim inneren Raisonieren plötzlich stehenbleibt. «Das plötzliche Stehenbleiben als Austragungsort erbitterter Flügelkämpfe eines Mannes, der mit sich geteilter Meinung ist.»

Strauß hat, wenn er die Präzeptorenkappe abstreift, das genaueste Ohr, den genauesten Blick, er hat Haare auf den Zähnen in dem Sinne, in dem Doderer den Ausdruck verwendet, als Bild für übergewöhnliche Fühlfähigkeit und Sensitivität.

«Menschen, die zu allem ein gesundes Urteil haben, ahnen gar nicht, wie ein Urteil beschaffen sein muß, um Bestand zu haben: daß es nämlich zuerst unter Zähneklappern, zitternd und fiebernd durch den Eiswald der Sachverhalte irren muß, um sich zu finden.»

Der schön gefundene Eiswald überklirrt die kleine logische Frage, wie ein und dasselbe Subjekt auf der Suche nach sich selbst herumirren kann; aber wir setzen es aufs Konto der Poesie. Und Strauß *ist* in Landschafts- und Naturbildern ein wahrer Poet. Wieviel origineller als bei Novalis seine Auffächerung der Farbe Blau:

> Der blaue Brief, den der Nichtversetzte ungeöffnet gegen das Licht hält.
> Glitzer eines Libellenflügels über dem Wasser, blauer Puls an eines alten Mannes dünner Schläfe.
> Ulanenblau: der Himmel in Uniform.

Anders als bei der blauen Blume ist hier etwas *gesehen*. Kein Romantiker hätte die Gluthitze in das folgende Bild fassen können; zwei Sätze voller religiöser Assonanzen; zwei Sätze, in denen jedes Wort stimmt:

> Das Land glüht wie ein Kelch, dem die Austeilung versagt wurde. Das Walnußlaub verrennt sich in ein Quittengelb, die Blätter des Pfaffenhütchens verrosten wie vom Zehrwurm befallen.

Man beachte die «Austeilung» des Kelchs und das Verb «verrennen». Es sind feinste Miniaturen, die Strauß im *Fortführer* versammelt, sie alle liegen in tiefem Abendrot. Jetzt, im Alter, stellt sich der Durst des Erinnerungskranken ein, «lechzend an der Tülle des Krugs, von der immer spärlicher die alten Stunden tropfen in seinen Mund».

Bei den Erinnerungen überwiegen indes die bitteren. Auch in der Liebe mehr Schmerz als Glück. Über Paare, die sich trennen, weiß er: «Daß dieser oder jene, wenn es zur Trennung kommt, wertvolle Erinnerungen mit sich nimmt, hat schon manchen gefuchst.» Und härter: «Das geköpfte Einst. Die Jakobinerin rechnet ab mit der süßen Zeit. Schafott Bett. Es war nie, was es hätte sein müssen.»

Der Grundklang des *Fortführers* ist von tiefer, serener Melancholie. Mag sein, Strauß hat sich selbst im Auge, wenn er von einer Art des Existierens schreibt, die einem bedeutungsvollen Sich-Räuspern gleiche «vor der großen Rede, die dann doch nie gehalten wird». Bis auf Barenboim, Angela Merkel und Günter Grass hat wohl jeder schon ein ähnliches Gefühl gehabt.

Der elegische Strauß: «Man reicht nicht hin. Man langt und langt, man dehnt und streckt sich aus sein Lebtag – und reicht nicht bis hin.» Und im Alter geht selbst das Strecken nicht mehr. «Hörst du es? Ein Tor nach dem andern fällt ins Schloß. Wie grausam! Bald ist alles Innen zu. Das Innen weltweit zugesperrt.» Es ist eine ganz neue Deutung des Wortes «weltweit», die Strauß hier unaufällig einschmuggelt. Ja, das Alter mit seinen Schrecken!

> Es ist die Plage der Dürre und der Trockenheit, die der Tod vorausschickt über den alten Menschen. So wie das Herz auskörnt in Floskeln, so starr sind auch die Redewendungen, so abgezählt die Seelenregungen. Die alte Mutter könnte, wenn sie jetzt vom Unglück ihres Sohns erführe, keine Träne mehr vergießen.

Man beachte wieder das schöne Verb: «auskörnen». Halb komisch, halb elegisch seine Bemerkung: «Ein leiser Vorwurf kann dem Sein nicht erspart werden.» Ein Satz mit einer für Strauß typischen Stil-Temperatur.

Dennoch, er schreibt und lebt: «Ich bin – das heißt, ich überlebe in einer Luftblase wie der Bergmann in der gefluteten Grube.»

Der Bergmann, nach ältester Tradition schürfend, ziemlich allein dabei in seiner Grube – es ist immer wieder große Prosa, mit der uns der späte Strauß beschenkt.

Clemens J. Setz – Auf der Borderline

Der 1982 in Graz geborene Autor Clemens J. Setz ist ein zeitgenössischer Autor, den man an einem einzigen Tweet erkennt. Keiner kann es schräger und skurriler als Setz, wie auch sein 2019 erschienener Erzählungsband *Der Trost runder Dinge* zeigt.

Es ist eine feine Linie, diese Grenze, auf der Setz tänzelt und die er nur gelegentlich überschreitet. Diesseits dieser Grenze ist er von überwacher, luzider Beobachtungs- und Assoziationsgabe, voller Witz und immer wieder ungeheuer originell. Vor allem auch: originell ungeheuer. Clemens J. Setz kann mit Wörtern unheimliche Welten entstehen lassen wie kaum ein anderer (Georg Klein konnte es auch). Ein Beispiel nur: grandios gruselig die Erzählung *Frau Triegler*, in der eine nach ihrer Entlassung verstörte, krankhaft liebesbedürftige Schulkrankenschwester ein Kind entführt; im Pädagogendeutsch gehalten, wie es sich so grausam betulich noch nie entfaltet hat. Evelyn Triegler lügt dem verängstigten kleinen Thomas nach Schulschluß vor, seine Mutter habe einen Unfall gehabt und liege unerreichbar im Krankenhaus.

> Im Gesicht des Jungen arbeitete es. Er kombinierte die verschiedenen Informationen, die ihn alle verwirrten und entsetzten. Seine Hand tippte dabei automatisch den PIN-Code für sein Handy ein. Als Frau Triegler das sah, tat sie etwas, das Thomas erstarren ließ: sie umarmte ihn und drückte ihn an sich.
> «Ich weiß, du kannst tapfer sein», sagte sie. «Und ich bin für dich da.»
> Dann nahm sie ihm sanft das Handy aus der Hand und wies ihm den Weg zu ihrem Wagen.

Frau Triegler behält den Drittklässler das Wochenende bei sich. Wenn er sich im Klo einschließt, ruft sie durch die geschlossene Tür: «Kannst du dich bitte hinsetzen? Ich weiß, es ist vielleicht ungewohnt für dich, aber ich hab's lieber so. Danke!» Thomas will nur nach Hause.

> «Tommi», sagte Frau Triegler, «ich habe doch schon versucht, dir das zu erklären. Es ist leider alles nicht so einfach, so schwarz und weiß, wie du es dir vorstellst. Es läuft nicht immer alles reibungslos. Ich hab auch Gefühle. Ich hab auch ein Innenleben, weißt du? Ich erkläre dir was – und du vergisst es in den nächsten fünf Minuten wieder. Es geht einfach zu einem Ohr rein und zum andern raus. Verschwindet still und heimlich aus deinem Gedächtnis. Tommi, das hatten wir doch schon alles.»

«Ich will nach Hause!», schluchzte der Junge.

«Ah, Tommi, Tommi», sagte Frau Triegler. «Es ist echt nicht leicht, mit dir zu reden, weißt du das? Aber ich hab Verständnis dafür. Auch das ist wichtig, im Umgang, weißt du? Verständnis. Geduld. Du siehst, dass ich das alles für dich aufbringe. Aber ich hätte doch gern von dir, dass du dich ein bisschen anstrengst, nicht so weit in dich selbst zurückzufallen. Kannst du das versuchen? Ich will einfach nicht immer gegen eine Wand reden müssen.»

Mit dieser einen Erzählung erledigt Setz einen Typus und einen ganzen Jargon.

Das Muster dieser wie fast aller seiner Erzählungen ist dabei einfach: Es gibt ein dunkles Geheimnis oder Rätsel, das umkreist wird, jedoch nie ganz aufgelöst – als Prinzip vielleicht auf Dauer etwas *maschinös* (Setz lädt zu Neologismen ein). Der Leser wird zum Detektiv gemacht, der nie recht auf seine Kosten kommt. Manchmal hängt die Geschichte des jeweiligen Rätsels an einem Satz oder sogar einem einzigen Wort. «Wie man weiß, ist es nicht einfach, mit einem Or zu verreisen», beginnt die Erzählung *Kvaløya,* in der Setz den Teufel tun und uns darüber aufklären wird, worum es sich bei diesem Or genannten Wesen handelt. Fest steht nur, daß die Erzählerin – erst auf halber Strecke erfahren wir, daß sie eine Frau ist – mit diesem kindsähnlichen Or nach Norwegen reist. Dort beschließt sie – und hier fällt das Wort, mit dem das Geheimnis kurz gestreift wird –, dem Or wegen der Kälte einen zweiten Schal zu kaufen: «Den ersten hatte es an mehreren Stellen bereits *assimiliert.*»

Hat man dieses blasse Verb je in diesem Zusammenhang erlebt? Der Leser begreift, jenes Wesen hat offenbar die Fähigkeit oder Eigenschaft, Gegenstände aufzulösen oder zu verstoffwechseln. Und noch anderes an ihm erscheint nichtmenschlich. Das

Or erwidert einmal die Grimasse der Erzählerin: «Ich sah einige winzige schwarze Flecken zwischen seinen Zähnen, die sich, wie mir schien, ameisenhaft bewegten.» Auch diese Zahnmobilität (oder eher die Mobilität der grammatisch falsch zugeordneten Flecken) deutet auf eine nichtmenschliche Abkunft des Or. Dadurch aber, daß die anderen Menschen, das Flughafenpersonal, die Kellner und Passanten, nicht stärker auf das Or reagieren als etwa auf ein Kind mit Down-Syndrom, gibt uns Setz eine weitere Information: Die Handlung muß in einer Zukunft spielen, in der es zum Kontakt mit einer außerirdischen Zivilisation gekommen ist und die Menschheit sich an die Existenz ihrer Vertreter gewöhnt hat. Oder in einer Zukunft, in der mißglückte Zuchtversuche oder Genmanipulationen Geschöpfe wie das Schals assimilierende Or samt Wanderzähnchen oder -flecken hervorgebracht haben. Gesagt wird über all dies, bis auf die wenigen zitierten, kein Wort.

Etwas blitzartig vorzeigen und dann gleich wieder hinter dem Rücken verstecken: Dieses Spiel mit der sparsam gereichten und an entscheidenden Stellen verweigerten Information ist das Kunstprinzip der Setzschen Erzählungen, von denen viele äußerst unangenehm sind.

Diesseits der Grenze zeigt sich Setz als oft bewundernswerter und das Mittelmaß weit überragender Stilist. «Zwischen zwei Wolken erscheint ein Flugzeug, mit einem bereits nach wenigen durchmessenen Himmelszentimetern zu zarten Kerzendochtformen zerwehenden Kondensstreifen.» Die kunstvollen Assonanzen mit «z», «w» und «k» erweisen den musikalischen, klangbewußten Autor. «Es hatte leicht zu schneien begonnen. Eine Straßenlaterne stand verzaubert da, umnebelt von tanzenden Punkten, eine Mischung aus Leuchtqualle und Testbild.» Kühn und riskant, wie fast alle seine Metaphern, auch sie oft auf der schmalen Grenze.

«Auf der Straße liefen viele Menschen, die meisten davon mit Gesichtsausdruck.» Ein typischer Setz-Satz. «Eine lange Pause. Die Zeit rauschte leise im Raum wie ein kleiner Zimmerbrunnen.» Doch, einmal kann man das machen. «‹Bitte›, brachte Frau Triegler mit einer Stimme wie auf Zehenspitzen hervor.» Das hätte auch bei Joseph Roth stehen können; ein Beispiel für gelungene Vermeidung des einfachen «sagte sie». «Es war ein wolkenverhangener Tag, etwas windig. Die Bäume bewegten sich wie träumende Giraffen.»

Das letzte Beispiel zeigt ein Prinzip der Setzschen Metaphorik: Bäume werden zu Giraffen, die Flora wird zur Fauna nobilitiert. Diese Nobilitierung oder Beseelung kann allem zuteil werden: «In der Einfahrt lag ein verlorener Wollhandschuh in der Haltung eines angespülten Seesterns.» Der Erzähler in *Südliches Lazarettfeld* wartet im Flughafen und schaut aus dem Fenster:

> Weit draußen fuhr ein Bus eine Schleife, mitten in der leeren Ebene; das Einzige, was ihm Gesellschaft leistete, waren die auf den Boden gemalten weißen Leitlinien. Und zwei Flugzeuge wurden, ernst wie Fiakerpferde, von je einem winzigen Steuervehikel an den langen Wasserrutschen des Gates vorbeigeführt.

Ernst wie Fiakerpferde, auf Flugzeuge übertragen, deren nach unten geneigten Schnauzen zur Assoziation einladen mögen, ist hübsch gefunden. Wie schon beim Gesellschaft vermissenden Bus entsteht der komische Effekt durch die Vermenschlichung. In derselben Erzählung wird sogar eine kahle Stelle am Hinterkopf beseelt. Der Held sitzt nach vielen Wartestunden endlich im Flugzeug, er will auf ein Literaturfestival nach Kanada, wo auch Norbert Gstrein auftritt; einer der vielen Setzschen Inside-Jokes. Das Flugzeug hat aber technische Probleme und kann nicht starten, der Held langweilt sich, muß sich auch von seiner Flugangst ablenken, entdeckt jene kahle Stelle bei einem Passagier und tauft sie auf den Namen «Scotty». «Hi, I'm Scotty the Bald Spot. I like pillows, hats and warm summer rain.»

So zartfühlend setzt er sich in den Kopfhautfleck hinein, der Kissen, Hüte und den warmen Regen genießt. Was er zu Hause vorfinden wird, als der Flug doch noch platzt und er seine den ganzen Tag schon auffällig beschäftigte Frau in der gemeinsamen Wohnung überrascht, soll hier nicht gespoilert werden. Kein anderer als Setz wäre auf diesen Schluß gekommen (allenfalls wieder Georg Klein). Und nein, es ist nicht der heimliche Liebhaber.

Und jenseits dieser Grenze? Jenseits der Grenze wird es manieriert, gewollt, *overdone*, in der Exzentrik fad. Es gibt Erzählungen von Setz, die nichts als interesseloses Mißgefallen wecken. Ein User schluckt statt Drogen Angelschnüre ... Ja, ja. In der ohnehin verrückten Welt ein noch verrückterer Traum ... Man blättert um. Jenseits dieser Grenze – ein Geschmacksurteil, über das man immer streiten kann – ist ein Vergleich wie: «Anjas Magen machte ein Geräusch, als würde eine Ente versuchen, das Wort ‹Gregg› auszusprechen.» *Voulu.* Oder kann sich irgend jemand darunter etwas vorstellen? Vielleicht Entenforscher oder Gastrologen. Daß Entenschnäbel kleinen Fuchs- oder Hundeköpfen gleichen (die Nasenlöcher sind die Augen, der schwarze Fleck an der Spitze die Schnauze), ist samt Fotobeweis allerdings wieder ein Fund.

Bei folgenden Fällen mögen die Leserinnen und Leser selbst entscheiden: noch diesseits oder schon jenseits?

«Normalerweise konnte ich ihr klägliches Miolen einigermaßen wegfiltern» – es geht um eine Katze, die wie die Fliege, die Spinne, die Münze, die Banane, die Orange, das napfförmige Kissen, der Mond, das Sternbild zum Geflecht der Leitmotive gehört, das den Erzählungsband überzieht –, «aber mein Kopf war innen so licht und hellwach wie eine Dorfkirche zur Osternacht.» Gerade noch diesseits? Oder doch etwas zu viel, der Kopf als ihrerseits metaphorisch zur Wachheit verlebendigten Kirche?

«Seine Seele war ein heiteres, schnurgerades Ding, wie eine Leiter am Obstbaum.» Eine Spur zu gewollt oder Robert-Walsersch gerade noch angängig in der Pseudo-Naivität?

«Wie alle Menschen begegnete Zweigl jedes Jahr seinem zukünftigen Todesdatum, ohne es zu wissen. Er glitt darüber hinweg wie der klappernde Haken über die Felder eines Glücksrads.» Wenn man nur lang genug suche, müsse man irgendwann darauf stoßen, auf das Datum seines letzten Tages: «Die erste Nacht als Toter, allein und augenlos in der Wildnis.»

Doch, das ist stark in der typisch Setzschen Morbidität. Man muß es ja sagen: Wenn man seine Innenwelten als düster bezeichnet, hat man es milde ausgedrückt. Es ist ein leicht höllenhafter Kosmos aus Depression und Einsamkeit und blitzendem Wahn, mit starkem Stich ins lustvoll Quälerische – aber das tut nichts zur Sache des Stils. Es gibt Scharten, durch die Licht einfällt in diese von traumatisierten Freaks – oder Menschen wie wir alle? – bewohnte Welt: das helle Licht der Komik. Und seine Prosa hat *Craquelé* – von keinem seiner Sätze läßt sich auf den nächsten schließen. Er ist ein kongenialer Borderliner mit so eigenwilligem Stil, daß man ihn sich nicht mehr wegdenken kann. So wie man keine Ente mehr sehen können wird, ohne auf ihrem Schnabel den Fuchskopf zu erkennen. Und sich zu fragen, wie es wohl klänge, wenn sie «Gregg» krächzt.

Literaturquiz II

Bevor wir nun die Tür der Bibliothek vorläufig hinter uns schließen, müssen wir noch ein weiteres kleines Quiz passieren. Liebe Leserinnen, geschätzte Leser, es sei offen bekannt: Jetzt wird es zum Teil richtig gemein. Gemein auch mit Blick auf die These, jeder Autor hätte seinen unverwechselbaren Personalstil. Bitte kreuzen Sie an. Trauen Sie Ihrem Instinkt. Manches ist nicht unlösbar. Wer alle trifft, bekommt vom Verlag ein Freiexemplar dieser Scharade. Googeln gilt nicht.

1. «Der Nektar zu dem der Farbenkelch winkt, als wäre er nur Nahrung, ist ein Liebestrank, der Duft ein Liebeszauber, der Pollen eine Behexung.»
   a) Novalis
   b) Rudolf Borchardt
   c) Friedrich Hölderlin

2. «Sobald man über das Leben nachdenkt, kommen einem die Tränen.»
   a) Thomas Mann
   b) Franz Kafka
   c) Christine Lavant

3. «Wer mag wohl überhaupt jetzt eine Schrift / Von mäßig klugem Inhalt lesen!»
   a) Johann Wolfgang von Goethe
   b) Christoph Martin Wieland
   c) Gotthold Ephraim Lessing

4. «Das Schloß schlief dick und still; überall roch es nach Wasser und nach Holz, das lange in der Sonne gelegen

hatte, nach Fischen und nach Enten. Wir gingen am See entlang.»

a) Kurt Tucholsky
b) Theodor Fontane
c) Eduard von Keyserling

5. «Ich horchte dem straffen Ton von Frau Johns Absatzgeklapper auf den Flurkacheln nach, einem ganz leisen Schmatzen. Die Absatzplättchen wurden vom Boden kurz angesogen, um sich dann um so stolzer abzustoßen und dabei zu entfernen. Tsitt tsitt, tsött tsött, plöck plock, plock plöck.»

a) Sibylle Lewitscharoff
b) Brigitte Kronauer
c) Walter Kempowski

6. «Sein Genie geht glatt durch Mauern und stößt sich wund an der Luft.»

a) Karl Kraus
b) Alfred Polgar
c) Georg Christoph Lichtenberg

7. «Er fürchtete sich wohl, länger zuhause zu bleiben, wie sich ein Müder nicht setzen darf. Unruhige angehalfterte Pferde, Männerlachen, Fackellicht, die Säule eines Lagerfeuers wie ein Stamm aus Goldstaub zwischen grün aufschimmernden Waldbäumen, Regengeruch, Flüche, aufschneidende Ritter, Hunde, an Verwundeten schnuppernd, gehobene Weiberröcke und verschreckte Bauern waren seine Zerstreuung in diesen Jahren.»

a) Robert Musil
b) Heimito von Doderer
c) Alexander Lernet-Holenia

8. «[Sie] schritt wiegend dahin mit allen erkennbar getragenen Waffen und Insignien des Geschlechts unter dem dünnen Sommerkleid. Jedoch, die wünschenswerte Klarheit herrschte keineswegs in ihr; alles hatte wolkige und molkenbrockige Konturen ohne Kraft.»
a) Brigitte Kronauer
b) Hermann Broch
c) Heimito von Doderer

9. «Man sah im Wasser alle Blaus, das Silber, das Rosa; zusammen ergab es ein immer stahlflüssigeres Blau, in dem ein violettes Gold flutete. [...] Sie schossen jetzt in rauschender Fahrt in Richtung Schweiz. Außer ihnen war kein Boot mehr auf dem See. In Ufernähe sah man segellose Boote wahrscheinlich mit Motorkraft auf die Häfen zustreben.»
a) Robert Walser
b) Martin Walser
c) Eckhard Henscheid

10. «Das Publikum lieset Rezensionen gern und will die Autoren wie die Engländer die Bären nicht nur *tanzen*, sondern auch gehezt sehen.»
a) Johann Heinrich Merck
b) Johann Peter Hebel
c) Jean Paul

11. «Der Prinz schloß einen Moment die Lider, überlegend. Er betrachtete tief den wartenden Horatio und zögerte. Sollte er Schwäche zeigen? Untragbar. War dieses jetzige Gespenst dir nicht früher Erzeuger? Erst dem Gereiften ein Spukbild? Zwischen Sein und Nichtsein entschied er mit einer Handbewegung. Er war im Bilde.»

a) Heinrich Mann
b) Robert Neumann
c) Rainer Maria Rilke

12. «Der Briefträger kam. Ich hörte die Post durch den Schlitz fallen, rührte mich aber nicht. Niemals erwarte ich Briefe. Der einzige Mensch, der mir einen wichtigen Brief schreiben könnte, bin ich selbst, und so wird er auch nie geschrieben werden.»
a) Marlen Haushofer
b) Karl Valentin
c) Walter Serner

13. «Und sein Herr, der Dompteur, knallt mit der Peitsche! Er lobt oder straft, je nachdem. Je nachdem, wie das Tier es verdient hat. Aber der gefinkeltste Dompteur hat noch nicht die Idee gehabt, einen Leoparden oder eine Löwin mit einem Geigenkasten auf den Weg zu senden. Der Bär auf dem Fahrrad ist schon das Äußerste gewesen, was ein Mensch sich noch vorzustellen vermag.»
a) Ingeborg Bachmann
b) Elfriede Jelinek
c) Thomas Bernhard

14. «Die sexuelle Potenz kommt zustande durch das Zusammenwirken 1. des innersekretorischen Systems, 2. des Nervensystems und 3. des Geschlechtsapparates. Die an der Potenz beteiligten Drüsen sind: Hirnanhang, Schilddrüse, Nebenniere, Vorsteherdrüse, Samenblase und Nebenhoden. In diesem System überwiegt die Keimdrüse. Durch den von ihr bereiteten Stoff wird der gesamte Sexualapparat von der Hirnrinde bis zum Genitale geladen. Der erotische Eindruck

bringt die erotische Spannung der Hirnrinde zur Auslösung, der Strom wandert als erotische Erregung von der Hirnrinde zum Schaltzentrum im Zwischenhirn. Dann rollt die Erregung zum Rückenmark hinab.»

a) Alfred Döblin
b) Gottfried Benn
c) Marie-Luise Scherer

15. «Sein Stil: gewissermaßen die Nietstelle zwischen den zitternden Nerven der Menschheit und der Gelassenheit Gottes.»

a) Botho Strauß
b) Ernst Bloch
c) Peter Handke

16. «Es ist mir sehr darum zu tun, etwas vom Unglück, das Freud bewirkt hat, ungeschehen zu machen.»

a) Wilhelm Reich
b) Elias Canetti
c) Hans Henny Jahnn

17. «Vielleicht scheint Ihnen das Problem der Gedankenübertragung recht geringfügig im Vergleich zur grossen Zauberwelt des Okkulten. Allein bedenken Sie, welch folgenschwerer Schritt über unsern bisherigen Standpunkt hinaus bereits diese eine Annahme wäre. Es bleibt wahr, was der Kustos von St. Denis der Erzählung vom Martyrium des Heiligen anzufügen pflegte. St. Denis soll, nachdem ihm der Kopf abgeschlagen worden, diesen aufgehoben und mit ihm im Arm noch ein ganzes Stück gegangen sein. Der Kustos aber bemerkte hiezu: Dans des cas pareils, ce n'est que le premier pas qui coûte. Das Weitere findet sich.»

a) Sigmund Freud
b) C. G. Jung
c) Thomas Mann

18. «Sei's in Jeanskluft, sei's im Janker, / Wand'rer, nächt'ge stets im ‹Anker›.»
a) Harry Rowohlt
b) Robert Gernhardt
c) F. W. Bernstein

19. «Mein Geist ist von hypochondrischen und nicht hypochondrischen Sorgen in monomanischer Weise durchwühlt; es gibt keine Viertelstunde ruhigen, guten Nachdenkens; der ewige Lärm in meinen Ohren macht mich hin; die zunehmende Schwerhörigkeit verdüstert mich. Des vielen positiven [...] vermag ich nur in seltenen Stunden mich zu freuen; dann oft mit ungesunder schmerzlicher Rührung.»
a) Arthur Schnitzler
b) Stefan Zweig
c) Ludwig Wittgenstein

20. «Drum, wer Ohren hat zu hören, der höre! Es ist nicht zwei, nicht drei, nicht tausende, es ist Eins und Alles; es ist nicht Körper und Geist geschieden, dass das eine der Zeit, das andere der Ewigkeit angehöre, es ist Eins, gehört sich selbst und ist Zeit und Ewigkeit zugleich und sichtbar und unsichtbar, bleibend im Wandel, ein unendliches Leben.»
a) Novalis
b) Karoline von Günderode
c) Clemens Brentano

(*Auflösung im Anhang*)

V. Kürzestausflug Lyrik

Der Vers nutzt meinen Kopf zum Denken.
Das ist Literatur.

Monika Rinck

Drachen am Domportal

Wir hatten es uns in diesem Buch zur Regel gemacht, uns überwiegend auf die erzählende Prosa zu beschränken. Wie jede vernünftige Regel erlaubt sie Ausnahmen.

Stil in der Lyrik? Um nichts anderes geht es in ihr. Lyrik besteht, weil sie nicht an Plot gebunden ist, außer in Balladen, aus Stil. Und damit aus unterschiedlichsten Personalstilen. Schiller oder Goethe, Heine oder Mörike, Keller oder Fontane, Benn oder Kästner, Rilke oder Brecht – nie könnte man sie miteinander verwechseln.

Und heute? Der Kenner der heutigen Lyrikszene wüßte nach wenigen Zeilen, ob er Durs Grünbein, Jan Wagner, Monika Rinck, Ann Cotten, Steffen Popp, Ulf Stolterfoht oder Nora Bossong vor sich hat. Hier gilt der Satz Buffons, der schon von Börne zitiert wurde und den wir wenigstens abwandeln wollen zu: *Le style, c'est le poète même.*

Wenn Stilkritik schon bei der Prosa schwierig ist, so betritt sie bei der Lyrik ein schaurig weites Feld. Hier kann man über fast jede Zeile streiten, und nichts tun Lyrikleser lieber. Es gibt Altphilologen und Kenner der Antike, die kein Haar am *West-Östlichen Divan* lassen. Es gibt Rilke-Verehrer, die sich die Nennung Brechts mit dem Hinweis verbitten, das sei Kotzebue versus Goethe. Die kleine und stark segmentierte Gemeinde der Lyrikkenner kann sich nicht nur Scharmützel, sondern langgezogene Gefechte liefern über die Frage, ob der vielfach preisgekrönte Durs Grünbein überschätzt sei oder nicht. (Wir plädieren für: nicht.) Thomas Kling, der 2005 verstorbene und bis heute stilbildende Avantgarde-Lyriker, prägte das giftige Wort von den «Sandalenfilmen aus den Grünbein-Studios». Man behandelt sich nicht zart in der Lyrikszene. In diese Gefechte können wir uns hier nicht einmischen. Wir erlauben uns nur ein paar kurze Abstecher in die moderne Lyrik; ohne Expertise noch Versmaßband.

Hier zwei vielleicht allzu zufällig ausgewählte, gleichwohl charakteristische Strophen aus einem Langgedicht Durs Grünbeins, das Wolfgang Rihm gewidmet ist – *Café Michelangelo* aus dem – Schönbergs Opus 4 um einen Buchstaben verkürzenden – Band *Erklärte Nacht*:

Viel scheint nicht geblieben von Lorbeer und Myrten.
Oder sieht man den Wald vor schlanken Beinen und
  Kleidern,
Das Wild nicht vor lauter Markenschuhen, Taschen und
  Gürteln?
Hat die Unbekannte, die scheue Nymphe, aufs neue die
  Seiten

Gewechselt, den Namen zurückgezogen in kühle Boutiquen?
Zumindest der Saft, den man mit rotem Strohhalm trinkt im
  Café,

Erinnert an Äpfel der Hesperiden. Aus sibyllinischen Blicken
Blitzt wieder Frühling. Jetzt heißt das Grußwort *Okay*.

Grünbein-typisch ist die Kreuzung des Bildungsschweren – Nymphen, Hesperiden-Saft und Sibyllen – mit der saloppen Formel «Okay»; indirekt also die Schule Gottfried Benns. Rätselhaft das Namen-Zurückziehen, aber Gedichte dürfen enigmatisch sein. Die Adjektive sind etwas erwartbar; die Nymphe scheu, die Boutique kühl. Der Wald, den man vor schlanken Beinen nicht sieht, leuchtet ein; das Wild mit Gürteln, die den Blick doch kaum ablenken, schon weniger. An solchen etwas vorhersehbaren Gedichten wetzten die Grünbein-Gegner ihre Klingen. Aber er kann es auch ganz anders. Grünbeins Werk, das Werk eines Poeta doctus, verdiente drei Dutzend Zitate mehr, auch aus den Essays, vor allem aber aus der Liebeslyrik, die Peter von Matt mit eidgenössischem Fug und Recht als singulär preist. Auch für sie indessen gilt: je weniger Bildungsglitter, desto besser. Je privater, desto stärker. Ein Beispiel aus der Liebes-Sammlung:

(560 Meter ü. d. M.)

Und einmal schliefen wir im tiefsten Mittelalter,
Verschanzt in einem Bergnest, hinter Feldsteinmauern.
Nachts kam Besuch in dicken Wollpullovern – Falter,
Die an die Schläfen trommelten. In Ecken lauernd,
Gab es da Drachen wie am Domportal, eidechsenklein.
Der Tag kroch langsam durch die engen, steilen Gassen.
Schildkröten waren wir, unser Panzer dieser graue Stein,
Schon mittags müde, leicht von Schattenhand zu fassen,
Unter den Bauern, Frühaufstehern hier die einzig Trägen.
Ein Gang durchs Stadttor reichte, um uns zu beglücken
Mit Panoramen früher Tafelbilder, Genreszenen.

Großmütter trugen ihre Enkel auf dem krummen Rücken.
Beim Metzger nebenan sang hell die Knochensäge.
Und ein Jahrhundert lag in einem Katzengähnen.

Zu beachten wäre hier vieles: die Atmosphäre, die er uns hintupft, eine Genreszene das ganze Gedicht (man nennt es *mise en abyme,* wenn sich das Ganze im Detail widerspiegelt); die Klangschönheiten wie in der fünften Zeile die vier «D»; die Bilder – die Falter im Wollpullover, der Felsstein als Schildkrötenpanzer; der Reim, ganz unaufdringlich; die Knochensäge, die hell «sang», und der Schluß: Ein Jahrhundert lag in einem Katzengähnen? Man glaubt's sofort.

Hören wir in Jan Wagner hinein, in seinen Gedichtband *Achtzehn Pasteten* – der Titel verdankt sich dem Tagebuch Samuel Pepys':

weswegen sollten sie sich schämen, dick
und rund am strauch? sie tragen ihre uhren
tief in sich selber, jene feinmechanik
aus kernen, werden reif, indem sie ruhen.
manchmal sieht man, wie sie sich bewegen,
und muß an klöppel denken, die ein wind
berührt – doch hört man keine glocken schlagen
(bis auf die grünen, die aus blättern sind).
sie kommen ihrer leuchtend roten kunst
im stillen nach, selbst nachts, selbst morgens, wenn den
matten
sternen der stolz verfliegt, du aber kannst
ruhig etwas lauter reden. sag: tomaten.

Typisch für Jan Wagner sind das schön aufleuchtende Naturbild und die überraschende Metapher, die «Feinmechanik der Kerne». Das Morgengrauen als «Wenn den matten Sternen der Stolz verfliegt» ist ein Fund. Der Reim ist angedeutet, Ironie klingt nicht erst dann an, wenn das lyrische Ich sich selbst ermahnt, nicht um den heißen Brei herumzureden, und das unausgesprochene Titelwort als Schlußpunkt setzt. Naturbild, das Bild überhaupt, und Selbstironie sind zwei wichtige Marker in der Wagnerschen Lyrik-DNA. Gustav Seibt sprach von Jan Wagners Hang zum «handfest Abseitigen». Wagner schreibt Gedichte über den Giersch, über die Quitte, über Koalas, über Champignons, Fenchel, Quallen, über die Silberdistel und die Seife, über Karpfen, Dung, Nagel und Torf.

Das Stilideal ist das der scheinbaren Simplizität – scheinbar, weil es in Wahrheit Fabergé-Eier sind, die Wagner uns ausfertigt. Er hat oft ein Dutzend in Arbeit, an denen er jahrelang poliert. Was auffällig an die Teetassen erinnert, die er uns in seinem Band *Regentonnenvariationen* vorführt. Das Gedicht handelt von einem Schüler, der jeden Tag eine neue Tasse aus Ton formt, die ihm der Meister alle zerschlägt, bis der Jünger, die Haare schon licht und weiß, eine in Form und Farbe ganz identisch aussehende Tasse

dem meister gab – der lächelte, die tasse
ins licht hielt und ihm auf die schulter schlug:
denn er war reif für seine erste schale.

Chinoiserie? Wagner nimmt sich das Recht, große Bögen zu machen um alles Modische, das stimmt. Aber was am Ende entscheidet, ist nicht das Thema, sondern der Ton, und da wären die Prognosen, die wir Wagner geben, die günstigsten. Jan Wagner ist, um es kurz zu fassen, der Stillebenmeister Georg Flegel unter den Lyrikern. Steffen Popp, am anderen Ende der Skala, wäre dagegen der Edward Snowden, der seine Dateien so verschlüsselt, daß sich die NSA die Zähne an ihnen ausbeißt.

*

Die 1982 in Iowa, USA, geborene und in Wien aufgewachsene Ann Cotten wurde schon nach ihrer Debutsammlung *Fremdwörterbuchsonette* als Wunderkind ausgerufen. Eine Textprobe, das Schlußquartett aus dem Gedicht *Halsweh, Ideenflucht*:

> Ob kiffend tippend, fickend oder schlitternd denkend,
> die Welt entgleitet mir mit jedem Satz, und jeder Satz
> erschüttert mir mein Denk-Gelenk und lenkt im Landen
> das Verb, das dogma-mäßig sich zum Partizip verrenkt.

Cotten schreibt streng geometrisch angeordnete Experimentallyrik mit viel Bricolage und dennoch ganz eigenem Ton, viel weniger eingängig als Jan Wagner. Es ist Lyrik als E-Werk; wo man hinlangt, funkt es. In den Amplituden schlägt Cotten in beide Richtungen viel stärker aus, zwischen Slang und kaum dem Lexikon bekannten Fremdwort, zwischen *dirty talk* und ständiger Selbstreflexion der Sprache; alles, was dem ungleich diskreteren Wagner zuwider wäre. Auch für den Lyriker, die Lyrikerin gilt Zolas Definition der Kunst als *un coin de la création vu à travers un tempérament.* Das jeweilige Temperament, die persönliche Grundtemperatur schlägt sich, wie anders, auch in den Gedichten nieder. Cotten ist eines nie: gelassen. Sie ist getrieben, aber hat immer Zirkel und Sextant dabei. Beim lauten Vorlesen der zitierten vier Zeilen fällt ein kleiner rhythmischer Hiatus auf: «erschüttert mir mein Denk-Gelenk und lenkt im Landen / das Verb, das dogmamäßig sich zum Partizip verrenkt» – statt dem einsilbigen «das Verb» hätte man sich hier etwas Zweisilbiges gewünscht: «Und lenkt im Landen / *noch* das Verb», oder «*mir* das Verb» – etwa so. Aber wir werden den Teufel tun und Ann Cotten korrigieren, sie hat sich eh etwas dabei gedacht.

Den Satz von Gottfried Benn aufgreifend, jedem Lyriker gelängen im Leben nicht mehr als sieben große Gedichte, vermerkt ein

Deuter: Schon nach den *Fremdwörterbuchsonetten* habe Ann Cotten nur noch sechs frei. *Gedanken kubital*: Wird man es in zwanzig Jahren noch lesen?

Als wär ein Eck in meinem Denkvermögen
Oder ein Leck im Rohr vom Hirn zu Kopf:
Als zapfte etwas illegal am Nervenzopf,
verworren flechtend die Dendriten flögen

umher wie Fliegen, die erst fliegen lernen
und ungelenkig die Synapsen spannen, dann
ecken beim Schwirren an den Wänden an,
denken mit Beulen torkelnd dran, sich zu entfernen …

Geht nur, Gedanken, geht, ihr seid ja frei
wie Gelsen, ich so klug wie zuvor:
Nach Gelsen schlagend hau ich mich aufs Ohr
Und gellend, lachend schlag ich Kopf zu Brei,
richt wie Sebastian den Blick empor,
entzückt verblutend, ich und schreie: *more!*

Stark! Das teilt sich mit und teilte sich auch so unterschiedlichen Erstlesern wie Ina Hartwig und Wolf Haas mit. Cottens Wiener Kindheit zeigt sich an den österreichischen «Gelsen», den Stechmücken, die nachts über sie herfallen und sie vampirgleich aussaugen, die Wunden des von Pfeilen durchbohrten heiligen Sebastian hinterlassend, der Ikone der Homosexuellen, so daß sie entzückt verblutet und in ihrer Schmerzlust *mehr davon*! fordert – *more*!

Die einen schauen mehr nach innen, die andern mehr nach außen. Nach innen heißt nicht: ins Seeleninnere. Sondern ins Sprachinnere – hochauflösend. Wenn's glücklich klickt, fällt es zusammen, wie bei Ann Cotten oft, deren drastisch liebeslechzende Lyrik Vergleichbares sucht. Rhythmisch ist sie vielleicht von allen Aufgeführten die Unsicherste.

Bei Monika Rinck vibriert, nicht nur im Vergleich zu Wagner, etwas schwer Dynamisches, Riskantes, fast Mänadenhaftes, aber fest umzirkelt und von flirrendem Esprit. «Hört ihr das, so höhnen Honigprotokolle», beginnen die ersten Zeilen in ihrem Gedichtzyklus von 2012, der sie bekannt gemacht hat und als ihr Meisterwerk gilt. Daß sich bei Rinck etwas ganz Eigenes und Neues Luft verschafft, hat die Szene bald gemerkt, sie gilt als Autorität, ja als Monarchin der Lyrik-Aristokratie, man rühmt ihre Eleganz, Heiterkeit und poetische Unruhe. Was sie macht, nennt man «Experimentelle Erlebnislyrik», es gibt da viele Unterfächer in der modernen Lyrik, aber der Begriff dafür ist egal. Sie hat Witz, das ist es.

teich

Sagt er: das leid ist ein teich.
Sag ich: ja, das leid ist ein teich.
Weil das leid von fischen durchschossen
In einer mulde liegt und faulig riecht.
Sagt er: und die schuld ist ein teich.
Sag ich: ja, die schuld auch teich.
Weil die schuld in einer senke schwappt
Und mir bei hochgerecktem arm bereits
Zur aufgedehnten achselhöhle reicht.
Sagt er: die lüge ist ein teich.
Sag ich: ja die lüge ebenso teich.
Weil man im sommer des nachts
Am ufer der lüge picknicken kann
Und immer dort etwas vergisst.

Abermals stark! Nur schon die Schlußzeile ist so überraschend wie einleuchtend. In ihrem exzentrischen Typus ist Rinck nicht ganz unähnlich Clemens Setz, mit Neigung zu Grenzübertritten. Sie ist ein Poly-Talent, komponiert und zeichnet und überträgt aus schwierigen Sprachen Gedichte ins Deutsche, im Falle des schwedischen Dichters Magnus William-Olsson unter Hypnose (Schwedisch ist eine der wenigen Sprachen, die sie nicht beherrscht). Der offensichtlichste Einfluß ist der des Französischen Wilden Denkens, mit etwas mittelalterlicher Mystik, Schamanismus, Luhmann, Religionswissenschaft und ein paar Sporen Gendertheorie. Außerdem liebt sie die Operette. Sie schwimmt gerne und vergleicht die Kunst des Schwimmens, *de arte natandi*, mit der des Schreibens; in beiden gelte es die Balance einer lockeren Spannung, einer nicht störrischen Streckung.

Noch wichtiger sind ihr allerdings Pferde, wie ihre Gedichte vorführen. Rinck findet Pferde fast schöner als unsereinen und läßt es uns spüren. Das poetische Prinzip des folgenden Gedichts ist es, das hippologische Verb neu aufzuzäumen und ans unangemessene Substantiv zu koppeln.

Vom Fehlen der Pferde

sattelt die orgel. peitscht die teiche.
peitscht im weitesten sinn auch die weiher.
Gebt den ohren die sporen. vergattert
Das parkhaus. treibt zusammen das haar.
beschlagt die verwirrten, flechtet bänder
In eure zähne, fettet den louvre, bürstet
die liebe, klopft schließlich den strich aus
Und lockert die häufigsten knäuel.
tuet all dies in ermangelung.

Mit der letzten Zeile reibt sie's uns rein, und das mit den Einsetzungsworten des Abendmahls: Tuet dies in Erinnerung, tuet dies zu meinem Gedächtnis, *tuet dies in Ermangelung*. Nehmt das, ihr Pferde-Deprivierten! Sattelt, wenn ihr kein Pferd habt, in Gottes Namen die Orgel; fettet, *faute de mieux*, den Louvre – ziemlich schräg, ziemlich stark. Peitscht «im weitesten Sinn» auch die Weiher – klanglich so apart wie komisch. Die Binnenreime und Assonanzen sind das Lasso, mit dem Rinck den Nonsense bändigt. Ihre Poetologie der Albernheit ist dabei von beträchtlicher theoretischer Tiefe.

Monika Rinck ist fraglos außergewöhnlich; auch jenseits der Pferdegatter. Aus einer Pilz- oder Herpesinfektion oder ähnlich Unaussprechlichem einen Paar-Hymnus, etwas zum Ende hin ekstatisch Aufblühendes zu formen, das mußte man erst einmal hinbekommen. Oder das konnte wohl nur sie hinbekommen.

Keime

Hört ihr das, so höhnen Honigprotokolle: Jetzt keine Angst
mehr haben.
Sollen doch komplexe Risse ausblühn, soll der Keim den
Keim doch
fünfhunderttausendfach begatten. Ein Lippenkirmes der
Vermehrung.
Sie sollen kommen, sie sollen weiße Schäumchen bilden,
überall,
und Stickereien fertigen, während ich bewusstlos bin und
du ja auch,
rund um den roten Herd. Sollen ineinander weben, woran
wir sterben
und wovon wir leben, sie sollen umeinander werben, wie
Verlobte,

die sich noch nicht haben, die sich schämen, die sich fällen.
    Sie sollen
einfach kommen. Sie sollen uns noch zwanzig Tage geben,
    verzehren
sollen sie uns, von innen, bis wir hallen. Du weißt es
    offenbar noch nicht.
Denn wüsstest dus, schon blühtest auf mit mir wie Algen.

Lippenherpes, Lippenkirmes, Fest der unzüchtigen Keime, so lange, bis es innen hallt – auch oder gerade wenn man kein Lyrik-*Roué* ist, gerät man hier in Versuchung, des kritischen Urteils sich zu enthalten und nur *Wow*! zu rufen. Rinck hat, wie Grünbein und Wagner, den genauesten Sinn für das leicht verkantete Wort, für Rhythmus, Silbenmaß und Klang. Die letzte Zeile – «Denn wüsstest dus, schon blühtest auf mit mir wie Algen» – könnte auch bei Hölderlin stehen, hätte er im Neckar auch blühende Algen gesehen. Die Jungen kennen die Alten, keine Sorge.

Hängt es damit zusammen, daß der Personalstil in der Lyrik noch essentieller ist als bei der Prosa? Warum tritt diese Essenz, das Geheimnis des Stils, im Lyrischen erst überwältigend hervor? Gerade weil es viel strengere Regeln zumindest in der traditionellen Lyrik gibt, hängt alles daran, wie jeder aufs neue die Regeln behandelt, wie die Lyrikerin sie dehnt oder kitzelt und verbiegt. Auch die Tradition, der Kanon, ist viel strenger; wie beim Schach genügt es ab einem bestimmten Niveau nicht, inspiriert zu sein, man muß die klassischen Partien studiert haben und Tausende schon gespielte und durchgedichtete Varianten im Kopf. «Archivbewußtsein» nennen es die Kenner.

Klassisch-archivbewußt ist auch die 1976 in Eisenach geborene Daniela Danz, die manches aus dem Repertoire der Antike schöpft. Viele kennen ihre Westentasche nicht so gut wie Daniela Danz ihren Homer, ihren Ovid, ihren Horaz. In ihren schönsten

Gedichten ist nicht viel davon zu spüren, wohl aber in ihrem ganz delikat und silbensicher zwischen Parodie und Nachbildung die Waage haltenden Kurz-Zyklus *The Embedded Poet* aus ihrem Gedichtband *V.* Manche werden sich an die Fernsehbilder Putins, auf die sie im dritten Gedicht anspielt, erinnern:

> Wenn mit den flinken Wasserbewohnern Wladimir
> du an einsamen Flüssen kämpfst und deine brünierte
> Brust uns im Äther flimmernd erscheint ist es an Dichtern
> dass die Zunge sich löse in wohlgefügten Worten
> der nie vergessenen Sprache zu preisen dein Glück
> denn nicht nur die Fische bewegen sich flink
> in ihrem angestammten Gebiet auch dir ist unstrittig
> währende Herrschaft über das breitlagernde Land

Daniela Danz ahmt hier den Ton der pindarischen Ode nach, die als Auftragsarbeit zum Lob von Wettkampfsiegern seinerzeit offenbar vom Band floß. So gekonnt und *clin-d'œuil*-haft es ist, letztlich ist es leicht zu machen. Viel schwerer ihre Natur-Idyllen, die wiederum an Jan Wagner erinnern, nicht nur darum, weil auch Danz den Giersch erwähnt, den Wagner, zur grimmigen Befriedigung aller Kleingärtner, lyrisch verewigt hat. Wenn man Danz zu charakterisieren hätte, käme man auf Kombinationen wie: zugleich streng und schwebend. In ihren frühen Bänden umkreist sie die Gegend um Halle. In ihrem späteren Band *Pontus* erobert sie sich und ihren Lesern den Orient; bei aller Zartheit gar nicht unmartialisch. In dem Gedicht *Masada* beschwört sie die Festung in der Judäischen Wüste. Daniela Danz kennt selbstverständlich die notorische Zeile aus der Ode von Horaz: *Exegi monumentum aere perennius* – er habe sich ein Denkmal errichtet, dauerhafter als Erz. Das war schon selbstbewußt genug, ist aber blaß gegen das, was Danz in *Masada* als eine Bedingung fürs finale Erstarken fordert:

wenn du einen Schatten auf den Fels
wirfst und sagst mein Schatten bleibt
und der Fels vergeht

Selbstbewußt auch ihr Gedicht über die Bibiothek *In der Wand*, in dem sie das Lesen mit dem Bergsteigen vergleicht. Jede der vier dreizeiligen Strophen beginnt mit dem Wort «das Licht».

Das Licht in Bibliotheken die langen Studien
wo eine Fliege quer übern Tisch die Entfernungen
vermisst zwischen Gedanke Zeit und Tat

das Licht und der da liest sitzt im Gehäuse
eines grünen Apfels fest das Fleisch und Kerne
die aus vagem Weiß ihr hartes Braun erlernen

Zu beachten sind hier: das originelle Verb «erlernen», als wären die Apfelkerne Eleven, die sich ihre Farbe erst erarbeiten müssen, so wie sich die Ideen der Lyrikerin erst allmählich erhärten aus dem «vagen» Weiß. Doch weiter:

das Licht in Bibliotheken der Lesestaub und
seine stummen Dramen umeinander und um den
der liest und unter sich den Grund vergisst

das Licht nur Leere hinter schwarzen Zeichen
die er wie eine Wand durchklettert unberührt
vom Lachen derer die den flachen Anstieg nahmen

Wirkungsvoll bei Danz sind immer ihre Finale. Das gilt für die meisten Lyriker, die meisten zielen auf eine Pointe, ein Telos, aber bei Danz kann man die Schlußzeilen fast ohne ihre jeweiligen

Herleitungen zitieren. Wir bitten unsere Leserinnen, es nachzuprüfen.

*

Nun einige Beispiele aus der Vorgängergeneration der Grünbein, Wagner, Rinck. Die von letzterer geschätzte Christa Reinig zeigt in ihrem Sechszeiler *Ausweg*, wie man mit schlichtesten Mitteln stille Effekte erzielen kann.

Ausweg

Das was zu schreiben ist mit klarer schrift zu schreiben
Dann löcher hauchen in gefrorene fensterscheiben

Dann bücher und papiere in ein schubfach schließen
Dann eine katze füttern eine blume gießen

Und ganz tief drin sein – und den sinn erfassen
Zieh deinen mantel an du sollst das haus verlassen.

Monika Rinck hängt an den Haken dieses Gedichts eine ganze Vorlesung über die Frage, ob Lyrik eigentlich Fiktion sei. Unabhängig von dieser nur scheinbar abwegigen Frage ist es das Bezwingende an Reinigs Gedicht, daß es seine eigene Poetologie enthält. Das Gedicht sagt, was es tut: das, was zu schreiben ist, mit klarer Schrift, in klarer Sprache zu schreiben. Man könnte diese Sprache neusachlich nennen; Reinig hatte sich in den fünfziger Jahren in West-Berlin der Gruppe der «Zukunftsachlichen Dichter» angeschlossen. Diese Sachlichkeit und Klarheit hindern nicht die Poesie der gehauchten Atemlöcher auf gefrorenen Fensterscheiben; ein Bild des Aufbruchs, den Christa Reinig dann biographisch auch mehrfach vollzog, mit erst der Republikflucht und dann dem Bekenntnis zur Frauenliebe. Nicht mal eben Zigaretten holen gehen und für immer verschwinden. Sondern die Katze füttern, die Blume gießen, und dann erst: los! Beziehungsweise, mit Monika Rinck gerufen: *Alle Türen auf, Putzi!*

Eine ganz andere Schule vertritt die 1935 geborene und 2013 nach langer Zurückgezogenheit und mit Preisen überhäuft verstorbene Sarah Kirsch. Ihr Grundton, jedenfalls der späte, ist der tiefer, tiefer Melancholie. Ihre Bilder leuchten so fuchsrot und leuchtend grau wie in dem Gedicht

Wintermusik

Bin einmal eine rote Füchsin ge-
Wesen mit hohen Sprüngen
Holte ich mir was ich wollte.

Grau bin ich jetzt grauer Regen.
Ich kam bis nach Grönland
In meinem Herzen.

An der Küste leuchtet ein Stein
Darauf steht: Keiner kehrt wieder.
Der Stein verkürzt mir das Leben.

Die vier Enden der Welt
Sind voller Leid. Liebe
Ist wie das Brechen des Rückgrats

Wer hätte das noch schreiben können? Friedrich Nietzsche zufolge führen die Riesen ein Geistergespräch über die Schluchten der Zeit hinweg. Die Riesinnen auch. Im Ton Sarah Kirschs hallt etwas von Else Lasker-Schüler nach, die sich Prinz Jussuf von Theben nannte und die Karl Kraus schon früh als exzeptionell erkannt hatte. Nach der Lektüre ihres Gedichts *Ein alter Tibetteppich* rühmte er sie als die «stärkste und unwegsamste lyrische Erscheinung des modernen Deutschland» – in der *Fackel*, die sonst gern alles niederloderte. Das war 1910, Else Lasker-Schüler war ihr Leben lang stolz darauf und gab Kraus recht, indem sie bis zu ihrem Tod in Jerusalem 1945 eine unwegsame Erscheinung blieb: die exzentrisch-expressionistische Prinzessin einer Lyrik, die ganz eigen und tief aus dem jüdischen Sprach- und Bilderbrunnen schöpft. Im Schweizer Exil, streng überwacht von der Fremdenpolizei, übertrug sie ihre schönsten Gedichte kalligraphisch in ein Heft, das sie ihrem Hauptmäzen Hugo May als kleine Gegengabe widmete. Darunter auch das folgende:

Wo mag der Tod mein Herz lassen?

Immer tragen wir Herz vom Herzen uns zu.
Pochende Naht
Hält unsere Schwellen vereint.

Wo mag der Tod mein Herz lassen?
In einem Brunnen, der fremd rauscht –

In einem Garten, der steinern steht?
Er wird es in einen reißenden Fluß werfen.

Mir bangt vor der Nacht,
Daran kein Stern hängt.

Denn unzählige Sterne meines Herzens
Vergolden deinen Blutspiegel.

Liebe ist aus unserer Liebe vielfältig erblüht.
– Wo mag der Tod mein Herz lassen?

Else Lasker-Schüler schrieb das, als der Schicksalschlag ihres Lebens sie schon getroffen hatte, der Verlust ihres geliebten Sohns im Jahr 1927.

Ihre Bekannte im Berliner Romanischen Café, Mascha Kaléko, traf der gleiche Schlag, auch sie verlor ihren geliebten Sohn. «Bedenkt: Den eignen Tod, den stirbt man nur; doch mit dem Tod der andern muss man leben.» Mascha Kaléko, 1907 in Galizien geboren und 1938 in die USA emigriert, hat als Lyrikerin einen anderen Ton als Lasker-Schüler. Man schlug sie den Neusachlichen zu und nannte sie den «weiblichen Kästner». Das war damals als Kompliment gemeint. Heute würde man Kalékos Lyrik vorziehen; das leicht Triefige, Muttchen-verheuchelte Moralisieren Erich Kästners ist nur noch schwer zu ertragen. Hier ein Liebes- oder Liebesunglücksgedicht Mascha Kalékos, falls man die todgetränkten Verse so nennen kann. Neusachlich, unpathetisch, in der Reimform ganz konventionell, aber mit der entscheidenden kleinen Blutspur im Schnee.

Das berühmte Gefühl

Als ich zum ersten Male starb –
Ich weiß noch, wie es war.
Ich starb so ganz für mich und still.
  Das war zu Hamburg, im April
  Und ich war achtzehn Jahr.

Und als ich starb zum zweiten Mal.
  Das Sterben tat so weh.
  Gar wenig hinterließ ich dir:

Mein klopfend Herz vor deiner Tür,
  Die Fußspur rot im Schnee

Doch als ich starb zum dritten Mal,
  Da schmerzte es nicht sehr.
  So altvertraut wie Bett und Brot
Und Kleid und Schuh war mir der Tod.
  Nun sterbe ich nicht mehr.

Mit dem Tod der andern muß man leben, und auch mit dem Absterben des eigenen Liebesschmerzs.

Vom Tod der andern handeln zwei Lyriker aus der Generation von Sarah Kirsch. Zwei ihrer altersmelancholischen Gedichte ähneln sich verblüffend auch im Ton. Das erste trägt den Titel *Parabase*, was den Moment in der Attischen Komödie bedeutet, in dem der Chor sich direkt an das Publikum richtet. Der Schluß der *Parabase*, groß und ergreifend, im Goethe-Ton:

Ach! Die Täuschung was wir hatten
sei für keine Zeit verloren
und was nachts die Augen feuchtet
werde morgens neu geboren
Ach! Die Hoffnung daß dein Schatten
endlich meinen Schmerz erleuchtet

Das zweite, *Todesstunde* überschriebene Gedicht hat nur vier Zeilen.

Übel war mir die Nacht, ich hatte nichtsahnend die
  Nachricht
Schon empfangen und lag, wilde Empörung im Leib.
Heute weiß ichs, du warst hinab zu den Schatten gegangen
Heiter, heiter gebeugt! Anbrach der strahlende Tag.

In beiden Gedichten tritt der Personalstil zurück. Sie könnten, um es nur wenig zuzuspitzen, vom jeweils anderen Verfasser geschrieben worden sein. Beide lehnen sich an antikische Formen und Oden-Muster an, bei beiden schwingt der Goethe-Ton mit; bei beiden klingt die griechische Vorstellung von den Toten als Schatten an. Der Tod ist zu abstrakt, als daß man ihm allzu persönlich kommen könnte. Von ihm zu sprechen ist leichter, wenn man sich an Traditionen halten kann.

Beide Gedichte sind Beispiele dafür, wie man sich literarische Vorbilder anverwandeln kann, ohne sie zu parodieren oder epigonal nachzuahmen. Die *Parabase* ist von Harald Hartung, die *Todesstunde* von Volker Braun; zwei nicht genügend zu würdigende Lyriker und Stilisten.

Der Loriot-Test

Ganz anders, was den Personalstil angeht, verhält es sich bei dem strikt unverwechselbaren Dichter, der seine Leser in Jünger und Spötter aufspaltet.

> WER, wenn ich schriee, hörte mich denn aus der Engel
> Ordnungen? und gesetzt selbst, es nähme
> einer mich plötzlich ans Herz: ich verginge von seinem
> stärkeren Dasein. Denn das Schöne ist nichts
> als des Schrecklichen Anfang, den wir noch grade
> ertragen,
> und wir bewundern es so, weil es gelassen verschmäht,
> uns zu zerstören. Ein jeder Engel ist schrecklich.

Diese Zeilen können nur von Rainer Maria Rilke sein, kein anderer Verfasser käme in Frage. Dieser steile, pathetische Ton wäre bei einem kleineren Talent so komisch, wie es auch Rilke werden kann, wenn man ihn mit beengten Flugzeugsituationen bei Loriot verbindet. Pathos zieht die Raben der Spottlust an, davor wären auch andere nicht gefeit. Die Loriot-Szene hätte auch mit Terzetten Stefan Georges funktioniert. Mit einem Brecht-Gedicht eher nicht. Man könnte Gedichte dem Loriot-Test unterziehen und hätte eine ziemlich scharfe Trennmöglichkeit. Brecht hatte es die pontifikale Linie der Lyrik genannt, die auf Hölderlin zurückgehe. Je pontifikaler, desto parodieanfälliger, könnte man als These riskieren. Über die literarische Qualität wäre damit noch nichts befunden. Genausogut ließen sich Gedichte auf die Nekrolog-Probe stellen: Eigneten sich Zeilen daraus für Todesanzeigen? Rilke und Hölderlin lägen weit vorn; Brecht abgeschlagen hinten.

Doch falls jemand die Filmszene nicht mehr präsent haben sollte: Evelyn Hamann und Loriot sitzen im Flugzeug nebeneinander und entdecken ihre gemeinsame Passion. Sie lese Gedichte? fragt Loriot seine an ihn gequetschte Mitreisende. «Ja, Rilke.» Sie liebe Rilke. «Etwas Schöneres ist in deutscher Sprache wohl nie geschrieben worden», bemerkt Loriot im Anzug mit Krawatte, während ihm der Inhalt seiner frisch geöffneten Bierdose um die Ohren spritzt. Evelyn Hamann trinkt Tomatensaft und rezitiert beim nunmehr anbrechenden unappetitlichen Lunch, gesprochen Lönsch, aus dem *Stunden-Buch*:

Und du erbst das Grün
vergangner Gärten und das stille Blau
zerfallner Himmel.
Tau aus tausend Tagen,
die vielen Sommer, die die Sonnen sagen,
und lauter Frühlinge mit Glanz und Klagen
wie viele Briefe einer jungen Frau.

Ihr Nachbar am Fensterplatz bekommt mit, daß es um Lyrik geht. Er habe einen Cousin in Kassel, der ebenfalls Gedichte schreibe: «Ich muß die Nase meiner Ollen / An jeder Grenze neu verzollen.» (Für die Jüngeren: Das war vor der Schengen-EU.) Evelyn Hamann zitiert nun den Schluß der Zehnten Duineser Elegie: «Einsam steigt er dahin, in die Berge des Ur-Leids. Und nicht einmal sein Schritt klingt aus dem tonlosen Los.» Loriot hat Schwierigkeiten mit dem «tonlosen Los» und muß es sich wiederholen lassen, was man ihm nicht verdenken kann.

Der Beginn dieser Elegie:

DASS ich dereinst, an dem Ausgang der grimmigen
Einsicht,
Jubel und Ruhm aufsinge zustimmenden Engeln.
Daß von den klar geschlagenen Hämmern des Herzens
keiner versage an weichen, zweifelnden oder
reißenden Saiten. Daß mich mein strömendes Antlitz
glänzender mache; daß das unscheinbare Weinen
blühe. O wie werdet ihr dann, Nächte, mir lieb sein,
gehärmte. Daß ich euch knieender nicht, untröstliche
Schwestern,
hinnahm, nicht in euer gelöstes
Haar mich gelöster ergab. Wir, Vergeuder der Schmerzen.

Hermetische oder pathetische Dichtung hat ihr eigenes Recht. Als Stilkritiker wird man einwenden dürfen, daß man sich zwar gut vorstellen kann, wie eine Saite reißt, aber nur sehr schlecht, wie sie zweifeln können soll (hier kreist schon der erste Rabe), und daß ein «blühendes» Weinen scharf an der Kante zur Katachrese balanciert. Aber Rilke ist Religion, und wir wollen niemanden beleidigen. Jedenfalls nicht vor dem Lönsch. Seine Verehrer stellen ihn noch über Hölderlin und Goethe. Und daß er eine enorme

Zahl von Funden hatte, wird niemand bestreiten; er würde denn gnadenlos ausgesetzt auf die Hügel seines Herzens.

Rilke war schon einzigartig. Oder wie sah das Robert Neumann? Auch an Rilke hat er sich vergriffen, am Jugendwerk *Der Cornet*; leichtes Spiel. Die Parodie auf George haben wir zitiert. Auch seine Parodie auf Hofmannsthals *Terzinen* ist von abgefeimt Wienerischer Boshaftigkeit.

Mutteranruf

Nach Hugo von Hofmannsthal

Und Kinder wachsen auf mit großen Augen
Und wissen schon von ihrem tiefsten Walten
Und wollen es schon daumenhaft besaugen.

Und Mütter gehen, und immer wieder halten
Und heben sie die drohbereite Geste
Und stehn erstarrt und drohn noch im Erkalten.

Und Dichter sind, und ihre Anapäste
Sind wie die Neige tiefgesenkter Krüge
Und schmecken schal wie trübe Hefereste.

Die Anapäste hatten Neumann schon bei George gestört. Es gibt eine Steigerung dieser Hofmannsthal-Parodie, eine Überbietung, bei der sich die Donau der Stilkritik ins Schwarze Meer des Nonsense ergießt. Bei Robert Gernhardt wird nicht die Vergänglichkeit betrauert, sondern die Vergeßlichkeit.

Terzinen über die Vergeßlichkeit
Nach Kuno von Hofmannsthal

Noch spür ich ihren Dingens auf den Wangen,
Wie kann das sein, daß diese nahen Tage
Dings sind, für immer fort und ganz vergangen?

Dies ist ein Ding, das keiner voll aussinnt
Und viel zu kommnichtdrauf, als daß man klage,
Daß alles gleitet und vornüberrinnt.

Und daß mein eignes … Na! durch nichts gehemmt
Herüberglitt aus einem Kind? Ja, Kind,
Mir wie ein Hut unheimlich krumm und fremd.
Dann: daß ich auch vor Jahren hundert war

Und meine Ahnen, die im roten Hemd
Mit mir verdingst sind wie mein eignes Haar.

So dings mit mir als wie mein eignes Dings.

Bei Neumann ist die Stilkritik explizit: Er macht sich lustig über das ewige rhythmische Gleichmaß der Terzinen. Bei Gernhardt ist es anarchischer, hier schwingt sich der reine *Fun* zum König auf und schwenkt die Narrenkappe. Es ist ein Gedicht mit der Komik-Energie eines durchdrehenden Dynamos.

Dennoch: Wenn man nur eines der drei Gedichte prämieren könnte, trüge den Sieg immer noch Hugo davon.

Noch spür ich ihren Atem auf den Wangen:
Wie kann das sein, daß diese nahen Tage
Fort sind, für immer fort, und ganz vergangen?

Dies ist ein Ding, das keiner voll aussinnt,
Und viel zu grauenvoll, als daß man klage:
Daß alles gleitet und vorüberrinnt.

Und daß mein eignes Ich, durch nichts gehemmt,
Herüberglitt aus einem kleinen Kind
Mir wie ein Hund unheimlich stumm und fremd.

Dann: daß ich auch vor hundert Jahren war
Und meine Ahnen, die im Totenhemd,
Mit mir verwandt sind wie mein eignes Haar,
So eins mit mir als wie mein eignes Haar.

Schwarze Vögel

Was Pastiches betrifft, die sich der unbemerkten Parodie nähern, so beherrschte sie Robert Gernhardt schon als Gymnasiast. Aus seinem Deutsch-Abitur ist die Anekdote überliefert, daß er seinen Lehrer durch die Interpretation des folgenden Trakl-Gedichts beeindruckte:

Die Pendel brauner Uhren nicken leise.
Der Abendmond verläßt sein bleiches Bett.
Ein Jäger einsam bei dem Hasel steht.
Die schwarzen Vögel ziehen leichte Kreise.

Was der Lehrer nicht ahnte: Der Verfasser dieser Zeilen war nicht etwa Trakl, sondern der junge Abiturient selbst. Im Vergleich hierzu ein beliebig herausgegriffener echter Trakl:

Trübsinn

Am Abend wieder über meinem Haupt
Saturn lenkt stumm ein elendes Geschick
Ein Baum, ein Hund tritt hinter sich zurück
Und schwarz schwankt Gottes Himmel und entlaubt

Merkt man dann doch einen Unterschied, die Pranke des Original-Löwen? Doch, schon. Aber hier ein echter Gernhardt, ein klassisches Sonett.

Roma aeterna

Das Rom der Foren, Rom der Tempel
Das Rom der Kirchen, Rom der Villen
Das laute Rom und das der stillen
Entlegnen Plätze, wo der Stempel

Verblichner Macht noch an Palästen
Von altem Prunk erzählt und Schrecken
Indes aus moosbegrünten Becken
Des Wassers Spiegel allem Festen

Den Wandel vorhält. So viel Städte
In einer einzigen. Als hätte
Ein Gott sonst sehr verstreuten Glanz

Hierhergelenkt, um alles Scheinen
Zu steingewordnem Sein zu einen:
Rom hat viel alte Bausubstanz.

Das ist das typische Gernhardt-Prinzip: Kunstvoll baut er aus Karten ein turmhohes Gebilde, und im letzten Moment zieht er die unterste weg. Er kann den hohen Ton, und er konterkariert ihn mit dem letzten Wort; der komische Einsturz als Stilprinzip.

Robert Gernhardt sah sich in der Tradition des von ihm so benannten Siebengestirns: Heine, Busch, Morgenstern, Ringelnatz, Tucholsky, Brecht und Jandl; wobei man Brecht doch eher zu den, nach Gernhardts Wortschöpfung, Ernstlern gezählt hätte.

Es gibt aber auch von Gernhardt stille und todernste Gedichte, die nicht auf die Pointe zielen. Aus der Zeit seiner letzten Erkrankung stammen die beiden folgenden Beispiele oder Exempla.

Exempla Docent

Beim Tomatenpflücken bleibt
mein Hemd an einer der Stangen
hängen und reißt.
Ritsch.

Beim Ausziehen bleibt
mein Blick am Etikett des Hemdes
hängen und liest: «Eterna.»
Ratsch.

Das doppelte Hängenbleiben, das *Ritsch – Ratsch*, gibt dem Gedicht die formale Klammer. Das stillschweigend Mitgedachte – anders als das bügelfreie Hemd wird *er*, der Krebskranke, es nicht ewig machen – gibt ihm die grimmige Grundierung.

In helleren Zeiten hatte Gernhardt einmal ein Gedicht geschrieben, dessen wuchtiges stilistisches Mittel die Wiederholung eines einzigen Wortes war. Er wird dieses Gedicht später zurücknehmen, wenn man so will.

Von Viel zu Viel

Von allem viel. Viel Birne, viel Zwetschge. Viel
Traube, viel Pfirsich. Viele Tomaten. Viel
Rascheln der vielen trockenen Blätter. Viel
Haschen der vielen kleinen Katzen. Viel
Duft von viel Harz der vielen Pinien. Viel
Wind in den vielen Oliven. Viel Silber. Viel
Rauschen. Viel Blau in den vielen Hügeln. Viel
Glanz. Viel Wärme. Viel Reife. Viel Glück.

Die vielen Viels greift Gernhardt in dunkleren Zeiten wieder auf. Jetzt sind es die gleichmäßig marschierenden Schritte auf einer Brücke, die dadurch ins Vibrieren und endlich zum Einsturz gebracht wird.

Ich bin viel krank.
Ich lieg viel wach.
Ich hab viel Furcht.
Ich denk viel nach:

Tu nur viel klug!
Bringt nicht viel ein.
Warst einst viel groß.
bist jetzt viel klein.

War einst viel Glück.
Ist jetzt viel Not.
Bist jetzt viel schwach.
Wirst bald viel tot.

VI. Das Pikante und der Spaß der Welt

Beim Thema packen! Der Stilist als Prosa-Autor erweist sich am Thema, woran sonst, wenn er nicht nur Miniaturen meißelt, sondern sich am Leben versucht. Man wähle ein Thema und verfolge, wie unsere Autoren es angehen, dann wird man schon sehen.

Ein mögliches Thema wären Sterbeszenen. Sie erfordern den höchsten stilistischen Mut. Man könnte sich auch auf Landschaftsschilderungen kaprizieren. Warum Landschaften? Weil sie zur Handlung nichts beitragen, weil sich im Grunde kein Mensch für sie interessiert und weil ausschließlich durch die Gabe des Stils und der plastisch-metaphorischen Beschreibung der Impuls des Lesers, vorzublättern, gedämpft werden kann.

Wir wählen dann doch lieber ein anderes Thema. Es gibt zwei Gründe, warum wir jetzt den Perlenvorhang teilen und uns in die Welt des Eros stürzen. Der erste Grund ist, daß sie uns doch mehr reizt als die sanft in der Abendluft stehenden Bäume. Der zweite Grund ist, daß genau hier, bei diesem Thema, alles vom Stil abhängt. Es gibt hier das kurioseste Erzähl-Kamasutra.

Schopenhauer beschrieb es in der *Welt als Wille und Vorstellung* als den «Spaß der Welt». Die Hauptangelegenheit aller Menschen, das Geschlechtsverhältnis, sei der unsichtbare Mittelpunkt alles Tuns und Treibens:

> Es ist die Ursache des Krieges und der Zweck des Friedens, die Grundlage des Ernstes und das Ziel des Scherzes, die unerschöpfliche Quelle des Witzes, der Schlüssel zu allen

> Anspielungen und der Sinn aller geheimen Winke, aller unausgesprochenen Anträge und aller verstohlenen Blicke [...]. Das aber ist das Pikante und der Spaß der Welt, daß die Hauptangelegenheit aller Menschen heimlich betrieben und ostensibel möglichst ignoriert wird.

Wenn diese Hauptangelegenheit nun aber nicht ignoriert, sondern literarisch beschrieben wird, dann ist, wenn es nicht ums pur Pornographische geht, der Stilist gefragt. Es sind die Mittel der Umschreibung, der Aussparung, der Metaphorisierung, die der Stilist, will er nicht in den Feuchtgebieten versinken, zu nutzen hat. Nein, kein Wort hier gegen Charlotte Roche, gegen Ralf Rothmann, gegen Michael Kleeberg, gegen den Grass von *Katz und Maus*. Und schon gar kein Wort gegen den Verfasser der *Mutzenbacher* oder Borchardts *Weltpuff Berlin*. Wir werfen nur ein paar Blicke auf alte und neue Klassiker und ein paar Zeitgenossinnen.

Grundsätzlich könnte man erotische Szenen nach ihren jeweiligen Aussparungsmethoden und Umgehungsstrategien in *prä* und *post* unterteilen, in *Davor* und *Danach*, mit dem entscheidenden Hiatus dazwischen. Aber es gibt natürlich auch das *Dabei*. Und oft geht es einfach drunter und drüber.

Verbotne Früchte. Der Gedankenstrich

Wir wollten mit der Klassik beginnen. Friedrich Hölderlin als Erotiker? Nach allem, was wir von Hyperion gehört haben? «Es ist hier eine Lücke in meinem Dasein», hatte er erklärt, bevor er am Herzen des himmlischen Mädchens erstarb. So blaß das Sinnenglück geschildert wird, das Hyperion mit seiner Geliebten Diotima erfährt, so subkutan heißblütig wird es, wenn er an seine Freundschaft mit Alabanda denkt. Den entscheidenden Hinweis gibt

Hölderlin beim ersten Auftritt des von Hyperion bewunderten jungen Mannes. Es ist die Anspielung auf den Paradies-Mythos. Hölderlin schreibt von dem Zwergengeschlecht, «das mit freudiger Scheue an seiner [Alabandas] Schöne sich weidete, seine Höhe maß und seine Stärke, und an dem glühenden verbrannten Römerkopfe, wie an verbotner Frucht mit verstohlnem Blicke sich labte».

Die verbotene Frucht wird bald darauf kaum verstohlen gepflückt. Hölderlin behandelt das Homoerotische für seine Zeit erstaunlich offen. Alabanda, nach Isaak von Sinclair gezeichnet, ist ein wilder, energischer Freiheitskämpfer, mit dem Hyperion eine Weile in «herrlicher Strenge und Kühnheit» zusammenlebt. Hölderlin camoufliert viel weniger, als daß er offenlegt. Hyperions Siebter Brief ist ein dramatischer Liebes- und Eheroman. «Mußten so in freudig stürmischer Eile nicht die beiden Jünglinge sich umfassen?» Hyperion fragt rhetorisch. Er nennt das, was die beiden miteinander erleben, «Bräutigamstage». Er hält an der Ehe-Metapher fest, auch als die emotionalen Stürme aufziehen. Hyperion verzehrt sich vor Eifersucht, als er Besuch von Alabandas ihm bislang unbekannten grobschlächtigen Freunden bekommt: «Mir war, wie einer Braut, wenn sie erfährt, daß ihr Geliebter insgeheim mit einer Dirne lebe.» Der Schmerz darüber ist wie eine Schlange, die ihm ihre giftigen Zähne in Brust und Nacken schlägt. Es folgen bewegte Szenen, in denen die Geliebten sich in die Arme fallen und küssen wollen, es aber aus Stolz nicht tun. Zehn Jahre vor Kleists *Penthesilea* bricht es aus Hyperion heraus: «Wir zerstörten mit Gewalt den Garten unsrer Liebe.» Daß diese Liebe nicht nur platonischer Natur ist, macht Hölderlin sehr viel deutlicher als nach ihm August Graf von Platen, H. C. Andersen oder Stefan George. Nach dem vorübergehenden Zerwürfnis erinnert sich Hyperion an Alabanda: «Und doch war ich unaussprechlich glücklich gewesen mit ihm, war so oft untergegangen in seinen Umarmungen, um aus ihnen zu erwachen mit Unüberwindlichkeit in der Brust.»

Wie sonst hätte man gemeinsam verbrachte Liebesnächte damals umschreiben sollen? Hölderlin, seiner Zeit voraus, verzichtete auf die üblichen Camouflage-Schleier und Girlanden. Er schilderte, nicht ohne Stolz und Wahrheitsmut, die Bräutigamstage mit einem Mann.

*

Hölderlins Zeitgenosse Heinrich von Kleist hat den sexuellen Akt ebenfalls durch eine Lücke bezeichnet, diese Lücke aber mit einem Satzzeichen markiert. Es findet sich in seiner Novelle *Die Marquise von O...* Kleist erzählt darin von der verwitweten Marquise, die in Italien zurückgezogen in der Zitadelle ihres Vaters lebt. Diese Zitadelle wird im Krieg von russischen Soldaten gestürmt. Kurz bevor der Marquise Gewalt und Schändung drohen, stellt sich ein russischer Graf schützend vor sie. Die Marquise fällt in Ohnmacht und findet sich danach in anderen Umständen wieder, ohne zu wissen, wie sie in diese geraten ist. Sie sucht den Kindsvater per Zeitungsannonce. Daß der russische Graf ihre Ohnmacht ausgenutzt hat, wird er später reumütig zugeben, dem Leser aber wird es durch ein einziges Satzzeichen signalisiert, dem berühmtesten Gedankenstrich der deutschen Literatur.

Die Marquise liegt in Ohnmacht, der Graf ist alleine mit ihr. «Hier – traf er, da bald darauf ihre erschrockenen Frauen erschienen, Anstalten, einen Arzt zu rufen; versicherte, indem er sich den Hut aufsetzte, daß sie sich bald erholen würde; und kehrte in den Kampf zurück.»

Indem er sich den Hut aufsetzte, den er *in actu* offenbar wenigstens taktvollerweise abgesetzt hatte. Der Gedankenstrich ist wie ein ostentatives Räuspern: Hier – geschah etwas, was wir nicht erzählen wollen, können oder brauchen ...

Hundert Jahre später greift ein Autor die Idee Kleists auf und verwendet einen Gedankenstrich in genau der gleichen Funktion: In der kleinen Pause, die er markiert, vollzieht sich der Koitus. Die Stelle diene auch als sachliches Korrektiv zu Brechts lyrischer Feier der Defloration, auf die wir noch kommen werden.

In Robert Musils *Tonka* aus den *Drei Frauen* wird das, was Brecht «das große Heute» tauft, vom nicht sehr empfindsamen Erzähler wie ein Bürotermin zuvor festgelegt. Seine jungfräuliche Freundin zaudert und zögert, als er pünktlich erscheint. Das Bett ist schon aufgeschlagen, aber sie setzt sich noch einmal hin, schließlich löst sie mit weggewandtem Gesicht ihre Kleider, steht noch einen Moment «im Ungeschick ihrer ersten Nacktheit» und schiebt sich mit einer ungewohnten Bewegung ins Bett; «die Haut schloß sich rührend wie ein zu enges Kleid um ihren Körper».

> Er hielt noch einmal ein, und Tonka lag im Bett mit geschlossenen Augen und zur Mauer gewandtem Kopf, endlos lang, in fürchterlich einsamer Angst. Als sie ihn endlich neben sich fühlte, waren ihre Augen warm von Tränen. Es kam dann eine neue Welle der Angst, Entsetzen über ihre Undankbarkeit, ein sinnloses, Hilfe suchendes Wort, durch einen endlosen, einsamen Gang hervorstürzend, verwandelte sich in seinen Namen, und dann – war sie sein geworden.

Während des Gedankenstrichs vollzieht sich der Akt, den Musil noch ganz altmodisch als Besitznahme umschreibt. So einfühlsam er sich in die weibliche Hauptfigur versetzt – wie er sich überhaupt großartig in Frauen einfühlt –, so sehr bringt er den Stilkritiker ins Grübeln. Ist dieser einsame Gang, durch den ein Wort stürzt, um sich in einen Namen zu verwandeln, wirklich anschaulich? Vielleicht ist es ja genial? Ganz genau weiß man es bei Musil selten; anders als Joseph Roth hat er oft etwas leicht Angestrengtes.

Drehbleistift, wachsend

Er werde das Sinnlichste sein, was er geschrieben haben werde, notierte Thomas Mann 1920 im Tagebuch über den *Zauberberg* – aber «von kühlem Styl». In der Tat wurde Manns großer Roman der mittleren Epoche bei aller Kühle so sinnlich, daß ihn das Nobelpreis-Komitee 1929 bei seiner Begründung verschämt unterschlug; der Preis wurde Mann für die von morbider Erotik noch halbwegs freien *Buddenbrooks* erteilt (Hannos Klavier-Ergüsse abgerechnet).

In Stockholm müssen die Phantasien verräterische eigene Wege gegangen sein, denn die einzige Liebesnacht, die der junge Hans Castorp erlebt, wird im Roman nicht erzählt. Die von Castorp angebetete Clawdia Chauchat leiht ihm auf der Walpurgisnacht einen Bleistift, darauf macht er ihr auf französisch fünf Seiten lang äußerst beredt, mit von Whitmans *Leaves of Grass* befeuerten Worten den Hof. Dann verabschiedet sie sich mit dem Satz: «N'oubliez pas de me rendre mon crayon.»

Und das war es. Das Kapitel schließt, ein neues hebt an, in dem von jener Nacht nicht mehr die Rede ist. Allerdings hat der Auslöser dieser Liebesnacht eine beredte Vorgeschichte. Clawdias Crayon, den Castorp ihr nachts aufs Zimmer zurückbringen wird, hat einen Vorläufer: den Bleistift, den sich Hans Castorp seinerzeit von dem Jugendgeliebten Pribislav Hippe lieh – «ein versilbertes Crayon mit einem Ring, den man aufwärts schieben mußte, damit der rot gefärbte Stift aus der Metallhülse wachse. Er erläuterte den einfachen Mechanismus, während ihre beiden Köpfe sich darüberneigten».

Verglichen mit diesem Ur-Bleistift empfindet Castorp den von Clawdia geliehenen als enttäuschend: «ein kleines silbernes Crayon, dünn und zerbrechlich, ein Galanteriesächelchen, zu ernsthafter Tätigkeit kaum zu gebrauchen. Der Bleistift von damals, der erste, war handlich-rechtschaffener gewesen.» Aber wie damals neigen sie die Köpfe darüber, und Clawdia zeigt ihm die landläufige Mechanik des Crayons, aus dem nicht etwa ein praller handlicher Stift wächst, sondern nur ein nadeldünnes Stänglein fällt.

Die starken Potenzen dieses Galanteriesächelchens waren Thomas Mann vermutlich so wenig geläufig wie ihr anatomischer Begriff.

Das wäre ein Beispiel für die Technik der Aussparung und symbolischen Umschreibung.

Die gelöschte Kerze

Thomas Manns lebenslanges Vorbild Goethe war in den *Wahlverwandtschaften* ebenso diskret. Bei ihm dringt der Leser aber immerhin bis ins Schlafgemach vor. Die Pointe der sich dort vollziehenden Liebesnacht bildet das Herzstück des Romans. Eigentlich sind es nämlich zwei Liebesnächte, die Goethe uns erzählt: die reale, die Charlotte mit ihrem Ehemann Eduard verbringt, und die imaginierte, in der sie beide in ihrer Phantasie fremdgehen und Eduard mit der begehrten jungen Ottilie schläft und Charlotte mit dem begehrten Hauptmann. Das in dieser Nacht gezeugte Kind sieht dann sprechender- und mysteriöserweise den beiden ähnlich, die die Nacht gerade nicht miteinander verbracht haben.

Über die Anbahnung dieses chiastischen Vierers teilt uns der Roman folgendes mit: Es klopft an ihrer Tür. Charlotte hofft, es sei der Hauptmann, allein es ist ihr Gemahl Eduard. Der erklärt den offenbar selten gewordenen nächtlichen Besuch damit, daß er ein Gelübde getan habe, an diesem Abend noch Charlottes Schuh zu küssen.

> Sie hatte sich in einen Sessel gesetzt, um ihre leichte Nachtkleidung seinen Blicken zu entziehen. Er warf sich vor ihr nieder, und sie konnte sich nicht erwehren, daß er nicht ihren Schuh küßte, und daß, als dieser ihm in der Hand blieb, er den Fuß ergriff und ihn zärtlich an seine Brust drückte.

Es folgt eine verklausulierte Umschreibung davon, daß Charlotte ihrem Mann seit jeher eher spröde begegnet war und auch an diesem Abend keine Lust auf ihn hat. «Wie sehnlich wünschte sie den Gatten weg; denn die Luftgestalt des Freundes schien ihr Vorwürfe zu machen.» Es hilft nur nichts: «Aber das, was Eduarden hätte entfernen sollen, zog ihn nur mehr an.»

Und er gibt sich alle Mühe. «Eduard war so liebenswürdig, so freundlich, so dringend; er bat sie, bei ihr bleiben zu dürfen, er forderte nicht, bald ernst bald scherzhaft suchte er sie zu bereden, er dachte nicht daran, daß er Rechte habe, und löschte zuletzt mutwillig die Kerze aus.»

Die Kerze, die in der Hochliteratur zu diesem Anlaß gerne gelöscht wird. Und nun die Pointe:

> In der Lampendämmerung sogleich behauptete die innere Neigung, behauptete die Einbildungskraft ihre Rechte über das Wirkliche: Eduard hielt nur Ottilien in seinen Armen, Charlotten schwebte der Hauptmann näher oder ferner vor der Seele, und so verwebten, wundersam genug, sich Abwesendes und Gegenwärtiges reizend und wonnevoll durcheinander.

Der letzte Satz ist unbestreitbar wieder Goethe-Prosa auf ihrer Höhe, nicht zuletzt wegen der wonnereichen Wiederholung der insgesamt sieben *W*s.

Weit gefehlt, wer glaubt, der Olympier sei immer so züchtig gewesen. Die *Römischen Elegien*, die er 1795 in Schillers Monatsschrift *Die Horen* veröffentlichte, waren so freizügig, daß sich Herder zu dem Vorschlag genötigt sah, im Titel der Zeitschrift das «o» durch ein «u» zu ersetzen. Noch obszöner waren die 1790 entstandenen *Venetianischen Epigramme.* Publiziert wurden die gewagtesten davon erst hundertfünfzig Jahre nach Goethes Tod.

Das folgende Epigramm müßte selbst einer Catherine M. gefallen; es handelt von Auto-Cunnilingus. Das darauf folgende mit seiner komischen Kaffee-Pointe zeigt Goethe als Kenner des französischen Verbs *branler.* Beim dritten kann man sich schlecht etwas anderes vorstellen als das, was noch bei Musil Sodomie genannt wird.

Was ich am meisten besorge: Bettina wird immer
geschickter,
Immer beweglicher wird jegliches Gliedchen an ihr;
Endlich bringt sie das Züngelchen noch ins zierliche F…,
Spielt mit dem artigen Selbst, achtet die Männer nicht viel.

«Kaffee wollen wir trinken, mein Fremder!» – Da meint sie
branlieren;
Hab ich doch, Freunde, mit Recht immer den Kaffee
gehaßt.

Knaben liebt ich wohl auch, doch lieber sind mir die
Mädchen;
Hab ich als Mädchen sie satt, dient sie als Knabe mir noch.

Ein klassischer Chiasmus, dieses letzte Epigramm, so wie in: «Welch ein Glück, geliebt zu werden / Und lieben, Götter, welch ein Glück.» Die formale Strenge dieser rhythmisch akkuraten Kühn- oder Unverschämtheiten macht deren stilistischen Reiz.

Wem das alles zu frivol ist, der greife zu Hermann Hesse. Dort geht es sittsamer zu. In *Klingsors letzter Sommer* liebt man sich so: «Sie tranken den Becher, Wind strich über ihr Haar und nahm ihren Atem mit.» – Kurz und atemberaubend keusch. Dabei ist Klingsor eigentlich ein Wüstling.

Käfer, sich tot stellend

Erzähltechnisch interessant zwischen *prä* und *in actu* schwebend ist das folgende Beispiel aus Robert Musils *Drei Frauen.* Die Herzensdame des Helden ist die derbe bäurische Grigia. Die Szene spielt sich in einem Heuschober ab.

> Er stellte sich das Kommende vor und mußte wieder an die Bauernart zu essen denken; sie kauen langsam, schmatzend, jeden Bissen würdigend, so tanzen sie auch, Schritt um Schritt, und wahrscheinlich ist alles andere ebenso; er wurde so steif in den Beinen vor Aufregung bei diesen Vorstellungen, als stäken seine Schuhe schon etwas im Boden. Die Frauen schließen die Augendeckel und machen ein ganz steifes Gesicht, eine Schutzmaske, damit man sie nicht durch Neugierde stört; sie lassen sich kaum ein Stöhnen entreißen, regungslos wie Käfer, die sich tot stellen, konzentrieren sie alle Aufmerksamkeit auf das, was mit ihnen vorgeht. Und so geschah es auch; Grigia scharrte mit der Kante der Sohle das bißchen Winterheu, das noch da war, zu einem Häuflein zusammen und lächelte zum letztenmal, als sie sich nach dem Saum ihres Rockes bückte wie eine Dame, die sich das Strumpfband richtet.

Hier ist der eigentliche Akt nur angedeutet, das Geschilderte liegt in der Zukunft, die auf den letzten Satz folgt. Musil bleibt im Modus der Aussparung, aber der Spalt, durch den er die Leser aufs Eigentliche blicken läßt, ist schon scheunentorgroß. Das markanteste erzählerische Mittel ist dabei seine Metapher des sich tot stellenden Käfers; ihn wird man von dieser Stelle im Gedächtnis behalten.

Es gehört zu den verbreiteten Techniken, daß der Erzähler sich auf ein metaphorisches Detail konzentriert – das Werk Heimito von Doderers schwelgt darin. Aber schön und diskret verwendet sie auch Joseph Roth. In seinem *Radetzkymarsch* sitzt der spröde Leutnant Trotta im Nachtzug nach Wien mit der freizügigen Frau von Taußig, die ihn verführen will, obwohl oder weil sie, wie sie ihm zuflüstert, seine Mutter sein könnte. Die Szene beginnt mit einem ebenso gewagten wie einleuchtenden Bild. Leutnant Trotta, von Frau von Taußig umgarnt, fühlt «den schnellen Wechsel von glatter Kühle und ebenso glatter Glut auf ihrer Haut, die jähen klimatischen Veränderungen, die zu den zauberhaften Erscheinungen der Liebe gehören. (Innerhalb einer einzigen Stunde häufen sich die Eigenschaften aller Jahreszeiten auf einer einzigen weiblichen Schulter.)»

Joseph Roth liebte die Frauen, und sie liebten ihn, wie man an solchen Stellen zu spüren meint. Was sich dem Werk des Käfer-Experten Franz Kafka weniger leicht ablesen läßt, wie wir bei unserer *Schloß*-Inspektion sehen werden.

Der Mann des Labyrinths und das Mädchen

Noch stehen wir aber gewissermaßen im Vorhof und immer noch im Modus der Aussparung. Eine Sondertechnik dieser Aussparung besteht darin, daß dem Leser ausdrücklich mitgeteilt wird, warum die folgende Szene nun eben *nicht* erzählt werde. Warum nicht? Weil man ohnehin wisse, was jetzt folge, ist die Begründung, die Kleist in der Erzählung *Die Verlobung in St. Domingo* gibt. Nach dem Blick des älteren Offiziers auf das vor ihm kniende Mädchen und ihre jungen Brüste heißt es: «Was weiter erfolgte, brauchen wir nicht zu melden, weil es jeder, der an diese Stelle kommt, von selbst liest.» Der Leser kann sich selber denken, was sich im Bett zwischen Mädchen und Offizier abspielen wird.

Etwas ausführlicher wird Heimito von Doderer in seinem letzten und, Gott sei's geklagt, Fragment gebliebenen Roman *Der Grenzwald.* Dort schleppt eine junge Frau in Wien den mürrischen Karrieristen und späteren Mörder Heinrich Zienhammer ab. Es ist die wichtigste Begegnung des Buchs, denn die Frau wird bei diesem Hotelintermezzo wie gewünscht schwanger, was keine der später aufeinanderstoßenden Figuren, weder ihr daraus entsprossener Sohn noch dessen wahrer Vater, je erfahren wird; das ist eine der vielen Finessen des Romans. Warum er bei Zienhammers Entjungferung (man nenne das ja auch bei Männern so, heißt es einmal bei Thomas Mann) im Vagen bleibe, erklärt uns Doderer so:

> Das folgende wird nicht des Anstandes wegen undeutlich gegeben, sondern weil es für beide Teile undeutlich war und auch zu rasch geschah als daß irgendeine Ausführlichkeit sich hätte in diesen Ablauf verbreiternd einschieben können. Einzelheiten waren aufgehoben, Details sistiert (solche erschienen dem Heinrich erst viel später).

Prüderie also ist nicht schuld an der Knappheit der Darstellung, was beim Autor der *Merowinger* aber auch nicht überrascht. So ganz sprachohnmächtig ist es nicht, was Doderer dann immerhin doch noch gibt:

> Er blickte in ihre weit aufgerissenen Augen und ihr sandigblondes Gesicht und war nichts als Gehorsam. Sie hatte den Befehl: mit kurzen, alles andere ausschließenden Gebärden. Schon lag er gänzlich entkleidet auf dem Bett. Das Geräusch, welches sie erzeugte, indem sie alles von sich warf, war erheblich und ungehemmt, ihr auf einen Stuhl geworfenes Mieder tat geradezu einen Schlag. Dann kam eine weiße Hitze und ein unbeschreiblicher Dunst über ihn, sie ging mit ihm um wie mit einem gänzlich Unwissenden, der er ja auch war, und schon auch stand sie wieder ganz angekleidet da, die weiße Tür klappte und sie war verschwunden.

Die weiße Hitze erinnert an den «heißen Gletscher», durch den im Vorgängerroman, den *Wasserfällen von Slunji*, der junge Zdenko überwältigt wird. Daß ihr *sandig*-blondes Gesicht möglicherweise nur beflaumt sei, fällt dem indifferenten Heinrich Zienhammer erst später ein.

Seinen Keks behalten und ihn dennoch genüßlich knabbern, das gelingt vorzüglich auch dem Erzählermönch Clemens in Thomas Manns Roman *Der Erwählte*. Es gilt, die Hochzeitsnacht zwischen Grigorß und seiner Mutter zu beschreiben, oder diese Beschreibung aus drei gründlich erläuterten Gründen zu verweigern. Clemens weiß wohl, daß es dem Leser nicht schmecken wird, wenn er sich jetzt wortkarg gibt. «Mancher wird mir zürnen, daß ich diesen Auftritt ins Dunkel verweise und ihn nicht zur Gegenwart zulasse, denn viel mißliche Holdheit und ängstliche Herzensunterhaltung wäre ihm zweifellos abzugewinnen.»

Allein, es stehen drei Gründe dagegen. Zum ersten ist die Schilderung von Liebesauftritten Clemens' Stande und Kleide nicht schicklich. Bitte, er ist ein Mönch! Zum zweiten sieht er Grigorß Augen lieber in, wie es heißt, außergewöhnlicher Sammlung die Bewegungen eines Gegners überwachen, als daß er sie schmachtend sich brechend sehe in «süß entmannender Minne». Er sieht ihn also lieber kämpfen als mit Frauen im Bett. Ein erotisches Argument, Clemens, leugnet es nicht! Und zum dritten ruhe alles, was da geseufzt und zärtlich verübt wurde, auf einer so greulichen, vom Teufel selbst veranstalteten Mißkennung dessen, was den einen zum andern zog, daß er, Clemens, nicht dabeisein wolle und nur durch einen Schleier von Tränen der Scham und Angst – nun der Keks schon so gülden leuchtend daliegt, kann auch das Mönchlein nicht widerstehen – daß er, der brave Chronist, nur durch einen Schleier von Tränen zu sehen vermöchte: wie sie denn also seinen Kopf zwischen ihren Händen hält und er, den Mund ganz nahe dem ihren, zum ersten Mal ihren Namen haucht und ihre Lippen ineinandersinken, zu langem Verstummen.

Das ist noch nicht die Mutzenbacher; aber es ist doch mehr als nichts. Anschließend macht sich Clemens sogar noch Gedanken darüber, daß es ihm trotz allem Pfui der Natur lieber ist, Gregor sei, in heutigen Worten, in dieser Nacht nicht impotent gewesen, das wäre unritterlich und hätte er ihm nun auch nicht gewünscht.

In dem Hauptwerk seines Bruders Heinrich hätte Thomas Mann ebenfalls ein Inzest-Motiv anklingen hören können, wenn er für solche Motive denn hellhörig war. In der *Jugend des Königs Henri Quatre* trifft sich der junge Henri in einem Gartenlabyrinth mit der von Kind an begehrten Königstochter Margot. Margots Mutter hat Henris Mutter vergiftet, das steht denn doch zwischen ihnen. Aber Margot ist als seine Braut vorgesehen, und er ist kurz davor, mit ihr intim zu werden. Da erscheint ihm plötzlich, sein Blick ist in dem grünen Labyrinth abgeirrt, das Bild seiner Mutter, und er ruft: «Mama.» Margot wirft sich an seine Brust und erklärt ihm schluchzend und lachend, dort stehe nur ein Spiegel, damit man sich noch mehr verirre in den Gängen, und was er gesehen habe, sei nur sie, seine Margot, und jetzt sei sie da, denn sie liebe ihn.

Die Erscheinung oder Schein-Erscheinung der Mutter ist vieldeutig. Gibt sie ihrem Sohn die symbolische Erlaubnis, auf Rache für ihren Tod zu verzichten? Braucht Henri ihr Ja-Wort, bevor er mit der Tochter ihrer Mörderin anbandelt? Aber wie kann er, bei aller Macht der Projektion, Margot mit der Mutter verwechseln? Thomas Mann hätte es erotisch gedeutet, Heinrich läßt es offen. Jedenfalls genügt Margots Erklärung, und Henri beginnt, ihren weiten, aufgespannten Rock zu raffen. Dabei denkt er, sie werde ihren früheren Liebhaber nun nicht mehr brauchen. «Denn während ihrer größten Regungen vergessen die Menschen ihre ganz gemeinen keineswegs.»

Bei der folgenden metaphorischen Umschiffung kann man geteilter Meinung sein. Ist es schwülstig? Ist es packend, gar groß?

> Aber diese unheiligen Gedanken trieben nur wie hilflose Kähne auf dem gewaltigen Meer, und das war die Leidenschaft. Dunkles Leben, schweigende Taten allseits, nur sie beide waren hinausgelangt in einen berauschenden Sturm. In dies Meer wollen wir springen, und nie wird wieder von uns gehört werden! So verharrten sie aneinandergeklammert: die beste Zeit, die einzig unvergeßliche.

Wie ist das? Der folgende Schluß jedenfalls, für den würden wir stark plädieren, schon wegen des olfaktorischen Details, aber auch wegen der Lakonie, die ein mühselig verwickeltes Leben, oder eigentlich zwei, in einem Halbsatz zusammenfaßt.

> Noch wenn sie, gealtert, einander gelegentlich begegneten, und hatte inzwischen jeder den anderen oftmals belächelt oder gehaßt: auf einmal wurde das wieder der Mann des Labyrinths und das Mädchen der dumpf und schwer riechenden Gänge.

Wenn Heinrich Mann einmal großartig ist, dann ist er wirklich großartig.

Die Dämonen: Sodhom undt Ghommorcha

Einer der Größten *in erotici* ist aber vielleicht jener bekannte austriakische Kaktus. Die Erotik in all ihren Ausgestaltungen war eines seiner Haupt- und Herzthemen. Der Liebhaber dicker Damen, mit denen er Peitschenspiele pflegte – im Tagebuch ist nicht zu unterscheiden, ob mit dem Kürzel «DD» jene dicken Damen oder doch sein Roman *Die Dämonen* gemeint sind –, dieser Erotomane schreibt im Tagebuch:

> Gegen das Sexuelle ankämpfen zu wollen erscheint mir närrisch. In der gesamten griechischen Mythologie, wo doch die Heroen sogar gegen die Götter losgehen, findet sich keiner, der mit dem himmlischen Raubersbuam Eros anbindet, nicht einmal der Herakles, der ja sonst kaum vor etwas zurückscheute …

Und darum müsse man im Gegenteil für das Sexuelle kämpfen.

Daß es auch in seinem berühmtesten Roman, der *Strudlhofstiege,* vor allen Dingen um den Gott Eros geht, faßt Doderer in folgendes Bild: In der Ehe zwischen der im Eingangssatz um ein Bein amputierten, jetzt aber noch zweibeinigen Mary und ihrem Ehemann Oskar seien die Nächte «eine Angel, welche im Dunkel eingepflanzt, jeden hellen Tag um sich schwingen ließ und seinen Kreislauf von sich abhängig hielt». Der Autor liebt die vertrackten Bilder; nicht immer übrigens schwingen sie im Gleichmaß und vertragen sie das schärfste Tageslicht, aber welcher Reichtum davon!

Ebenfalls in der *Strudlhofstiege* führt Doderer uns den Akt der Defloration vor, und wie in Brechts Liebesgedicht *Als ich nachher von dir ging* läuft die Pointe auf die hier nicht genannten «geschicktren Beine» hinaus.

Zwei Paare besteigen einen der Wiener Hausberge, die Rax. Beim Abstieg kommt sich eines der beiden Paare näher, das andere ist schon außer Sichtweite. Der Held, Doderers Alter ego René Stangeler, hilft Editha, die etwas erschöpft und deren Lodenrock hinaufgerutscht ist, aus ihrer labilen Lage. Sie stützt sich auf ihn und nähert sich seinem Kopf.

> Sie blieben, wie sie waren, eine halbe Minute vielleicht. Dann begann er sie zu küssen und tat jetzt nichts situationsgemäß Verkehrtes, als er ihr weißes Sporthemd entknöpfelte und mit der rechten Hand unter ihre linke Brust glitt. Hinunter ließ sie sich beinahe tragen, es war nicht ganz einfach, sie blieb dicht an ihm, doch glückten diese ein-und-einhalb Meter bis zum Waldboden. – Sie schrie nur einmal unterdrückt und kurz auf im Schmerz, dann umklammerte sie René ganz fest, und nicht nur mit den Armen.

Wir sehen, wie auch hier wieder der Gedankenstrich zu seinem seit Kleist klassischen Einsatz gelangt.

Hochraffiniert ist es, wie Doderer in der nächsten Liebesszene zwischen René und Editha unauffällig ein physiologisches Detail vermerkt. René beginnt, sie mit Küssen zu bedecken, von den Schultern und dem Schlüsselbein nach abwärts. «Als er ihre Lenden erreichte, sah er die allerzarteste Haut – fein gefächert, wie Wasser, über das der Wind streicht, hell, atlasglänzend – einer fast verschwundenen Operations-Narbe, wohl ein Blinddarm-Schnitt. Er küßte auch diese Stelle neben vielen anderen.»

Der Leser denkt: schön und zart beschrieben – und sonst denkt er sich nichts. Aber damit übersieht er das Entscheidende. Das ist nicht nur eine metaphorisch außerordentlich gelungene Beschreibung einer Blinddarmnarbe. Es ist die minimalinvasive Offenlegung des Plots. Denn es handelt sich bei dieser zweiten Liebesbegegnung eben nicht um Editha, die René auf der Rax entjungfert hatte. Es handelt sich um ihre verschollen geglaubte Zwillingsschwester, die ihr gleicht wie ein Ei dem andern. René ahnt davon nichts – und nur der sehr genaue Leser merkt es bei der Zweitlektüre auch an anderen Details. Weitere zweihundert Seiten später wird René von Editha zur Liebe aufgefordert. Oder ist es doch wieder ihre Zwillingsschwester? René neigt dazu, sie für die echte Editha zu halten, und siehe da, bei seinen intimen Küssen findet er den letzten Beweis: «Er preßte das Gesicht gegen ihren Körper. Über der Lende war von einer Narbe keine leiseste Spur zu sehen.» Diesmal hält er also die Rechte umfangen.

Das Neuartige und Interessante daran ist, technisch gesprochen, daß das Erotische in den Dienst des Plots gestellt wird und nicht, wie sonst üblich, umgekehrt. Sonst wird, sobald Eros auf den Plan tritt, der Plot vernachlässigt; er ist oft fadenscheinig und hat keinen anderen Zweck, als das Paar endlich in die Horizontale zu bringen. Hier gerät der Gott Eros, mit dem man besser nicht anbinde, auf einmal unter die Zügel eines strengen Konstrukteurs.

Dem in den *Dämonen* diese Zügel allerdings wieder entgleiten. In dem merkwürdigsten Kapitel dieses Romans wird ein an den dünnsten Plothaaren herbeigezogenes fiktives Dokument eines Hexenprozesses aus dem frühen sechzehnten Jahrhundert abgedruckt, das bestimmte Obsessionen des Verfassers ausmalt. Sprachlich auf Distanz gehalten wird es, ähnlich wie bei Castorps französischem Erguß vor Clawdia Chauchat, durch ein fingiertes (und ziemlich scheußliches) Luther-Deutsch. Die gefangenen Hexen sind sexuell willfährig, der junge und arglose Chronist beobachtet sie in den wüsten Nächten, dann wird er selbst zum Mittreiben bestimmt. Der Hauptakteur heißt «Heimo» und hat ein kleines SM-Penchant. Sein Sadismus ist aber sanft, eher Spiel und Ritual als Lust am Schmerz. Er schlägt die Hexen, heißt es, «aus kreфften undt mit dem sammet, das mocht ihn' wenig tuen».

Mit Samtpeitschen also, ohne die auch der andere Heimo nie zum Weibe ging. Das «Sodhom undt Ghommorcha», als welches der Chronist die Nächte mit den Hexen empfindet, ist ein wienerisch gemütliches, von echten Hexenprozessen zum Glück weit entfernt. Es ist offensichtlich, daß das aus dem Romanton fallende Kapitel neben dem Ausbreiten historischen Materials (und einer Anspielung auf Dostojewskis Vorgänger-*Dämonen*) dem Hauptzweck dient, die private Sau rauszulassen; wenn auch, um im Bild zu bleiben, mit den Hufen in Pantoffeln aus Samt.

Doderers *Dämonen* sind auch sonst reich an erotischen Szenen. Eine der stilistisch reizvollsten schildert die Begegnung zwischen René Stangeler (den wir aus der *Strudlhofstiege* kennen) und der Frau Professor Käthe Storch. René ist alleine zu Hause, die Hausherrin Grete ist unterwegs. Käthe Storch klingelt und gibt ein paar Päckchen ab, die sie für Frau Grete besorgt hat. Sie will nun aber nach dem Abladen der Päckchen partout nicht gehen und streift noch in der Küche herum. René beginnt, sie näher zu betrachten. Hatten seine Blicke eben vorhin noch «in einer einzigen Garbe Frau Käthe's Gesamterscheinung bestrichen, so schoß er jetzt schon Punktfeuer auf Einzelheiten». Man sieht, der Offizier Doderer verleugnet sich auch in seiner Metaphorik nicht. «Das aschblonde Haar. Die trockene reine Haut. Dann bemerkte er – jetzt erst – und zwar mit einer Art tiefem Erschrecken, ihre sehr hohe Brust.»

Es folgt ein Absatz und Doderers Bild für die Erektion: «Die Kraft sprang aus dem Zwinger.» Bei Thomas Mann heißt das – so ruft es die Frau des Potiphar verzweifelt aus, als der keusche Joseph, zum Esel geworden, in letzter Sekunde vor ihr flieht –: «Ich habe seine Stärke gesehen!»

Nun, Herr Stangeler fühlt also, wie die Kraft aus dem Zwinger springt, und jetzt wechselt Doderer metaphorisch zum Beruf seines Vaters über, dem Wiener Eisenbahnbaron. Frau Käthe läßt sich die Hände küssen, sinkt auf die Chaiselongue, stellt zwei Keks-Büchsen auf den Boden und schlägt die Hände vors Gesicht. «Mehr als dieses auf ‹frei› gestellte Einfahrtssignal brauchte der jetzt einherbrausende Expreß-Zug der Lust nicht. Sie sank zurück. Stangelers Hände flogen.» Schließlich, Frau Käthe ist entblättert und sinkt glatt dahin in Renés Armen: «Die Kraftentwicklung war kolossalisch, unter einem Platzregen von Küssen, schließlich rasten sie beiden zusammen durch's Ziel. René vermeinte, Donner in den Ohren zu haben.» – Donnerwetter!

Aber jetzt klingelt es, werden sie ertappt?! Die Hausherrin Grete kommt zurück. Frau Storch schließt sich im Zimmer ein und instruiert René Stangeler, er solle eine Unpäßlichkeit ihrerseits vorschützen. «Da lag das neugeschmiedete Glied einer Kette von Lügen, es lag blank da und glänzte.» Die Frau sei vielleicht noch mehr krank, als sie ahne, bemerkt die Hausherrin, nachdem die Tür hinter Frau Storch ins Schloß gefallen ist. Und sie behält recht, obwohl ihr angebliches Unwohlsein ja nur eine Notlüge war. Ein Jahr nach dem Intermezzo mit René ist Frau Storch tot. Die zwei blauen Keks-Büchsen, die sie vor dem Einbrausen des Lust-Expreß neben dem Diwan abgestellt hatte, erscheinen René später wie «Schwammerln, die inzwischen hier gewachsen sind». Es sind solche Details, an denen man den Meister erkennt.

Zur gleichen Zeit und nur fünf Seiten vorher kommt es im selben Haus ein Stockwerk höher zu einer ähnlich spontanen und heftigen Sexualbegegnung. Und diesmal zwischen zwei Frauen. Die eine, Fella, schminkt sich im Badezimmer am Waschtisch, die andere, Trix, sitzt auf einem Sessel, also einem Stuhl, dicht neben ihr.

> Noch fehlten wohl einige Millimeter bis zu Fella's Hüfte im lavendelblauen Kleid. Jetzt aber lag Trix mit ihrem rotblonden Kopf schon dran. Fella wandte sich ruhig ein wenig zu Trix hin, nun schon die Hand in ihrem rötlichem Haar; plötzlich drängte sich das Gesicht darunter gegen Fella, es wühlte sich ein. Fella hielt mit einer Art von Behutsamkeit stand, als wolle sie durchaus nicht stören, was bei Trix vorging. Ja, auch die Bewegung, mit der sie jetzt ganz sanft ihr lavendelblaues Kleidchen allmählich heraufschürzte, und auch darunter noch was wegzog und wegschob, hatte durchaus eine behutsame Weise. Trix empfand im Augenblick etwas für sie absolut Neues: als trete sie hinter Fella's Äußeres, hinter Fella's Gesicht, als trete sie in Fella ein. Aber der Duft, in den sie jetzt sich tief drängte, ließ plötzlich in ihr einen derart ungeheuerlichen Vorgang geschehen, daß sie vom Gürtel abwärts zerschmolz und zerlief; es war der Griff einer übermächtigen Hand, die ihren kleinen Bauch, ihr kleines Geweid, ganz umschloß und in einem Schmelzfluss löste. Sie sank zusammen. Fella blieb fast unbeweglich. Vorsichtig wurde was zurechtgezogen und das Röckchen fiel.

Aber auch hier schlägt nun leider die Türklingel an.

Mosebach: Der zerlegte Wolfsbarsch

Martin Mosebach, Verehrer und Schüler Doderers, veröffentlichte im Jahr 2010 den schon zitierten Roman, der von der ersten bis zur letzten Seite im Bett spielt. In *Was davor geschah* liegt der Erzähler neben seiner Geliebten und berichtet ihr von seinem Vorleben und den verschlungenen Wegen, die sie am Ende zusammenführen. Ähnlich wie in *Tausendundeine Nacht* ist also schon die

Erzählsituation deutlich erotisch markiert, auch wenn Mosebach den eigentlichen Akt ausspart.

Besonders angetan hat es dem Erzähler ein libanesisch-wienerischer Filou und Frauenheld namens Joseph Salam. Er denkt sich in dessen Innenleben hinein, er stellt es sich so lebhaft vor wie das Innenleben der Rosemarie Hopsten, einer stabil verheirateten, gutsituierten rheinischen Geschäftsfrau, in deren Salon Salam eines Vormittags unangekündigt auftaucht, um sie vor die unabweisbare Tatsache seiner hier und sofort zu löschenden Lust zu stellen. Rosemarie, die gerade erst ihr umständliches Schminkwerk beendet hat, ist unfähig zur Gegenwehr; sie erinnert sich daran, wie ihr Ehemann ihr unlängst von einem Eichhörnchen vorgelesen hat, das «schrittweise, zögernd, mit sich selbst kämpfend und wehklagend», in den Rachen einer Schlange gezogen wird. Sie jedoch, Annemarie, klagt nicht einmal, sondern läßt alles mit Neugier geschehen, auch wenn sie sich – Bilderwechsel – daran erinnert, wie Joseph Salman unlängst

> einen großen Wolfsbarsch, der in ganzer Pracht auf den Tisch gekommen war, zerlegte, in dem offensichtlichen Eifer, sich nützlich zu machen, vielleicht gar mit solchen Maître-d'Hôtel-Künsten ein wenig Eindruck zu schinden. Und nun fühlte sie sich, als sei sie selber solch ein praller, glatter Fisch, der von seinen erfahrenen Händen tranchiert wurde, nach allen Regeln der Kunst, und zwar um verspeist zu werden.

Und so ungefähr geschieht es auch. Annemarie fühlt sich von Salams Egoismus – er ist «in seiner ganzen Aufmerksamkeit mit ihrem Körper befaßt, ohne sich um ihre Lust im mindesten zu kümmern» – dennoch nicht abgestoßen. Schließlich behalte sie immerhin ihren Kopf, während Salam jetzt unter einem anderen Gesetz stand «und ihr flehentliches Flüstern, ‹Bitte, bitte›, gar nicht aufnehmen konnte».

Auf diesen letzten Satz folgt der elegante Übergang von *prä* zu *post*:

> Da täuschte sie sich übrigens: Als sie erschöpft und halb bekleidet auf dem Teppich nebeneinander lagen, wandte Salam sich ihr unversehens zu, wischte ein wenig von der verschmierten Schminke um ihre Augen weg – sie hatte, so vermutete sie, jetzt ein ganz und gar verwüstetes Gesicht, ihre Vorstellung, er verspeise sie, kam nicht von ungefähr – und erteilte ihr die Anweisung: «Sag in der Liebe nie mehr bitte, bitte, das will ich nicht mehr hören, bei der Liebe muß man befehlen.»

Sein Salam ist, wie man sieht, kein Mann für floralen Sex. Der Erzähler geht so weit in seiner Einfühlung, daß er seiner offenbar nicht prüden Zuhörerin schildert, wie Salam an einem warmen Herbstabend in einem Gartenhof auf abwegige Gedanken kommt.

> Es war Oktober, aber der hohe Ahorn, der seinen Tisch beschattete, trug noch viel Laub und sandte nur gelegentlich ein großes Blatt in kurvenreichem Segelflug zu Boden. Joseph Salam saß in diesem milden Fallen des Laubes in herbstlichem Frieden, er bot das Bild eines Mannes, der nach vielen Schlachten zur Ruhe gekommen ist und den das Absterben der Natur nicht melancholisch stimmt, sondern mit dem Erlebnis des eigenen Reifwerdens beschenkt.

Das ist in seiner mürben scheinbiedermeierlichen Idyllik äußerst abgefeimt und dient nur als Folie, auf die sich bald ein ganz besonderer Saft ergießen wird. Denn Salams Stimmung ändert sich schlagartig, als vor seinen Augen unversehens ein großes schwarzes T aufsteigt. Eine junge Frau hat sich vor ihm niedergelassen, deren tiefsitzende Jeans so weit heruntergerutscht sind, daß sie das runde, weiße Rückenfleisch preisgeben, «und in der Mitte dieses weißen Ausschnitts stand das schwarze T – der breite Gürtel eines Tangas, in den jener Streifen mündete, der den Spalt zwischen den Backen des Hinterteils im Bedecken zugleich kräftig betonen sollte».

Für Mosebachs Salam ist nach dem Anblick des Tanga-Ts kein Halten mehr – und auch für den Erzähler nicht, der zwar keinen Zutritt ins innerste Traumkämmerchen seines Bekannten gehabt haben kann, dessen unfromme Phantasien aber dennoch in lebendigsten Farben malt:

«Den Tanga von den weißen Kugeln herunterstreifen, dachte Salam, das Gummiband dehnen und auf den Kugeln schnalzen lassen, so oft er dazu Lust hatte. Das Mädchen auf einem Bett mit rutschiger, ja glitschiger kalter Nylonsteppdecke ausstrecken.»

Die Decke nämlich, auf der er einmal in einem Hotel in Sofia nackt herumgerutscht war. Joseph Salam erinnert sich gerade an all die Zimmer seiner Liebesabenteuer, «jedes davon stand ihm vor Augen, vollgesogen mit der Liebesluft, dem Liebesdunst, der nach ein paar Stunden in ihnen lag». Dann fällt ihm der teure Gürtel ein, den er soeben auf dem Flughafen gekauft hat. – Und nun zeigt sich der Joseph in seiner wahren Gestalt:

> Und da sah er sich auch schon, mit dem Gürtel in der Hand, ihn durch die Luft sausen lassend – sie kicherte albern, ihre schwimmenden Brüste waren riesengroß und stießen, wie sie da lag, bis an ihren vollen Hals. Dieser Albernheit wird jetzt ein Ende bereitet, die würde jetzt durchkreuzt, damit der erotische Ernst wiederhergestellt war. Mit ganzer Kraft schlug er sie über die schweren Schenkel. Sie war zu über-

> rascht, um zu schreien, hielt sich die Hände mit den splittrigen Fingernägeln vor den Mund und starrte ihn angstvoll an, aber das Metallmonogramm hatte eine blutrote Spur hinterlassen, ein voller Tropfen rann hellrot über die Haut – die Nylondecke war jetzt schon versaut, obwohl sie noch kaum angefangen hatten.

Der letzte Halbsatz ist wieder charakteristisch für Mosebach, auch für seine untergründige Komik: Die Szene beginnt mit dem sanft segelnden Ahornblatt, um mit der Anti-Klimax des «versaut» zu enden. Erzähltechnisch liegt der Umgehungs-Trick dieser Stelle darin, daß der Autor einen Ich-Erzähler vorschickt, der sich wiederum in eine andere Figur hineinversetzt, die sich ihrerseits den Akt nur vorstellt – eine dreifach fiktionalisierte und abgesicherte Sexualphantasie.

Auf der sprachlichen Molekular-Ebene mindestens so gewagt wie das Geschilderte ist nicht nur das «Schwimmen» der Brüste, sondern das Hin und Her von Indikativ zu Konditional im zweiten zitierten Satz. Der Albernheit «wird» ein Ende bereit, sie «würde» durchkreuzt, damit der Ernst wiederhergestellt «war»; und nicht etwa «wäre» oder «sein würde». Ob das grammatisch dem Lehrbuch folgt, darüber mögen Sprachwissenschaftler streiten; als erlebte Rede und rhythmisch ist es genau richtig. Gerade darin, in der freien Behandlung der Tangas, Tempi und Modi, zeigt sich der genuine Stilist. Er sollte die Regeln beherrschen, aber er darf mit ihnen spielen wie mit Katzen, die man kraulen und auch wieder von der Schulter schubsen kann.

Joseph Salam gibt der Tangaträgerin beim Verlassen des Wirtsgartens übrigens seine Visitenkarte mit Mobilnummer; der Leser soll vermuten, nicht ohne Erfolg.

Aber nicht nur Salam, auch der mißgelaunte Fliegenfeind Hans-Jörg, den wir zitiert hatten, gerät auf Abwege, die vor Mosebach nur Vladimir Nabokov so eindringlich beschrieben hat. So magisch angezogen wie das Eichhörnchen von der Schlange folgt der mit Salam nach Kairo gereiste Hans-Jörg auf dem Tahrir-Platz einem rauchenden Zigeunermädchen, einem Kind noch, mit dem er, wenn sein telepathisch alarmierter Joseph Salam ihn nicht in letzter Sekunde in ein Taxi zöge, in einem üblen Hotel und Betonverschlag geendet wäre.

Die Szene, die sich über fünf Seiten erstreckt, müßte man ohne Kürzung zitieren, wollte man das langsame atmosphärische Anschwellen, das Zucken der Magnetnadel, die sich auf das Mädchen einnordet, das Zerfallen jeder Widerstandskraft angemessen darstellen. Sie zeigt Mosebach als den Erotiker des verbotenen Begehrens. Mosebach ist als Romancier sehr viel kühner, als es bemerkt wurde, wohl weil es Kühnheiten im Modus der Aussparung sind, getarnte Kühnheiten; in der Meidung alles Kruden und Steilen und ausgestellt Expressiven strebt Mosebach seinen genannten Vorbildern nach.

Wie Doderer stellt Mosebach dabei immer wieder Gefühls- und Seelenzustände dar, für die es kaum Begriffe gibt. Dem Stilisten geht es bei diesen Beschreibungen nicht so sehr um sprachliche Schönheit als darum, das Verwickelte dieser Grenzzustände möglichst klinisch genau zu fassen.

Ein solcher Grenzzustand ist es, in dem Hans-Jörg in Kairo wie magnetisch angezogen dem Mädchen ins Hotel folgt. Daß er durch starke erotische Attraktion die Kontrolle über sich verliert, ist das eine. Aber die Sache ist abgründiger und hat ihre metaphysische Seite. Der unholde Hans-Jörg, der Leidensmann, zieht sehenden Auges ins Unglück, er weiß es, und er ist einverstanden damit. Warum?

Und hier wird es nun kompliziert. Hans-Jörg hat Visionen. Er geht damit sogar, als folge er dem Rat eines ehemaligen Bundeskanzlers, zum Arzt. Hans-Jörg erklärt diesem Arzt, daß immer wieder Bilder in ihm aufstiegen, starke und vollständig undeutbare Bilder, die nicht aus ihm selbst kommen könnten. Nein, er sei davon überzeugt, sie kämen von außen. Er glaube, daß der Geist sich zeitweise aus dem Körper verabschiede, ein anderes Leben in anderen Verhältnissen führe und bei seiner Rückkehr von Erinnerungen willkürlicher Art besprenkelt sei, «wie jemand mit Wassertropfen auf dem Regenmantel in seine Wohnung zurückkehrt».

Zur Demonstration dieser Visionen zückt Hans-Jörg sein Notizbuch und liest dem zunehmend indignierten Arzt Eintragungen vor, darunter eine von einer Betonwand, «rechts und links lappige Vorhänge, ein im Triumph verzerrtes, geradezu nach allen Seiten hin zerfallendes Frauengesicht». Sie datiert vom 22. Juli, diese Notiz; nicht zufällig der Gedenktag Maria Magdalenas; so wenig zufällig, wie es ein Joseph ist, der den in Sizilien mit einer Dornenkrone, nein: Hecke kämpfenden Hans-Jörg väterlich retten wird.

Es ist nun diese Vision, die in Hans-Jörg aufsteigt, als er in Kairo wie unter Zwang dem rauchenden Mädchen folgt. Plötzlich weiß er: In genau dieses Zimmer mit der Betonwand und den lappigen Vorhängen wird das Kind ihn jetzt führen. Das mußte so sein, und das sollte so sein. «‹Die Sachen müssen endlich zusammenkommen, die beiden Ebenen müssen endlich zusammenfallen›, diese Worte sprach er leise aus, während seine Augen an das kleine Hinterteil vor ihm geheftet waren, das den Rock hin und her schwenkte.» Einen Moment später sieht er sich von drei kräftigen Männern in schwarzen Lederjacken umringt.

Die Ebenen müssen zusammenfallen – das geht weit über das Lolita-Syndrom hinaus, es sind schwierig auszudrückende, fast mystische Seelenzustände, die den Helden umtreiben, und die Kunst bestand darin, sie nicht zu vereinfachen und begrifflich zurechtzustutzen.

Saltens Salti

Verbotenes Begehren: Mosebachs Kühnheiten blieben im Modus der Aussparung, waren aber doch, man denke an die versaute Nylonsteppdecke, drastisch genug. Eine Tiefenschicht darunter liegen Kühnheiten, die so gut getarnt sind, daß man sie fast nicht erkennen kann. Wer würde bei einem berühmten Kinderbuch vermuten, daß es von versteckten Obszönitäten strotzt?

Das verrufene Werk soll auf eine Wiener Kaffeehaus-Wette zurückgehen, man weiß bis heute nicht, von wem angeregt. Die 1906 anonym in kleiner Auflage erschienene und nur durch Subskriptionsverfahren vor der Zensur geschützte Schrift *Josefine Mutzenbacher oder Die Lebensgeschichte einer wienerischen Dirne, von ihr selbst erzählt* ist das berühmteste pornographische Werk der deutschsprachigen Literatur. Es sind die fiktiven Memoiren der Josefine, die schon als Kind ins spätere Gewerbe der Prostitution rutscht; ein Buch mit mindestens einer Debaucherie pro Seite. Stilistisch auffällig ist, daß der anonyme Verfasser offenbar in enger Fühlung mit den nichtbürgerlichen Milieus der Wiener Vorstadt stand und ein genaues Gehör hatte. Er ist ein Meister der Figurensprache und des Wiener Gassen- und Honoratiorenjargons. Nicht nur als soziologisches Sittengemälde, auch als Sprachkunstwerk ist die *Mutzenbacher* aller Ehren wert. In der Ausgabe, die 1969 bei Rogner & Bernhard erschien, erklärte Oswald Wiener die *Mutzenbacher* kurzerhand zur Weltliteratur.

Ein literarisch bedeutendes Werk ist auch das Kinderbuch, das Felix Salten 1923 veröffentlichte und das ihm den Weltruhm eintrug: *Bambi. Eine Lebensgeschichte aus dem Walde*. «Lebensgeschichte» also auch in diesem Titel. Felix Salten ist der Autor, dem die *Mutzenbacher* heute zugeschrieben wird und der jene Wette offenbar gewann. Eine Weile galt Arthur Schnitzler als Kandidat, aber Schnitzler bestritt die Verfasserschaft. Anders als Salten, der, von Stefan Zweig nach der *Mutzenbacher* befragt, nur vielsagend gelächelt habe: Wenn er sie verleugne, würde Zweig ihm nicht glauben, wenn er das Geheimnis lüfte, würde man meinen, er scherze. Was immerhin noch einen millimeterbreiten Spalt für Zweifel offenhielt.

Saltens Kinderbuch ist durch den Walt-Disney-Film berühmt geworden, der aber nicht viel mit ihm zu tun hat. Vor allem täuscht er über eines hinweg. *Bambi* gilt seit dem Film als Symbol der Unschuld. Im Buch ist Bambi nur ganz am Anfang ein süßes Rehkitz. Die längere Zeit ist er ein mit mächtigem Geweih bewehrter viriler Macho-Bock. Saltens Erzählung, für Kinder gedacht, mit schönsten Naturschilderungen und einem anrührenden Dialog zweier auf den finalen Fall wartender Herbstblätter, ist stark sexuell unterfüttert. Man käme nicht darauf, gäbe es nicht diese doppelte Verfasserschaft. Wenn man das Kinderbuch unters Rotlicht der *Mutzenbacher* hält, zeichnen sich andere Muster als die von Disney collagierten ab.

Bald nach dem Tod der Mutter spürt Bambi, wie es innerlich in ihm zuckt und glüht. «In Bambi schwoll die junge Kraft und dehnte sich durch alle Glieder, sodass er mit zögernd verhaltenen Bewegungen ganz steif einherging.» Er findet seine erste, die Steifheit lösende und noch keusch umschriebene Erleichterung mit seiner Gespielin Feline. Nachdem er seine Konkurrenten ausgefochten und Feline ihm ihre Liebe erklärt hat, heißt es: «Sie gingen miteinander fort und waren sehr glücklich.» Bambi kommt bald auf den Geschmack und beweist seine jugendliche Potenz. «Die ganze Nacht war er mit Feline glücklich gewesen, hatte sich bis in den hellen Morgen mit ihr getummelt» und in seiner Seligkeit dabei sogar der Nahrung vergessen.

Doch nicht lange, und in Bambi erwacht der promisk sich weiter tummelnde Geist. Er denkt an seine Geliebte Feline und sagt sich abschätzig: «Sie konnte er immer haben, so oft er wollte.» Wie langweilig! Felix Salten war, wie sein Freund Schnitzler, ein Oger, und das verleugnet sich auch im Tierreich nicht. Bambi fühlt sich an keinerlei Treue gebunden. Im Gegenteil ist er erleichtert, als er Feline, Mutter seiner beiden Kinder, wie man am Schluß erfährt, den Laufpaß gibt. «Bambi atmete tief. Ihm wurde auf einmal frei zu Gemüt, wie seit langem nicht.» Salten blieb Salten, wie auch sein früherer Zimmergenosse und späterer Intimfeind Karl Kraus wußte, der ihn angeblich den «Reh-Sodomiten» nannte. Er muß es gemerkt haben: Alle in der *Mutzenbacher* vorgeführten Spielarten der fleischlichen Liebe werden im Subtext, im Unterholz der Bambi-Welt angedeutet.

In Josefines Lebenserinnerungen fällt vor allem auf, wie früh die Inzestschranken niedergerissen werden. Die sexuelle Initiation kommt aus der Familie. Im Reich der Rehe geht es nicht anders zu. Das Verhältnis der Söhne zu ihren Müttern ist nicht nur bei Bambi deutlich ödipal. Als Bambis Tante ihren vermißten Sohn Gobo wiederfindet, küßt sie ihn ab. Nein, das ist etwas mehr als mütterliche Freude: «[...] langsam küßte sie Gobo auf den Mund, küßte seine Wangen, seinen Hals, unablässig wusch sie ihn mit ihren Küssen, wie einst in der Stunde, in der sie ihn geboren hatte.» Man übertrage das auf Menschen, von denen es ja herkommt, dann ist man in Ottakring in der Zinskaserne der Mutzenbachers, wo Josefine von Kind an innerfamiliär koitiert. Jener Gobo, der von seiner Mutter geküßt wird, heißt in der *Mutzenbacher* Schani, und was diesen Küssen folgt, liest sich dort so: «Endlich warf sie sich auf Schani, nahm seinen Schweif, und auf ihrem Buben reitend stieß sie sich die Nudel hinein, beugte sich vor und preßte ihren Busen an sein Gesicht. ‹Na, stoß! Stoß!› ächzte sie. ‹Die Mutter erlaubt's dir! Stoß nur! Fest!›»

Auch lesbischer Verkehr ist Josefine von früh an vertraut. Bambi wiederum wird auch mann-männlich begehrt. Selbst den Oberhirsch gelüstet es nach ihm. «Der Hirsch sah ihn an und dachte:

er ist reizend … er ist wirklich entzückend … so hübsch … so zierlich […]. Aber ich darf ihn nicht so anstarren. Das schickt sich wirklich nicht.» Salten fällt in dieser Szene zum ersten Mal aus der Erzählperspektive, die sonst strikt personal an Bambi gebunden ist. Offenbar war es ihm wichtig, bei der Windrose der Triebe auch dieses Segment zu berücksichtigen, und dafür nahm er sogar den Perspektivwechsel in Kauf.

Das Finale ist, in Josefinischem Licht, geradezu unverschämt obszön. Der gealterte Bambi betrachtet mit Wohlgefallen seine beiden Kinder. Mit etwas mehr als nur Wohlgefallen seine Tochter. «‹Die Kleine›, dachte er, ‹auch die Kleine ist nett … so hat Feline ausgesehen, als sie noch ein Kind war.› Er ging weiter und verschwand im Wald.»

Das ist der Schluß. Und das ist kaum noch Subtext und Nachtigallentrapsen; das ist, von Josefine her gelesen, die Ankündigung des demnächst erfolgenden Tochtermißbrauchs.

Er hat es nie dementiert. Er hat es aber auch nie zugegeben. Angenommen, es meldeten sich doch noch Zweifler? Erben von Schnitzler, die auf das Dementi des Großopas pfiffen? In diesem Fall müßte man als Stil-Forensiker ins Detail gehen. Felix Salten blieb Felix Salten, auch als Stilist. Jeder Stilist hat einen Fingerabdruck. Er verrät sich durch kleine wiederkehrende Muster, Manierismen, Vorlieben, Tics. Salten verrät sich durch ein exzessiv genutztes Satzzeichen in den Dialogen. Hier zunächst *Bambi*, aus dem Gespräch jener den Winter fürchtenden Herbstblätter.

> «Nein … wir wollen es lassen … Aber … wovon sollen wir denn sonst sprechen? […]
> «ich glaube dir nicht … nicht ganz … aber ich danke dir, weil du so gut bist … du bist immer so gut zu mir gewesen … ich begreife es jetzt erst ganz, wie gut du warst.»

Zum Vergleich die *Mutzenbacher*. Wir achten, wie gesagt, nur auf die Interpunktion.

> «Himmelkruzitürken … das ist gut … so hab ich's gern … nur langsam, wir haben Zeit.»
> «… Rudolf … mir kommt's …»
> Und Zenzi wisperte: «Ach … fickere mich … mach mir ein Kind … ja … beiß mir die Dutel ab … beiß mir die Dutel ab … Rudolf … er fickt mich … er fickt mich …»

Man hat es gemerkt: So gleichmäßig mit dem Salzstreuer verteilt die drei Pünktchen im Dialog nur ein und derselbe Verfasser.

Kafkas und Tucholskys Schloß

Nun sind wir unverhofft doch schon mitten *in actu* angekommen, geleitet ausgerechnet von einem Reh. Dann können wir auch gleich weitermachen. Betreten wir also mit Kafka vorsichtig das Schloß.

Wobei jenes Schloß vom Helden K. ja gerade nicht betreten wird. K. bemüht sich den Roman lang vergeblich, vor die oberste Behörde zu gelangen, die ihn angeblich als Landvermesser bestellt hat. Doch das gräfliche Schloß hüllt sich in undurchdringliches Schweigen. Es gibt nur einen möglichen Mittelsmann, einen Herrn Klamm, der ebenfalls fast nie zu erreichen ist. Auf ihn, Herrn Klamm, setzt K. seine ganze Hoffnung. Um Klamm abzupassen, verbringt er im Dorf am Fuß des Schlosses seine Zeit im Gasthaus «Herrenhof», in dem die Schloß-Beamten verkehren und Parteien empfangen. Hinter der Theke steht das Schankmädchen Frieda, das vorgibt, Klamms Geliebte zu sein. K. beachtet sie kaum, aber als im Wirtshaus wieder einmal nach Klamm gesucht wird, beginnt Frieda, den Neuankömmling erotisch zu necken. Es hebt an eine der sehr wenigen halb expliziten Sexualszenen im Werk Franz Kafkas.

> Etwas Fröhliches, Freies war in ihrem Wesen, was K. früher gar nicht bemerkt hatte und es nahm ganz unwahrscheinlich überhand, als sie plötzlich lachend mit den Worten: «Vielleicht ist er hier unten versteckt» sich zu K. hinabbeugte, ihn flüchtig küßte und wieder aufsprang und betrübt sagte: «Nein, er ist nicht hier.»

Als sich der Wirt verabschiedet, um das Haus nach Klamm zu durchsuchen, kommt Frieda schnell zur Sache.

> Er konnte das Zimmer noch gar nicht verlassen haben, schon hatte Frieda das elektrische Licht ausgedreht und war bei K. unter dem Pult, «Mein Liebling! Mein süßer Liebling!» flüsterte sie, aber rührte K. gar nicht an, wie ohnmächtig vor Liebe lag sie auf dem Rücken und breitete die Arme aus, die Zeit war wohl unendlich vor ihrer glücklichen Liebe, sie seufzte mehr als sie sang irgendein kleines Lied. Dann schrak sie auf, da K. still in Gedanken blieb, und fing an wie ein Kind ihn zu zerren: «Komm, hier unten erstickt man ja!», sie umfaßten einander, der kleine Körper brannte in K.s Händen, sie rollten in einer Besinnungslosigkeit, aus der sich K. fortwährend aber vergeblich, zu retten suchte, paar Schritte weit, schlugen dumpf an Klamms Tür und lagen dann in den kleinen Pfützen Biers und dem sonstigen Unrat, von dem der Boden bedeckt war.

Na servas, würden die Wiener sagen. Da wälzen sie sich in Bierpfützen, und K. kann sich vor der kurzzeitig erregten Frieda nicht retten, so gern er es täte. Was folgt, spielt sich direkt vor der Tür des Herrn Klamm ab. Es wird, wie ein Halbsatz verrät, von den zwei in der Schankstube anwesenden Gehilfen überwacht.

> Dort vergiengen Stunden, Stunden gemeinsamen Atems, gemeinsamen Herzschlags, Stunden, in denen K. immerfort das Gefühl hatte, er verirre sich oder er sei soweit in der Fremde, wie vor ihm noch kein Mensch, eine Fremde, in der selbst die Luft keinen Bestandteil der Heimatluft habe, in der man vor Fremdheit ersticken müsse und in deren unsinnigen Verlockungen man doch nichts tun könne als weiter gehen, weiter sich verirren.

Hochverrätselt und klar doch darin, daß K. immer weiter und weiter geht, auch wenn es alles kein Spaziergang für ihn ist. Den Verlockungen ist er ausgesetzt, aber anders als bei Musils Ulrich, der, wie wir hören werden, als schäumender Narr durch eine Wolke des Irrsinns fliegt und diesen Flug wenigstens genießt, überwiegt bei K. die Angst. Was ihm mit Frieda, was ihm mit der Frau zu drohen scheint, ist die Selbstauflösung.

«Und so war es wenigstens zunächst für ihn kein Schrecken, sondern ein tröstliches Aufdämmern, als aus Klamms Zimmer mit tiefer befehlend-gleichgültiger Stimme nach Frieda gerufen wurde.»

Kanzleivorstand Klamm, der die ganze Zeit in seinem Zimmer war, fordert offenbar seinen Morgenbesuch, was K. aber gleichgültig läßt. Was bei ihm eintritt, ist nicht postkoitale Tristesse, sondern postkoitale Erleichterung. Die Tristesse war der Umarmung in den Bierlachen vorbehalten.

Stilistisch auffällig ist bei dieser Szene eines. Das Bild der Luft, in der die Heimatluft fehle, so daß K. zu ersticken droht, ist für Kafkas Verhältnisse erstaunlich vage, wenn nicht schief: Die Luft mag in der Ferne eine andere Würze oder ein anderes Aroma haben oder auch dünner sein, aber Luft ist Luft, und wer in Prag nicht erstickt, der tut es auch in Berlin oder im Riesengebirge oder in Marokko nicht. Aus Gründen, über die man spekulieren kann, die aber jenseits unseres Themas liegen, war Kafka als Stilist des Eros coupiert. Die größten Kräfte wuchsen ihm in der Inneren Strafkolonie zu.

Aus einem anderen Schloß weht uns eine ganz andere, heitere, ja balsamisch prickelnde Luft entgegen, dem *Schloß Gripsholm* von Kurt Tucholsky. Auch hier wird spontan der Liebe gepflogen, auch hier sorgen die Metaphern fürs Umzirkeln der körperlichen Details; hier aber, anders als bei Kafka, verspüren die Beteiligten offenbar reinen ätherischen Genuß. Es sind deren drei.

Zu dem Paar, das wir schon bei der Zugfahrt nach Stockholm kennengelernt haben, dem Ich-Erzähler und der Prinzessin, wie er seine Geliebte nennt, gesellt sich neuerdings die Freundin Billie. Es ergibt sich, daß die drei eines Abends zusammen lagern.

> «Gib mal Billie einen Kuß!» sagte die Prinzessin halblaut. Mein Zwerchfell hob sich – ist das der Sitz der Seele? Ich richtete mich auf und küßte Billie. Erst ließ sie mich nur gewähren, dann war es, wie wenn sie aus mir tränke. Lange, lange ... Dann küßte ich die Prinzessin. Das war wie Heimkehr aus fremden Ländern. [...] Es war ein Spiel, kindliche Neugier, die Freude an einer fremden Brust ... Ich war doppelt, und ich verglich; drei Augenpaare sahen. Sie entfalteten den Fächer: Frau.»

Der nächste Vergleich hat eine leicht komische Konnotation, weil er an den Dreierbob erinnert, den es 1931 als Bezeichnung für die *ménage à trois* vermutlich noch nicht gab.

> Es war, wie wenn jemand lange mit seinem Bobsleigh am Start gestanden hatte, und nun wurde losgelassen – da sauste der Schlitten zu Tal! Wir gaben uns jenem, der die Menschen niederdrückt und aufhebt, zum tiefsten und höchsten Punkt zugleich … ich wußte nichts mehr. Lust steigerte sich an Lust, dann wurde der Traum klarer, und ich versank in ihnen, sie in mir – wir flüchteten aus der Einsamkeit der Welt zueinander. Ein Gran Böses war dabei, ein Löffelchen Ironie, nichts Schmachtendes, sehr viel Wille, sehr viel Erfahrung und sehr viel Unschuld. Wir flüsterten; wir sprachen erst übereinander, dann über das, was wir taten, dann nichts mehr. Und keinen Augenblick ließ die Kraft nach, die uns zueinander trieb; keinen Augenblick gab es einen Sprung, es hielt an, eine starke Süße erfüllte uns ganz, nun waren wir bewußt geworden, ganz und gar bewußt. Vieles habe ich von dieser Stunde vergessen – aber eins weiß ich noch heute: wir liebten uns am meisten mit den Augen.

Ist hier auch ein Löffelchen Kitsch dabei? «Wir gaben uns *jenem*», dem Gotte Eros also wohl, denn der Schlitten oder Bob wird nicht gemeint sein? Ein Gran, vielleicht. Aber es ist doch sehr innig und schön, gerade nach Kafka. Und der «entfaltete Fächer: Frau» könnte mit seiner Alliteration auch in Nabokovs *Ada* fächeln. Eine Ada kommt im *Schloß Gripsholm* sogar vor.

Mit wahrhaft mädchenhaften Gefühlen: Kleist, Fleißer, Brecht

Weniger verbreitet ist der andere entfaltete Fächer: Mann. Der schöne Körper des Mannes wird manchmal von einem anderen Mann gerühmt. Wir haben es bei Hyperion gesehen, der an Alabanda sich weidete, seine Höhe maß und seine Stärke. Das Lob der männlichen Physis findet sich auch in dem Liebesbrief Kleists an seinen Jugendfreund Ernst von Pfuel, mit dem er am Thuner See gemeinsame Wochen verbracht hatte. Der Brief endet mit dem Antrag: «Ich heirate niemals, sei Du die Frau mir, die Kinder, und die Enkel!» Habe Pfuel doch das Zeitalter der Griechen in Kleists Herzen wiederhergestellt:

> [...] ich hätte bei Dir schlafen können, Du lieber Junge; so umarmte Dich meine ganze Seele! Ich habe Deinen schönen Leib oft, wenn Du in Thun vor meinen Augen in den See stiegest, mit wahrhaft mädchenhaften Gefühlen betrachtet. Er könnte wirklich einem Künstler zur Studie dienen. Ich hätte, wenn ich einer gewesen wäre, vielleicht die Idee eines Gottes durch ihn empfangen. Dein kleiner, krauser Kopf, einem feisten Halse aufgesetzt, zwei breite Schultern, ein nerviger Leib, das Ganze ein musterhaftes Bild der Stärke, als ob Du dem schönsten jungen Stier, der jemals dem Zeus geblutet, nachgebildet wärest.

Dies die mann-männliche Erotisierung, wenn sie zur Sprache gebracht wird. Das Frauenlob der männlichen Physis ist gar nicht so leicht zu finden. Sehr schön, im Ton an das Hohelied Salomos anklingend, ist Christine Lavants Gebet zur Feier des Geliebten, das beginnt:

> Lieber Gott, lass mir die Liebe
> Die mutige Liebe
> zu der Stirne meines Geliebten
> zu den Brauen meines Geliebten
> zu den süßen Äpfeln seiner Augen
> zu den beiden Wangenhügeln

zu den Flügeln seiner Nase
zu seinem Lippenpaar
zu dem zu wenig geküssten Kinn
zu Hals und Schultern
die vor Lachen hüpfen konnten
wenn man sie streichelte.
Zu dem zärtlichen Wäldchen auf seiner Brust
und den beiden Beeren darin.
Zu allen seinen Rippen
und jedem Schlag seines Herzens.
Und dreimal mutige Liebe
zu den Gegenden seiner Lenden
und dem Baume des Lebens darin.
Zu den kindlichen Kehlen seiner Kniee
zu allen seinen Zehen
und noch einmal zurück hinauf
bis in die niemals vergessenen Haare.

Lavants Lyrik ist dreimal mutig und beschämt die Prüden und die Priester, die sie so gern für sich vereinnahmt hätten. Es gibt andere Beispiele von Manneslob bei Irmgard Keun, bei Elke Lasker-Schüler, bei Ingeborg Bachmann. Mit einem weiteren versorgt uns Marieluise Fleißer. In ihrem Roman *Eine Zierde für den Verein* beschreibt sie ein in freier Natur stattfindendes Rencontre zwischen Frieda und deren Galan Gustl, einem sehr ungalanten Galan, genau genommen. Dieser Gustl ist dem Tabakladenbesitzer Bepp Haindl nachgebildet, mit dem Fleißer in Ingolstadt eine lange und unglückliche Ehe bis zu Haindls Tod im Jahr 1958 führte – das erwähnte dritte Monstrum in ihrem Leben.

Frieda ist ihrem Liebhaber Gustl geistig deutlich überlegen, aber sie findet ihn körperlich attraktiv. Die beiden schlagen sich auf der Suche nach einem stillen Plätzchen durchs Gebüsch:

> Gustl hat nicht den brennenden Ehrgeiz, den Bewohnern der Flurebene ein Ärgernis zu geben. Er bevorzugt Gegenden, wo Brennesseln wuchern oder ein Wasserarm unliebsame Überraschungen erschwert. [...]
> Und sollte Gustls Tun nicht nützlich sein, wenn Frieda es braucht und rund um ihn die Wesen auf dieselbe lebendige Weise ihr bloßes Dasein loben?
> Er steht nicht zurück, wenn schon die Grillen aus Instinkt am eigenen Deckblatt sägen und die Frösche durch den quarrenden Halssack Töne pressen. Gustl ist nicht störrisch im Monat Mai, dies ist sein geringstes Versagen. Er bleckt die Zähne in einer Grimasse des versteinerten Genusses, bevor ihm die Sinne schwinden, wird förmlich seines Lebens froh.
> Er macht es auf eine siegreiche sportliche Art jedenfalls, nicht im Sinne von Erleiden, sondern von Tun. Er ist herrlich zusammengefaßt und kann mit furchtlos offenen Augen in den Himmel zielen. Sein Brustansatz ist mit dem Muskel bepackt wie ein Vogelflügel. Oh, Gustl hat sich am gedeckten Tisch der Natur nicht wie der arme Lazarus niedergelassen!

Fleißer ist zugleich direkt und diskret, daraus ergibt sich die bewußte Unschärfe der Bilder. Ihr Gustl ist nicht störrisch im Monat Mai. Was Grillen und Frösche ihm vormachen, davor zuckt auch er nicht zurück. Das Furchtlos-in-den-Himmel-Zielen – was es genau meint, bliebe auszubuchstabieren, aber in dieser Unschärfe liegt der Reiz.

Fleißers erstes Liebesmonstrum, Bertolt Brecht, hat den Monat Mai in seinem nun schon mehrfach erwähnten Gedicht nicht ausdrücklich genannt, aber sicher mitgemeint. Es sind nur zwölf Zeilen, für die wir wieder ins lyrische Fach wechseln wollen:

Als ich nachher von dir ging
An dem großen Heute
Sah ich, als ich sehn anfing
Lauter lustige Leute.

Und seit jener Abendstund
Weißt schon, die ich meine
Hab ich einen schönern Mund
Und geschicktere Beine

Grüner ist, seit ich so fühl
Baum und Strauch und Wiese
Und das Wasser schöner kühl
Wenn ich's auf mich gieße.

Wer spricht hier? Das Thema dieses Gedichts ist eine geglückte, beglückende Entjungferung. Es ist süddeutsch gefärbt und gesprochen aus dem Mund des Mädchens, der jungen Frau, die zum ersten Mal die körperliche Liebe erlebt hat und begreift, daß die andern Menschen ähnliche Erfahrungen machen, vermutlich sogar immer wieder, weshalb sie plötzlich lauter lustige Leute sieht. Vielleicht findet sie die Leute auch nur lustig, weil ihre Oxytocin-beschwingte Laune nach außen schwappt. Sie spricht in Gedanken mit ihrem Geliebten, der schon wisse, welche Abendstunde sie meint, in der sie ihre Beine trainierte. Sie sieht die Welt mit den neuen Augen der erotischen Erwecktheit, die Kühle des Wassers nach der Liebeserhitzung ist eine andere als die der täglichen Morgentoilette. Weil sie spricht, wie sie denkt, bildet sie nicht den grammatisch notwendigen Plural und sagt nicht: «Grüner *sind*», seit sie so fühle, Baum und Strauch und Wiese; so wie sie in der ersten Strophe nicht sagt: als sie *zu* sehen anfing, und so wie sie die Abendstunde nicht mit «welche» anknüpft, sondern mit «die».

Allein wegen dieses falschen «ist», wegen des «schöner kühl», wegen des «großen Heute» müßte man Brecht ein Genie heißen. Das Nachempfinden, in Wirklichkeit Neuschöpfen des Volkstons, das scheinbar Leichte, das so schwer zu machen ist, das Liedhaft-Heitere, in das sich das Kühne hüllt, ist unnachahmlich Brechtisch. Ob es sich dabei um eine Männerphantasie handelt, die an den meisten Deflorationen vorbeizielen wird, steht auf einem andern Blatt. In Musils *Tonka* wird dieses andere Blatt, wie wir sahen, eindrucksvoll beschrieben.

Robert Musil war der große kühle Skeptiker des Eros. Die Frau als Käfer, der sich bei der Liebe tot stellt, käme weder bei Brecht noch bei Tucholsky, noch bei Lavant oder Fleißer vor. Auch die Gefühle post coitum sind bei Musil verhangener. Sein Ulrich aus dem *Mann ohne Eigenschaften* grübelt darüber, wie jäh man aus der einen Sphäre wieder zurückfällt in die andere.

> «Wie viel schöner ist sie, wenn sie wild wird,» überlegte Ulrich «und wie mechanisch hat sich dann wieder alles vollzogen.» Ihr Anblick hatte ihn ergriffen und zu Zärtlichkeiten verführt; jetzt, nachdem es geschehen war, fühlte er wieder, wie wenig es ihn anging. Das unglaublich Schnelle solcher Veränderungen, die einen gesunden Menschen in einen schäumenden Narren verwandeln, wurde überaus deutlich daran.

Ulrich zieht daraus weitere Schlüsse: Die Liebesverwandlung des Bewußtseins sei nur ein besonderer Fall von etwas weit Allgemeinerem; auch ein Theaterabend, ein Konzert, ein Gottesdienst, alle Äußerungen des Inneren seien solche rasch wieder aufgelösten Inseln eines zweiten Bewußtseinszustands, der in den gewöhnlichen zeitweilig eingeschoben werde. Es ist Musils Lieblingsidee des anderen Zustands, auch als taghelle Mystik bekannt. Ulrich grübelt weiter:

> «Vor kurzem habe ich doch noch gearbeitet,» dachte er, «und vorher war ich auf der Straße und habe Papier gekauft. Ich grüßte einen Herrn, den ich aus der Physikalischen Gesellschaft kenne. Ich habe mit ihm vor kurzer Zeit eine ernste Aussprache gehabt. Und jetzt, wenn Bonadea sich etwas beeilen wollte, könnte ich in den Büchern dort, die ich durch den Türspalt sehe, etwas nachschlagen. Zwischendurch sind wir aber durch eine Wolke des Irrsinns geflogen, und nicht weniger unheimlich ist es, wie sich jetzt die soliden Erlebnisse über dieser verschwindenden Lücke wieder schließen und sich in ihrer Zähigkeit zeigen.»

Stilistisch aufschlußreich ist, wie Musil die zwei Zustände auch sprachlich nachbildet. Der Alltagszustand ist der sprachlich nüchterne, in dem Ulrich den Herrn aus der Physikalischen Gesellschaft trifft, ernste Aussprachen hat und sich nach seinen Büchern sehnt. Der andere Zustand ist der metaphernselige: Der Mensch verwandelt sich in einen schäumenden Narren und fliegt durch eine Wolke des Irrsinns. Daß der Mensch vor dieser Verwandlung «gesund» genannt wird, verrät im Umkehrschluß, daß Musil sexuelle Erregtheit für im Grunde ungesund hält. Im drahtigen kleinen Musil versteckt sich ein Asket.

Arno Schmidt: Ein Phall für sich

Arno Schmidts *Seelandschaft mit Pocahontas*, 1953 verfaßt, wurde wegen Unzüchtigkeit von allen Verlagen abgelehnt. Als Alfred Andersch die Erzählung 1955 in *Texte und Zeichen* abdruckte, wurden beide verklagt, es drohten ihm und Schmidt sogar Zuchthausstrafen. Erst ein Gutachten der Deutschen Akademie für Sprache und Dichtung sorgte für die Einstellung des Verfahrens. Der damalige

Präsident Hermann Kasack hatte erklärt, es handle sich um ein ernst zu nehmendes Sprachkunstwerk und keineswegs um Pornographie.

Man wird diesen Zeitgeist in Rechnung stellen müssen, wenn man die Erotik-Szene heute liest. Für damalige Leser waren das notwendige Akte der Befreiung. Das Pornographische daran setzt allerdings Scharfsinn voraus, denn die inkriminierte Szene liest sich so:

> Wieder blitzte es die Schatten aus unserer Bleikammer: über der Stuhllehne dünne nackte Schläuche, das Dreieck und ein rosa Doppelschüsselchen. Ich ruhte nicht eher, bis im Sitz noch die zwei winzigen Söckchen lagen, darunter dann die braunen Sandalen : «Was hastu für ne Größe?» Sie stöhnte verzweifelt : «Frag nich ...»; dann so gebrochen : «Dreiunvirzich!», daß ich sofort hineilte und ihr Trost zustreichelte : «*Pocahontas* ! – !». (Nur mit einer roten Hüftfranse aus dunkelgrünen Wäldern treten. Müßte Sie. Sie suchte ein bißchen in ihrem Koffer : – –, holte ein Kopftuch heraus und probierte es schüchtern : – –, machte den abschließenden Knoten an der Seite : – – ?. Stand still mit hängenden Armen : ernst pfählte und hager die endlose Hüfte rechts aus den harlekinenen Stoffzungen, war also ihre linke Seite, und wartete ergeben und sehnsüchtig bis ich sie nannte und erlöste : «*Pocahontas* !» – Ein roter Samtfleck kam aus ihren Lippen, wurde schnitzelspitz, drängte unbeholfen, und schlüpfte mir dann tief in den Mund ...).
>
> [...]
>
> / Ich küßte auch in den konkaven Mirabellenbauch. Unsere Flüster durchirrten sich; unsere Hände paarten : sich! Ich mußte erst das rote Gitter ihrer Arme durchbrechen, Fingergezweige zurückbiegen, ehe ich die Tomate mit den Lippen

> am dünnen kurzen Stiel faßte, daß sie sehr meuterte, vil michel ungebäre, und verschluckte sie dann ganz, daß sie süß empört aufwollte (aber ja nicht konnte); so schrie sie nur einmal schwächlich und lüstern; dann klemmte wieder die mächtige Schenkelzange. (Wir ritten sausend aufeinander davon : durch haarige Märchenwälder, Finger grasten, Arme natterten, Hände flogen rote Schnapphähne, (Nägel rissen Dornenspuren), Hacken trommelten Spechtsignale unter Zehenbüscheln, in allen Fußtapfen schmachteten Augen, rote Samtmuscheln lippten am Boden, kniffen mit Elfenbeinstreifen aus denen Buchstaben schimmerten, Flüster saugten, Säfte perlten, abwechselnd, oben und unten.

Alles verstanden? Auch ohne Nachfrage beim Schmidtschen Dechiffrier-Syndikat? Nein, wir müßten lügen. Halbwegs ist die Situation klar, aber auch nur halbwegs. Die nach der Indianerfrau Pocahontas getaufte lange und hagere Ferienbegleitung des Erzählers hat sich entkleidet. Das Dreieck und das Doppelschüsselchen, ihr Slip und ihr BH, hängen mit den Nylonstrümpfen über dem Stuhl. Der Erzähler (er heißt Joachim, sie heißt Selma) tröstet sie wegen ihrer Schuhgröße. Nackt, wie Selma ist, hüllt sie sich auf seinen Wunsch in ein Kopftuch. «Ernst pfählte und hager die endlose Hüfte rechts aus den harlekinenen Stoffzungen, war also ihre linke Seite» – spätestens ab hier senkt sich ein gewisser Nebel über den Text. Was soll uns der Hinweis, daß für ihn rechts ist, was für sie links ist? So ist das, wenn man jemandem gegenübersteht. Das «rote» Gitter ihrer Arme, das der Erzähler durchbricht, erklärt sich noch dadurch, daß beide einen heftigen Sonnenbrand haben. Hübsch ist auch der rote Samtfleck, der schnitzelspitz wird. Aber der dünne Stiel der Tomate, meint Schmidt damit ihre Brustwarze? *Nicht* genial gefunden. Konkaver Mirabellenbauch? Gelborange wie die Mirabelle oder zart wie deren Haut? Was heißt es, wenn Hände rote Schnapphähne fliegen? Das Grimmsche Wörterbuch vermutet eine «derbe und nicht ohne humor gebildete bezeichnung eines schnappenden, beute haschenden hauptkerls». Schnapphähne sind in der Regel Wegelagerer, Raubritter, die hier offenbar als Hände fliegend unterwegs sind – puhh! Schmidt macht es seinen Lesern und Leserinnen nicht leicht. In Fußtapfen schmachtende Augen? Schimmernde Buchstaben in Elfenbeinstreifen? Meint er die durch den BH vom Sonnenbrand verschonten Längsstreifen? Wir sitzen auf der Leitung.

Natürlich passiert hier mehr in der Prosa als bei Heinrich Böll. Aber es passiert bei Arno Schmidt immer ein bißchen *zu* viel. Er hatte oder duldete keinen Lektor, der ihm gezeigt hätte, wo er einmal herunterschalten könnte – sein Prosagefährt fliegt ständig aus der Kurve. Und mit den Jahren und Jahrzehnten wird Schmidt immer eigenbrötlerischer und zwanghafter. Was er im Spätwerk mit seiner Etym-Theorie und viel Joyce zelebriert, seine Kunst der Ver- und Überschreibung, hat ihn berühmt gemacht, doch dieser Ruhm scheint schon etwas zu verblassen. Wer liest *Finnegans Wake*, wer liest *Zettel's Traum*? Und wer glaubt Schmidt ein Wort von seiner freudianisch inspirierten Sprachtheorie?

Zwanzig Jahre nach *Seelandschaft mit Pocahontas* erschien Schmidts Novellen=Comödie *Die Schule der Atheisten*. Der Zeitgeist erlaubte jetzt offenere Worte über Sex. Was in der *Seelandschaft* noch kryptisch umschrieben werden mußte, wird jetzt mit Wörtern wie «wixen» und «Muschi» direkt benannt. Der geschilderte Vorgang ist darum auch ganz transparent. Der junge Apotheker, seiner Manneskraft gerade nicht mächtig, befriedigt seine Freundin durch Cunnilingus. Der betriebene Sprachaufwand ist beträchtlich, die Möglichkeiten der semantischen Unterfütterung werden üppig ausgekostet. Arno Schmidt schreibt nicht untenherum, sondern «untn=haarum», man «keucht» nicht, sondern «Coicht», was den Coitus zur Hälfte mitnimmt, es heißt nicht *vae victis*, Wehe den Besiegten, sondern VAE VICKT; das Palliativ wird zum «Phalliativ», im Verb «roboten» steckt der englische *bottom* («rohBOTTOM't»), der Scheitelpunkt ist das «Scheidel-Pünktchin Ihres Winkels» – und so immer fort. Was immer einen sexuellen Doppel- oder Hinternsinn haben könnte, wird auf die Sprachoberfläche gezerrt. Man kann es lustig oder phantasievoll finden oder auch öde und spätpubertär-johannistriebig; zu imitieren wäre es kinderleicht. Über die Satzzeichen-Manie müssen wir nichts mehr sagen.

> (= SIE Coicht, ER schmattsD, den Tàkdazu: ‹!›) / (Ihre, reglwidrije, Beinstellunc abba=auch! : Sie windit sich, als läg' Sie auf dem Rade! : jägliche Ihrer süß'n Mußkln zukkt wie ein Herrz! : daSS quieklt=follieklt, unterHelft \ unterHälft wonnich kreißnder BlauAugn, (ein mattiß ‹A›; über einim, Knieumschlegeltn ‹O!›), & die SchamKrafft der Maid 'ss so groß, & Sie credenzt Ihm=Ihre SchoßSäfftchin mit einer Schnälle, daß der steifge SteinBleiche, untn=haarum-Tollinde, (coichlnd, schweißermüdit!); ((?): man sieht Ihn faßt nicht, (so=gewålltticht die bum'e'Range um Ihn her!) … hHhchchnn!! – / –: keuchnd rohBOTTOM't, tief untergebogn die Zukk'nD'e: ' ' ' ' ' –: da ròllt sich die Hòlde Gestalt gans=zuSàm'm vor sein'n ZungnStöß'n.

Was sollen wir damit machen? Stark ist das auf seine Art schon. «Das Ei, das Schmidt der Welt gelegt hat, ist wunderlich gestaltet, gleichsam ein Barock-Ei», schreibt Peter Hacks. «Aber gelegt hat er es ihr.» Das hat er zweifellos. Ähnlich resümiert der Hacks sonst ganz unähnliche Hans Wollschläger: «Von der zweiten deutschen Jahrhunderthälfte wird wenig Literatur ‹übrig› bleiben, von Arno Schmidt das Meiste» – fragwürdig, aber immerhin möglich. Jedenfalls *Brand's Haide* eher als *Billard um halb zehn* und *Kaff* und

Abend mit Goldrand eher als *Ein weites Feld* und *Die Rättin*; mit dieser Wette riskiert man nicht viel.

Und dennoch traf der Lektor des Rowohlt-Verlags, der *Seelandschaft mit Pocahontas* empörenderweise abgelehnt hatte, einen Punkt. Nicht mit dem Vorwurf der Sprach-Onanie. Er sah in dem Werk vor allem eine «Apologie der Spiesserei».

Wir behalten uns vor, die Prosa des späten Schmidt bei aller genialischen oder genitalischen Interessantheit letztlich partiell entsetzlich zu finden. Sein Mädchen- und Frauenbild ist es in jedem Fall. Räusper: Phall.

Das laszive Möbiusband

Thematisch ähnlich, mit Impotenz befaßt, aber ganz anders im Ton, ist die 1977 veröffentlichte Novelle *Ein fliehendes Pferd*. Nur fünf Jahre trennen Martin Walsers berühmteste Erzählung von Schmidts *Schule der Atheisten*. Diese fünf Jahre genügten, um die sexuelle Revolution so weit in die bürgerlichen Kreise zu tragen, daß sie erste Widerstände hervorruft. Der Oberstudienrat Helmut Halm, der Held des *Fliehenden Pferd*, fühlt sich abgestoßen von dem Sexualzwang der Zeit und erträgt es nur schwer, wie sein Jugendfreund Klaus, den er an seinem Urlaubsort am Bodensee zufällig trifft, mit seiner Potenz renommiert. Helmut Halm haßt den Sexualdruck, der durch die Presse erzeugt wird, er haßt das öffentliche Gebot der Luststeigerung und hat kaum noch Verkehr mit seiner Ehefrau Sabine. Für diese dauerhafte Unlust gab es einen Auslöser akustischer Natur.

> Helmut dachte an eine Nacht vor zwölf Jahren: Während des letzten Urlaubs, den sie in Italien verbracht hatten. In einem Hotel in Grado. Sie wollten gerade zueinander, da hörte er

> aus dem Zimmer nebenan ein Geräusch, als schlüge ein riesiger Hammer auf ein Bett ein. Jeder Schlag ging deutlich durch die ganze Federung hindurch und endete hart. Das Erstaunliche bei diesem Geräusch war, angesichts der vermutbaren Wucht des Hammers, der da schlug, die rasche, wahnsinnige Folge der Schläge. Helmut hatte sofort gespürt, daß er keinen eigenen Rhythmus finden würde, solang der da drüben so zuschlug. Er hatte bemerkt, daß Sabine auch nur noch hinüberhorchte. Sie mußte, mußte, mußte ihm das doch vorwerfen, daß er kein solcher Hammer war. Beide lagen und hörten nur noch, was ein Mann leisten kann. Helmut hätte das nicht für möglich gehalten. Sollte er die Schläge zählen?

Die Szene geht noch eine Seite lang weiter, Helmut schwitzt und bekommt keine Luft mehr, ihm fällt kein Satz ein, der Sabine und ihn aus dem Bann des bloßen Zuhörens befreit hätte, zwischendurch erwägt er, Sabine zu erwürgen, aber seine Hände rühren sich nicht. «Nachher sagte er sich, daß das Ganze vielleicht doch nur 11 oder 21 oder höchstens 29 Minuten gedauert habe.»

Der letzte Satz demonstriert, worüber Walser im Gegensatz zu Arno Schmidt verfügt, bei bedeutend niedrigerer Sprach-Voltzahl: über Humor und Selbstironie.

Eine ähnliche Akustik-Szene gibt es in Herrndorfs Roman *Sand*. Sie ist eines anderes Beispiel für den Humor, der nach Walter Benjamin den Passierschein des Geistes für die Welt des Sexus ausmacht. Der Humor oder die Komik entstehen hier allein durch die penible Logik, durch das übergenau Gedachte. Herrndorfs namens- und gedächtnisloser Held, der sich nach dem Hersteller seines Marken-Jacketts «Carl» nennt, liegt in einer vermutlich marokkanischen Stadt mit einer Sextouristin im Hotel. Aus dem Nebenzimmer hört Carl das Stöhnen eines Paares. Aber stimmt das überhaupt? Im nächsten Moment macht Carl sich klar, daß er die

Männerstimme gar nicht hört, sondern sie sich nur dazu denkt. Worauf er folgert: Vielleicht liegt nebenan auch eine Frau mit zwei Männern. Oder mit einer andern Frau? Oder eine Frau ganz allein? Als es später, nachdem sich seine Begleiterin verabschiedet hat, wieder von nebenan stöhnt, überlegt Carl, ob es nicht nur das gleiche, sondern *dasselbe* Stöhnen wie das von ihnen gerade erzeugte sein könnte: im Nachbarzimmer von einem Tonband aufgenommen und als verspätetes Echo abgespielt.

> Er saß aufrecht im Bett, ein Ohr an der Wand. Das Stöhnen steigerte seinen Rhythmus über einige Minuten und fiel dann plötzlich eine Oktave herab wie eine Polizeisirene, die vorüberfährt, während eine zweite Stimme dumpf und kurzatmig dazwischen schnaufte. Dann wurde es wieder still. Carl war erleichtert, die Stimme des Mannes noch gehört zu haben, die ganz erkennbar nicht seine eigene war.

Wenigstens das weiß er, wenn er schon sonst nichts über sich weiß. Daß es mit einem so verwirrten Denker kein gutes Ende nehmen kann, ist nach dieser Hotelnummer leider klar. Herrndorfs Komik war, anders als die Martin Walsers, tief und schlackenlos schwarz.

Eine letzte akustische Lustäußerung beendet unsere Aufzählung und das erotische Gedicht Durs Grünbeins: *Unverschämtheit.*

> Dieses Hecheln,
> Bei dem Parfüm, verbrannt, herüberweht. Dies ungezügelte
> Sich Ineinanderwühlen, breit wie Satyrn lächelnd,
> Am Rückgrat Schauer. Schweiß perlt auf den Nasenflügeln.
> Keins hört mehr, wie die Uhren ticken. Gleich ist es vorbei,
> das Heiß und Kalt. Eh sie sich trennen nach dem Akt,
> Heißt es: *lascivia*, Tollheit, Libido. – Bis vom Geschrei
> Genervt der Nachbar an die Wand klopft und schreit *Fuck!*

Mit dem letzten Wort macht es Klick! und der Fluch wird ans Verfluchte angecluncht. Fuck inwändig, Fuck auswändig; das laszive Möbiusband.

Kutschenfahrten, heute

Wie es außerhalb der Altherrenphantasie eines Arno Schmidt aussieht, wenn eine selbstbewußte Frau einen Mann verführt, läßt sich nachlesen in Elke Schmitters Debutroman *Frau Sartoris*. Schmitter legt diesen Roman als Kontrafakatur eines berühmten Vorbilds an, der *Madame Bovary* von Flaubert. Kontrafaktur heißt: Sie greift die Muster und Motive auf, aber paßt sie dem Jahr 2000 an. Ihre Heldin ist eine emanzipierte Emma Bovary. Die berühmteste, damals skandalöse Szene in Flauberts Roman: Emma trifft ihren heimlichen Liebhaber zu einer Kutschenfahrt; mit verhängten Fenstern wird diese Kutsche stundenlang im Kreis durch Rouen gejagt. Was dabei auf der Rückbank passiert, konnten die Leserinnen sich vorstellen; beschreiben durfte Flaubert es noch nicht. Elke Schmitter holt diese Beschreibung zumindest andeutungsweise nach. Selbst die Kutsche rettet sie aus dem Skandalroman in die Jetztzeit. In einem alten Schuppen auf einer ländlichen Freiluftausstellung, die Flauberts *foire agricole* zitiert, stehen Karren und sogar eine Hochzeitskutsche.

> Ich lehnte an einer Kalesche und wartete auf ihn, und als er vor mir stand, küßte ich ihn und drängte mich ganz nah an ihn; ich spürte, wie er weich wurde und nachgab; wir verloren uns in diesem Kuß, der lange und noch einmal lange dauerte […]

Sie öffnet den Schlag der Flaubertschen Kutsche und zieht ihren Liebhaber hinter sich her.

> Ich lehnte mich an ihn und legte seine Hand auf meine Brust, während ich ihn wieder küßte; ich wollte ihn aussaugen und wehrlos machen, ich fühlte mich mächtiger als je in meinem Leben, während ein Mann mit dröhnender Stimme von Federung und Bereifung sprach [...]

Sie beginnt, ihr Kleid aufzuknöpfen, ihr Begleiter stöhnt vor Aufregung und vielleicht Angst, die Kutsche schaukelt leicht, «seine Hand lag in meinem Schoß und meine an seiner Brust, ich spürte sein Herz darunter klopfen; ich fühlte seine Erregung und zog ihn weiter aus» – da hört sie einen Mann sagen: «Wir könnten uns eigentlich reinsetzen.»

> Ich streckte meine Hand nach dem Türgriff aus und hielt ihn von innen fest, und für eine Sekunde war alles gleichzeitig, die Erregung und die Angst, mein Verlangen, uns zu beschützen und zugleich uns freizugeben; ich konnte noch immer klar denken, doch war mir alles egal, ich wollte nur nicht aufgeben; ich wollte erregt bleiben und mächtig, ich wollte hier in der Kutsche mit ihm schlafen, sofort, ich wollte ihn überwältigen.

Der Mund des Begleiters liegt schon auf ihrer Brust, als eine Frau draußen sagt, sie habe gar keine Lust, in dieses dunkle Kabuff zu steigen – Entwarnung, «der Wagen schaukelte noch leicht, als wir hörten, wie sich alle entfernten, bis draußen der Kies wieder knirschte und es ganz still wurde».

Ende des Absatzes, der Vorhang fällt. Mehr als bei Flaubert haben wir über die Vorgänge im Kutscheninnern immerhin erfahren.

Sehr viel expliziter wird Schmitter in ihrem zweiten Roman *Leichte Verfehlungen.* Dort schildert sie auf drei Seiten eine weibliche Masturbation. Die Prosa ist präzise, behutsam und deutlich; die Metaphorik sparsam und wirkungsvoll. Schmitters Hauptfigur Selma

> ließ den Kopf auf das Kissen sinken; ihre Augen schlossen sich wie von selbst. Ein saures, angenehmes Zucken durchzog ihre Vagina, wie der Biß eines Insekts. Sie streckte ihre Beine aus, die ein wenig steif geworden waren; zugleich mußte sie gähnen. Mit Behagen zog sie die Luft tief ein, während die Muskeln in ihrer Scheide sich ablösten in einer flankierenden, schnell wandernden Bewegung, von den Leisten nach innen und wieder zurück.

Flaubert wäre dafür noch ins Kittchen, *en taule,* gewandert oder hätte es jedenfalls nicht publizieren können. Er hätte es aber auch nicht schreiben können; so gut wußte er nicht Bescheid. Auch der Autor der *Mutzenbacher* wäre nicht auf den Insektenbiß gekommen (er hätte auch nicht zur Rollenprosa gepaßt). Bei Schmitter geht es weiter: Selma schiebt mit beiden Händen Jeans und Schlüpfer nach unten,

> gerade so weit, daß ihre Daumen locker und spielerisch die Schamlippen berühren konnten, die warm und geöffnet dalagen. Sie klappte die linke ein wenig nach außen und hielt sie fest, während ihr rechtes Daumengelenk, das Mittelglied in leichter Bewegung, sich weiter nach innen schob, wo das Gewebe feucht und kräftiger war. Süße durchströmte sie, plötzlich und erwartet, wie eine Fontäne, sprudelte hoch und sank wieder zurück, noch einmal und wieder.

«Plötzlich und erwartet», nicht plötzlich und unerwartet: die kleine Abweichung, die den Stil macht. Und jetzt tauchen Bilder auf, durchwandern Selmas sanft erlahmendes Bewußtsein. Sie stellt sich vor, ein Unbekannter streiche ihr bei einer Ausstellung, in einem überfüllten Bus, bei einer öffentlichen Feier mit selbstbewußt rüder Hand über die Schultern.

> Seine Linke faßte ihr in den Nacken und beutelte sie dort, wie man ein junges Tier im Griff hat, das winselt vor Freude, Angst oder Schmerz; sie hatte die Augen geschlossen, während aus ihrem Mund ein leise rasselndes Stöhnen entwich, allein für ihn bestimmt, der nun zu sprechen begann …

In ihrer Phantasie genießt Selma seine mit unbeteiligter Stimme gesprochenen Befehle. (Kennt sie Mosebachs Joseph Salam: «Bei der Liebe muß man befehlen»?) Selma stellt sich vor, wie der Fremde ihren Slip zerreißt. Alles Folgende geschieht ebenso mit seiner imaginierten Hand wie mit der realen eigenen. Ein dünner Speichelfaden läuft Selma aus dem Mund, während die Hand des Fremden ihre Erregung dirigiert,

> sein Zeigefinger, zart und trocken, um ihre Schamlippen herumstrich, eine kaum fühlbare Bewegung, unter der sie sich um so heftiger zusammenzog und wieder weitete, in stummer bettelnder Hingabe, den Kopf nach vorne gesenkt, während er nun, endlich, über ihr Inneres verfügte, indem er den Druck seines Daumens erhöhte, mit den Fingern ihr Gewebe spreizte, sich Raum verschaffte und massierte, sich eindrehte und stach, in dieser sich dehnenden, pulsierenden Weite […]

Erst der Insekten*biß*, dann der durch ihn vorbereitete Stich. «Über ihr Inneres verfügte» ist sachlich, ironisch distanziert, eine Spur bürokratisch; man kann sich denken, wieviel derber es in der *Mutzenbacher* genannt worden wäre. «Verfügte über ihr Inneres» ist stilistisch, um im Genre zu bleiben, das Präservativ zur Pornographie-Verhütung. Schmitter will genau und deutlich sein, furchtlos, unverschwiemelt, wahrt sprachlich aber den Dresscode; kein Argot, keine Jahnnschen Sprach-Ekstasen, keine Borchardtschen Exzesse.

In einer anderen virtuosen und erzähltechnisch ausgefuchsten Sex-Szene der *Leichten Verfehlungen* gerät ein Anwalt bei der Betrachtung eines alten Stillebens, das über seinem Bürosofa hängt, in Tagträume. Er stellt sich eine flämische Bürgersfrau vor, die dem Heiland ihre sündigen Gedanken bei der Hochzeit ihres Schwagers gesteht

> und die Erregung zwischen den Schenkeln und in der Kehle, als ihr, auf dem Weg, um ihre Notdurft zu verrichten, im Halbdunkel der Diele ebendieser Schwager begegnete. Stunde um Stunde essend und trinkend, in der aufgelösten Wärme ihrer Verwandten sitzend, hatte ihr Leib sich ausgedehnt, war aufgeschwollen vor Wohlbehagen, und ihre Brüste prangten beinahe schmerzhaft, als der jüngste Bruder ihres Mannes mit seinen Händen ganz zart, beinahe nebenbei, darüberstrich, bis sie die ihren darauf legte, wie um ihn abzuwehren, und sie dann auf die Spitzen preßte, die hart geworden waren, sie drückte und bewegte, in engen, massierenden Kreisen, während er sich an sie schob, sich an sie drängte; mit dem Rücken an der Wand, eine hölzerne Strebe im Kreuz, hatte sie die Schenkel gespreizt und, durch alle Röcke hindurch, sein pulsendes Glied gespürt, merkwürdig schmal und lang, ein Finger ohne Hand, der sich an dieser

Stelle rieb, die sich für ihn geöffnet hatte, ausgestülpt und riesig, hohl …

Die Autorin versetzt sich in einen Mann hinein, der sich in eine erfundene Frau hineinversetzt, die einem Mann beichten will – ein Set russischer Puppen, eine Frauen-Männer-Frauen-Phantasie. Die Szene geht noch drei Seiten weiter und schwelgt in altflämischen Details; die Pointe läßt Schmitter nebenbei schon zu Beginn fallen: Das anregende Stilleben aus dem siebzehnten Jahrhundert ist wahrscheinlich eine Fälschung.

Der Finger mitsamt Hand, der imaginierten, befaßt sich unterdessen noch mit Selmas Innerem. Sie ist immer noch dicht von andern Körpern bedrängt; man könnte sie aus den Augenwinkeln beobachten, was eine Quelle ihres Luststroms ist, aber niemand sieht das Rumoren, dem sie sich ausgeliefert hat, aufgepeitscht von der kaum hörbaren Stimme des Mannes, die sie jetzt zwingt, die Beine noch weiter zu spreizen und sich in den Kniegelenken zu lockern, «so daß nun, in der größten Spannung, die Lust sich ausbreiten konnte, die er, noch einmal, mit ein, zwei Worten hinhielt, um ihr dann, während die Linke ihren Mund verschloß, vollkommene Erlösung zu bereiten …»

Sie nennt es vollkommene Erlösung, Borchardt nannte es die Krisis. – Danach liegt Selma minutenlang da, die Hand in der Sonne, nimmt ein Buch von der Lehne und schlägt die geknickte Seite auf. Es folgt ein Zitat, ein Satz von Jacob Burckhardt. Erst der Flug durch die Wolke des Irrsinns, dann die Landung in der Literatur? Bei Musils Mann ohne Eigenschaften war es nicht anders. Als Intellektuelle immerhin scheinen sich Frauen und Männer doch sehr ähnlich.

*

Erinnern wir uns an Goethes Fußfetischismus in den *Wahlverwandtschaften*? Schön und gut, aber er hat Nachteile.

> Wenn er gerne die Füße küßt, wird er noch fünfzig Frauen die Füße küssen [...]. Eine Frau muß aber damit fertig werden, daß jetzt ausgerechnet ihre Füße an der Reihe sind, sie muß sich unglaubliche Gefühle erfinden und den ganzen Tag ihre wirklichen Gefühle in den erfundenen unterbringen, einmal damit sie das mit den Füßen aushält, dann vor allem, damit sie den größeren fehlenden Rest aushält, denn jemand, der so an Füßen hängt, vernachlässigt sehr viel anderes.

So Ingeborg Bachmann in ihrem als sperrig geltenden Roman *Malina.* In MeToo-Zeiten kaum noch zu drucken wäre eine Stelle aus demselben Roman. Darin erklärt die seelisch schwer gestörte Erzählerin: «Ich, zum Beispiel, war sehr unzufrieden, weil ich nie vergewaltigt worden bin»:

> Als ich nach Wien kam, hatten die Russen überhaupt keine Lust mehr, die Wienerinnen zu vergewaltigen, und auch die betrunkenen Amerikaner wurden immer weniger, die aber sowieso niemand recht schätzte als Vergewaltiger, weswegen auch soviel weniger von ihren Taten die Rede war als von denen der Russen, denn ein geheiligter frommer Schrecken, der hat natürlich seine Gründe. [...] Man hält es nicht für möglich, aber außer ein paar Betrunkenen, ein paar Lustmördern und anderen Männern, die auch in die Zeitung kommen, bezeichnet als Triebverbrecher, hat kein normaler Mann mit normalen Trieben die naheliegende Idee, daß eine normale Frau ganz normal vergewaltigt werden möchte. Es liegt natürlich daran, daß die Männer nicht normal sind,

> aber an ihre Verirrungen, ihre phänomenale Instinktlosigkeit hat man sich schon dermaßen gewöhnt, daß man sich das Krankheitsbild in seinem ganzen Ausmaß gar nicht mehr vor Augen halten kann.

Die Pointe ist das fünfmal wiederholte «normal», mit dem Bachmann etwas Norm- und Wertewidriges einfach umstempelt. Krank sind die Männer, weil sie keine Lust aufs Vergewaltigen haben. Natürlich will Bachmann schockieren, auch in dem hier zensierten Auszug, in dem die Erzählerin sich beklagt, zwei farbige Soldaten im Salzburgischen (sie sagt es anders), das sei doch reichlich wenig für soviel Frauen in einem Land. Sie will schockieren; aber anders als Streeruwitz, die das ebenfalls will, hat Bachmann verborgenen Witz. Die Klage der Frau über die instinktlosen Männer hat gerade, weil sie allem Komment widerspricht, etwas nur schwer nachweisbar Komisches.

In Schweden sähe man das anders. Dort drohten die gleichnamigen Gardinen.

Puff, paff, paff, puff

«Etwas Unanständiges ist geschehen.» In ihrem Roman *Verlangen nach Musik und Gebirge* schildert Brigitte Kronauer eine Voyeurszene in einem Hotel im belgischen Oostende. Eine ältere Frau, genauer: die Commedia-dell'arte-Figur der lüsternen Alten, eine Frau Quapp, wird zur keineswegs unfreiwilligen Zeugin eines Koitus. Frau Quapp winkt die Erzählerin mit dem Fingerchen nah heran, kichert geniert vor sich hin, «dann platzte es – alles andere war nur Schein gewesen – aus ihr heraus: ‹Etwas Unanständiges ist geschehen.›»

> Meine Güte, das habe ich noch nie beobachtet, glauben Sie mir, bin auf so was nicht neugierig, nicht extra oder freiwillig. Ist eben passiert, es war so schrecklich still, bin nur eben im Haus rumspaziert, mit dem Aufzug gefahren, hoch hinauf, versehentlich.

Vermutlich so versehentlich, wie der Erzähler Marcel in Prousts *Recherche* in ein Männerbordell gerät. Doch Frau Quapp wäscht sich die Hände in Unschuld:

> «[...] Oben auf dem höchsten Flur habe ich doch nur an eine Tür gestoßen. Was konnte schon dahinter sein. Aber! Aber dann um Himmels willen!» Das Mütterchen legte den Finger auf den Mund, die Augen blinkten vor Freude.
> «Ein Pärchen war beim Sex zugange.» Die kleine alte Frau schlug mit der zur Faust geballten Hand in einer stempelnden Bewegung in die andere, hohle, sagte dazu: «Puff, paff, paff, puff», schüttelte entrüstet den Kopf und prustete endlich frohgemut heraus: «Der Mann trug oben herum einen Pullover, unten rum nichts, mehr war nicht zu sehen von der Türspalte aus. Die Frau hatte eine Maske auf bis über die Nase. Denken Sie nur! Man sollte sie nicht erkennen.»

Die bigotte Alte hat sie aber sehr wohl erkannt. Ihr Triumph ist groß. «Nun raten Sie!» fordert sie die Erzählerin auf. «Sie kommen nicht drauf? Nein? Nicht? Betty! Jawohl, jawohl, staunen Sie nur, Betty war's. Betty, Betty, Betty! Mich hat sie nicht hinters Licht geführt. Ich habe es am Kleid mit den Punkten gemerkt. Es lag auf dem Boden.»

Diese Betty ist dem Leser als füllige Kellnerin mit schön gerundeten Oberarmen bekannt, die gern ihre rasierten Achselhöhlen zeigt; der Überraschungseffekt ist hier nicht wiederzugeben, auch nicht das Motiv des Pullovers, das den Liebhaber verrät. Frau Quapp, die die glitschige Kaulquappe anklingen läßt, fährt ebenso glitschig fort:

> Von den beiden habe ich nichts gehört, aber fleißig waren die dabei, ich sage Ihnen, fleißig. Ist das üblich heute, daß die Teufelsmasken dazu tragen? Sah abscheulich aus. Unsere gute Betty! Mehr kann ich Ihnen nicht sagen. Schließlich schämt man sich ja auch.

Frau Quapp und sich schämen?! Wie komisch Sexszenen sein können, wenn sie eine Autorin wie Kronauer erzählt! In der Figurensprache nähert sich ihre Frau Quapp fast der monströsen Haushälterin in Canettis *Blendung*. Kronauers Humor ist allerdings milder und tiefer.

Ulrich Becher: Sex auf dem Friedhof

Auf der Meta-Ebene der erzählten Erotik machen sich die Akteure darüber Gedanken: Wie die Chose benennen? Das fragt auch eine der zahllosen Gespielinnen Rudolf Borchardts im *Weltpuff Berlin*. Wie sagt man zu dem, was sie gerade getan haben und alsbald wieder tun werden? Er sei aus Eisen und küsse wie der Teufel, sagt die schöne Kätti ihrem Liebhaber,

> «und ein Herz für mich hast Du auch, ist nicht nur ums – wie heisst mans?» «Ich versteh schon.» «Nein sag wie's heisst.» «Wie nennt ihrs denn, untereinander.» Sie lachte. «Oh da hats tausend Namen, aber nicht anständige.» «Heissts vögeln?» «So ähnlich, ist aber nicht schön.» «Ficken?» «Nicht schöner!» «Bürschten, Zsammwaschen, Bimsen, Stemmen,

> Stepseln?» «Die Kellner hier, hab ich gehört, sagen coätiern, ist das feiner? Die Ärzte haben eine Kollegin die krank wurd, gefragt ob sie mit dem Sowieso verkehrt hätt, und wie sie gesagt hat, sie verkehrt mit vielen, haben sie gelacht und gesagt, bei Ärzten heisst verkehrn zusammen ins Bett gehen. Wie sagst Du denn, Bub süsser, sag mirs.» «Möglichst garnicht, Schatz. Wers macht, warum muss ers nennen. Ich sag ‹lieben›, ‹lieb haben›, richtig lieb haben, und wenn zwei es thun jauchzen, und wenn ein Mädel es thut ‹spielen›.»

Nach kurzer wilder Pause verlangt sie eine andere Wort-Erklärung. Bei allem Priapismus – Dialog und Figurensprache, das konnte Borchardt.

> «Und wie heisst *der*?» «Da gibt's auch tausend Namen, sind alles Witze.» «Wonnig ist er anzufühlen Du, ich möchte ihm nur die schönsten Namen geben, der dicken Puppe, dem knubbeligen Spielzeug dem unverschämten, dem Lausbuben dem steifen, dem Schleckschnuller; dumm ist er, ein rechter Dummer, und ein eingebildeter, ein langweiliger Stock, ein rechter fauler, da – was hängt er rum, was treibt er sich rum wo er nix schafft, einfahren Bergmann in Schacht, wenns auch schwer fällt, ziehn muss man ihn – ach komm, hab mich lieb, fest lieb, scharf lieb» –

Wir blenden hier aus und schwenken hinüber zu einem 1969 erschienenen Roman, in dem die Heldin eine ähnliche Frage stellt. Sie sitzt im Morgenrock auf dem Bett und bekritzelt ein Blatt. «Wie würdest du Phallos übersetzen?» fragt sie ihren Mann – sie überträgt gerade aus Apuleius' *Metamorphosen* den *Goldnen Esel.*

«Mit: Phallus.»

«Das ist mir zu wenig – allegorisch.»

«Dann übersetz es mit: Schweif.»

«Das, das könnt zu Missverständnissen Anlaß geben, vor allem, weil es sich um einen Esel handelt.»

«Dann übersetz es mit –: Campanile.»

«Wie kommst du d-arauf?»

«Ich denk an den Schiefen Turm von Pisa. Und den schiefen von Sankt-Moritz-Kulm.»

«S-e-i-n Campanile? Meinst, daß es im zweiten Jahrhundert schon Campaniles gab?»

So spricht das Paar in dem Roman *Murmeljagd*, den fast niemand kennt und niemand, der ihn gelesen hat, je wieder vergißt. Sein Held und Ich-Erzähler, ein Wiener Journalist und ehemaliger Jagdflieger, nennt sich Trebla, der rückwärts gelesene Albert, seine bezaubernde Frau heißt Xane. Ort und Details der *Murmeljagd* sind Bechers Schweizer Exil 1938 nachgebildet. Trebla fühlt sich verfolgt, vielleicht wird er es wirklich, von zwei blonden Österreichern, die angeblich auf Murmeljagd sind (daher der Titel). Seine Frau verhält sich merkwürdig und verheimlicht irgendetwas vor ihm. Aber ihr Verhältnis ist so innig, daß sie zuläßt, daß Trebla mit ihr auf einem Bergfriedhof intim wird.

Sex auf dem Friedhof – geht es geschmackloser?! Geht es anders als wüst, blasphemisch, grell und im *gothic style*? Es ist eine der schönsten, delikatesten erotischen Szenen der jüngeren deutschen Literatur.

Gefolgt von dem jungen Cockerspaniel Sirio, spazieren Xane und Trebla an der italienischen Grenze, die Trebla nicht übertreten will, durch Kastanienwälder nach Soglio hinauf. Sie stoßen auf einen kleinen Friedhof, «ein Geviert aus wenig mehr als mannshohen bemoosten zerbröckelnden Mauern, die Tür ein rostzerfreßnes, verbogen klaffendes Gitter. Mit zwanzig Schritten ist er durchmessen, so klein. Und ausgedient: kein einziges Grab, keine Spur eines Grabs. Nur Unkraut, Moos und zwei Wildholundersträuche.»

Es beginnt das Vorspiel zur Verkupplung zweier Themen, die Becher in diesem Kapitel arrangiert. Alles ist wichtig, der Hund, der Holunderstrauch, der rote Nebiolo.

«Hier wär gut ruhn.»
«Hast du Todesgedanken, Trebla?» (etwas mokant.)
«Wieso?!»
«Weil du hier begraben sein möchtest. Ich denk nie dran, wo ich begraben sein werd. Niemals. Mir völlig einerlei.»
«Wer redet von Begrabensein?»
«Du. ‹Hier wär gut ruhn.›»
«Will sagen, hier wär gut kampieren.»
«Ah so.»
«Komm, machen wir Station.» Ich werfe meine Pelerine aufs Moos (Xane hat ihren Mantel im Wagen gelassen). «Trinken wir unsern Nebiolo hier.» In einem ‹Grotto› des Grenzdorfs hab ich die Flasche piemontesischen roten *Spumante* gekauft.
«Willst du dich auf Gräbern mit Nebiolo betrinken, Trebla?»
«Hier gibt es seit mindestens hundert Jahren keine mehr, schau. Außerdem, wenn sich jemand auf meinem Grab mit Nebiolo betrinken würde, mir wär's herzlich recht.»
«Hör mir mit deinem Grab auf.»

Trebla öffnet die Flasche, reißt das rote Stanniolpapier ab, spult den kleinen Draht auf, der die beiden Korkenhalter aus Blech zusammenhält, und dann passiert es. Das Geschlenkertwerden der Flasche auf dem Pfad von Castasegna herauf, durch den zisalpinen Frühsommernachmitag, plus «die im Unterschied zum Engadin sehr kompakte Wärme hat eine Kompresssion sondergleichen bewirkt. Der Kork schießt wie ein Geschoß aus der Flasche, und sieben Deziliter stark kohlensäurehaltigen roten Piemontesers (ach, fast der gesamte Inhalt!) ergießen sich als Blitzdusche auf Xanes blütenweißen Kasack.»

Hätte Trebla statt des roten einen weißen Spumante gekauft, wäre alles anders verlaufen. Seine Frau wäre nicht gezwungen gewesen, wegen ihrer besudelten Kleider ein weniger feines als das vorgesehene Lokal zu besuchen, was wiederum weitreichende, sogar mortale Folgen nach sich zieht – Becher verknüpft die Plotfäden wie ein alter Hexenwebmeister, es ist die schiere Freude. Jetzt aber ist Xane erst einmal über und über bekleckert, was ihren Mann auf Gedanken bringt.

> «Fix Laudon, ein Jammer», jammer ich (oder tu so). «Wie himbeerfarben gebatikt, dein blendendweißer Kasack. Zieh ihn aus, wir hängen ihn an den Wildholunder da zum Trocknen.»
> Ihr kurzer Umblick: «Ob es h-i-e-r gestattet ist?»
> «Wenn sich eine wie du auf meinem Grab ihre Tunika auszöge –»
> «Hör mir wirk-lich end-lich mit deinem Grab auf, Kukulaps. Es wächst mir zum Hals heraus.»

Zum zweiten Mal das Memento mori. Zwischenspiel: der Spaniel, der den verschütteten Rest aufschnupfen darf und dabei lächelt; Xane beginnt sich zu entblättern.

> «Nein! Nein!! N-e-i-n!! Du hast mich wirklich von oben bis unten – nebiolisiert. [...] Sogar mein Büstenhalter ist platschnaß.»
> «Zieh ihn aus. Vielleicht bleicht gleich.»

«Was stotterst du da zusammen? N-e-i-n!» Sie hat den Reißverschluß des weißen Rocks geöffnet. «Sogar meinen Slip hat's erwischt![...]»

Xane entsteigt jetzt gemächlich dem Rock, rekelt die langen Lilienarme nach hinten, hakt den weißen Büstenhalter auf (zartgewirktes Spitzenmuster), streift den weißen Slip ab samt den Sandaletten. Trebla waltet als Theatergarderobier und behängt mit allem den besagten Wildholunder. Xane löst den Knoten des veilchenblauen Kopftuchs, läßt es aufs Moos flattern. Ihre unvergeßliche Begründung:

«N-u-r bekleidet zu sein mit so einem Kopftuch wär etwas obszön.»
Sie schüttelt kräftig das wolkige Haselnußhaar, Minuten später; aus der Senke von Chiavenna herauf das ferne zerdehnte Klimpern – kaum Glockengeläut zu nennen – eines Campanile, über eine ganze Oktave schwingend in berückend schläfriger, immer wieder in ihren Ritardandi fast aussetzender, dann wieder anhebender Geheimmelodie.

Campanile? Jetzt merkt man, warum Becher kurz davor die Übersetzung des Apuleius eingeführt hatte.

«Ach Campanile.»
«... Lachst du mich aus?»
«Nicht dich. Nur wenn ich an deinen gestrigen Übersetzungstip denk. Ach. AchCampanileachCampanile, aber fürchtest du nicht, daß ... sie uns schnappen könnten wegen Friedhofsschändung –?»
«Hab dir doch erklärt, der kleine ist längstlängst aufgelassen. Ausgedient, pensioniert. [...]»

Und wenn trotzdem jemand vorbeikommt?

«Wird Sirio ihn beizeiten verbellen.»
«Also komm. Aber geh bitte ziemlich sanft mit mir um.»
«Ziemlich sanft? Du scheinst mich plötzlich für einen schrecklichen Waldschrat zu halten. Wieso das auf einmal?»
«Weil ich dich bitte.»
«Was ist das für eine Antwort?»
«Gar keine. Sei trotzdem ein bißchen vorsichtig, ja?»
«Seit wann, Xane, bist du aus Glas?»

Ende der Szene. Xane ist nicht aus Glas, sie ist schwanger. Ihr Mann ahnt es auch dann noch nicht, als die Leserin es schon längst weiß. Gesegneten Leibes, läßt Xane sich vorsichtig auf dem Friedhof lieben. So verschmelzen Werden und Vergehen, es ist die Hochzeit von Eros und Thanatos. Das metaphysische Möbiusband.

Ersterben. Wie ein Zug Wanderer

Große Literatur handelt nicht nur von Liebe, sondern auch vom Tod. Zerfällt hier aber nicht der Begriff von Stil, angesichts von Agonie und dem dunklen Rätsel, von dem niemand aus Erfahrung sprechen kann? (Rahel Varnhagen nannte es *das große, heilige, amüsante Räthsel.*) Werden hier Stilfragen nicht geschmäcklerisch? Nein: Gerade hier muß sich Stil bewähren, gerade hier wird über ihn gerichtet.

Zu Recht stolz auf seine literarischen Sterbeszenen war der untergangssüchtige Thomas Mann. Sie waren seine unbestreitbare Stärke, fast sein Metier; man muß weit suchen, um einen breiteren Fächer an Todes-Variationen zu finden. Es gibt kein Werk, in dem der Tod von ihm nicht hofiert, umkreist, in Worte gebannt würde; der *Weg zum Friedhof*, wie eine seiner frühen Erzählungen heißt, war bei ihm nie sehr weit. «Mit dem Typhus ist es folgendermaßen bestellt» – dieser Satz leitet die klinisch kühle, dem Lexikon entnommene Schilderung des Sterbens Hanno Buddenbrooks ein. Gustav von Aschenbachs Tod in Venedig ist dagegen elegisch-mythologisch: Er blickt aufs Meer, wo ihm Tadzio als Seelenführer ins Totenreich lächelnd zuwinkt, als ob er hinausdeute, «voranschwebe ins Verheißungsvoll-Ungeheure».

Im *Zauberberg* ist es Joachim Ziemßen, der tapfer und ohne zu klagen an Tuberkulose stirbt (und in einer spiritistischen Séance kurz wieder erscheint). Die Erkenntnis, die Hans Castorp in einer Vision im Schneesturm zuteil wird – der Mensch solle um der Güte und Liebe willen dem Tode keine Herrschaft einräumen über seine Gedanken –, diese Erkenntnis vergißt Castorp noch am selben Tag. Sein eigener Tod in den flandrischen Schlachtfeldern wird vom Erzähler fast ungerührt eher anheimgestellt als ausgemalt. Im *Joseph* stirbt Jaakobs Rahel herzzerreißend unmittelbar nach ihrer Niederkunft. Der Bericht von Mont-kaws bescheidenem Sterben füllt ein ganzes Kapitel, in dem Joseph dem braven ägyptischen Hausmeier an Hofe Potiphars das Sterben mit Gute-Nacht-Reden so schmackhaft wie möglich macht. Große Prosa, das alles, wie sie Thomas Mann niemand nachschriebe und man im einzelnen zeigen könnte – auch der grausame encephalitische Tod des Knaben Echo im *Doktor Faustus* und das Ende der *Betrogenen*, der Rosalie von Tümmler, die in seiner letzten Novelle trotz Unterleibskrebs mit der Natur versöhnt stirbt.

Ein anderer großer Totenredner war Jean Paul. In seinem *Leben des vergnügten Schulmeisterlein Maria Wutz in Auenthal* nimmt er von seiner rührendsten Hauptfigur Abschied. Es ist eine der ewig schönen Stellen der klassisch-romantischen Literatur:

Wohl dir, lieber Wutz, daß ich – wenn ich nach Auenthal gehe und dein verrasetes Grab aussuche und mich darüber kümmere, daß die in dein Grab beerdigte Puppe des Nachtschmetterlings mit Flügeln daraus kriecht, daß dein Grab ein Lustlager bohrender Regenwürmer, rückender Schnecken, wirbelnder Ameisen und nagender Räupchen ist, indes du tief unter allen diesen mit unverrücktem Haupte auf deinen Hobelspänen liegst und keine liebkosende Sonne durch deine Bretter und deine mit Leinwand zugeleimten Augen bricht – wohl dir, daß ich dann sagen kann: «Als er noch das Leben hatte, genoß ers fröhlicher wie wir alle.»
Es ist genug, meine Freunde – es ist 12 Uhr, der Monatzeiger sprang auf einen neuen Tag und erinnerte uns an den doppelten Schlaf, an den Schlaf der kurzen und an den Schlaf der langen Nacht …

Es gibt andere große Schilderer des Übergangs in die lange Nacht: Laurence Sterne im *Tristram Shandy*, Tolstoi im *Tod des Iwan Iljitsch*, Proust beim Tod der Großmutter, Giuseppe di Lampedusa im *Leopard* beim Tod des Fürsten Tancredi, eine der grandiosesten Sterbeszenen überhaupt.

Auch bei Joseph Roth und bei Rilke wird groß gestorben und groß getrauert. Besonders anrührend in dessen Requiem für eine Freundin, das Rilke im November 1908 schrieb, nachdem ihm im Traum Paula Modersohn-Becker erschienen war.

Ob man nicht dennoch hätte Klagefrauen
auftreiben müssen? Weiber, welche weinen
für Geld, und die man so bezahlen kann,
daß sie die Nacht durch heulen, wenn es still wird.
Gebräuche her! wir haben nicht genug
Gebräuche. Alles geht und wird verredet.

Weniger bekannt ist, daß auch Musil ein Meister der Sterbeszene war. In seiner Erzählung *Die Portugiesin* wird der Raubritter Herr von Ketten auf seinem Heimritt von einer Fliege gestochen. Die Hand schwillt an, der Bader verordnet heiße Umschläge mit Heilkräutern. Dann tritt Fieber ein, «wie eine weite brennende Grasfläche», und dauert Wochen. «Als eines Tages vom Herrn von Ketten nicht mehr übrig war als eine Form voll weicher heißer Asche, sank plötzlich das Fieber um eine tiefe Stufe herunter und glomm dort bloß noch sanft und ruhig.» Und gerade jetzt glaubt Herr von Ketten, es gehe mit ihm zu Ende:

> Er schlief viel und war auch mit offenen Augen abwesend; wenn aber sein Bewußtsein zurückkehrte, so war doch dieser willenlose, kindlich warme und ohnmächtige Körper nicht seiner, und diese von einem Hauch erregte schwache Seele seine auch nicht. Gewiß war er schon abgeschieden und wartete während dieser ganzen Zeit bloß irgendwo darauf, ob er noch einmal zurückkehren müsse. Er hatte nie gewußt, daß Sterben so friedlich sei; er war mit einem Teil seines Wesens vorangestorben und hatte sich aufgelöst wie ein Zug Wanderer: Während die Knochen noch im Bett lagen, und das Bett da war, seine Frau sich über ihn beugte, und er, aus Neugierde, zur Abwechslung, die Bewegungen in ihrem aufmerksamen Gesicht beobachtete, war alles, was er liebte, schon weit voran.

So also fügt sich der Ritter in den Tod. Am Ziel angelangt, löst sich der Zug der Wanderer auf, zerstreut sich wie die Atome des erstorbenen Leibs.

Die gute Nachricht: Es ist gar keine Sterbeszene. Der Ritter erholt sich wieder und erreicht das Ende der Erzählung mit wiedergewonnener Kraft. Er klettert sogar noch Gebirgswände hoch.

Die zweite gute Nachricht überlassen wir zum letzten Mal unserer Lieblingsdichterin.

Übrigens glaube ich jetzt, wir werden nach dem Sterben von einander wissen: oder vielmehr, uns zusammen finden. Dies gesagt, grüße ich Sie, und bin überzeugt, mein Schreiben freut Sie.
Fr. Varnhagen

*

Dieser letzten zwar nicht Überzeugung, aber doch Hoffnung schließt sich der Autor dieses längeren Schreibens an, das er nun ebenfalls zum Abschied geleiten muß. Und was soll er sagen? Falls sich der Verlag nicht dazu bewegen läßt, jedem Exemplar dieses Buches ein Stoffbeutelchen mit tausend Gulden einzunähen: Wüßten wir nun endlich, was einwandfreier Stil ist? Haben wir die Schlange aus ihrem Wolfspelz geschält, haben wir das Geheimnis der großen Literatur enthüllt?

Natürlich nicht. Wenn es sich enthüllen ließe, wäre es kein Geheimnis mehr. Vielleicht haben wir durch Beispiele guten Stils die Empfindlichkeit gegen schlechten erhöht? Das wäre immerhin schon etwas.

Kafka sagte, der gute Stilist sei derjenige, der sein Schlechtes am besten verstecke. Aber Kafka sagte auch: *Diese ganze Litteratur ist Ansturm gegen die Grenze …*

Ansturm gegen eine Grenze, die nie überwunden werden kann. Aller Stil scheitert letztlich an der Grenze des Unsagbaren. Das meinte auch Karl Kraus mit seiner berühmten Schlußwendung: «Wer etwas zu sagen hat, trete vor und schweige.»

Sprache schafft eine neue, eigene Wirklichkeit – einverstanden. Aber Sprache wird die wahre gefühlte, getastete, geschmeckte, gehörte, erinnerte Wirklichkeit nie ganz erfassen – die Grenzen der Sprache sind mitnichten die Grenzen der Welt. Das ist der tiefste Grund dafür, daß guter Stil oft ironisch ist.

Fast immer ist diese Ironie Selbstironie, und sie ist verwandt mit der Scham. Nur wer von beidem frei ist, von der Scham und der Selbstironie, nur der kann trompeten und sich prächtig auf die Sprache verlassen. Die andern wissen: Dem Innersten kommt man mit Sprache nicht auf die Spur. Oder allenfalls auf die Spur; aber du erjagst es nicht.

Jagen, besser jagen, links begleitet von Scham, rechts von Ironie – das ist Stil.

Anhang

Als der Pfiff der Trillerpfeife ertönte, die letzten Türen geschlossen wurden und die Lokomotive langsam in Richtung Verlagshaus losdampfte, verblieb noch ein Grüppchen Passagiere im Wartesaal. Daß es Droste-Hülshoff, Horváth, Hebbel, Mörike, Nestroy, von Keyserling, Johnson, Kempowski, Dürrenmatt, Rühmkorf, Serner und ein paar andere nicht mehr auf den Zug geschafft haben, ist zu bedauern und keineswegs ihre Schuld.

Dank

An Wikipedia Dank für gelegentliche Erste Hilfe.

Für wertvolle Tips und Expertisen danke ich Klaus Amann, Perry Anderson, Ross Benjamin, Thomas Bodmer, Arnulf Conradi, F. C. Delius, Britta Dittmann, Peter Eisenberg, Heinz Feldmann, Nora Gottschalk, Joachim Kalka, Daniel Kehlmann, Wolfgang Klein, Sibylle Lewitscharoff, Peter von Matt, Beate Moeller, Ulrich Moritz, Jutta Müller-Tamm, Ernst Osterkamp, Klaus Reichert, Elke Schmitter, Ingo Schulze, Gerhard Schuster, Gustav Seibt, Gerald Sommer, Reiner Stach, Daniela Strigl, Alain Claude Sulzer und Ulrich Weinzierl.

Matthias Landwehr, Florian Illies und Moritz Schuller danke ich für ihre Entschlossenheit, ein Manuskript in ein Buch zu verwandeln. Simon Elson danke ich für Machetendienste im Fußnotengestrüpp, Johannes Ebert für das Register, Ralf Lay für das Korrektorat. Meinen Kindern Antonia und Bruno danke ich dafür, daß sie mein freies Schreibtisch-Schweifen gutgelaunt-lässig mit keinem Molekül Sorge belastet haben.

Mein wärmster Dank gilt den mich über die Jahre treu begleitenden Dauerlektoren Nikolaus Heidelbach, Andreas Isenschmid, Paul Maar und Michael Walter.

Den Anstoß zu diesem Buch gab Eva Menasse. Ihr sei es auch gewidmet.

Auflösung Literaturquiz I

1. Martin Luther, Das Erste Buch Mose, *Die gantze Heilige Schrifft Deudsch.* Wittenberg 1545.

2. So beginnt Novalis' *Heinrich von Ofterdingen* und zückt gleich die nachmals berühmte blaue Blume.

3. Der erste Absatz aus Schopenhauers epochalem vierbändigen Hauptwerk *Die Welt als Wille und Vorstellung.*

4. Der Anfang der *Drei Männlein im Walde* aus den Kinder- und Hausmärchen der Brüder Grimm.

5. So perfide scheinsüß enden *Die Wahlverwandtschaften* des Agnostikers Goethe. Daß das «wenn» in: «wenn sie dereinst wieder zusammen erwachen» nicht nur temporal gemeint sein muß, sondern auch den Sinn von «falls» annehmen kann, blieb der Germanistik nicht lange verborgen.

6. Das typisch hypotaktische Ende von Kleists *Marquise von O...* Die «Reihe von jungen Russen» als Ausdruck für die reiche Nachkommenschaft der Marquise ist kleistisch derb.

7. Das Vorwort von Nietzsches Abrechnung mit dem geliebten Meister in *Der Fall Wagner.* Wenn man aus Nietzsche-Biographien erfährt, daß Nietzsches tiefste Kränkung darin bestand, daß Wagner ihn nicht nur im Verdacht hatte, durch exzessive Masturbation seine Gesundheit zu ruinieren (Cosima muß ihn einmal ertappt haben), sondern sich darüber auch paternalistisch besorgt mit Nietzsches Hausarzt aus-

tauschte – wenn man das im Hinterkopf hat, liest sich der erste Satz: «Ich mache mir eine kleine Erleichterung» auf einmal vieldeutig.

8. Der erste Satz aus Fontanes *Effie Briest*, der den Familiennamen ja schon preisgibt: gediegen und geduldig und episch-historisch schön ausgreifend.

9. Der Anfang von Döblins *Berlin Alexanderplatz*. Der Franze, dem der Erzähler in Klammern ins Wort fällt, ist der traurige Held Franz Biberkopf.

10. Das pathetische Ende von Thomas Manns *Doktor Faustus*. Der Schluß besiegelt durch die gemeinsame Anrede «mein Freund, mein Vaterland» die symbolische Vereinigung des Schicksals Hitler-Deutschlands mit dem des teufelsbündnerischen Musikerhelden; der schwächste Teil des unter Überkonstruktion ächzenden Schmerzens- und Geheimwerks.

Auflösung Literaturquiz II

1. Rudolf Borchardt in *Der leidenschaftliche Gärtner*. Nicht unlösbar, weil er als ebensolcher prominent vorgestellt wurde.

2. Thomas Mann in seinem Kondolenzbrief an Hedwig Fischer vom 2.11.1934; er greift den Satz im Tagebuch auf. Schwierig, weil eher untypisch. Für Kafka wäre der Satz zu sentimental, für Lavant ditto.

3. Goethe in der «Walpurgisnacht» im Faust II. Wer sie vor sich und im Ohr hat, erkennt Ton und Rhythmus.

4. Kurt Tucholsky im *Schloß Gripsholm*. Das «Schloß» hätte es verraten können.

5. Brigitte Kronauer in den *Kleidern der Frauen*. Wenn man ihn sich nicht hanseatisch, sondern schwäbisch intoniert denkt, könnte der Satz auch von Sibylle Lewitscharoff sein.

6. Alfred Polgar. Nicht leicht; Lichtenberg hätte es auch sein können.

7. Robert Musil in der *Portugiesin*. Schwer, weil es den wenig bekannten Musil zeigt.

8. Heimito von Doderer in der *Strudlhofstiege*. Typisch für Doderer sind die nicht nur «wolkigen», sondern auch «molkenbrockigen» Konturen ohne Kraft.

9. Martin Walser im *Fliehenden Pferd*. Ein bißchen gemein, weil der andere Walser sowohl mit der Schweiz als auch mit

seiner Gewässerliebe assoziiert wird. Aber auch von Henscheid hätte der Satz sein können.

10. Jean Paul in den Aphorismen. Charakteristisch ist der entlegene witzige Vergleich.

11. Robert Neumann in seiner Heinrich-Mann-Parodie. Man hätte es am «Horatio» merken können; Neumann erzählt den Hamlet-Stoff in verschiedenen Zungen nach.

12. Marlen Haushofer in *Wir töten Stella*. Schwer zu finden, weil dieser valentineske Witz nur selten bei ihr aufblitzt.

13. Elfriede Jelinek in der *Klavierspielerin*. Am «gefinkeltsten» erkennt man die Österreicherin.

14. Alfred Döblin in *Berlin Alexanderplatz*. Das Stil-Chamäleon spricht hier nicht aus der Figur Biberkopfs, sondern nimmt den sachlich dozierenden Ton an. Gottfried Benn, ebenfalls Arzt, hätte es ähnlich schreiben können.

15. Botho Strauß im *Fortführer*. Strauß beschreibt damit den Stil Johann Georg Hamanns, nicht ohne sich ihm anzuverwandeln.

16. Elias Canetti in den *Aufzeichnungen 1973–1984*. Wilhelm Reich war zwar abtrünniger Freud-Schüler, hätte aber nicht so harsch gegen den Meister geschrieben. Eindeutig Canetti zuzuordnen ist das Zitat durch eine seiner Lieblingsformulierungen. Canetti schreibt nie, daß es ihm um etwas gehe, er hat einen Narren daran gefressen, daß es ihm «um etwas zu tun» sei.

17. Sigmund Freud in der aus dem Nachlaß publizierten Schrift «Psychoanalyse und Telepathie» von 1921. Sowohl Thomas Mann als auch C. G. Jung hatten ihre okkulten Erlebnisse und schrieben darüber. Die «Sie»-Ansprache ans zuhörende Publikum und die Schluß-Anekdote sind typisch für den großen Stilisten Freud.

18. Harry Rowohlt, publiziert in der letzten Briefsammlung *Und tschüss*. Rowohlts Gästebuch-Eintragungen sind legendär. Eine andere lautete: «O Ichthyolog', von ‹Aal› bis ‹Zander› / Bestimmungsbuch kauf bei Osiander!»

19. Arthur Schnitzler, bereits Tinnitus-geplagt, im Tagebuch am 18. 9. 1913 – ein Jahr vor dem großen Krieg, dessen Folgen Schnitzler als einer der wenigen sofort erfaßte.

20. Karoline von Günderode. Unter dem Titel «Ein apokalyptisches Fragment» in Hofmannsthals *Deutsches Lesebuch* aufgenommen.

Anmerkungen und Nachweise

Bei den Quellennachweisen wird in der Regel nur auf den Titel verwiesen; die vollständigen Angaben finden sich im Literaturverzeichnis. Bei zeitweilig geschlossenen Bibliotheken konnten nicht immer die historisch-kritischsten Ausgaben zitiert werden. Die kleine Zahl links vom kursivierten Lemma im Anmerkungsteil verweist auf die Seitenzahl im Haupttext.

I. Was ist Stil?

Balancieren auf dem Seil

11 *Ein Brief mit tausend Gulden ist immer in einwandfreiem Stil geschrieben* – Rainer Schmitz, *Was geschah mit Schillers Schädel?*, Spalte 1382.

11 *Nur gut geschriebene Bücher werden älter als fünfzig Jahre* – Ludwig Reiners, *Stilkunst*, S. 24. – Vier Jahre lang lagen die Bände, von scheuen Blicken gestreift, ungelesen auf dem Schreibtisch. Sie sollten den Verfasser nicht beeinflussen, irritieren oder einschüchtern. Auf große Reisen geht man ohne Reiseführer. Kurz vor Abgabe des Manuskripts nahm er seinen Mut zusammen und sich Ludwigs Reiners *Stilkunst* vor. Oha! Die Verblüffung war groß. Hatte der ihn nicht plagiiert? Sagte Reiners nicht das gleiche über das Adjektiv oder das Verb oder den Stummelsatz, über Stilsünden, über Hebel, Keller, Goethes Spätstil, über Wiederholung, über Humor und Ironie?

Aber nein, das war schwer möglich. Reiners Buch erschien 1943. Daß er manches fast wortgleich ausdrückte, lag offenbar daran, daß man bei der Lektüre Schopenhauers und Nietzsches auf ähnliche Gedanken kommt.

Reiners pädagogisch angelegte Stilschule ist voller prächtiger Beispiele, reich, gelehrt, überzeugend und oft witzig. Besonders seine Belege aus dem achtzehnten und neunzehnten Jahrhundert sind glänzend gewählt. Im zwanzigsten werden die Zeugen dürftiger, der Zitatenschatz wird dünn – nicht nur eine natürliche Folge des fehlenden Abstands. Reiners zitiert nicht Joseph Roth, sondern Josef Weinheber. Er zitiert nicht Franz Werfel, Alfred Döblin, Kafka oder Brecht, er zitiert Kolbenheyer, Binding, Carossa, Wiechert. Kein Polgar, dafür Hans Friedrich Blunck. Karl Kraus wird genau einmal genannt.

Wichtiger war Joseph Nadler, der früh der NSDAP beigetretene österreichische Literaturhistoriker, den Hitler bewundernd las.

So mitreißend Reiners sein kann: Das Völkische kommt etwas zu oft bei ihm vor, auch noch in der Ausgabe von 1976. Reiners war 1957 gestorben, aber der Verlag änderte auch in dieser Ausgabe – «109.–117. Tausend der Gesamtauflage» –, nichts an Reiners Mahnung, das Voranziehen des Verbs sei zu vermeiden, das sei «Judendeutsch». (S. 93.)

Was einen gewissen Hautgout hat, wenn man die Vorgeschichte kennt. 1911 war die *Deutsche Stilkunst* von Eduard Engel erschienen, die einflußreichste deutsche Stillehre im ersten Drittel des zwanzigsten Jahrhunderts. Sie erlebte 31 Auflagen. Ab 1933 wurde Engel als Jude geächtet und unter Publikationsverbot gestellt. Er starb 1938 vereinsamt, verarmt und vergessen. Vergessen nur von einem nicht: Ludwig Reiners. Anders als der philologisch gebildete Engel war Reiners nicht eigentlich vom Fach, er war umtriebiger Volkswirt und Direktor einer Garnfabrik, er reiste viel, war vielseitig interessiert, zeugte in zwei Ehen fünf Kinder und schrieb ohne Unterlaß und über alles. Darunter auch jene *Deutsche Stilkunst*, die sich noch kurz vorm Zerfall des Dritten Reichs ihren Weg bahnte. Ob Reiners nur Mitläufer oder aktiver Nationalsozialist war, ist umstritten, als Parteimitglied hatte er in der Entnazifizierungszeit eine kleine Delle in der Erfolgskurve. Doch seine *Stilkunst* (das «Deutsch» rutschte in späteren Auflagen in den Untertitel) blieb auf dem Markt präsent, sie bildete eine Schule, der sich noch Sprachpapst Wolf Schneider und Eike Christian Hirsch zurechnen. Doch beide zitierten oft unwissentlich Engel, wenn sie sich auf Reiners stützten.

Denn Reiners hatte eben doch plagiiert. Er hatte Engel schamlos beklaut. Die jüngste Forschung – post Guttenberg – hat es im Detail nachgewiesen: Zwar geht es in Stilkunden öfters lax zu, was das geistige Eigentum betrifft, es gehört zur Tradition des Genres, daß immer wieder die gleichen Beispiele herangezogen werden. Im Falle Reiners liegt jedoch eindeutig anderes vor, nämlich Plagiat. Viele andere Quellen gibt er an, aber Eduard Engel schweigt er tot. Weil Engel kinderlos verstarb, hat kein Erbe den juristischen Weg beschritten und etwa den Verlag C. H. Beck verklagt, der an Reiners gut verdiente. Erst 2016 erschien die originale Stilkunde Eduard Engels in der Anderen Bibliothek; eine späte Wiedergutmachung. (Vgl. dazu Heidi Reuschel,

Tradition oder Plagiat? Die ‹Stilkunst› von Ludwig Reiners und die ‹Stilkunst› von Eduard Engel im Vergleich.)

Am Rande hinzuzufügen wäre, daß Engel, nicht untypisch für Überassimilation, einen patriotischen Feldzug gegen das Fremdwort führte. *Sprich Deutsch! Ein Buch zur Entwelschung* erschien, wie es auf dem Vorsatzblatt heißt: «Im dritten Jahr des Weltkriegs ums deutsche Dasein». Als Motto wählte Engel den Satz Friedrich Schillers: «Die deutsche Sprache wird die Welt beherrschen» (Hesse & Becker Verlag, Leipzig 1917). Auch 1928, als der Krieg verloren war und die deutsche Sprache noch immer nicht die Welt beherrschte, gab Engel nicht auf und veröffentlichte das *Verdeutschungsbuch. Ein Handweiser zur Entwelschung.* Es zählt zu den Ironien dieser Geschichte, daß der fünf Jahre später verfemte Engel nationalistischer war als Reiners, der sich zur Fremdwortfrage sehr ausführlich, aber letztlich moderat ausläßt.

12 *Jeder Schriftsteller verdeckt auf ganz besondere Weise sein Schlechtes* – Franz Kafka, Brief an Ernst Rowohlt vom 14.8.1912. In: Kritische Ausgabe. Briefe 1900–1912, S. 167.

12 *Kunst ist, was sich nicht wägen, messen, spiegeln läßt* – Alfred Polgar, *Handbuch des Kritikers*, S. 77.

12 *Kants Kritik der Urteilskraft* – Knapp und klar dazu – klarer als Kant selbst – Ludwig Reiners in der *Stilkunst*, S. 52. Auch Eduard Engel diskutiert Kant (Bd. 1, S. 212 und S. 246); wer möchte schwören, daß Reiners sich auch hier nicht wieder inspirieren ließ.

12 f. *Der Stilist als Seiltänzer* – Hugo von Hofmannsthal, *Der Brief des Lord Chandos*, Gesammelte Werke, RA II, S. 149.

Über allen Gipfeln: Musik der Sprache

14 f. *Das schönste deutsche Gedicht* – Daniel Kehlmann, *Die Vermessung der Welt*, S. 128 und Johann Wolfgang von Goethe, *Wandrers Nachtlied* (*Ein Gleiches*). In: Werke, Bd. 1, S. 142. Das Gedicht dient auch Ulrich Matthes als Beispiel für ein neuinflationäres Wort, das er am liebsten verbieten würde. Wenn es nach ihm, Matthes, ginge, riefe er allen Politikern und Politikerinnen zu: «Warte nur, zeitnah ruhest du auch!» (Ulrich Matthes, *«Angst ist ein Gefühl, das ich nicht so kenne»*. In: Die Zeit, 1.10.2019, online verfügbar.) Das Wort selbst ist dabei unschuldig, es gibt Möglichkeiten, es korrekt zu verwenden.

Hildegard Knef schreibt in ihren Memoiren von einem Theaterstück «mit dem zeitnahen Titel ‹Liebe auf den ersten Blick›». Dagegen ist nicht das geringste einzuwenden. (Hildegard Knef, *Der geschenkte Gaul*, S. 109.) – Das Verhältnis von Form und Inhalt faßt Ludwig Reiners knapp in den Satz: «Wer bei einem Sprachgebilde die Form zerbricht, zerbricht den Inhalt; und wer die eine notwendige Form eines Gedankens nicht hätte schaffen können, der hätte auch den Gedanken nie gefunden.» (*Stilkunst*, S. 45.) Die Lyrikerin Monika Rinck sagt dazu: «Die Form ist die Straßenverkehrsordnung und der Inhalt sind die Leute in der Fahrzeugkabine, die sich nicht an sie halten.» (*Wirksame Fiktionen*, S. 46.) Das ist witzig, aber trifft es vielleicht nicht ganz.

17 *Musizieren mit Begriffen* – Peter Hacks, *Die Schwärze der Welt im Eingang des Tunnels*. In: *Marxistische Hinsichten*, S. 259. Die Annahme, es komme wenigstens bei der lyrischen Produktion einzig auf den Ton an wie bei einer Glocke, tue noch der Glocke unrecht, erklärt Hacks. «Die meisten Glocken, wenn sie läuten, versenden Informationen.» (Ebda.)

17 *Musik der Rede bloß* – Heinrich von Kleist, *Penthesilea*. In: Sämtliche Werke und Briefe, Bd. 1, S. 403.

18 *Höhere Einheit von Gedanke und Klang* – In seiner Frankfurter Poetikvorlesung erklärt Uwe Timm dazu: «Wie die Zeichen dem Auge zugeordnet sind, dem Verstand, so finden sie, da in der Sprache wurzelnd, im Tönenden ihr Ohr. Sprache ist das Medium, das beides verbindet, die Sinne und das Spirituelle, und in dieser Verbindung stiftet Sprache Sinn.» Uwe Timm, *Von Anfang und Ende*, S. 62 f.

19 *Stefan Zweigs Metaphern* – Hübsch ist, wie «atemnah» sie dem Weltkriege schon gewesen seien. Dann ein originell gesetztes Verb: die Luft «ging süß und leicht». Eine schöne Metapher ist die weiße Taube aus der «wütenden Arche». (*Die Welt von Gestern*, S. 244, 241, 237.)

19 *Kraus las keine Romane* – Vgl. Jens Malte Fischer, *Karl Kraus*, S. 604.

Nietzsches Bildsäule

20 *An Prosa wie an einer Bildsäule arbeiten* – Friedrich Nietzsche, *Menschliches, Allzumenschliches II*. In: Sämtliche Werke, Bd. 2, S. 595.

20 *Sprachschliff kalte Ausländerei* – Vgl. Peter Sloterdijk, *Zeilen und Tage*, S. 164.

21 *Die Lust eines Narzissus* – Karl Kraus, *Tagebuch*. In: Die Fackel, 19. 1. 1909,

S. 32, online verfügbar. Vgl. auch Wollschläger (Hg.), *Das Karl Kraus Lesebuch*, S. 114.

21 *Marcel Prousts Flaubert-Essay* – Vgl. Marcel Proust, *Über den ‹Stil› Flauberts*. In: Werke, Teil 1, Bd. 3, S. 390 ff.

Das Aptum. Der Einfall

23 *Der Langsame kann es sich nicht leisten, schlechte Bücher zu lesen* – Michael Köhlmeier, *Umblättern und andere Obsessionen*, S. 53.

24 *Es kommen härtere Tage* – Ingeborg Bachmann, *Die gestundete Zeit*. In: *Die gestundete Zeit*, S. 18.

25 *Geringe Abweichung macht den Stil* – Botho Strauß, *Der Fortführer*, S. 187.

25 *Fisch namens Koi Uwe* – Twitter-Tweet von ARSEN, 29. 9. 2018.

Sprache und Denken. Der nackte Kaiser

25 *Den Stil verbessern, das heiße den Gedanken verbessern* – Friedrich Nietzsche, *Menschliches, Allzumenschliches II*. In: Sämtliche Werke, Bd. 3, S. 610. Der Satz ist auch das Motto der Reinerschen *Stilkunst*.

26 *Aphoristiker schrieben, als kennten sie sich alle* – Vgl. Stach, *«Du bist die Aufgabe»*, Nachwort. – Zu a), b), c) vgl. Michael Maar, *Der Oger gegen den Tod: Elias Canetti*. In: *Leoparden im Tempel*, S. 117.

26 *Und sie verraten sich doch: Stil als Fingerabdruck* – Sehr schöne Beispiele führt Reiners auf, darunter einen Brief Ludwigs II. an Hans von Bülow, in dem er Richard Wagner gegen infame Gerüchte über dessen Liaison mit Cosima verteidigt – in einem Stil, der jedem Kenner verriet, wer dem König den Brief aufgesetzt hatte. Reiners zählt auch auf, wen man schon an einzelnen Lieblingsworten und Wendungen erkenne: Kleist an «dergestalt, daß», Burckhardt an «merkwürdig», Ranke an «denn anders ist es nicht», Hegel an «von Haus aus», Grillparzer an «flammen» und «Gebein», Eichendorff an «rauschen» und Novalis an «Wollust». Man könnte ergänzen: Schopenhauer an «als welcher» statt «welcher». Vgl. *Stilkunst*, S. 478 f.

28 *Unter barbarischem Putz die Häßlichkeit seiner Person zu verbergen suchen* – Arthur Schopenhauer, *Die Welt als Wille und Vorstellung I*. In: Sämtliche Werke, Bd. 1, S. 323.

Stil und Jargon der Denker

29 *Freuds «idiotischer» Stil* – Vgl. Sigmund Freud, Brief an Emil Fluss vom 16.6.1873. In: *Briefe 1873–1939*, S. 6.

30 *Halb-Heiliger zwischen Philosophie und Literatur* – Kühler sah es Hannah Arendt, wenn sie von Benjamin sagte, er sei «weder ein Dichter noch ein Philosoph». Hannah Arendt, *Benjamin/Brecht*, S. 22.

30 *Adorno über Mahler* – Adornos einziger Pair mag Ernst Bloch gewesen sein, der ebenfalls über Mahler schrieb und sich auch sonst oft eng an Adorno rieb. Vgl. Lorenz Jäger, *Walter Benjamin*, S. 87.

30 f. *Benjamins Stil, Adornos Parodierbarkeit* – In seinem Benjamin-Buch schreibt Lorenz Jäger: «Wenn Adornos Idiom unverkennbar manieriert anmutet, wofür die leichte Parodierbarkeit ein Beweis ist, so schrieb Benjamin in seinen besten Momenten ein klassisches Deutsch eigener Prägung, das oft geradezu klingt, als habe er diese vollendete Diktion allererst erfunden, jedenfalls aus der Gelehrtenprosa des neunzehnten Jahrhunderts verdichtet. Er, der keine Universitätskarriere machen konnte, erfand sich einen eigenen, philosophisch aufgeladenen Stil, ähnlich wie Borchardt [...] in der Anthologie der ‹Deutschen Denkreden› einer nur in seiner Imagination existierenden Akademie ein Denkmal setzte. Benjamins Stil war einer der bedeutendsten, aber auch letzten Versuche aus dem intellektuellen Milieu, autorativ und autoritär zu schreiben.» Jäger, *Walter Benjamin*, S. 96 ff.

31 *Das unpersönliche Reflexivum* – Vgl. Eckhard Henscheid, *Wie Max Horkheimer einmal sogar Adorno reinlegte*, S. 55 f. Die Trophäe für Adornos Meisterstück ist übrigens Fritzi Massary.

31 *Jargon-Marker und Schmauchspuren* – Einen charmanten Überblick gibt Karl-Heinz Ott in seinem Hölderlin-Buch: «Wie über Nacht verschwindet die Dialektik auf einmal und wird ersetzt durch Diskurs, Dispositiv, Differenz und Dekonstruktion. Von Dialektik reden bald bloß noch marxistische Avatare. Man hat fast Mitleid mit ihnen. Sie sind stehengeblieben. Armselige ideologiekritische Schlaumeier. Das Wort Diskurs beherrscht nun die Szene. Das Dispositiv fängt nach einiger Zeit an zu schwächeln. Differenz und Dekonstruktion halten sich zäher, vor allem die Dekonstruktion.» (Karl-Heinz Ott, *Hölderlins Geister*, S. 188.) Ähnlich Sloterdijk über geistige Moden: «Im übrigen längere Zeit nichts mehr gehört von der Dialektik, die seinerzeit der Stoff

war, aus dem sich die Besserwissenden ihre Sonntagsanzüge machen ließen.» (*Neue Zeilen und Tage*, S. 98.) Peter Sloterdijk darf schon deshalb zu den genuinen Stilisten gerechnet werden, weil er sich dieser speziellen Gefahr immer bewußt war. Er müsse darauf achten, ermahnt er sich selbst, daß in seinen Büchern nirgendwo ein kopierbarer Jargon auftauche. Die einfach nachzuahmenden Diskurse hätten in den letzten Jahrzehnten die Geisteswissenschaften zerstört, auf beiden Seiten des Atlantiks, sie hätten die große Literatur unter Palaversystemen erstickt, die vorhersehbarer seien als jedes Azorentief. Sloterdijk schließt: «Nie wieder Diskurs.» (Sloterdijk, *Zeilen und Tage*, S. 74.)

31 *Derridada und Lacancan* – Aus Gründen, die zu erforschen wären, ist das Angelsächsische sehr viel weniger anfällig für die Schlacken und Trübungen des Jargons. Vielleicht hat es doch etwas mit Common sense zu tun? Was nicht für das US-Amerikanische gilt, wo der Jargon – was würde jetzt der bayerische Provinzpolitiker sagen? – «fröhliche Urständ feiert».

Döblins Schule des Nicht-Stils

35 *Döblin als Stilchamäleon* – Vgl. Dieter Stolz, *Alfred Döblin*, S. 44.

36 *Mit dem eigenen Zungenschlag brechen* – Botho Strauß, *Der Fortführer*, S. 87.

36 f. *Charakter verrät sich nicht im Stil* – Heinrich Heine, *Ludwig Börne*. In: Gesamtausgabe, Bd. 11, S. 121. Zu Gernhardt vgl. *Klappaltar*. In: Gesammelte Gedichte, S. 615 ff.

Mit fremden Federn: Pastiche und Parodie

37 *Diamantenfälscher Lemoine* – Vgl. Marcel Proust, *Die Lemoine-Affaire*. In: Werke, Teil 1, Bd. 2, S. 11 ff.

38 *Viele Autoren kennt man heute nicht mehr* – Robert Neumann hat in seiner ersten Auflage der *Fremden Federn* auch folgende Autoren parodiert: Rudolf Hans Bartsch, Ernst Zahn, Hans Leip, Jakob Haringer, Victor Wittner, Wilhelm von Scholz und Waldemar Bonsels. Eduard Engel rühmte in seinem Opus magnum als herausragende Stilisten seiner Zeit: Klaus Groth, Rudolf Lindau, Carl Busse und Enrica von Handel-Mazetti. Kennt man noch *einen* der Genannten? Es ist ein Gesetz, dem bis auf Borges niemand entkam: Den Zeitgenossen sieht man nicht an, wie sie die Nachwelt behandeln wird. Erst der Tod zieht

den langen Gedankenstrich. Je länger die Autoren tot sind, desto gefestigter das Urteil über sie; bei allen Schwankungen und Jahrhundertabsenzen und unerwarteten Renaissancen. Wer heute über Zeitgenossen schreibt, kann sich dieser perspektivischen Verzerrung nicht entziehen. Wen wird man in fünfzig Jahren lesen? Wir wissen es nicht, ahnen es kaum. Das sollte kein Grund sein, sich im folgenden auf den Club der toten Dichter zu beschränken.

39 *Hochstaplerische Begabung und magische Grausamkeit* – Vgl. Robert Neumann, *Meisterparodien*, S. 388 f. Ein ähnliches In-Zungen-Reden und Pastichieren ohne bösartige Absichten (oder kaum) gelingt dem 1871 in Wien geborenen Franz Blei in den *Neuen Gesprächen Goethes mit Eckermann*. Blei stellt sich vor, wie sich Goethe über Proust und Hofmannsthal, Borchardt und Wedekind ausgelassen und wie er seinem Eckermann erklärt hätte, was er von diesen neuesten Entwicklungen hält.

39 *Hermann Kesten über Neumann* – Vgl. Robert Neumann, *Meisterparodien*, S. 400.

39 *Die Wunderstunde nach Stefan George* – Ebda., S. 27.

40 *Das Meisterliche nicht parodierbar* – Neumanns Beispiel ist ausgerechnet das am häufigsten parodierte Gedicht der deutschen Klassik: «Über allen Gipfeln ist Ruh». Ebda., S. 383.

40 *Polt als Hitler* – Lothar Müller – es gibt viele Träger dieses Namens, aber den Lothar muß man sich ebenso merken wie den Burkhard – kommentierte dazu wie immer klug: «Als unwiderstehliche Inkarnation des komischen Hitler hat im vergangenen halben Jahr das 2,5-Minuten-Video ‹Hitler Leasing!› im Internet zu Recht Furore gemacht. Florian Wittmann hat darin als Abschlussarbeit an der Bremer Universität der Künste Bildsequenzen aus Leni Riefenstahls ‹Triumph des Willens› (1934) mit Tonpassagen aus einem Sketch von Gerhard Polt nach dem Modell ‹Prominenten in den Mund geschoben› zusammengefügt. Das ist nicht nur deshalb von hinreißender Komik, weil darin Hitlers Gestik und Mienenspiel bis ins Lippensynchrone hinein der Suada angeglichen ist, mit der sich Polt darüber beschwert, einem Leasingangebot der Kfz-Firma Ismeier auf den Leim gegangen zu sein. Und auch nicht nur deshalb, weil Polts bayerisches Idiom der Sprachfärbung Hitlers nahe genug ist, um der Verfremdung zugleich ein Element von Ähnlichkeit hinzuzufügen. Es ist komisch auch deshalb, weil hier parallel zu dem auf Mausclick aktivierbaren, automatenhaft sein Gestenrepertoire abspulenden Hitler auf der Tonspur dasselbe Gesetz herrscht, das der historische Hitler als

Redner ausbeutete: die Rhetorik des Ressentiments, der Beschwerde und des Selbstmitleids. Sie war die Kehrseite der einpeitschend-aggressiven Rhetorik und galt, wie Polts Ausbruch gegen die Firma Ismeier, einem Vertrag: Zu den Standardnummern, die Hitler bei seinem Aufstieg immer wieder vorführte, gehörte das Wüten gegen den Versailler Vertrag.» Müller schließt: «Möge er [Hitler] in der ewigen Wiederholung, mit welcher Tantalus sich dem zurückweichenden Wasser zubeugt, gegen den Leasingvertrag wettern!» (Lothar Müller, *Von Versailles zum Leasingvertrag.* In: Süddeutsche Zeitung, 19.5.2010. Polts Sketch kann man sich hier anschauen: https://dispositiv.uni-bayreuth.de/mash-up-hitler-und-der-leasing-vertrag/.)

40 *Neumann trägt es einem Menschen nicht nach, wenn er ihn beleidigt* – Vgl. Robert Neumann, *Meisterparodien*, S. 390.

Kunstseiden?

41 *Mir war wie begraben auf einem Friedhof* – Irmgard Keun, *Das kunstseidene Mädchen.* In: Das Werk, Bd. 1, S. 274. – *Eine zischende Stimme ganz voll Böse* – Ebda., S. 294 f. – *Wir sprechen Gespräche* – S. 355.

42 f. *Tucholskys Kritik an Keun* – Ebda., S. 441 f. (Kommentarteil).

44 *Greifbar ist für ihn nur, was ohnehin locker sitzt* – Robert Neumann, zit. nach: *Das kunstseidene Mädchen.* Mit Materialien ausgewählt von Jörg Ulrich Meyer-Bothling, S. 141 (Materialteil).

Der Verbotskanon

44 *Der innere Verbotskanon* – Ludwig Reiners beschreibt das in seinem Kapitel «Ist guter Stil lehrbar?» ganz ähnlich. Der Vers Wilhelm Buschs «Das Gute – dieser Satz steht fest – / ist stets das Böse, was man läßt», möge in der Ethik bestritten sein: für die Stillehre gelte er unbedingt. Reiners' Beispiele des Falschen dienten als Warnung, die des Guten als Vorbild. Aber Vorsicht: Beispiele des ‹schönen› Stils nützten wenig. «Die Mittel, auf denen die Stilschönheit jener Werke beruht, kann der Leser nie beherrschen. Die Freier auf Ithaka boten einen traurigen Anblick, als sie versuchten, den Bogen des Odysseus zu spannen.» Letzteres immerhin ein originelles Bild. Vgl. Ludwig Reiners, *Stilkunst*, S. 57.

45 *Verbot von literally* – Auch Max Goldt ärgert sich über diese Fehlbenutzung. «Der als Frauenschwarm bewertete Tagesthemen-Moderator Ingo Zamperoni sagte neulich, als er einen Beitrag über vom Klimawandel bedrohte pazifische Inselstaaten anmoderierte, folgenden Satzteil: ‹die Bewohner der Malediven, denen das Wasser buchstäblich bis zum Halse steht.› In der darauf folgenden Kurzreportage sah man verschiedene Bürger des genannten Landes und auch dessen Präsidenten. Keine der gezeigten, mit Sicherheit sehr zurecht besorgten Personen stand im Wasser. Buchstäblich heißt jedoch: Nicht in übertragenem, sondern in direktem Wortsinn. Leute, denen das Wasser buchstäblich bis zum Halse steht, steht jetziges und tatsächliches Wasser bis zu ihrem realen Kinn. Was der ansehnliche Mann eigentlich sagen wollte oder zumindest hätte sagen wollen müssen, war, daß den Inselbewohnern das Wasser redensartlich bis zum Halse steht. Die Verwechslung von Redensartlichkeit mit ihrem exakten Gegenteil, der Buchstäblichkeit, ist alltäglich zu erleben in unseren routiniert dahinschlawinerten Nachrichtensendungen.» Vgl. «Ein bißchen mehr Bedeutung wäre manchmal schön», Leseversion 18 (per E-Mail mitgeteilt).

45 *Flaubert hatte seinen Ekel vor dem Abgedroschenen in ein ganzes Buch gefaßt* – Eigentlich in zwei. *Bouvard et Pécuchet*, erst nach Flauberts Tod veröffentlicht, schildert zwei Pariser Büroangestellte, die durch eine Erbschaft in die Lage versetzt werden, sich auf einem Landsitz in Muße dem Studium der *Sciences modernes* zu widmen. Sie bearbeiten alle Zweige der Wissenschaft; aber ob sie sich dem Landschaftsbau oder der Chemie, der Dramen-Ästhetik, der Politik, der Liebe oder der Pädagogik widmen: Es geht alles schief. Sie scheitern auf jedem einzelnen Feld. Am Ende kochen sie eine Katze. Das Werk ist angelegt als Enzyklopädie der menschlichen Dummheit; es sind weniger stilistische als Denk-Klischees, denen das Kopistenpaar verfällt. Das zweite Buch ist Flauberts *Dictionnaire des idées reçues*, das *Wörterbuch der Gemeinplätze*. Auf deutsch könnte man dieses Wörterbuch etwa fortsetzen (Stand 2020): «*Alles im grünen Bereich* / *Attentat:* Immer feige. / *Luft nach oben* / *Paradigmatisch und -wechsel* / *Quantensprung* – aber nur wenn noch → Luft nach oben / *Seismographisch* / … A suivre.

45 *Belohnung für Kreuzottern und Phrasen* – Karl Kraus, *Tolstoi, wenn er das noch erlebt hätte.* In: Die Fackel, 31.3.1911, S. 19, online verfügbar. Vgl. auch Wollschläger (Hg.), *Das Karl Kraus Lesebuch*, S. 166.

45 *Sprachplastik verfällt schneller* – Ein Satz wie: «Ja. Du. Das macht was mit mir, ein Stück weit», ist ein noch exakterer Zeitmarker als die Radiokarbonmethode. 1980 – unmöglich. 2010 – auf dem Peak. 2030 – nur noch für die allerletzten Honks möglich. Wobei bis 2030 selbst die Honks ausgestorben sein werden. «Versuch einer Annäherung» – 1980. «Alles gut!» – 2020, als alles nicht mehr so gut wurde.

II. Im Weinberg

Delphin oder Zecke? Etwas über Satzzeichen

47 *Warte nicht hängen* – Die Geschichte hat es als Beispiel sogar in Lehrschriften des österreichischen Verfassungs- und Verwaltungsrechts geschafft: «Zur Auslegung von Rechtsnormen», Unterfall «Systematische Auslegung». In Internet-Foren sind beliebte Beispielsätze für Mißverständnisse durch fehlende Kommata: «Wir essen jetzt Opa» oder «Er will sie nicht». Rudolf Helmstetter schreibt dazu in einem reichen und witzigen *Merkur*-Essay: Die Syngrapheme, wie die Linguistiker sie nennen, gehörten zwar offensichtlich zur Alphabetschrift, aber nicht unübersehbar: «Meist fällt das, erst auf wenn, sie fehlen oder an der falschen, Stelle stehen.» (Rudolf Helmstetter, *Punkt Punkt Komma Strich*. In: Merkur, August 2017, S. 19.) Das offensichtlich oder scheinbar delirierende Komma am Potsdamer Schloß Sanssouci «Sans, Souci» hat ganze Scharen von Deutern, darunter Kabbalisten, auf den Plan gerufen. – Begonnen hatte die Interpunktion um 2000 vor Christus mit der Schule von Alexandria. «Es dauerte noch einmal tausend Jahre, bis Isidor von Sevilla und namenlose irische Mönche beim Kopieren der Heiligen Schrift einheitliche Schriftscheidungen entwickelten. Noch einmal gut tausend Jahre später – die ersten Jahrhunderte des Buchdrucks hatten dann weitere Satz- und Setzerzeichen und eine gewisse Standardisierung gebracht – kannte der Duden (aber wohl auch *nur* der *Duden*) anno 1980 über hundert Regeln zur gottgefälligen Zeichensetzung.» (Helmstetter, S. 21.) Die Sprachwissenschaft unterscheidet bei Satzzeichen syntaktisch-grammatische, rhetorisch-dialektische, phonetisch-prosodische, pneumatisch-physiologische, semantische und kognitive. (Ebda., S. 23.) Entsprechend komplex ist das Regelwerk. Und entsprechend elastisch.

47 *Einsam, bin ich nicht allein* – «Gestern Abend en passant Controverse mit den beiden Alten, die es nicht als komischen Fehler anerkennen wollten, daß man citiert: ‹Einsam bin ich, nicht alleine –›. Es heißt natürlich: ‹Einsam, (wenn ich einsam bin) bin ich nicht alleine.» (Thomas Mann, Tagebuch vom 29. 6. 1934. In: Tagebücher, S. 452 f.) Zumindest die ignorante Filmindustrie sollte sich später auf die Seite der Pringsheims schlagen: *Einsam bin ich, nicht allein – In den Händen der Delawaren* ist der Titel eines Historienfilms aus dem Jahr 2013. Der Titel ist die deutsche Fassung des Originals *Alone Yet Not Alone*. Thomas Mann hätte sich davon wohl nicht beirren lassen. Sowenig er sich in dem Streit über einen Vers Fontanes in dessen Gedicht *Leben* beirren ließ. Thomas Mann hatte in einem Essay von 1910 die letzten Zeilen daraus zitiert: «Doch das Beste, was es sendet / ist das Wissen, das es sendet / ist der Ausgang, ist der Tod.» Und wollte sich trotz einer Flut von Protestbriefen nicht dazu bewegen lassen, die offensichtlich korrekte Form: «Ist das Wissen, *daß es endet*» anzuerkennen. Wobei es also außer von dem «senden» oder «enden» vom «s» oder «ss» abhing. Thomas Mann, *Der alte Fontane*. In: Gesammelte Werke, Bd. 9, S. 34. (Aus Gründen der Einheitlichkeit wird Thomas Mann durchgehend aus der alten dreizehnbändigen Werkausgabe zitiert; die historisch-kritische ist noch nicht abgeschlossen.)

48 *«Deutschland erwache»* – Vgl. Jens Malte Fischer, *Karl Kraus*, S. 950. – *So würde Shanghai nicht brennen* – Ebda.

48 *Seerosengewässer des Stils* – Vgl. dazu auch Alexander Nebrig und Carlos Spoerhase (Hg.), *Die Poesie der Zeichensetzung* pass. und Baker, *U & I. Wie groß sind die Gedanken*.

48 *Das Moskauderwelsch* – Theodor W. Adorno, *Satzzeichen*. In: *Noten zur Literatur*, S. 110.

49 *Schopenhauer über den Gedankenstrich* – Arthur Schopenhauer, *Der handschriftliche Nachlaß in fünf Bänden*, Bd. 4. II, S. 71. Der von Schopenhauer geschätzte Laurence Sterne verwendet im *Tristram Shandy* sogar dreierlei Arten Gedankenstriche: kurz, mittel und lang. Sein Übersetzer Michael Walter hat sie in den (von Sterne penibel überwachten) Erstdrucken mit dem Lineal nachgemessen und in der Haffmans-Ausgabe übernommen. Adorno schätzte den Gedankenstrich sehr, vor allem im Werk Theodor Storms, er sieht in ihnen «Falten auf der Stirn der Texte». Theodor W. Adorno, *Satzzeichen*. In: *Noten zur Literatur*, S. 109.

50 *Nietzsches Manierismen* – Friedrich Nietzsche, *Versuch einer Selbstkritik*. In: Sämtliche Werke, Bd. 1, S. 13, 17; Sperrungen hier kursiv.

50 *Wild gewordene Klammeranordnung* – Die Stelle ist aus *KAFF auch Mare Crisium* von 1960. Arno Schmidt erwidert auf die Frage des verehrenden Exegeten: Ja, da sei ein Mann auf dem Chaiselongue eingedöst: «er erwacht langsam, zuerst die Klammern, die ja nur die stilisierte *Hohlhand* sind, hinter der Geheimeres liegt [(((.....))).]. Dreifach, die Punkte und wieder geschlossen, er schläft und döst, im nächsten Beispiel sind nur noch zwei Klammern [((.....))], nicht mehr drei, die Schlafdecke ist bereits dünner geworden, wieder eine Pause dazwischen, im nächsten ist die Schlafdecke noch dünner geworden, nur noch eine Klammer [(....?)] und anstatt der fünf Punkte vier Punkte und ein Fragezeichen, es ist irgendwas eingetreten, was ist, fragt sich der Schlummernde etwa unwillkürlich, das langsame Erwachen [– : ! : !!!], ein Doppelpunkt, ein Ausrufungszeichen und ein Doppelpunkt und drei Ausrufungszeichen, und nun folgt im Text die Erläuterung: ‹klar, nichts, niemand, nirgends, nie; nichts, niemand, nirgends, nie, so brabbelt doch nur ein Motor, ihr Motor›, er sieht zum Fenster hinaus, und siehe da, er sieht die Geliebte vor der Haustür halten.» Arno Schmidt, *KAFF auch Mare Crisium*. In: *Bargfelder Ausgabe*, Supplemente, Bd. 2., S. 16.

51 *Schmidts Pedanterie* – Man achte auf seine autodidaktentypische überkorrekte Zitierweise. Oder darauf, wie er auf Millimeterpapier die miniskülen Kreise einer selbstgefertigten Himmelskarte mit Lineal schraffiert. Vgl. Michael Maar, *Die Feuer- und die Wasserprobe*, S. 50.

51 *Strichpunkt als Delphin* – Aris Fioretos, *Wasser, Gänsehaut*, S. 46. In einer Umfrage zum Semikolon in *Die Presse* vom 17.4.2008 verteidigen prominente Autoren das Satzzeichen, dessen Abschaffung in Frankreich erwogen worden war. Sie finden dabei hochliterarische Metaphern. Für Arno Geiger hat das Semikolon die Funktion der «quergestellten Lamelle an der geschlossenen Jalousie»; eine gewisse Lichtdurchlässigkeit bleibe gewährleistet. Für Juli Zeh ist es der Zauderer, der Grenzgänger, der Wanderer zwischen den Welten. Elfriede Jelinek könnte bei ihren Tiraden und «Paranomanien» nie auf das Semikolon verzichten. Für Franzobel ist es der Hermaphrodit unter den Satzzeichen, für Feridun Zaimoglu, der offenbar kickt, ein doppelter Vorstopper. Lutz Seiler erklärt das Semikolon als «Pause mit Bedeutung, auch musikalisch, Kopplungsmöglichkeit zwischen schweren und leichten Se-

quenzen, syntaktisches Gelenk, sauber einsetzbar». Und recht haben sie alle, selbst ohne das pragmatische, von Zeh und Franzobel angeführte Argument, man brauche das Semikolon schon fürs Augenzwinkern des Smileys ;-). (*Autoren über das Semikolon.* In: Die Presse, online verfügbar.) – Schon Adorno hatte fünfzig Jahre zuvor in den *Noten zu Literatur* dieselbe Klage geführt: «Theodor Haecker erschrak mit Recht darüber, daß das Semikolon ausstirbt: er erkannte darin, daß keiner mehr eine Periode schreiben kann. [...] Mit dem Verlust des Semikolons fängt es an, mit der Ratifizierung des Schwachsinns durch die von aller Zutat gereinigte Vernünftigkeit hört es auf.» Im übrigen erinnert Adorno das Semikolon, wie er uns nicht verschweigt, optisch an einen herunterhängenden Schnauzbart. (Theodor W. Adorno, *Satzzeichen.* In: *Noten zur Literatur*, S. 110f., 106.) Die schönste und poetischste Geschichte der Interpunktion, ausgehend von Malcolm Parkes' *Pause and Effect. Punctuation in the West* von 1991, findet sich in Nicholson Bakers Essaysammlung *U & I. Wie groß sind die Gedanken.* Dort auch zum Semikolon, das beim Joyce des *Ulysses* durch den Doppelpunkt ersetzt und beim späten Beckett ganz ausgefällt worden sei. Und dort auch die immerhin witzige Schmähung des Semikolons durch Barthelme. Vgl. Nicholson Baker, *U & I. Wie groß sind die Gedanken*, S. 297.

51 *Semikolon 1494 in Venedig* – In der Erstausgabe von Peitro Bembos *De Aetna.* Vgl. Baker, ebda., S. 296.

51 *37 Regeln zum richtigen Gebrauch des Semikolons* – Die Details zum Strichpunkt verdanken sich nebst der Studie Nicholson Bakers einer gelehrten Zusammenfassung von Danilo Scholz (Facebook-Posting vom 9.8.2019). Das Tausendfüßler-Problem benennt auch Adorno: «Dem Satzzeichen gegenüber befindet der Schriftsteller sich in permanenter Not; wäre man beim Schreiben seiner selbst ganz mächtig, man fühlte die Unmöglichkeit, je eines richtig zu setzen, und gäbe das Schreiben ganz auf.» Sein vorsichtiges Fazit, mit obligat postponiertem «sich», ist vernünftig und schlicht: «Jedenfalls wird heute wohl der am besten fahren, der an die Regel: besser zuwenig als zuviel, sich hält.» Theodor W. Adorno, *Satzzeichen.* In: *Noten zur Literatur*, S. 112.

52 *Klammern mitten im Satz* – Adornos Ausnahmegenehmigung gilt nur für Proust. Seine Begründung ist in der Metaphorik deutlich Benjaminisch geprägt: «Das Recht für den Proustschen Interpunktionsgebrauch liegt aber einzig beim Ansatz seines gesamten Romanwerkes: daß der Schein des Kon-

tinuums der Erzählung durchbrochen wird, daß durch alle seine Fenster der asoziale Erzähler hineinzuklettern bereit ist, um den dunklen temps durée [sic] mit der Blendlaterne der gar nicht so unwillkürlichen Erinnerung zu beleuchten.» Die drei Pünktchen lehnt Adorno erwartungsgemäß ab, siehe *Satzzeichen*, S. 109, 111.

Der Morgenathem der Sprache

52 *Buchstabe und Laut* – Es gibt Buchstaben, deren Zuordnung zu bestimmten Lauten verwickelt ist, z. B. ist «sch» nur ein Laut, umgekehrt wird «z» wie «ts» gesprochen.

52 *Säuberungen der Sprache* – Der Beschluß, bei heimischen Wörtern das stumme «h» zu eliminieren («Tor» statt «Thor»), wurde auf der Zweiten Orthographischen Konferenz 1901 in Berlin gefällt. Nur bei fremdstämmigen Wörtern wie «Theater» oder «Thron» ließ man Gnade vor Recht walten.

53 *Weht Morgenathem an die Frühjahrsblüthe* – Karl Kraus, *Elegie auf den Tod eines Lautes*. In: Die Fackel, 10. 12. 1915, S. 107 ff., online verfügbar.

54 *Peter Eisenberg* – Der große Sprachwissenschaftler hatte im Auftrag der Deutschen Akademie für Sprache und Dichtung über Jahre hinweg beharrlich daran mitgewirkt, den Kollegen der zuständigen Kommission die Fragwürdigkeit ihrer Vorschläge nachzuweisen.

55 *Heftiges Gewitter über Rom* – Uwe Timm, *Von Anfang und Ende*, S. 68.

55 *Des Pfaffen Glatze* – Jeremias Gotthelf, *Die schwarze Spinne*, S. 88.

Tranchierte Tanten: Läßliche Stilsünden

56 *Tranchierte Tanten* – Der Merksatz kommt aus dem Schweizerischen. Als Regel gilt: Das Relativpronomen bezieht sich auf das letztgenannte Substantiv des gleichen Geschlechts und des gleichen Numerus (also Singular oder Plural). Wäre das also endlich eine Muß- und keine Kann-Regel und ein Beispiel für einfache Fehler, bei denen es nichts zu deuteln und zu diskutieren gibt? Aber noch nicht einmal das kann man sagen! Die Grammatiker haben für Fälle dieser Art den Begriff der *Constructio ad sensum* erfunden, mit dem gemeint ist, daß der Kontext und offenkundig gemeinte Sinn hinwegspielt über die an sich falsche grammatische Konstruktion. Bei kanonisierten Autoren ist sie

eher als Stilmittel zu bewerten denn als Fehler. Grammatiker sind toleranter, als man glaubt.

56 *Wörter und Sätze* – Sprachwissenschaftlich läßt das sich alles natürlich komplexer an. Da ist das Wort, um Wolfgang Klein zu zitieren, nicht das, was auf dem Papier steht; «das ist allenfalls die äußerlich sichtbar gemachte Repräsentation eines Wortes. Die meisten Sprachen in der Geschichte der Menschheit wurden und werden ja gar nicht geschrieben, ihre Wörter stehen nur im Kopf ihrer Sprecher gespeichert, wo man sie nicht sehen kann. Ein sechsjähriges Kind beherrscht zahlreiche Wörter, ohne ihre grafische Seite zu kennen; die lernt es erst in der Schule.» Vgl. Wolfgang Klein, *Grimms Frösche.* In: *Abecedarium der Sprache*, S. 78 f.

56 *Nach Heinrich Bölls Leben trachten* – Hans Wollschläger, *Von Sternen und Schnuppen.* In: Schriften in Einzelausgaben, Bd. II, S. 259.

58 *Bruneldas scheinbar schwere Träume* – Franz Kafka, *Der Verschollene.* In: Kritische Ausgabe, S. 354.

59 *Der allgemeine Trost runder Dinge* – Clemens J. Setz, *Frau Triegler.* In: *Der Trost runder Dinge*, S. 199.

60 *Mir, die man ins Bett gesperrt hatte* – Brigitte Kronauer, *Im Dunkeln.* In: *Die Kleider der Frauen*, S. 14.

60 *Sieg des natürlichen Geschlechts* – Robert Walser, *Der Gehülfe.* In: Sämtliche Werke, Bd. 10, S. 91.

Die Regel Paul Valérys

61 *Luther ließ sich von einem Fleischer ein Schaf abstechen* – Vgl. Reiners, *Stilkunst*, S. 81.

61 *Entre deux mots, il faut choisir le moindre* – Paul Valéry, *Tel quel*, S. 157.

61 *Fremdwörter?* – Als Regel gelte, was Jean Paul schon vor zwei Jahrhunderten salomonisch angemerkt hat: «Es ist weniger daran gelegen, daß ein fremdes Wort ein-, als ein inneres fort-geschafft werde; lässet aber der Ausländer den Inländer unvertrieben: so seh' ich nicht, warum nicht beide bleiben.» Jean Paul, *Ideen-Gewimmel*, S. 65.

62 *Natur läßt sich forciren, aber nicht zwingen* – Vgl. Nietzsche, *Unzeitgemässe Betrachtungen II.* In: Bd. 1, S. 291. Hier vermißt man heute ein Smiley.

62 *Hacks' Sprach-Urwald* – Vgl. Peter Hacks, *Die Schwärze der Welt im Eingang des*

Tunnels. In: *Marxistische Hinsichten*, S. 260. – *Epykrose und Bähung* – Ebda., S. 257 f.

63 *Fontanes Wort-Waggons* – Beispiele wären der Schickedanzfanatiker, die Ängstlichkeitsprovinz, das Einschenkekunststück, die Menschheitsbeglückungsidee, das Überzeugungabhärtungsprinzip oder der Schuhbürstenbackenbart. Philologen haben sich die Mühe gemacht, sämtliche dieser Wortungetüme aus Fontanes Gesamtwerk herauszufiltern und aufzulisten. Es gibt ein Poster mit den fünfhundert längsten Fontane-Substantiven – sehr zu empfehlen. Vgl. Peer Trilcke et al., *Zwischen ‹Weltverbesserungsleidenschaft› und ‹Schmetterlingsschlacht›*. In: *Fontane Blätter*, 2018, S. 102–112. Das Poster, aus dem die Beispiele zitiert wurden, findet sich im dazugehörigen Blog des Theodor-Fontane-Archivs.

63 *Borchardt nie um ein Wort verlegen* – Auf der Suche nach seltenen Wörtern wird man nirgends so fündig wie bei Rudolf Borchardt. Er schreibt von «Metökenadaption». (Gesammelte Werke, Bd. VI, S. 183.) «Wenn die alten Mischungen verschalen oder verkahnen» (ebda., S. 184) – nie gehörtes Verb. In seiner George-Kritik schreibt er, die Maschine sei «zum Adiaphoron und unterworfenen Expediens des Menschen geworden» – was sich heute gerade umzukehren scheine. (Ebda., S. 589.) Aber es muß nicht das Fremdwort sein, er schreibt auch en passant von Liebermanns «enorme[r] Nasenbedächtigkeit». (Ebda., S. 247–248.) Borchardt provoziert mit seiner Wortwahl immer wieder die Satzzeichen *?!?* – Bedächtig ist sie, jedenfalls vordergründig, nicht.

63 *Goethes über 90 000 Wörter* – Goethes Wortschatz kann man im Goethe-Wörterbuch der Akademie der Wissenschaften online bestaunen. Das sogenannte Einmalwort nennt man vornehm und zungenbrecherisch auch *Hapaxlegomenon.*

Stilvergleich I: Der geschlachtete Stier

63 *Thomas Manns Bügelfalten* – Dem Neidhaß Döblins entkam sein Förderer Thomas Mann auch durch seinen Tod nicht. Zur verständlichen Empörung der Tochter Erika schreibt Döblin noch in seinem Nachruf schmähend über ihren Vater als den jetzt abgedankten Autor und stolzen Patrizier aus Lübeck (man hört den Neid), dessen «Verschlagenheit und Schläue» und «Jagd nach

Ehren» er, Döblin, leider auch bei dieser sinistren Gelegenheit nicht verschweigen zu dürfen glaube. Dort auch das immerhin gut gefundene Wort «Bügelfaltenprosa». (Alfred Döblin, *Das Verschwinden von Thomas Mann.* In: Thomas Mann. Briefwechsel mit Autoren, S. 161 f.)

64 *Das Blut wird herausstürzen* – Alfred Döblin, *Berlin Alexanderplatz,* S. 122 f. – *Spie eine dicke Welle Bluts in den Sand* – Thomas Mann, *Bekenntnisse des Hochstaplers Felix Krull.* In: Gesammelte Werke, Bd. VII, S. 655 f.

66 *Sexus und Tod eng umschlungen* – Vgl. zu diesem Komplex Michael Maar, *Das Blaubartzimmer,* sowie Thomas Notthoff, *«Cio ch'io vidi» – Italien in Thomas Manns Doktor Faustus.* In: Deutsche Vierteljahresschrift, 2019, S. 192–238.

Flegeln und Baumeln: Das Verb

67 *Aber die Stilisten wußten es immer* – In Reiners' *Stilkunst* leitet der Satz «Die Seele jedes Satzes ist das Verbum!» ein Kapitel der dramatischen Überschrift: «Das Zeitwort stirbt» ein. Ludwig Reiners, *Stilkunst,* S. 139 ff.

67 *Frühling flegelte sich überall dazwischen* – Heimito von Doderer, *Die Wasserfälle von Slunj,* S. 282.

67 *Mit der Seele baumeln* – Kurt Tucholsky, *Schloß Gripsholm,* S. 32.

68 *In die Zukunft mich wälzen, in die Zukunft stolpern* – Franz Kafka, Brief an Felice Bauer vom 28.2./1.3.1913. In: Kritische Ausgabe. Briefe 1913–1914, S. 115.

68 *Sie werden mich übersterben* – Elke Erb, *Das mit dem Baum.* In: *Gedichtverdacht,* S. 92. Das Finalgedicht trägt die exakte Datierung: «12.12.18 halb 7». Auch Monika Rinck beendet ihre Poetikvorlesung mit diesem Gedicht. (Monika Rinck, *Wirksame Fiktionen,* S. 100 f.)

68 *Sie heißen verschwinden, verlöschen, verenden* – Vgl. Durs Grünbein, *Weiße Verben.* In: *Zündkerzen,* S. 30.

69 *In eine Tätigkeit besonderer Art versetzt – Rudolf Borchardts Leben von ihm selbst erzählt,* S. 101.

69 *Wir ruhen um uns, rufen, schaffen, beschleunigen* – Ernst Bloch, *Geist der Utopie.* In: Gesamtausgabe, Bd. 16, S. 385 f.

69 *Drum bleibt mir schweigen, schonen, ärgern* – Vgl. Hannah Arendt, *Rahel Varnhagen,* S. 32.

70 *Augen von Göttinnen* – Alexander Lernet-Holenia, *Der Baron Bagge*, S. 42. Mit Dank für die Empfehlung an Michael Kleeberg.

70 *Ich wollt', er schösse mich todt* – Vgl. Heinrich Heine, *Buch der Lieder*, «Die Heimkehr». Adorno beendet seinen Essay *Die Wunde Heine* mit diesem Gedicht, das er in die große Perspektive des jüdischen Exils rückt. Siehe Theodor W. Adorno, *Die Wunde Heine*. In: *Noten zur Literatur*, S. 99 f. Robert Gernhardt beginnt sein Heine-Pastiche: «Er liest im ‹Buch der Lieder›» im skeptischen Ton – «Mit all ihren grausamen Liebchen / Und all ihren Nixen so kalt, / Sie ließen den Leser oft seufzen: / Ich fürchte, hier werd ich nicht alt.» Im letzten Quartett kommt es zum Umschwung: «Doch dann stößt er plötzlich auf Zeilen / Zu enden all seine Not, / Auf so gewaltige Schlüsse / Wie ‹Ich wollt', er schösse mich tot.›» Robert Gernhardt, *Klappaltar*. In: Gesammelte Gedichte, S. 621 f.

Am Beiwort sollt ihr sie erkennen

71 *Regenschirm und Sozialismus* – «An umbrella is a necessary evil. A walking-stick is a quite unnecessary good.» (Gilbert Keith Chesterton, *What's Wrong with the World*, S. 202 ff.) Chesterton schrieb das in der Zeit der spätviktorianischen Gentlemen und Snobs; heute sollte natürlich eine Unzahl gebrechlicher Herren ihr Haus nicht ohne Spazierstock verlassen. – In Wolfgang Herrndorfs Roman *Sand* gibt eine Figur ebenfalls eine Erklärung zu der Frage ab, warum sich Marx geirrt habe. Es ist ein Beispiel für Herrndorfs Komik des Grauens. Der unter Amnesie leidende Held wird gekidnappt, weil man ihn für einen Agenten hält. Der falsche Psychiater, der ihn gleich foltern wird, seufzt resigniert: Darum müsse der Kommunismus scheitern, es liege an der Menschennatur – niemand fühle sich verantwortlich, die Kabel des Elektroschockers ordentlich aufzuwickeln, weil er niemandem gehöre. Vgl. Wolfgang Herrndorf, *Sand*. In: Gesamtausgabe, Bd. 2, S. 643.

72 *Der knorrige Lindenbaum* – Die Süddeutsche Zeitung kommentierte diesen Satz Wolf Schneiders in ihrem «Streiflicht» vom 11. 6. 2019.

72 *Nabokov großer Adjektivler* – Unter Nabokovianern berühmt ist die Dreierreihung, mit der in *Ada* das Meer beschrieben wird, in dem sich soeben die Heldin Lucette ertränkt hat und auf das der daran mitschuldige Van Veen

nun starrt: auf die *black, foam-veined, complicated waters.* Allein das *complicated* zeigt das Genie.

72 *Vier Ruderer* – Kehlmanns versteckte Hommage an die lateinamerikanischen Schriftsteller *Julio* Florencio Cortázar, *Carlos* Fuentes, Jorge *Mario* Vargas Llosa und *Gabriel* José García Márquez.

73 *Heines schwelgerische Adjektive* – Vgl. Karl Kraus, *Heine und die Folgen.* In: Die Fackel, 31. 8. 1911, S. 1 ff., online verfügbar.

73 *Hemingway und Voltaire* – Wie immer harsch und entschieden äußert sich zu dieser Frage Arno Schmidt: «(‹Das Adjektiv der Feind des Substantivs› wie KREUDER mal verkündete: erstens hatte er's von HEMINGWAY, (Der auch nichts von Literatur verstand); zweitens stammt's von VOLTAIRE; und drittns iss es Quatsch: was für herrliche Adjektivationen giebt's nich bei JOYCE; (von dem man mein'n sollte, daß er FISCHART gekannt habm müßte, (wenn's nich fast unmöglich wäre)).» Arno Schmidt, *Abend mit Goldrand.* In: Bargfelder Ausgabe, Bd. 4/3, S. 248. Die letzte Bemerkung ist typisch für Arno Schmidt, typisch überhaupt fürs Autodidaktentum: das Protzen mit entlegener Bildung. Wer außer Schmidt hatte selbst in Deutschland genauere Kenntnis von Herrn Fischart?

73 *Das Adjektiv muß etwas erzählen* – Besonders wichtig ist das Adjektiv dort, wo es eine Figur so knapp wie möglich zu charakterisieren hat: als szenische Anweisung im Personenverzeichnis eines Theaterstücks. Es ist ein interessantes Zwischen-Genre, weil die Anweisung den Zuschauer gar nicht erreicht, sie will nur dem Regisseur und den Darstellern vermitteln, wie sich der Autor die Figuren vorgestellt hat. Da sollte jedes Wort von strenger befehlender Kürze sein. Ein Beispiel aus Schillers *Fiesco,* das auch Burkhard Müller – genau, der andere der beiden – anführt: «– *Andrea Doria,* Doge von Genua. Ehrwürdiger Greis von achtzig Jahren. Spuren von Feuer. Ein Hauptzug: Gewicht und strenge befehlende Kürze. [*na also!*] / *Gianettino Doria,* Neffe des Vorigen. Prätendent, Mann von sechsundzwanzig Jahren. Rauh und anstößig in Sprache, Gang und Manieren. Bäurisch-stolz. Die Bildung zerrissen. / *Fiesco,* Graf von Lavagna. Haupt der Verschwörung. Junger, schlanker, blühend-schöner Mann von dreiundzwanzig Jahren – stolz mit Anstand – freundlich mit Majestät – höfisch-geschmeidig und ebenso tückisch. / *Musley Hassan,* Mohr von Tunis. Ein konfiszierter Mohrenkopf. Die Physiognomie eine originelle Mischung von Spitzbüberei und Laune. / *Julia,* Gräfinwitwe

Imperiali, Dorias Schwester. Dame von fünfundzwanzig Jahren. Groß und voll. Stolze Kokette. Schönheit verdorben durch Bizarrerie. Blendend und nicht gefallend. Im Gesicht ein böser mokanter Charakter. Schwarze Kleidung.» – *Das* sind Adjektive, da sitzt jedes einzelne Wort. Vgl. Burkhard Müller, *Der König hat geweint*, S. 19.

73 *La crainte de l'adjective* – Paul Claudel, *Journal*, Bd. 1, S. 69. Der Verzicht aufs Überflüssige erstreckte sich bei Claudel auch aufs Leben schlechthin. «Gegen Ende seines Lebens, als er nach und nach die Zähne, die Haare, das Augenlicht und das Gedächtnis verlor, erklärte der Dichter Paul Claudel, wie überraschend wenig er all diese Dinge vermisse.» Gilbert Adair, *Wenn die Postmoderne zweimal klingelt*, S. 96 f.

73 *Rudolf Borchardt* – Auch er wußte das Beiwort zu setzen, sparsam und treffend. Wie genau trifft es Rathenau, wenn er von ihm schreibt: «in der toten, gläsernen Art, die er mit Frauen hatte». Rudolf Borchardt, *Frühstück zu acht Gedecken*. In: Gesammelte Werke, Bd. VI, S. 257.

73 *Das die Erwartung unterlaufende Adjektiv* – Etwas grandseigneural, aber in der Sache nicht verkehrt bemerkt Peter Sloterdijk über das Geheimnis des guten Stils: «Das Adjektiv muß die selten zu sehende Geliebte des Substantivs sein, nicht die Gattin, die immer an seiner Seite trottet.» Peter Sloterdijk, *Neue Zeilen und Tage*, S. 260.

74 *Die Brüder lächelten ängstlich* – Thomas Mann, *Joseph und seine Brüder*. In: Gesammelte Werke, Bd. V, S. 1610.

74 *Ein mysteriöser Skeptizismus hatte sich in meine Seele geschlichen* – Jorge Luis Borges, *28. Oktober 1938*. In: Gesammelte Werke, Essays II, S. 390.

74 f. *Mendel erinnerte sich an den Schnee* – Joseph Roth, *Hiob*. In: Werke, Bd. 5, S. 114, 132. – *Trottas durchkerbter Tisch* – Joseph Roth, *Radetzkymarsch*. In: Ebda., S. 142.

76 *Die Fahne im Wind* – Robert Walser, *Der Gehülfe*. In: Sämtliche Werke, Bd. 10, S. 61.

77 *Köstliche Sänger* – Ernst Jünger, *Auf den Marmorklippen*, S. 86 f.

78 *Zweigs knatternde Prosa* – Vgl. Stefan Zweig, *Phantastische Nacht*. In: *Amok. Novellen einer Leidenschaft*.

78 *An Fliederbüschen, blau und rauschbereit* – Gottfried Benn, *Epilog*. In: Trunkene Flut, S. 110.

78 f. *Pastiors Psychogramm* – Herta Müller, *Atemschaukel*, S. 295.

Syntax: Pat und Patachon; Para und Hypo

81 *Es hört sich an, als ob er leise zu ihr singen würde* – Elias Canetti, *Das Augenspiel*, S. 304.

81 *Er war jung gewesen. Mit ihr war er jung gewesen* – Marlene Streeruwitz, *Kreuzungen*, S. 23. – Ludwig Reiners bezeichnete dergleichen syntaktische Marotten als «Asthmastil». Reiners, *Stilkunst*, S. 124.

82 *Die Bäume im Schönbrunner Park rauschten und raschelten* – Joseph Roth, *Radetzkymarsch*. In: Werke, Bd. 5, S. 453.

83 *Wo bliebe denn eigentlich zuletzt ein wirklicher Inhalt* – Erwin Rohde an Franz Overbeck, Brief vom 2. 9. 1873. In: Franz Overbeck, Erwin Rohde. Briefwechsel, S. 4.

84 *Mit augenartig und mienenartig ausgehängten Lockzeichen* – Rudolf Borchardt, *Der leidenschaftliche Gärtner*, S. 22 f.

84 *Kleist als Kohlhaas des Stils* – Was sieht man bei ihm? «Subjektivität und Verausgabung, zarteste Detail-Fürsorge, ungeschützten Form-Trieb, Angstfreiheit auch in Engpässen, Freude an der generativen Gewalt natürlichen Wuchses, irren Humor, die Fähigkeit, Zeit wie eine Substanz zu stauen und loszulassen, Selbstvergessenheit, die Einheit des Widersprüchlichen auszuhalten, plötzlich zu enden.» Gibt es eine bessere Beschreibung der Prosa Kleists? Sie fährt fort: «– Und plötzlich wieder zu beginnen. Aber das ist nicht alles. Man muss ihm wohl zuhören.» Ihm zuhören – denn es ist nicht Kleist, es ist Beethoven, den Wolfgang Rihm so mitreißend charakterisiert. (Vgl. Frankfurter Allgemeine Zeitung vom 14. 3. 2020.)

85 *Kohlhaas, über eine so unverschämte Forderung betreten* – Heinrich von Kleist, *Michael Kohlhaas*. In: Sämtliche Werke, Bd. 2, S. 12. – *Der Knecht, auf dessen blassem Gesicht sich eine Röte fleckig zeigte* – Ebda., S. 17. – *Dabei wurden einige Fragmente der Kriminalverhandlung* – Ebda., S. 68.

87 *Das letzte Kapitel von der Geschichte der Welt* – Heinrich von Kleist, *Über das Marionettentheater*. In: Sämtliche Werke, Bd. 2, S. 345.

87 *Der Knabe war klein, die Berge waren ungeheuer* – Heinrich Mann, *Die Jugend des Königs Henri Quatre*, S. 13. – *Eine Stimme, keine andere gleicht ihr* – Heinrich Mann, *Empfang bei der Welt*, S. 125. – *Karl, es hören, und er verlor den Dolch* – *Die Jugend des Königs Henri Quatre*, S. 305. – *Die Frau, die er liebte, um derentwillen er floh* – *Die Armen*, S. 192.

89 *Mit aller Bestimmtheit will ich versichern* – Thomas Mann, *Doktor Faustus*. In: Gesammelte Werke, Bd. VI, S. 9.

91 *Hesses Prosa nicht immer die feinste* – Thomas Mann reagierte gekränkt auf Hesses zurückhaltende Aufnahme seines letzten *Joseph*-Bandes im Jahr 1945 und verschaffte sich in bissigen Kommentaren über Hesses Spätwerk *Traumfährte* Luft, wenngleich nur im Tagebuch: «Las nach Tische in Hesses Traumfährte. Eine gewisse mürrische Eitelkeit missfällt. Manches erinnert an Wiener Feuilletonismus. Die Prosa ist nicht immer die feinste und neueste. Auch nicht die musikalischste. Pessimismus, Einsamkeit, Absonderlichkeit, Widerspruch zur Welt übertrieben.» Thomas Mann, Tagebuch vom 28.10.1945. In: Tagebücher, S. 269.

91 f. *Daß der Schatz sein eigener Kopf sei* – Hermann Hesse, *Das Glasperlenspiel*. In: Gesammelte Werke, Bd. 9, S. 582 f.

92 *Jemand mußte Josef K. verleumdet haben* – Franz Kafka, *Der Process*. In: Kritische Ausgabe, S. 7. – *Als sollte die Scham ihn überleben* – S. 312.

93 *Weltfest des Todes* – Thomas Mann, *Der Zauberberg*. In: Gesammelte Werke, Bd. III, S. 994.

93 *Wunsch, Indianer zu werden* – Franz Kafka, *Wunsch, Indianer zu werden*. In: Kritische Ausgabe, Drucke zu Lebzeiten, S. 32 f. Überflüssig zu bemerken, daß Sporen bei Indianern nicht verbreitet waren und man sie reitend auch nicht «lassen» kann.

94 *Das Abwechslungsreich blieb unerobert* – Botho Strauß, *Der Fortführer*, S. 195.

95 *Guten Tag. Stockholm* – Kurt Tucholsky, *Schloss Gripsholm*, S. 26.

Die schwarze Kunst der Prosa: Der Rhythmus

96 *Lob des Rhythmus* – «Herrlich aber – wenn das Herz eines grossen Schriftstellers in Zutrauen und Selbstgefühl anschwillt und seine Feder einen wahrhaft persönlichen Rhythmus anhebt, der mit der allgemeinen Sprache schaltet wie der Wind mit dem Ährenfeld: wie Lessings mannhafter Ton, dessen ganze Spannung kein Deutscher wieder erreicht hat, oder Schillers Schwung oder Kants Klarheit, die uns anmutet, wie es Goethe aussprach: ‹als träten wir in ein helles Zimmer›.» So Hofmannsthal, der sehr liberal über Kants Kategorienbaukasten urteilt. Hugo von Hofmannsthal, *Vorrede*. In: Gesammelte Werke, Bd. II, S. 171.

96 *Große Rhythmiker* – Peter Sloterdijk rühmt Heine für sein «überhelles rhythmisches Gehör». Seine Prosa folge so sicher ihrem Fluß und sei so aktuell pointiert, als wäre sie vor kurzem geschrieben, «nur ihre Vollkommenheit verrät, sie müsse aus einer andern Zeit stammen». Sloterdijk, *Neue Zeilen und Tage*, S. 418.

96 *Trotta kurz vor seiner Heldentat* – Joseph Roth, *Radetzkymarsch.* In: Werke, Bd. 5, S. 139. Für Joseph Roth war der Rhythmus das Wichtigste. Vom Rhythmus des *Hiob* sprach er als der *musique biblique.* Vgl. David Bronsen, *Joseph Roth*, S. 38.

97 *Naschte nicht weihnachtlich der Knabe die wonnige Speise* – Thomas Mann, *Gesang vom Kindchen.* In: Gesammelte Werke, Bd. VIII, S. 1008.

99 *Die Bresche in der Stube des Alchimisten* – Walter Benjamin, *Einbahnstraße.* In: Gesammelte Schriften, Bd. IV, S. 105.

99 *Die Tannen auf waldigen Graten emporwandern* – Heimito von Doderer, *Das letzte Abenteuer*, S. 23 f.

100 *Unergründete Schluchten boten den Drachen Aufenthalt* – Robert Musil, *Die Portugiesin.* In: *Nachlaß zu Lebzeiten,* S. 236.

III. Die Instrumente zeigen

Das Geheimherz der Uhr. Die Metapher

103 *Geheimherz Metapher* – Auf die technische Unterscheidung zwischen Metonymie und Metapher (jene ist mit «Wie»-Vergleich) sei hier verzichtet, es geht um sprachliche Bilder.

103 *Metaphern bei Flaubert* – «et il n'y a peut-être pas dans tout Flaubert une seule belle métaphore». Hier die deutsche Fassung: Marcel Proust, *Über den ‹Stil› Flauberts.* In: Werke, Teil 1, Bd. 3, S. 390.

103 *Wie Lauschende hinter Vorhängen* – Joseph Roth, *Wasserträger Mendel,* S. 11. – *Wieder zum Leben erweckter Leichnam* – Ebda., S. 10.

104 *Eine Dose Red Bull* – Wolfgang Herrndorf, *Tschick.* In: Gesamtausgabe, Bd. 2, S. 69.

104 *Traurigkeit des Silvesterabends* – Walter Benjamin, *Betrachtungen und Notizen.* In: Gesammelte Schriften, Bd. 6, S. 199.

105 *Metaphern in den Naturwissenschaften* – Burkhard Müller erklärt sehr schön das Wesen des bildlichen Vergleichs. Es deckt sich nie alles. Es ist immer nur

ein Teilbereich des Verglichenen, der sich mit dem zum Vergleich Herangezogenen überlagert: «Ein Mann wie ein Baum: Es bedeutet, dass dieser Mann kräftig, ja stämmig und nicht so leicht aus der Ruhe zu bringen ist, da er fest in seinem Grund wurzelt (wobei der Grund und das Wurzeln ihrerseits Untermetaphern darstellen). Es bedeutet *nicht*, dass ihm Laub aus den Schläfen sprösse oder dass sich in seiner Leibesmitte Spechte einnisten.» Das müsse man wissen und wisse es auch, wenn beide Seiten ihre je eigene sinnliche Präsenz besäßen, was auf Männer und Bäume zweifellos zutreffe. Auf gekrümmte Raumzeit oder Gravitationswellen trifft es aber nicht mehr zu. Spätestens seit Einstein und Heisenberg kann die Metapher in den Naturwissenschaften fast nichts mehr abdecken; sie ist die Ausflucht vor der harten Erkenntnis, daß hier ohne höhere Mathematik rein gar nichts begriffen werden kann. Die immergleichen Züge, auf denen Beobachter sitzen und der Lichtgeschwindigkeit hinterherfahren, die Gummitücher, die von der Raumzeit eingedellt werden, sind Streicheleinheiten von den Sapienti für die unmathematische Plebs. Metaphern sind hier, wie Müller es in eine ebensolche faßt, wie schwache Straßenlaternen: «Ihr Schein tut wenig, um den Schritt des Fußgängers zu orientieren, reicht aber hin, um den Anblick der Sterne auszulöschen.» Metaphern mogeln hier über tiefste Klüfte hinweg. Vgl. Burkhard Müller, *Das überspannte Gummituch*. In: Merkur, August 2018, S. 12 f.

105 *Noch kein Autor hat so oft ‹wie› oder ‹gleich› hingeschrieben als ich* – Jean Paul, *Vita-Buch*: In: Sämtliche Werke, II, Bd. 6, S. 716. Vgl. auch Helmut Pfotenhauer, «*Das wahre Leben ist die Literatur*», S. 27.

106 *So! So! So! So*! – Heinrich von Kleist, *Penthesilea*. In: Sämtliche Werke, Bd. 1, S. 427.

106 *Wie wenn tagelang feine, dichte Flocken vom Himmel nieder fallen* – Dennoch hat Jacob Grimm sich dem Schneetreiben nicht entziehen wollen. «Zuweilen möchte ich mich erheben und alles wieder abschütteln, aber die rechte Besinnung bleibt dann nicht aus. Es gälte doch für Torheit, geringeren Preisen […] nachzuhängen und den großen Ertrag außer Acht zu lassen.» Jacob Grimm, *Vorrede*. In: Deutsches Wörterbuch, Bd. 1, Spalte III.

106 f. *Jan Wagner über Büchners Metaphern* – Jan Wagner, *Unterm Sprachskalpell. Dankesrede zum Büchnerpreis*. In: Frankfurter Allgemeine Zeitung, 30. 10. 2017, online verfügbar.

107 *Finger gleichen ungeduldigen Räubern* – Joseph Roth, *Radetzkymarsch*. In: Werke,

Bd. 5, S. 313. – *Mit gleichsam ausgestreckten Augen* – Ebda., S. 314. – *Wie ein Wächter neben einem Gefangenen* – S. 328. – *Fröhlich wie ein Sonntag und eine Parade* – S. 335.

108 *Gestirn ohne Atmosphäre* – Friedrich Nietzsche, *Unzeitgemässe Betrachtungen II.* In: Sämtliche Werke, Bd. 1, S. 298.

108 *Wunderthäter, der ein Gleichnis vom Hinken heilt* – Jean Paul, *Ideen-Gewimmel*, S. 252.

108 *Wer ruft hier den Namen Stefan Zweigs?* – Der große Germanist Hans Mayer rief ihn sehr laut. Nach Franz Werfel befragt, erregte sich Mayer: «Er hatte eine eigene Sprache! Im Gegensatz zu Stefan Zweig, der einfach unerträglich schlecht schreibt. Zweig plustert sich auf; er plustert die Einfälle auf, die er nicht hat.» Vgl. Peter Stephan Jungk, *Franz Werfel*, S. 173.

108 *Schleichender Wein mit goldenen Flügeln* – Vgl. Novalis, *Heinrich von Ofterdingen.* In: Schriften, Bd. 1, S. 319 f. Auch Reiners zitiert dieses Bild, allerdings lobend. (*Stilkunst*, S. 320.) Das Beispiel ist harmlos verglichen mit dem Bildersalat, den Novalis in seinem katholischen Pamphlet *Die Christenheit oder Europa* anrichtet. Dort zückt er den berühmten «Zauberstab der Analogie», der das Wirrwarr aber nicht ordnen kann. (Novalis, *Die Christenheit oder Europa.* In: Schriften, Bd. 2, S. 743.) Man versteht ganz gut, daß Goethe die Publikation im *Athenäum* verhinderte.

Musils Fliegenpapier

110 *Ein Nichts, ein Es zieht sie hinein* – Robert Musil, *Das Fliegenpapier.* In: *Nachlaß zu Lebzeiten*, S. 294 f.

112 *Aber da half kein Strampeln* – Martin Mosebach, *Was davor geschah*, S. 151.

Die Kurtisane neckt den Tod: Walter Benjamins Bilder

113 *Neigung zur Allegorie* – Benjamin schafft es, selbst noch die Allegorie zu allegorisieren. «Wie Stürzende im Fallen sich überschlagen, so fiele von Sinnbild zu Sinnbild die allegorische Intention dem Schwindel ihrer grundlosen Tiefe anheim.» (Gesammelte Schriften, Bd. I.1, S. 405.) Es wird seinen Grund haben, daß man sich hier an den doppeldeutigen «Tiefenschwindel» erinnert fühlt. Charakteristisch für das denkerisch oft Schwindlerische bis

Hochstaplerische bei Benjamin ist auch seine Bestimmung der Allegorie im *Ursprung des deutschen Trauerspiels*, die Hofmannsthal zustimmend zitiert: «Die Allegorie ist am bleibendsten dort angesiedelt, wo Vergänglichkeit und Ewigkeit am nächsten zusammenstoßen.» (Vgl. Hugo von Hofmannsthal, *Gesammelte Werke*, Bd. III, S. 579.) «Gesiedelt» wird also, wo diese beiden zusammenstoßen. Na, das möchte ein schönes *Bumsti!* geben, wenn man wieder Kraus zitieren darf. Daß Vergänglichkeit und Ewigkeit, oder Diesseits und Jenseits, eben nicht zusammenstoßen können, hätte Benjamin, wäre es schon gedruckt gewesen, bei Kafka nachlesen können, der logisch unbestechlich notiert: «Dem Diesseits kann nicht ein Jenseits folgen, denn das Jenseits ist ewig, kann also mit dem Diesseits nicht in zeitlicher Beziehung stehn.» Franz Kafka, *«Du bist die Aufgabe»*, S. 135. Kafka war oft der präzisere Denker als Benjamin.

114 *Benjamin als verschobener Poet* – Vielleicht trifft auch ihn, was Sloterdijk über Marx gesagt hat: Seine Intelligenz und sein Schreibstil seien zugleich anwaltlich *und* gnostisch; alles wird ihm gleichzeitig zum Plädoyer und zur Predigt. (Mit Dank an Thomas Notthoff.)

115 *Kunst des Ostereierversteckens* – Walter Benjamin, *Der enthüllte Osterhase oder Kleine Versteck-Lehre*. In: Gesammelte Schriften. Bd. IV.1, S. 398.

115 *Der Schmetterling im Netz* – Walter Benjamin, Gesammelten Schriften, Bd. III, S. 528. Alle folgenden Zitate aus dieser Ausgabe. – *Zitate als Räuber am Weg* – Bd. IV.1, S. 138. – *Langeweile als graues Tuch, als Traumvogel, als Gitterwerk* – Bd.V.1, S. 161; Bd. II.2, S. 446; Bd.V.2, S. 1007. – *Pfeilgeschwinde Liebesregung des Verehrers* – Bd. IV.1, S. 92. – *Der Dschungel der Tropen* – Bd. I.1, S. 163.

Wie fernes Krähen von Hähnen

117 *Krähenruf uralt-halbwüchsig* – Brigitte Kronauer, *Vierzehn*. In: *Die Kleider der Frauen*, S. 62.

117 *Das Blasen der Trompeten wie fernes Krähen von Hähnen* – Alexander Lernet-Holenia, *Der Baron Bagge*, S. 14. – *Mahlendes Klirren, wenn eins der Pferde auf die Kandare biß* – Ebda., S. 35 f.

118 *Es war ein dünner, singender, einfacher hoher Laut* – Robert Musil, *Die Amsel*. In: *Nachlaß zu Lebzeiten*, S. 374.

Die Schlange im Wolfspelz

119 *Von den Ohren, breiten Schwingen, getragen* – Elias Canetti, *Die Blendung*. In: Werke, Bd. 1, S. 81.

119 *Das hab ich verbal schon immer gesagt* – Eva Menasse, *Vienna*, S. 33 f. – *Die Schlange im Wolfspelz* – S. 18.

120 *Nur eine Facette der Meinung des andern* – Jean Paul, *Bemerkungen über uns närrische Menschen*, S. 131.

120 *Und scho samma wieder draußen* – Vgl. Harry Rowohlt, *Und tschüss*, S. 241.

120 *Der Elfenbeinturm als Turris eburnea* – Vgl. Peter von Matt, *Der unvergessene Verrat am Mythos*, S. 6 f.

121 *Nimm Bilder ernst* – Wie etwa Arthur Koestler, der genügend andere Sorgen hatte, wie seine *Sonnenfinsternis* zeigt, und sich gleichwohl noch Jahrzehnte später über den Druck seines ersten Reiseartikels ärgerte. Er hatte das Wasser im Hafen Tel Avivs als «still wie grünes Glas» beschrieben. Der Setzer hatte es zu «still wie grünes Gras» verdruckt. So sind Schriftsteller; so müssen, so sollten sie sein. Vgl. Arthur Koestler, *Als Zeuge der Zeit*, S. 83.

Die Perlenkette. Die Sachen und die Namen

122 *Aus den nördlichen Dörfern ergoß sich ein stummer Strom von Flüchtlingen* – Anna Seghers, *Transit*, S. 9.

123 *Zrinys, Marschallowskis, Leutzendorffs* – Lernet-Holenia, *Der Baron Bagge*, S. 59.

124 *Der Afrom, der schiefe Michel, das Eulenmännchen* – Leo Perutz, *Der schwedische Reiter*, S. 104–110.

124 f. *Tausendschön, Gedenkemein* – Rudolf Borchardt, *Der leidenschaftliche Gärtner*, S. 25.

125 *Bloße Liste als Gedicht* – Spätestens mit Inger Christensens *alfabet* von 1981 wurde die Liste für die moderne Lyrik erobert. Zur Bedeutung der Liste in der Avantgarde-Lyrik vgl. Ann Cotten und die wohlinformierte Studie von Christian Metz, *Poetisch Denken*, S. 22.

Stilsünde Variation. Der edle Kruster

125 *Flauberts ständiges «haben»* – Marcel Proust, *Über den ‹Stil› Flauberts*. In: Werke, Teil 1, Bd. 3, S. 401.

126 *Lachte die Komtesse* – Theodor Fontane, *Der Stechlin.* In: Werke, Bd. 5, S. 246 f.

126 *Sah sein Gesicht zerknitterter noch als zerknülltes Papier aus* – Mechtilde Lichnowsky, *Das preziöse Deutsch.* In: *Heiterkeit in Dur und Moll,* S. 154. Auch Reiners läßt sich diese Stilsünde nicht entgehen. Er zitiert Fritz von Unruh mit dem Satz «‹Ich auch nicht›, legte Jacques seinen Kneifer neben sich.» Reiners' Schluß: «Das schlichte *sagte er* oder *antwortete sie* ist meist das kleinere Übel.» Nicht meist: fast immer. (Vgl. *Stilkunst,* S. 134.)

127 *Sticht sie mir weiter ins Herz* – Navid Kermani, *Sozusagen Paris,* S. 53. Die folgenden Zitate in ihrer Reihenfolge: Ebda., S. 88, 170, 196, 184, 102, 123, 200.

128 *«I geh net», sagte Finy* – Heimito von Doderer, *Die Wasserfälle von Slunj,* S. 87.

128 *Tellkamp an die Trave geeilt* – Vgl. Harry Rowohlt, *Und tschüss,* S. 215.

129 *Der edle Kruster* – Mechtilde Lichnowsky, *Das preziöse Deutsch.* In: *Heiterkeit in Dur und Moll,* S. 151. Karl Kraus, rüstiger Schwimmer, hatte die verehrte Freundin vorm Ertrinken aus der Moldau gerettet. Er dichtete zu dem Vorfall: «Als dich die Flut uns entriß, / nie in der Welt noch war / so viel Wasser und doch / nicht so viel Wasser, als wir / Thränen um dich vergossen hätten.» Vgl. Jens Malte Fischer, *Karl Kraus,* S. 166.

129 *Chwostik betrachtete mit wirklichem Interesse die Tiere* – Heimito von Doderer, *Die Wasserfälle von Slunj,* S. 302 f. Die alte Regel der Nicht-Wiederholung, die hatte man Doderer bis zur Matura eingebimst; das bekam er dann nicht mehr los. Ebenso eingebimst wurde ihm, daß es dem Hause, dem Manne, dem Landrate hieß. Er schreibt sogar «Zum Glücke», obwohl es anders idiomatisch eingefroren ist; man will es kaum glauben. Vgl. Heimito von Doderer, *Der Grenzwald,* S. 118.

Der Kaiser freute sich: Die Wiederholung

130 *So stand es mit Veza und sie weigerte sich standhaft* – Elias Canetti, *Das Augenspiel,* S. 133. – *Schritte auf der Straße gehört, die vielleicht Georg gehörten* – Anna Seghers, *Das siebte Kreuz,* S. 130. – Ein Beispiel aus eigener Fehlproduktion: «Thomas Mann *schickte* seinen Sohn Golo nach München, wo er die Tagebücher unauffällig aus der Wohnung bergen und ins Schweizer Exil *schicken* sollte.» Brrrr. Vgl. Maar, *Heute bedeckt und kühl,* S. 43.

130 *Es war alles, alles gut* – Den Gegen-Akzent setzt Karl Kraus: «Man lebt nicht

einmal einmal.» Karl Kraus, *Abfälle.* In: Die Fackel, 12.3.1906, S. 3, online verfügbar. Vgl. auch Wollschläger (Hg.), *Das Karl Kraus Lesebuch*, S. 72.

131 *The woods are lovely, dark and deep* – Robert Frosts Gedicht *Stopping by Woods on a Snowy Evening* wurde zuerst in seinem Gedichtband *New Hampshire* (1923) publiziert und findet sich leicht im Internet.

131 *Ein dummes Gesetz schickte ihn gefesselt in einen dummen Tod* – Joseph Roth, *Radetzkymarsch.* In: Werke, Bd. 5, S. 238. – *Er freute sich* – Ebda., S. 348.

133 *Den Tod statuiere ich nicht* – Vgl. Albrecht Schöne, *Schillers Schädel*, S. 7. Goethe hatte seine Meinung über solche Bilder übrigens revidiert, als er Caspar David Friedrichs «Abtei im Eichwald» sah – und trotz ähnlicher Thematik als «wunderbar» rühmte. – Mit Dank an Christoph Müller.

Die wörtliche Rede. Sosias und die Wahlverwandtschaften

134 ff. *Sosias gegen Merkur* – Heinrich von Kleist, *Amphitryon.* In: Sämtliche Werke, Bd. 1, S. 253–258.

135 *Der Molièresche Amphitryon* – Vgl. Peter Szondi, *Satz und Gegensatz*, S. 51.

142 *Wir liebten einander als junge Leute recht herzlich* – Johann Wolfgang von Goethe, *Die Wahlverwandtschaften.* In: Werke, Bd. 6, S. 246.

Kunstfehler, des weiteren

143 *Der belgische Diplomat in der Vermessung der Welt* – Kehlmann steht damit in ehrwürdigster Tradition. Reiners stellt in der *Stilkunst* verschiedene Irrtümer zusammen, die keinen Verständigen störten, wie er zu Recht bemerkt. Amüsant sind sie trotzdem, darum übergeben wir Reiners das Wort: «Wenn Goethes Mephisto und Mozarts Don Giovanni Champagner trinken, wenn die Studenten im Osterspaziergang des *Faust* den Tabak loben, wenn Fieskos Gattin bei einer Tasse Schokolade sitzt, wenn im *Hamlet* die Geschütze feuern und in Shakespeares *Julius Cäsar* die Uhren schlagen, wenn Kleists Hermann seine Thusnelda mit einer Orange vergleicht und in Hebbels *Gyges* die Kerzen brennen, so sind das Zeitschnitzer. Denn diese Dinge hat es zu der Zeit nicht gegeben, in der jene Stücke spielen.» Ludwig Reiners, *Stilkunst*, S. 44.

144 *Du wirst starke Arme nötig haben* – Stendhal, *Die Kartause von Parma*, S. 441.

Wehsals Donnerwort

147 *Wehsals wuchtige Rede* – Thomas Mann, *Der Zauberberg*. In: Gesammelte Werke, Bd. III, S. 855 ff.

149 *Puhr Pipels Stoff* – Thomas Mann, *Der Erwählte*. Ebda., Bd. VII, S. 73 f.

149 *Jede Figur müsse anders hinken* – Burkhard Müller, *Der König hat geweint*, S. 25.

Fontanes Wassermelonen

151 *Ja, Engelke, nu geht es los. Fingerhut* – Theodor Fontane, *Der Stechlin*. In: Werke, Bd. 5, S. 337. – *Das Leben ist kurz, aber die Stunde ist lang* – Ebda., S. 400.

152 *Erbarmungslos überliefert er die ganze Gotteswelt seinem Keller-Ton* – Theodor Fontane, *Gottfried Keller. Ein literarischer Essay von O. Brahm*. In: Vossische Zeitung, 8. 4. 1883. Zitiert nach: Keller, Sämtliche Werke, Bd. 23.2, S. 426 ff.

152 *His master's voice* – Das erkannte schon der enge Freund Ernst von Wolzogen, der in seinen Erinnerungen schrieb: «Horcht man bei Fontane genauer hin, so kann es einem nicht entgehen, daß seine Gestalten alle die echt Fontanische Mundart reden und Fontanisch krause Gedankenwege wandeln.» Vgl. Wolfgang Rasch, Christine Hehle, *«Erschrecken Sie nicht, ich bin es selbst»*, S. 161.

152 *Oder doch mindestens verzeihen muß* – Fontane, *Der Stechlin*. Die Zitate in ihrer Reihenfolge: S. 25, 140, 312, 47, 93, 211. – *Andere sagen, sie stürbe nie* – S. 249 ff. – *Hochgradig verwöhnt im Ausdruck* – S. 18 f.

Genau hingehört: Die Resel der Freifrau, Werfel, Canetti

155 *Die Kindheit der Resel* – Marie von Ebner-Eschenbach, *Resel*. In: *Krambambuli und andere Erzählungen*, S. 31 f. – *Das Ende der Resel* – Ebda., S. 39–43.

160 *Das Essen, ich bitte, brillant* – Franz Werfel, *Eine blaßblaue Frauenschrift*, S. 70.

160 *Flußkrebse, die gegen den Strom wandern* – Heimito von Doderer, Tagebuch vom 2. 12. 1964. In: *Commentarii*, Bd. 2.

161 *Mit dem red i net* – Elias Canetti, *Das Augenspiel*, S. 99. – *Ich lass' mir das nicht gefallen und kratz* – Elias Canetti, *Die Blendung*. In: Werke, Bd. 1, S. 64 ff.

163 f. *Thomas Manns Lob der Blendung* – Thomas Mann, Brief an Elias Canetti vom 14. 11. 1935. In: Briefwechsel mit Autoren, S. 117 f.

IV. Die Bibliothek

Klassik: Die Gewaltigen

170 *Der quecksilbrige Goethe* – Vgl., pars pro toto, Albrecht Schönes Studie *Der Briefschreiber Goethe.* In der Prosa war Goethes Personalstil nach dem *Werther* gedämpft und allgemeiner gehalten. In seiner Autobiographie *Dichtung und Wahrheit* beklagt er selbst, daß er nach seinen großen Anfangserfolgen eigentlich weder in Prosa noch in Versen einen Stil gehabt habe. (15. Buch.) Was zu der Mephistofrage führt: Könnte es sein, daß der beste Stil der *weniger* markierte ist? Das würde auch die Probleme erklären, die nicht wenige mit Thomas Mann haben. Dies jedenfalls der nicht von der Hand zu weisende Verdacht Gustav Seibts. Vgl. dazu auch Erich Trunz, *Goethes Altersstil.* In: Trunz, *Ein Tag aus Goethes Leben.*

170 *Lorbeerbaum und Kranz* – Jean Paul, *Ideen-Gewimmel,* S. 134. – *Goethe in den Wanderjahren mehr ein Buchbinder* – Ebda., S. 43.

170 *Goethe als Daseinsdekorateur* – Peter Sloterdijk, *Zeilen und Tage,* S. 583. Sehr klug über Goethes Altersstil auch Reiners, *Stilkunst,* S. 464 ff. Auch Engel sinniert über Goethes Altersstil, der «gewollte Manier» gewesen sei. Vgl. Engel, *Deutsche Stilkunst,* Bd. 1, S. 50.

172 *Herders Beitrag zur Klimadebatte* – Johann Gottfried Herder, *Was ist Klima, und welche Wirkung hat's auf die Bildung des Menschen an Körper und Seele?* Online verfügbar auf www.zeno.org.

173 *Börne über Lessing* – Vgl. Ludwig Börne, *Bemerkungen über Sprache und Stil.* In: Sämtliche Schriften, Bd. 1, S. 589 ff. – *Friedrich Schlegel über Lessing* – Vgl. Hofmannsthal, *Deutsches Lesebuch,* S. 182.

174 *Wie wenn ein Tauber unbedingt das Tanzen lernen wollte* – Vgl. Burkhard Müller, *Der König hat geweint,* S. 155. – *Wenn Schiller den Tell unterlassen hätte* – Ebda., S. 24. – *Eine Menge von Sprachwolle* – S. 39. – *Die Decke des Enthusiasmus heben* – S. 108 f. – *Bei Schiller wird so entsetzlich leicht gestorben* – S. 158.

Grimms Ton

176 *In den alten Zeiten, wo das Wünschen noch geholfen hat – Der Froschkönig oder der eiserne Heinrich.* In: *Kinder- und Hausmärchen gesammelt durch die Brüder Grimm,* Bibliothek der Klassiker, S. 23.

177 *Robert Gernhardts Freude, wenn eigene Zeilen Volksmund werden* – Nur den früheren Merkur-Herausgeber Kurt Scheel mochte es manchmal gewurmt haben, daß der von ihm geprägte «Gutmensch» seine Karriere so ganz ohne Copyright gemacht hat; er hätte denn ein ebensolcher sein müssen.

177 *Der Herr Korbes muß ein recht böser Mann gewesen sein* – Eines der bizarrsten der Grimmschen Kinder- und Hausmärchen. Der letzte Satz wurde erst in der 6. Auflage hinzugefügt, offenbar um das Unbehagen über die unmotivierte Grausamkeit der Tier- und Dingwelt durch eine Pseudo-Kausalität zu mildern. Siehe Jacob und Wilhelm Grimm, *Herr Korbes.* In: *Kinder- und Hausmärchen*, Bd. 1, S. 187–189.

178 *Und wenn sie nicht gestorben sind* – So leben sie noch heute auch in den modernen Märchen, die den Grimm-Ton aufgreifen oder parodieren. Dieses Verfahren ist allerdings tückisch; wir verzichten auf die Beispiele, in denen der pseudonaive Ton nicht das didaktische Piepsen verdecken kann. Auch Peter Hacks hat hier gesündigt. Aber es gibt ein paar geglückte Gegenbeispiele, von Franz Hohler und vor allem von Michael Köhlmeier, der in dem dicken Band *Die Märchen* hundertfünfzig erstaunlich gelungene, felssteinartig unpolierte Märchen-Neufassungen vorlegt.

Löwinnen um Goethe

179 *Ringsum ins Unabsehbare, Horizont hinter Horizont* – Rahel Varnhagen an ihren Gatten aus Baden bei Wien vom 2.7.1815. Vgl. *Rahel. Ein Buch des Andenkens*, Bd. 3, S. 275. Werner Kraft hat diesen Brief unter dem Titel «Der Abend selbst» in seine Auswahl *Wiederfinden. Deutsche Poesie und Prosa* aufgenommen (S. 96).

180 *Mehr Autorinnen durch wachsende Emanzipation* – Umgekehrt mag die Tatsache, daß Frauen als Autorinnen allmählich stärker in die Öffentlichkeit traten, die Emanzipation gefördert haben; ein sich selbst verstärkender Prozeß. Mit Dank für den Hinweis an Kristian Wachinger.

180 *George Sand in Männerkleidung* – Eigentlich hieß sie Amantine Aurore Lucile Dupin de Francueil. Im Romantempo vergleichbar war ihr Germaine de Staël, deren postum veröffentlichte *Œuvres complètes* siebzehn Bände umfaßten.

180 *Goethe in Johanna Schopenhauers Salon* – Goethe war ihr dankbar dafür, daß sie den gesellschaftlichen Bann aufhob, unter dem Christiane Vulpius stand, sein Blumenmädchen, das er gerade geehelicht hatte. Johanna Schopenhauer lud Christiane mit der klassisch gewordenen Begründung ein: «Ich denke, wenn Goethe ihr seinen Namen gibt, können wir ihr wohl eine Tasse Tee geben.»

181 *Und sie kam, sprach und siegte* – Vgl. Hannah Arendt, *Rahel Varnhagen*, S. 38. Diese unter widrigsten Umständen entstandene und heute zum Teil philologisch überholte Pionierstudie scheint, nebenbei bemerkt, auf der Folie der Rahelschen Erfahrungen Arendts eigene unglückliche Liebesgeschichte mit Heidegger zu verarbeiten. Zu Rahel Varnhagen vgl. auch Elke Schmitter, *Rahel Levin Varnhagen*. In: *Leidenschaften. 99 Autorinnen der Weltliteratur*, S. 311 ff. – *Nicht reich, nicht schön und jüdisch* – Arendt, *Varnhagen*, S. 39. – *Dies göttlich-teuflische Geschöpf* – Ebda., S. 99. – *Ich sei nicht schön* – Arendt, S. 273. In den sechs Bänden *Rahel. Ein Buch des Andenkens* (im folgenden kurz: *Rahel*) ist dieser Brief, jedenfalls vom Verfasser, nicht zu finden. – *Lieben ist ein außerirdisches Verhältnis* – *Rahel*, Bd. 2, S. 319. – *Wer nicht in der Welt wie in einem Tempel umhergeht* – Ebda., S. 401. – *Kleists Selbstmord: gelitten hat er genug* – Ebda., S. 309. – *Der Gedanke des Existierens so überragend kolossal* – *Rahel*, Bd. 5, S. 88. – *Die Zukunft von hinten uns über das Haupt strömt* – *Rahel*, Bd. 3, S. 324. – *Die Sprache steht mir nicht zu Gebote* – *Rahel*, Bd. 1, 286 f. – *Ich lebe noch. Nun wissen Sie alles* – *Rahel*, Bd. 4, S. 477. – *Varnhagen besitze an die dreitausend Briefe von ihr* – Vgl. Arendt, S. 160. – Ihr Brief zum Tode von Gentz an Leopold Ranke ist von einer milden, liebevollen Klar- und Scharfsicht, derer – dies einmal kühn gewagt – kein Mann der Zeit fähig gewesen wäre. Außer vielleicht Jean Paul. Vgl. *Rahel*, Bd. 5, S. 499.

181 *Rahels Salon* – Nach Napoleons Berlin-Besetzung im Jahr 1806 zerfiel der Salon Rahel Varnhagens, und der Johanna Schopenhauers in Weimar gründete sich.

185 *Prozession auf den Weinberg* – Bettine Brentano an Goethe, vgl. Hofmannsthal, *Deutsches Lesebuch*, S. 275 ff. Orthographisch angeglichen der Fassung *Goethes*

Briefwechsel mit einem Kinde. (S. 207.) Bettines phantasievoll fabulierendes Briefwerk eröffnet mit der Ermahnung und Vorsichtsklausel: «Dies Buch ist für die Guten und nicht für die Bösen.»

Der rheinische Schatzmeister: Johann Peter Hebel

189 *Goethe rühmte Hebels Volkston* – Vgl. den Hebel-Eintrag in Kindlers Literatur Lexikon.

190 *Der Kondor ein Landsmann des Kolibri* – Johann Peter Hebel, *Die Kalendergeschichten*, S. 188 f. – *Ich sehe kuriose Sachen da oben* – Ebda., S. 231. – *Aber der geneigte Leser glaubt's nicht* – S. 292.

191 *Im Vergleich zu den Romantikern geradezu philosemitisch* – Fast alle waren sie das Gegenteil, auch die Brüder Grimm, wie jüngst Gerhard Henschel nachwies. Wilhelm Grimm schrieb etwa das Märchen *Der Jude im Dorn* immer tendenziöser um. Vgl. Henschel, *«Etwas vorlautes widriges»: Das Judenbild der Brüder Grimm.* In: Merkur, November 2019, S. 79–87.

193 *Markante Schlußsätze* – Johann Peter Hebel, *Die Kalendergeschichten*, siehe S. 77, 81, 90, 303. – *Planeten wie auseinandergerissene Familien* – Ebda., S. 159. – *Grottenolm in seiner verschlossenen Brunnenstube* – S. 99. – *Was die Erde einmal wieder gegeben hat* – S. 332.

194 *Zwei Seiten Prosa, die man unsterblich nennen darf* – Ebenso unsterblich wie die Kurzerzählung *Kannitverstan*, die Ludwig Reiners zu Recht als einen Höhepunkt deutscher Prosa rühmt. Vgl. *Stilkunst*, S. 49.

Romantiker. Blaue Blume und Hysterion

197 *Des Todes Entzückungen* – Novalis, *Hymnen an die Nacht.* In: Schriften, Bd. 1, S. 157.

198 *Von einer gewissen Einfallslosigkeit* – So ähnlich sah es schon Eduard Engel: «Novalis, in seinen Sprüchen (‹Blütenstaub›, von 1798) so knapp und scharf, ist im ‹Heinrich von Ofterdingen› dem romantischsten Buche der Romantik, überaus beiwörtlerisch, ohne unsern Sinnen dadurch sichtbarer zu werden. Wie sollen wir z. B. seine berühmte ‹Blaue Blume› vor Augen sehen aus Beiwörtern wie ‹hoch, lichtblau›; von welcher Art sind ihre ‹breiten glänzenden Blätter›? Hätte Novalis sie sinnenhaft gesehen, nicht rein begrifflich gedacht,

so hätte er, der in seinen schönsten Gedichten oft genug das Eigenwort auch im Beiwerk trifft, uns mit einem einzigen Beiwort die blaue Blume sehen lassen.» Eduard Engel, *Deutsche Stilkunst*, Bd. 1, S. 248.

198 *Die Liebe ist stumm* – Novalis, *Heinrich von Ofterdingen*, S. 335.

199 *Eine Lücke in meinem Dasein* – Friedrich Hölderlin, *Hyperion*. In: Sämtliche Werke, Bd. 2, S. 82. – *Die Sinne vergehn mir und der Geist entflieht* – Ebda., S. 86.

199 *Ein paar berühmte Sentenzen* – Die bekannteste dürfte der Satz über den Staat sein, den das zur Hölle gemacht habe, «daß ihn der Mensch zu seinem Himmel machen wollte». Hölderlin, *Hyperion*, S. 40. Nichts gegen solche klugen Sätze oder Sentenzen, von denen es viele gibt; nur machen sie keinen Roman. Daß Hölderlin überhaupt einen schrieb, lag nicht zuletzt daran, daß er die damals beginnende Konjunktur des Romans beim wachsenden Lesepublikum nutzen wollte. Vgl. Rüdiger Safranski, *Hölderlin*, S. 93.

200 *Arno Schmidts Kritik am Werther* – Christoph Martin Wielands *Aristipp*, in dem die vielen Dutzend Briefpartner einen je eigenen Ton haben, wäre das Gegenmodell, das Arno Schmidt darum auch redlich lobt. Vgl. Arno Schmidt, *Wieland oder die Prosaformen*. In: Bargfelder Ausgabe, Werkgruppe II, S. 275 ff.

201 *Aus den immer gleichen Bild-Quellen schöpfend* – Als Gegenbeispiel eine starke Metapher, bezeichnenderweise aus dem großen Alabanda-Brief: «[...] indes die Donnerwolke sich wiegt' im Bette des Äthers, und hin und wieder durch die Stille ferner tönte, wie ein schlafender Riese, wenn er stärker atmet in seinen furchtbaren Träumen.» Ebda., S. 34.

201 *Ihre Kraft ist ihre Freude* – Friedrich Hölderlin, *Hyperion*. In: Sämtliche Werke, Bd. 2, S. 37. – *Gäb' es eine Arbeit, einen Krieg für mich* – Ebda., S. 69. – *Er stiehlt ja Licht und Luft dem jungen Leben* – S. 36. – *Söhne aus der Wiege in den Strom werfen* – S. 36. – *Den Genius in seinen Wolken erkannt* – S. 83. – *Seine Perlen vor die alberne Menge nicht werfen* – S. 7. – *So schröcklich Freude und Leid dir wechselt* – S. 77. – *Bipolare Störung* – Vgl. S. 74 und Karl-Heinz Ott, *Hölderlins Geister*, S. 142 f.

202 *Vorwegnahme von Büchners Nihilismus* – Vgl. Ott, ebda., S. 54. Hier auch zu den Moden, Konjunkturen und zum Teil gewaltsamen Umbiegungen in der Hölderlin-Rezeption, unter besonderer Berücksichtigung Heideggers.

Exkurs: Peter Hacks, Carl Schmitt, John Keats

203 *Peter Hacks als anti-romantischer Stalinist* – Vgl. dazu Peter Hacks, *Zur Romantik*. Siehe auch Michael Maar, *Die Elixiere des Teufels*. In: *Die Glühbirne der Etrusker*, S. 50–61.

Der Schreckensmann: Karl Philipp Moritz

206 *Sammelplatze schwarzer Gedanken* – Karl Philipp Moritz, *Anton Reiser*. In: Werke, Bd. 1, S. 91.

206 *Moritz als Durchschauer Peter Handkes* – Siehe Peter Handke, *Der Selbstmaßregler*. In: die tageszeitung, 26. Juni 1993, S. 17.

207 *Kirsch- und Pflaumenkerne in Schlachtordnung* – *Anton Reiser*, S. 277 f.

208 *Heinrich Heine über Moritz' köstliche Naivität* – Heinrich Heine, *Zur Geschichte der Religion und Philosophie in Deutschland*. In: Gesamtausgabe, Bd. 8. I, S. 71.

209 *Vermutung über die Frage «Warum?»* – Moritz führt es in einer Metapher aus: «Eben so wenig wie ein Stein sich in der Luft erhalten kann, eben so wenig können wir einen Gedanken in unsrer Seele schwebend erhalten, so daß er sich zu keinem *Warum* heruntersenken sollte, auf dem er ruhen könnte. / Je schwerer uns freilich der Gedanke ist, desto länger wird er auch rollen müssen, ehe er einen festen Ruhepunkt findet, und der, den er gefunden hat, wird oftmals unter ihm einsinken, so daß er vermöge seiner ihm eigentümlichen Schwere sich immer tiefer heruntersenken muß, bis er endlich oder niemals einen festen Grund findet, der ihn tragen kann.» Der Doppelsinn des «Grund», vorbereitet durch das starke Bild des herabsinkenden Steins, ist die wohlgesetzte Schlußpointe. Vielleicht nicht überflüssig zu bemerken, daß sich in dieser Passage schon das Unbewußte und das Verdrängte ankündigen, weshalb Freud, der Moritz geflissentlich übersah und wohlweislich nie erwähnt, auch nichts davon wissen wollte. (Karl Philipp Moritz, *Sprache in psychologischer Rücksicht*. In: Werke, Bd. 1, S. 846.)

209 *Sollte selbst der Tod eine lächerliche Seite haben?* – Karl Philipp Moritz, *Erinnerungen aus den frühesten Jahren der Kindheit*. Ebda., S. 825.

Heine und die Folgen. Kraus, Adorno

210 *Kraus als zürnender Magier* – So Georg Trakl auf eine Umfrage der Innsbrucker Kulturzeitschrift *Der Brenner.* Vgl. Jens Malte Fischer, *Karl Kraus,* S. 457.

210 *Heine und die Folgen* – In der August-Ausgabe der *Fackel* im Jahr 1911 wurde der Text wiederabgedruckt. Wie Jens Malte Fischer zeigt, ist schon der Titel der Polemik falsch, er müßte lauten: «Der *frühe* Heine und die Folgen». Denn Kraus blendet den späteren Heine ganz aus, indem er sich nur auf das *Buch der Lieder* stützt und stürzt. Auf den großen Prosaautor wirft er nicht einmal einen Nebenblick; hat ihn vermutlich auch nicht gelesen. Der tiefste Grund für seine Aversion dürfte gewesen sein, daß Heine von vielen über Goethe gestellt wurde, und Goethelästerung war Gotteslästerung. Vgl. Jens Malte Fischer, *Karl Kraus*, S. 943 und pass. Dort auch über Kraus' sexuelle Sprach-Metaphorik (S. 948).

212 *Heines Platen-Polemik* – Antisemitismus versus Homophobie, das zieht sich vom Heine-Platen-Streit bis zu Borchardts Anti-George-Schrift. Was die Sache komplizierter macht, sind Bemerkungen von Kraus wie die vom «Itzig Witzig», der heute Heine übertreffe. Sie weisen auf den Komplex hin, den man früher jüdischen Selbsthaß nannte, ein Begriff, den Adorno in seiner großen Schrift über Kraus *Sittlichkeit und Kriminalität* zurückweist. Vgl. Adorno, *Noten zur Literatur,* S. 374; ferner das gründlich abwägende Kapitel «Kraus und der jüdische Selbsthaß» in Jens Malte Fischers großer Biographie, *Karl Kraus*, S. 194–205 und pass.

212 *Schlechte Gesinnung kann nur schlechte Witze machen* – Karl Kraus, *Heine und die Folgen*. In: Die Fackel, 31. 8. 1911, S. 26, online verfügbar.

213 *Der nachahmende Übereifer des Ausgeschlossenen* – Vgl. Adorno, *Die Wunde Heine.* In: *Noten zur Literatur*, S. 98.

213 *Absage an die inhaltliche Bestimmung durch seine Gegenstände* – Adorno, *Noten zur Literatur,* S. 379. Wer einmal richtig schlechte Laune kriegen will, lese hundert Seiten Adorno ensuite.

213 *Talent höhlt zur Manier aus* – Vgl. Hannah Arendt, *Rahel Varnhagen,* S. 305. Aus uns unbekannten Gründen ist dieser Passus in *Rahel. Ein Buch des Andenkens* unter dem angegebenen Datum nicht zu finden. Irgendwo im Heuhaufen wird sich die Nadel wohl verstecken.

Adalbert Stifter. Der Meister der Margarita

214 *Da trug Witiko dem Herzoge Woyen ein Bündnis an* – Adalbert Stifter, *Witiko*. In: Werke und Briefe, Bd. 5.1, S. 39 f.

215 *Umständlichkeit bewahrt ihn vor dem Kitsch* – Peter Sloterdijk freilich schreibt von Stifters «Beschönigungs-Trotz», der «ein stolzer Bruder des Kitschs» sei. «Man liest Stifter und staunt über das Ausmaß des Willens zur Vortäuschung von Einfachheit.» Sloterdijk, *Neue Zeilen und Tage*, S. 316.

215 *Der sanfte Unmensch* – Dies der Titel von Arno Schmidts Funkstück, eine fulminante Stifter-Polemik aus dem Jahr 1958, die die geheime Verwandtschaft der beiden Solitäre nicht ganz überspielen konnte. Vgl. auch Jan Süselbeck, *Das Gelächter der Atheisten*.

215 *Neigung zum Exzessiven, Pathologischen* – Vgl. Thomas Mann, *Die Entstehung des Doktor Faustus*. In: Gesammelte Werke, Bd. XI, S. 237.

215 *Nur wo das Leben zu Stein wird, ist es vom Tode erlöst* – Vgl. Wolfgang Matz, *Gewalt des Gewordenen*, S. 77 f. – *Beschreibung eines Selbstmordversuchs* – Ebda.

216 *Nur die Farbe schien grau zu sein* – Adalbert Stifter, *Witiko*. In: Werke und Briefe, Bd. 5.1, S. 16.

216 *Polgar als Marquis Prosa* – Es war Anton Schuh, der diesen Übernamen für ihn fand. Vgl. Milan Dubrovic, *Veruntreute Geschichte*, S. 108. – *Geschickt als Gegensatz von genial* – Alfred Polgar, *Handbuch des Kritikers*, S. 94.

216 *Ein lieber Fels, der emporragte und auf dem Haupte gesellschaftliche Pflanzen trug* – Adalbert Stifter, *Der Waldgänger*. In: Werke, Bd. 3.1, S. 101 f.

217 *Das war kein Schneien wie sonst* – Stifter, *Aus dem bairischen Walde*. In: Sämtliche Erzählungen, Bd. II, S. 1532.

218 *Die norischen Alpen wie mattblaue, starr gewordene Wolken* – Stifter, *Der beschriebene Tännling*. In: Werke, Band 1.3., S. 237.

220 *Die Mappe meines Urgroßvaters* – Die *Mappe* war ein Lebens- und Lieblingswerk Stifters, das mit den Jahrzehnten anwächst und das es in verschiedensten Fassungen gibt. Auf die Hanser-Ausgabe nach den Erstdrucken kann man für die Binnenerzählung *Margarita* nicht zurückgreifen, dafür eignet sich neben der Gesamtausgabe die leserfreundliche Ausgabe *Stifters Werke in vier Bänden* aus der Bibliothek Deutscher Klassiker, Aufbau-Verlag, Berlin und Weimar 1988.

220 *Reines fließendes Wasser, das erst an der Oberfläche gefror* – Adalbert Stifter, *Die*

Mappe meines Urgroßvaters: 4. Margarita. In: Werke, Bd. 1.5, S. 99. – *Tausend bleiche Perlen* – Ebda., S. 102. – *Das Zerbrechen des zarten Eises* – S. 100 f. – *Millionen von Glasstangen* – S. 105. – *Ein helles Krachen wie ein Schrei* – S. 107.

Jeremias Gotthelf. Die schwarze Spinne

222 f. *Ich begehre nicht mehr als ein ungetauftes Kind* – Jeremias Gotthelf, *Die schwarze Spinne*, S. 40. – *Wie auf seinen Raub der Tiger stürzt* – Ebda., S. 75. – *Wie ein Mensch, der seinen letzten Gang thut* – S. 75 f. – *Blitz auf Blitz ward entbunden* – S. 77 f. – *Hervor quollen giftig ihre Augen* – S. 64. – *Die ganze Predigt durch bebten ihr die Glieder* – S. 24. – *Stilmittel der Hyperbel* – Vgl. S. 53 f. – *Herz im Jammer verschwollen* – S. 38. – *Eine Hand groß Butter im Hafen* – S. 59. – *Haushaltungswagen aus allen Löchern heben* – S. 20.

227 *Canettis Streit mit seiner Mutter* – Vgl. Elias Canetti, *Die gerettete Zunge.* In: Werke, Bd. 7, S. 312 f.

Theodor Storm. Das läßt sich dämmen!

228 *Das läßt sich dämmen* – Theodor Storm, *Der Schimmelreiter*, S. 64. – *Schlich er in die gemeinsame Schlafkammer* – Ebda., S. 67 f. – *Kein Verkehr mit Elke* – S. 69. – *Schlaf wie am Grunde eines tiefen Brunnens* – S. 85. – *Zigeunerkind verdämmet* – S. 67.

229 *Pädophiler Egomane* – Zehn Jahre alt war das Mädchen, in das sich Storm als junger Mann verliebte. Dreizehnjährig war die andere große Liebe seines Lebens, Dorothea Jensen. Geheiratet hatte er aus Vernunftgründen seine Cousine Constanze. Als sie nach einer mehr von Pflicht als von Eros erfüllten Ehe im Kindbett verstorben war, griff er nach knappest bemessener Trauerfrist auf Dorothea zurück, die ihm ein weiteres Kind gebar. Noch während der Ehe mit Constanze war die alte Leidenschaft für Dorothea wieder aufgeflammt. Aber, bezeichnend für Storm, war es die gute Constanze, die noch in gesunden Tagen die von Storm bald wieder vernachlässigte Geliebte zur zweiten Frau ihres «rauschempfänglichen, aber vergeßlichen» Mannes bestimmte. Vgl. Thomas Mann, *Theodor Storm.* In: Gesammelte Werke, Bd. IX, S. 255 ff.

Gottfried Keller. Der Zwerg als Gigant

234 *Hugo von Hofmannsthal über Gottfried Keller* – Hofmannsthals Unterhaltung über die Schriften Kellers findet sich in *Erfundene Gespräche und Briefe.* Siehe Hofmannsthal, Gesammelte Werke (Band: Erzählungen, Erfundene Gespräche und Briefe, Reisen).

234 *Ludwig Reiners über Keller* – Reiners Resümee, darin übrigens wieder Eduard Engel folgend: «Diese Schönheit des scheinbar Unpersönlichen, diese Anmut der Anspruchslosigkeit haben nur wenige deutsche Prosaschreiber.» (*Stilkunst*, S. 481.) Reiners denkt bei den wenigen vor allem an jenen Dichter, der Keller ebenfalls liebte und über den Reiners sich auffallend ähnlich äußert: «Es ist nicht leicht zu zergliedern, warum es so beglückend ist, die Prosa Hugo von Hofmannsthals zu lesen. Das Geheimnis seines Stils liegt vielleicht in einem einzigen Kunstgriff: nie verwendet er einen verbrauchten, nie einen gesuchten Ausdruck. In seinen Arbeiten ist keine Silbe Zufall, aber an keiner merkt man eine Absicht.» (S. 699.)

235 *Sie bohrten Loch auf Loch in den Marterleib* – Gottfried Keller, *Romeo und Julia auf dem Dorfe*, S. 74. – *Glitten zwei bleiche Gestalten in die kalten Fluten* – S. 138–144.

237 *Der Keller tränke einen bösen Wein* – Mit Dank an Peter von Matt.

239 *In einfachen und treffenden Worten von der Hoffnungslosigkeit seiner Lage spricht* – *Der Landvogt von Greifensee*, S. 138. – *Wie der Hauptmann der Zürcher zuerst das Haupt hinzulegen verlangte* – S. 215.

Marie von Ebner-Eschenbach: Grübchenstil

241 *Das Wort «scheinbar» korrekt verwendet* – «Einen scheinbaren Mittelpunkt bildete der Hausvater. Nur einen scheinbaren; in der Tat vereinsamte er immer mehr, die ganze ‹Weiberwirtschaft› war ihm im Grunde gleichgültig.» Marie von Ebner-Eschenbach, *Božena.* In: Leseausgabe, Bd. 3, S. 59. – *Unsichtbare Räder über den Kies des Weges* – Ebda., S. 48 f. – *Halbmilitärische Krawatte* – S. 63. – *Nanette zitterte unhörbar* – S. 81. – *Bebte vom Wirbel bis zur Sohle* – S. 245.

242 *Oberösterreichische Dickschädel* – Marie von Ebner-Eschenbach, *Die Spitzin.* In: Leseausgabe, Bd. 4, S. 249. – *O mein Heiland, der du für uns g'litten hast* – Marie von Ebner-Eschenbach, *Die Totenwacht.* Ebda., S. 362 f. – *Vieltausendmal lieber sterben tät ich* – S. 370. – *Geben S' ihm halt einen proviso-*

rischen – Die Spitzin, S. 240. – *Tiersadismus* – S. 244. – *I bitt' um a Müalch* – S. 250.

242 *Dialoge in Mundart* – Wenn man vom Oberösterreichischen ins Bayerische wechselte, könnte man lange Passagen von Ludwig Thoma anführen, der ebenfalls ein Meister der gesprochenen Mundart war – will sagen, der geschriebenen. Vgl. Reiners, *Stilkunst,* S. 80.

Wilhelm Raabes Stopfkuchen

246 *Ein Indianer am Pfahl konnte es nicht schöner haben* – Vgl. Wilhelm Raabe, *Stopfkuchen. Eine See- und Mordgeschichte,* S. 84 ff. – *Mit den Knieen den modrigen Brustkasten eingestoßen* – S. 223. – *Olimsblutundverwesungsquark* – S. 199. – *Grinste Heinrich Schauermann unverbesserlich drein* – S. 142. – *Diese ewige Aufgeregtheit in der jedesmaligen, eben vorhandenen Menschheit* – S. 123. – *Festgeregnet* – Vgl. *Keltische Knochen.* Diese Erzählung findet sich ebenso wie der Roman *Stopfkuchen* in: Raabe, Sämtliche Werke. Braunschweiger Ausgabe. Diese Ausgabe ist digitalisiert und komplett online verfügbar. Mir fielen die *Knochen* ins Auge (Katachrese) durch einen Facebook-Eintrag von Gustav Seibt (Post vom 13. Juni 2018). – *Im Haifisch kein halb verdautes Matrosenbein* – *Stopfkuchen,* S. 191. – *Hineingucken auf einen Hausflur, wo ein Sarg steht* – S. 210.

Friedrich Nietzsche. Der Gefolterte und sein Schatten

252 *Schopenhauer's guter, sehr guter Verstand* – Friedrich Nietzsche, *Morgenröthe.* In: Sämtliche Werke, Bd. 3, S. 166 f. Nietzsches notorische Sperrungen werden hier kursiviert. – *Alle eure Unruhe, euer Spähen und Gieren* – Ebda., S. 195. – *Deutsch wie aus räucherigen Stuben und unhöflichen Gegenden stammend* – Nietzsche, *Die fröhliche Wissenschaft.* Ebda., S. 460 ff. – *Feind dem Halb- und Halben aller Romantik und Vaterländerei* – Vorrede zur *Morgenröthe.* Ebda., Bd. 3, S. 16. – *Man gebe Acht auf die Commandorufe* – *Die fröhliche Wissenschaft.* Ebda., S. 462. – *Dies Buch wünscht sich nur vollkommene Leser und Philologen* – Vorrede zur *Morgenröthe.* Ebda., S. 17. – *Geschichte der Menschheit in zwei Hälften spalten* – Brief an Paul Deussen vom 14. 9. 1888. In: Sämtliche Briefe, Bd. 8, S. 425 ff. – *Ein Goethe, ein Shakespeare würde nicht einen Augenblick in dieser Höhe zu athmen wissen* – *Ecce homo.* In: Sämtliche Werke, Bd. 6, S. 343.

258 *Dies durchgehalten zu haben, und dabei anständig geblieben zu sein* – Die sogenannten *Posener Reden* Himmlers und darin die zitierte Passage finden sich online beispielsweise hier: https://www.1000dokumente.de/pdf/dok_0008_pos_de.pdf.

258 *Vernichtung von Millionen Mißrathener* – Friedrich Nietzsche, *Der Wille zur Macht II.* In: Sämtliche Werke, Bd. XI, S. 98. – Auch Thomas Mann zitiert diese Stelle in seinem Nietzsche-Essay von 1947. Vgl. Thomas Mann, *Nietzsche's Philosophie im Lichte unserer Erfahrung.* In: Gesammelte Werke, Bd. IX, S. 697.

259 *Was wisst ihr vom Jubel des menschlichen Stolzes* – Friedrich Nietzsche, *Morgenröthe.* In: Sämtliche Werke, Bd. 3, S. 197.

Rudolf Borchardt I: Über den Dichter

259 *Nietzsches Untergang die größte geistige Tragödie* – Rudolf Borchardt, *Aufzeichnungen Stefan George betreffend.* In: Schriften der Rudolf Borchardt Gesellschaft, Bd. 6/7, S. 102 f.

260 *Unheimlicher Hochspannungsbegriff* – Rudolf Borchardt, *Frühstück zu acht Gedecken.* In: Gesammelte Werke, Bd. VI, S. 251. – *Poesie heißt nicht Verse reimen* – Ebda. Ob bewußt oder nicht, wandelt auch der Germanist Heinz Schlaffer in Borchardts Spuren. 2012 hat Schlaffer in einer seiner schlanken, explosiven Studien vom Ursprung der Lyrik gehandelt. Und hoppla, da waren andere Dinge zu hören, als man sie sonst auf Kathedern vertritt! Die lyrische Sprache, erklärt Schlaffer, habe eine gloriose und zugleich dubiose Vergangenheit. Ursprünglich diente die Lyrik der magischen Formel, der Kommunikation mit höheren Mächten. Der Rhythmus ist die Erinnerung an den vergessenen Tanzschritt. Das Metrum war in der kultischen Verrichtung die Methode, Dämonen durch Wiederholung zu bannen und durch akustische Regelmäßigkeit zu zähmen, damit sie menschlichen Zwecken gehorchten. Der Dichter als Schamane war von göttlichem Wahnsinn begabt. Schlaffer sieht die Fortdauer dieser kultisch-schamanistischen Wurzel der Lyrik noch in modernen lyrisch-musikalischen Gemeinschaftserlebnissen wie der Popmusik; Rainald Goetz hätte den *Rave* hinzugefügt. All das ist durchaus borchardtsch gesehen. Vgl. Heinz Schlaffer, *Geistersprache.*

261 *Cervantes in der Höhle des Philisteriums* – Vgl. Rudolf Borchardt, *Über den Dichter und das Dichterische. Drei Reden von 1920 und 1923.* In: Schriften der Rudolf Borchardt Gesellschaft, Bd. 4/5, S. 113. Hier über die höchst verwickelte Überlieferungsgeschichte der mitstenographierten Reden, die Borchardt ja nie zum Druck freigab. – *Stil als Atelier-Geschäft* – Ebda., S. 97. – *Ein Satan von Mensch* – S. 214 f. – *Samtener Kasernenton* – S. 47. – *Seher in großen Dingen & Betrüger in kleinen* – S. 232. – *Hier kämpft ein Jude, der keiner mehr sein will* – S. 226.

262 f. *Mauschel-Pindar* – Vgl. Gustav Seibt, Nachwort. In: *Rudolf Borchardts Leben von ihm selbst erzählt*, S. 161.

263 *Algabal war Fleisch und Blut eines Menschen* – Vgl. *Aufzeichnungen Stefan George betreffend.* In: Schriften der Rudolf Borchardt Gesellschaft, Bd. 6/7, S. 27. Georges Gedichtzyklus *Algabal* von 1892 ist, unter anderem, eine große Jugendstilblut spritzende SM- und Machtphantasie. Borchardts postum veröffentliche Polemik ist in jedem Sinne ungeheuer; hochverletzt, überreizt, homophob und psychologisch schwer zu übertreffen – sie enthält eine komplette Narzissmus-Theorie avant Kohut und auch schon einigen Theweleit. Hier mehr noch als sonst zeigt sich Borchardts Kaktus-Prosa: viele Stacheln, einige Blüten. Auf jeder Seite gibt es solche Blüten, etwa die Formulierung für Gerüchte aus des Meisters Kreis, die Borchardt erreicht hatten: Er, Borchardt, unterhalte gewiß keine Späher, aber «unrecht Wasser schwitzt durch Stein». (Ebda., S. 75.) Unnachahmlich auch seine Prognose, George werde in seinem, Borchardts, so unschmeichlerischen wie unversudelten Bilde noch leben, «wenn in die Makulatur seiner Zeloten und Pfaffen, wie billig, Bücherwurm und Hering sich teilen». (S. 17.) Der Hering, der auf dem Markt in die alte Zeitung und Makulatur gewickelt wird, versteht sich. Borchardt blieb elegant auch in seinen Invektiven. Anders der von ihm haßgeliebte George, der einen seiner Jünger, zu Borchardt befragt, beschied: «Das ist eine Personage, so schmierig, wenn man sie täte an die Wand werfen, würde sie pappen bleiben.» (S. 177.) Zu einem so holprigen Deutsch wäre Borchardt nicht einmal im Halbschlaf fähig gewesen, vom Inhalt ganz zu schweigen. Wie nicht nur Borchardts Freund Franz Blei überliefert, war der Guru in seinem Kreis so grausam, wie Führer und Gurus es gewöhnlich sind. Ein Jünger hatte sich ungeschickt benommen und einen zerknirschten Entschuldigungsbrief geschrieben. Darauf der Meister: Wenn etwas noch schmählicher wäre als jene Handlung, so sei es dieser erbärmliche Brief. Es gebe nur eine Sühne. «Der

junge Mensch erschoß sich.» (Vgl. Franz Blei, *Das große Bestiarium*, S. 105 f.) Er könne töten, ohne zu berühren, sagte Hofmannsthal von ihm, der ihm gerade noch knapp entkommen war.

263 *Das halluzinative Fluidum* – Rudolf Borchardt, *Über den Dichter und das Dichterische*, S. 132. – *Arbeit, Sintflut, Regenbogen und ein neues Geschlecht* – Ebda., S. 114.

Rudolf Borchardt II: Der Gepard

264 f. *Stefan Georges und Borchardts Inferno* – Vgl. Stefan George, Sämtliche Werke, Bd. 10/11, S. 24, sowie Rudolf Borchardt, *Dantes Comedia deutsch,* Gesammelte Werke, S. 51 (Inf. IX, 77 ff.).

265 f. *Richard Alewyn über Borchardt* – Siehe *Die erste kritische und kommentierte Gesamtausgabe der Werke Rudolf Borchardts. Ein Leseheft*, S. 16.

266 *Das Geräusch teils gedämpfter teils klingender* – Diese und alle folgenden Formulierungen von Rudolf Borchardt stammen aus dem Prosa-Band VI seiner Gesammelten Werke, hier S. 189. – *In jeder Stunde meines spätern Daseins mein Leben für das seine gegeben* – Ebda., S. 195. – *Was sind das jetzt für Frauen?* – S. 246. – *Reckte sich so, daß ich vor Schrecken von meinem kleinen Pult aufstand* – *Rudolf Borchardts Leben von ihm selbst erzählt*, S. 91. – *Statt lockiger Blender, Gelegenheitsdichter, Todeshelden und Verführer* – S. 45. – *Von der treibenden Scholle der Zeit auf das Festland des Ewigen retten* – S. 579.

Rudolf Borchardt III: Der leidenschaftliche Gärtner

270 *Die Menschheit stammt aus einem Garten* – Vgl. Rudolf Borchardt, *Der leidenschaftliche Gärtner*, S. 7. – *Das Tier vom Menschen abgefallen* – Ebda., S. 27.

272 *Auf einen Turm von Lügen gestellt* – Vgl. die gelehrte Studie von Wolfgang Matz, *Eine Kugel im Leibe: Walter Benjamin und Rudolf Borchardt*, S. 55.

272 *Verfolgt und freigelassen* – Wie Borchardt im August 1944 in Lucca mit seiner Familie von deutschen Soldaten festgesetzt und nach tagelangem Lastwagentransport, Borchardt ist schon schwer herzkrank, in Innsbruck überraschend laufen gelassen wird – alle Details zu diesem dramatischen Ende seines Lebens (er stirbt im Januar 1945) finden sich in Rudolf Borchardt, *Anabasis. Aufzeichnungen, Dokumente, Erinnerungen 1943–1945.*

273 *Brechts Personalstil wie seine Lederjacke* – Zitierenswert aus seinem Arbeitsjournal ist allerdings die bestechende Logik, mit der er die Lyrik Karl Kraus' mit der Stefan Georges vergleicht: «KRAUS ist schwächer als GEORGE; das ist unglücklich. er wäre so viel besser sonst.» Wäre, wäre, Fahrradkette! Siehe Bertolt Brecht, *Arbeitsjournal*, Bd. 1, S. 155.

Marieluise Fleißer: Zutritt für die arme Seele

273 *Die Nachtigallen tun ihre Pflicht* – Marieluise Fleißer, *Andorranische Abenteuer*. In: Gesammelte Werke, Bd. 2, S. 271. Den Hinweis auf die *Andorranischen Abenteuer* verdanke ich Sibylle Lewitscharoff, die von ihnen sagt, sie gehörten fast zum Stärksten und Analytischsten, was eine Frau geschrieben habe in puncto «Vermurksung der Liebe, Vermurksung ihrer selbst». (Private Mitteilung vom 15. 12. 2018.) – *Handgroßes Loch zum Zutritt für die arme Seele* – Fleißer, *Andorranische Abenteuer.* Ebda., S. 264.

274 *Blindverkostung Fleißer oder Tucholsky* – Die beiden teilen sogar die Liebe für Schweden und alles Schwedische. Wie in *Schloß Gripsholm* kommt es zu einer (von Fleißer nur angedeuteten) *ménage à trois* mit einer schwedischen Adligen. «Die Schwedin hat den schönen Namen Inger und das finnische Schluß-R paßt zu ihren Knabenhänden, als sei der Name für sie erfunden.» Das Paar zeigt Inger die Stadt und das Nachtleben. Inger erzählt von dem Tag, «an dem ihre Familie stolz war, weil sie in ihren einzelnen Gliedern sämtliche Hauptstädte besetzte». Im Zigeunerkeller tanzen die Männer Tschardas und die «Weiber […] erkennen, daß dies eine ganze Nacht wird» (Ebda., S. 235); «die Prinzessin lachte viel und manchmal würdelos laut, und ich war, wie jeder von uns, der einzig Nüchterne in diesem Hallo». Gut, dieser letzte Satz ist aus dem *Schloß Gripsholm*. (Vgl. S. 85.)

275 *Zähe und gerissene Komik* – Gisela von Wysocki, *Menschen und Blitze*. In: Die Zeit, 22. 11. 2001, online verfügbar.

276 *Zufassend wie die Kinnladen eines jungen Hais* – Marie-Luise Fleißer, *Ein Porträt Buster Keatons*. In: Gesammelte Werke, Bd. 2, S. 322 f. – *Mit einer Kugel schwer* – Ebda., S. 300. Ein ähnlich eindrucksvolles Brecht-Porträt findet sich im Tagebuch Max Frischs: «Plötzlich, bei einem nächsten Zusammentreffen, hatte er wieder das Häftlingsgesicht: die klein-runden Augen irgendwo im flachen Gesicht vogelhaft auf einem zu nackten Hals. […] Ein erschrecken-

des Gesicht: vielleicht abstoßend, wenn man Brecht nicht schon kannte. Die Mütze, die Joppe: wie von dem prallen Dessau entliehen; nur die Zigarre steckte authentisch. Ein Lagerinsasse mit Zigarre. Man hätte ihm ein dickes Halstuch schenken mögen. Sein Mund fast lippenlos. [...] Sein Gang: da fehlten Schultern. Sein Kopf erschien klein. Nichts von Kardinal, aber auch nichts von Arbeiter.» (Max Frisch, *Tagebuch 1966–1971*, S. 28.) Diese angeblichen Tagebücher Max Frischs, in Wahrheit durchgearbeitete Prosaskizzen, sind stilistisch oft interessanter als die nie schwache, aber selten überraschende, abgekühlte Homo-Faber-Prosa seiner Romane.

Anna Seghers. Transit und Siebtes Kreuz

277 f. *Unterm Regime vorbildlich wortkarg* – Nicht einmal zu ihrem langjährigen Verleger Walter Janka bekennt Anna Seghers sich, als ihm 1956 ein Schauprozeß wegen «konterrevolutionärer Verschwörung» gemacht wird. (Das Urteil: fünf Jahre Zuchthaus mit verschärfter Einzelhaft.)

279 *Transit als luzider Traum* – Mit Dank an Daniel Kehlmann für den Hinweis auf diese mögliche Deutung.

280 *Das Gegenbuch Koestlers Sonnenfinsternis* – Er war, anders als Anna Seghers, von der Wirklichkeit korrigierbar.

280 *Herz klopft in unwirtlicher Wohnung* – Anna Seghers, *Das siebte Kreuz*, S. 312. – *Schadenfreude wie eine verbotene Flagge* – Ebda., S. 352. – *Binder, der alte Bauer* – S. 161.

Christine Lavant: O ich spüre was Erlösung ist

282 *Ihr einziger Trost* – 1964 bedankt Lavant sich bei Ludwig von Ficker, der ihr zum zweiten Mal den Trakl-Preis zugesprochen hatte: «Bei Gott, ich weiß nicht, womit ich Ihre wunderbare Widmung verdient habe! Vielleicht gerade durch mein – jetzt schon so lange andauerndes Tot-sein –? Es ist eine Qual jenseits aller Qualen, in der Sie, sehr verehrter Freund, mich heimsuchen kommen. Ich glaube, ich bin wirklich ‹verwüstet›. Im allerärgsten Sinne. In diesem Zustand noch Freude und Verehrung empfinden zu können, bedeutet wahrlich ein Wunder.» Christine Lavant, Brief an Ludwig von Ficker, vermutlich Frühjahr 1964. In: Werke, Bd. 3, S. 605 (Nachwort).

282 *Schon lang wieder verstummt* – Um 1966 schreibt Lavant an Hilde Domin: «Mir graut es vor m. Gedichten u. eigentlich vor aller Kunst.» Christine Lavant, Brief an Hilde Domin, undatiert. In: Werke, Bd. 3, S. 604 (Nachwort).

283 *Am Rad der Verzweiflung* – In: Werke, Bd. 3, S. 480. – *Unverdient wärmst du mich Sonne* – Ebda., S. 496. – *Mit der sanften Hostie des Monds* – S. 347. – *Solchen gibt man für Zärtlichkeit Saures* – S. 493.

285 *Für Geschöpfe meiner Art ist es sehr weit bis zum Herzen Gottes* – Christine Lavant, Brief an Ludwig von Ficker, Juli 1955. In: Werke, Bd. 3, S. 583 (Anhang). Gegen Fickers katholische Vereinnahmung der Lavantschen Lyrik wütete Thomas Bernhard in Briefen an den Suhrkamp Verlag; wüten war nun sein Hauptgeschäft. Vgl. ebda., S. 609 f. (Nachwort). Vgl. ferner Klaus Amann et al. (Hg.), *Drehe die Herzspindel weiter für mich. Christine Lavant zum 100.*

285 *Als randalierte ein Tiger im katholischen Gehäus* – Sibylle Lewitscharoff, *Von oben*, S. 84.

286 *Kunst als luziferisch* – Vgl. Lavant, Werke, Bd. 3, S. 603 (Nachwort).

286 *Die Nacht ist halb vorbei* – Ebda., S. 332.

Regina Ullmann. Die Landstraße

288 *Ein neues Metall des Geistes* – Regina Ullmann, *Die Landstraße*, S. 171 (Nachwort). – *Sie schneiden ihm einen Mund ein, und er redet das Große* – Ebda., S. 168 (Nachwort). – *Mit ihrem visionären Blick der ungleichen Augen* – S. 166 (Nachwort). – *Das kinosüchtige Wäschermädchen* – S. 176 (Nachwort). – *Der Nebel ging wie eine Herde ferner Schafe* – S. 35. – *Ein Schmetterling setzte sich auf die Brust des Leichnams* – S. 61 f. – *Dies Leben hat wahrhaftig noch irgendwo eine Tanzbodenmusik* – S. 44 f.

Robert Walser. Der Gehülfe

294 *Auch das Summen und Surren hörte und sah sich blau an* – Vgl. Robert Walser, *Der Gehülfe*. In: Sämtliche Werke, Bd. 10, S. 29. – *Schnitte in dieses nasse, saubere, gütige Element* – Ebda., S. 32 f. – *Der gläserne Abgrund tut sich auf* – S. 53 f. – *Einem plumpen Bären ähnlich* – S. 36 f. – *In etwas Ebenmäßig-Verhängnisvolles verwandelt* – S. 25. – *Empfindung, der man eine gewisse Rohheit nicht absprechen*

kann – S. 36. – *Netzt ihr mit dem nassen Flügel das Bewußtsein* – S. 52. – *Man ist wieder bei Walsers Gehülfen* – Vgl. S. 183. – *Wie man sich hätte küssen können* – S. 285. – *Das Schinkenklopfen* – S. 210 f.

298 *Kafka und Walser* – Der große Unterschied zwischen den beiden (aber das verläßt die bloße Stilbetrachtung): Vom Gehülfen heißt es, er habe so etwas «Körperbevorzugendes an sich». (Ebda., S. 187.) Das ist bei Franz Kafka das genaue Gegenteil, der etwas entschieden Körpermißbilligendes an sich hatte, auch wenn er wie Robert Walser gerne schwamm.

Malte, Krull und noch jemand

299 *Elektrische Bahnen rasen läutend durch meine Stube* – Vgl. Rainer Maria Rilke, *Malte Laurids Brigge.* In: Werke, Bd. 3.1, S. 110. – *Licht eines Sommernachmittags untersuchte die scheuen Gegenstände* – Ebda., S. 115 f. – *Man wird sie entbinden* – S. 109. – *Von seinen dunkelbraunen Augen war nur das eine beweglich* – S. 132.

302 *Nun lenkte Tag für Tag der Gott mit den hitzigen Wangen* – Thomas Mann, *Der Tod in Venedig.* In: Gesammelte Werke, Bd. VIII, S. 486. – *Indem ich die Feder ergreife* – Thomas Mann, *Felix Krull.* Ebda., Bd. VII, S. 265.

304 *Der entscheidendste Entschluß meines Lebens* – Adolf Hitler, *Mein Kampf,* S. 597 ff. Der Entschluß war der Eintritt in die Deutsche Arbeiterpartei DAP im Oktober 1919, ab 1920 umbenannt in NSDAP.

305 *Ein etwas unangenehmer und beschämender Bruder* – Vgl. Thomas Mann, *Bruder Hitler.* In: Gesammelte Werke, Bd. XII, S. 849. – *Der trübselige Nichtsnutz von einst* – Ebda., S. 846 f. – *Der Drang zur Überwältigung, Unterwerfung* – S. 848.

Franz Werfel. Eine blaßblaue Frauenschrift

308 *Mehr bedeutende Autoren als statistisch erlaubt* – Das Wiener Kaffeehaus als Ansaugpunkt des k. u. k. Schmelztiegels war sicher wichtig. Im Übrigen waren es die österreichischen Juden, denen sich dieser Ausreißer verdankt. Ohne die Polgar, Werfel, Salten, Kraus, Zweig, Roth, Broch, Kafka, Freud, Perutz et al. wäre das k. u. k. Österreich statistisch unauffällig; auch Bachmann, Handke und Bernhard hätten es nicht herausgerissen.

309 *Gemütliche Katakombe Mitteleuropas* – Vgl. David Bronsen, *Joseph Roth,* S. 210.

310 *Ich habe das nur als ein einfacher Mensch gesagt* – Franz Werfel, *Eine blaßblaue Frauenschrift*, S. 83. – *Kleine gassenbübische Winde* – Ebda., S. 8 f. – *Fauler Friedensschluß mit der Herbstsonne* – S. 34. – *Daß ein neues Angebot nicht wieder erfolgen wird* – S. 151.

Alexander Lernet-Holenia: Der Baron Bagge

311 *Lernet-Holenia als Sohn des Erzherzogs Karl Stephan* – Vgl. Milan Dubrovic, *Veruntreute Geschichte*, S. 119. Dubrovics Porträt des aufbrausenden Gentleman Lernet, ein Häferl, wie man in Wien sagt, ist beeindruckend.

311 *Österreichischer PEN-Präsident* – 1972 trat Lernet aus Protest gegen die Verleihung des Nobelpreises an Heinrich Böll zurück.

312 *Der Begriff der Inspiration, hier war er am Platz* – Alexander Lernet-Holenia, *Der Baron Bagge*, S. 115 (Nachwort). – *Das Tageslicht ergoß sich über uns wie eine milchige Masse* – Ebda., S. 24. – *Nur aus Nagy-Mihaly stieg ein leises Brausen herauf* – S. 52 f. – *Auf zottigen Pferden in spannenlangem Winterhaar* – S. 12 f. – *Mit glühenden Nadeln in die Augen geschrieben* – S. 13. – *Ein sonderbares Glimmern wie Meeresleuchten* – S. 93 f. – *Das Ganze mochte nur wenig über eine Minute gewährt haben* – S. 33.

Stilvergleich II: Die Gehängten

317 *Dabei knarrte der Ast ein wenig* – Alexander Lernet-Holenia, *Der Baron Bagge*, S. 17 f. – *Die Leichen fielen zu Boden, die Gesichter verkohlt* – Joseph Roth, *Radetzkymarsch*. In: Werke, Bd. 5, S. 441 f.

Leo Perutz: Mystik und Mathematik

320 *Aus Verlegenheit totgeschwiegen* – Erst ab den 1980er Jahren machten Autoren wie Eckhard Henscheid und später Daniel Kehlmann auf den halb Vergessenen aufmerksam, auf Romane wie den *Meister des Jüngsten Tages, Die dritte Kugel*, den *Marquez de Bolivar* und den späten Novellenzyklus *Nachts unter der steinernen Brücke*. Wenn Henscheid Perutz einen fast unfehlbaren Stilisten nennt, «noch vor Keller, noch vor Fontane, noch vor Kafka und irgendwie sogar noch vor Goethe», dann ist es, ziehen wir drei der vier genannten

Namen ab, kaum eine Übertreibung («vor Fontane» geht in Ordnung). Vgl. Eckhard Henscheid, *Der Rabe rät.* In: Der Rabe, Nr. XXVII, S. 213.

321 *Links den Weg, wenn's dem Herrn beliebt* – Leo Perutz, *Der Schwedische Reiter*, S. 220 f. – *Traten hinter den Bäumen die Knechte des Bischofs hervor* – Ebda., S. 229 ff.

326 *In der Teinkirche wurde unter großem Gepränge die Taufe eines Mohren vollzogen* – Perutz, *Nachts unter der steinernen Brücke*, S. 24. – *Beendete der Koppel-Bär seinen gereimten Singsang* – Ebda., S. 211. – *Allgütiger! Schenk mir jetzt eine Lüge* – S. 216 f. – *Mit einemmal ist leer der Krug* – S. 220.

Alfred Polgar, Marquis Prosa

330 *Mein Geburtsort ist Wien; auch sonst eine bezaubernde Stadt* – Alfred Polgar, *Handbuch des Kritikers*, S. 6.

330 f. *Polgar als Lehrer Joseph Roths* – Vgl. David Bronsen, *Joseph Roth*, S. 189 f.

331 *Schnitzler über Polgar: Der einzige seiner Feinde mit Talent* – Vgl. Andreas Nentwich, *Alfred Polgar. Leben in Bildern*, S. 28. – *Ein paar Tropfen Verwesungsparfum im Taschentuch* – Ebda., S. 34. – *Carl Sternheims Stuben mit Spinnen* – S. 36. – *Tiefseefische fangen an der Oberfläche* – S. 12. – *Leichter, eine Forelle mit der Hand zu fangen* – S. 26. – *Wer den Aphorismus schreiben kann, sollte sich nicht in Aufsätzen zersplittern* – Vgl. Jens Malte Fischer, *Karl Kraus*, S. 923. – *Der Oberste der Saboteure* – Nentwich, *Leben in Bildern*, S. 28. – *Sentimentalität hinter einer spanischen Wand von Ironie* – Polgar, *Handbuch des Kritikers*, S. 35. – *Kritiker, der aus zehn Zeilen eine macht* – Ebda., S. 107. – *Da läßt sich keine Silbe wegnehmen* – Nentwich, *Leben in Bildern*, S. 45. – *Die Flinten und das Korn, in das man sie wirft* – Polgar, *Handbuch des Kritikers*, S. 59.

Joseph Roths Hiob

333 *Zweig über Roth, der jeden Satz poliert* – Vgl. David Bronsen, *Joseph Roth*, S. 604.

333 *Eine junge Gazelle* – Joseph Roth, *Hiob*. In: Werke, Bd. 5, S. 4. – *Wie ein gewaltiges und bewegliches Gebirge* – Ebda. – *Die Scham stand am Beginn ihrer Lust* – S. 15. – *Still und blau, blau und still* – S. 71. – *Süß wie eine süße Frucht* – S. 16. – *Die Stille wurde nicht mehr gehört* – S. 25. – *Berg aus glattem Eisen und klirrender Marter* – S. 19. – *Sie umarmten sich mitten im Feld* – S. 63. – *Hände wie bleiche,*

fleischige, fünffüßige Tiere – S. 94. – *Ich habe keine Angst vor der Hölle* – S. 105. – *Er ruhte aus von der Schwere des Glücks* – S. 136.

337 *Kafka und Roth 1913 auf dem Zionisten-Kongreß* – Vgl. David Bronsen, *Joseph Roth*, S. 116.

K – Das Alien

337 *Er schaute aus dem Fenster* – Franz Kafka, Tagebuch vom 19.2.1911. In: Tagebücher, S. 30. Es ist eine der wenigen Stellen, an denen Kafka durchblicken läßt, daß er durchaus über seinen Rang Bescheid wußte. Zeigt das auch die Widmung seiner Prosasammlung *Betrachtung* an Franz Werfel: «Der große Franz grüßt den kleinen Franz»? Nein, das bezog sich sicher nur auf die Körpergröße. Vgl. Reiner Stach, *Kafka. Die Jahre der Entscheidungen*, S. 45.

338 *Nikolaus Heidelbach als kongenialer Illustrator* – Prüfe selber nach: Nikolaus Heidelbach, *Franz Kafka. Gelegenheit zu einer kleinen Verzweiflung.*

338 *Magie der Bilder* – Am Anfang steht das Bild, so laute das erste Gesetz in Kafkas Universum, erklärt Reiner Stach. Nicht wenige Kafka-Texte ließen sich als Ausfaltungen eines einzigen, denkwürdigen Bildes lesen. Dabei suche er nicht das Bild, er folge ihm, und lieber verfehle er sein Thema als die Logik des Bildes. Vgl. Reiner Stach, *Kafka. Die Jahre der Entscheidungen*, S. 210.

338 *Unprätentiöse Prosa* – Beeindruckend früh, lange vor dessen späterem Weltruhm, erkennt der 1871 geborene Literat und Kritiker Franz Blei die Besonderheit des Autors, dem er oft begegnet war und den er folgendermaßen charakterisiert: «Die Schreibweise Kafkas, seine Diktion oder, wenn man will, sein Stil steht in den ersten von ihm veröffentlichten Arbeiten fest, ändert sich nicht mehr, bleibt durchaus der gleiche bis zur letzten von ihm geschriebenen Seite. Es ist eine einfache, unverzierte, klare, etwas kalte, bilderarme deutsche Prosa von höchster Anschaulichkeit und Eindringlichkeit in der erzählten Fläche, mit nur geringem Relief der Plastik. Kafka sah zu jeder Zeit seines erwachsenen Lebens viel jünger aus, als er war, in seiner kargen, vermagerten hoch aufgeschossenen Körperlichkeit, die beim Gehen etwas schwankte wie von einem unsichtbaren Wind dahin, dorthin bewegt. Auch das kleine Gesicht blieb immer das gleiche Knabengesicht ohne auffallende

Merkmale. Wenn ich in den Büchern Kafkas lese, ist diese jünglingshafte Gestalt immer da, als ob zwischen ihr und dieser Prosa geheimere Relationen noch bestünden, als die man der Autorschaft zuschreibt. Ich drücke es etwas ungeschickt aus, wenn ich sage, Kafkas Prosa hat eine knabenhafte Sauberkeit, die auf sich selbst achtgibt.» (Franz Blei, *Das große Bestiarium*, S. 134 f.) Man vergleiche das mit Stefan Zweig, der noch in der *Welt von Gestern* die größten Schriftsteller aufzählt und statt Kafka aufführt: Altenberg und Bahr. – Reiner Stach schreibt in seiner monumentalen dreibändigen Biographie von Kafkas schlackenloser, asketischer Sprache: In seiner Kürzestprosa seien die Worte so sorgfältig gesetzt wie Noten. Überhaupt unterliefen ihm keine Phrasen, keine semantischen Unreinheiten, keine schwachen Metaphern, auch dann nicht, wenn er im Sand liege und Ansichtskarten schreibe. Vgl. Reiner Stach, *Kafka. Die Jahre der Entscheidungen*, S. 485, 73, XXI. Stach zählt auf, was Kafka alles *nicht* mit der Sprache mache: keine Erfindungen neuer Wörter, kein Spiel mit Alliterationen, keine Nachahmungen des Mündlichen, kein Mißbrauch der Grammatik, keine Anhäufung von Gedankenstrichen oder Ausrufungszeichen. Die deutsche Hochsprache bleibe das von Kafka allein respektierte Medium, dessen Grenzen er niemals um des bloßen Effekts willen überschreite – die Reise innerhalb dieses Mediums allerdings führe ihn in Regionen, «die niemand zuvor betreten hat». (Reiner Stach, *Kafka. Die Jahre der Erkenntnis*, S. 170.) – Was Kafka mehr an das Österreichische als an die deutsche Hochsprache bindet, um Stach in dieser ansonsten völlig richtigen Einschätzung zu ergänzen, ist dreierlei: «Kasten» meint Schrank, «Sessel» meint Stuhl, und man vergißt nicht etwas, sondern man vergißt «an» etwas. Letzteres klingt in den Ohren der Wiener, bei denen strikt «auf» vergessen wird, wie ein unerklärlicher Mißklang. Es war aber Prager Schriftdeutsch, figuriert in serbokroatisch-deutschen Nachschlagwerken, wurde in den deutschen Ausgaben bei Wolff in der Regel getilgt und ersetzt. Es taucht aber, wie uns Suchmaschinen belehren, allein im *Process* fünfzehnmal auf. Was dahintersteckt: Die in einigen tschechischen Phrasen verwendete Präposition *na* kann mit «auf» oder «an» übersetzt werden. Beispielsweise verlangt «sich an etwas gewöhnen» oder «auf etwas vergessen» in beiden und ähnlichen Fällen *na něco* (oder eine flektierte Form wie *něčem*). Das mag den Sprachgebrauch der Deutschen in Böhmen und Mähren so beeinflußt haben, daß sie nur eine Präposition gebrauchen, wo zwei verschiedene angebracht wären. (Nach freundlicher Auskunft Andreas Tesariks.) Auch bei Sigmund Freud vergißt man «an». «Der Soldat darf *an* nichts vergessen, was der militärische Dienst von ihm fordert.» Auch hier sind es wohl die mährischen Wurzeln. (Vgl. Sigmund Freud, *Zur Psychopathologie des Alltagslebens*, Gesammelte Werke, Bd. IV, S. 170.)

338 *Brecht nennt ihn Judenjunge* – Vgl. Walter Benjamin, *Notizen Svendborg Sommer 1934*. In: Gesammelte Schriften, Bd. VI, S. 527.

338 f. *Der wahre Weg geht über ein Seil* – Franz Kafka, «*Du bist die Aufgabe*», S. 5. Die Logik des Bildes liege darin, kommentiert Stach, daß das Seil buchstäblich im Weg sei, «so lange, bis man sich entschließt, es zu betreten».

339 *Wenn er aber flieht, kann er nicht umbauen* – Franz Kafka, Brief an den Vater, undatiert. In: Kritische Ausgabe, Bd. 2, S. 209.

340 *Ein kleines Geräusch mit den Zähnen* – Franz Kafka, *Der Verschollene*. In: Kritische Ausgabe, S. 20. – *Und so findet man seinen Neffen* – Ebda., S. 46. – *Die Art, wie er mit dem Besteck hantierte* – S. 83.

341 *Die Eltern standen daneben und beäugten die Reste ihres Kindes* – Franz Kafka, *Kleine Maus*. In: Kritische Ausgabe (Nachgelassene Schriften und Fragmente, Bd. 1), S. 336.

342 *Das Einer- und Andererseits in das Groteske münden lassen* – Stach spricht von Kafkas sonderbarer Form von Beredsamkeit, die mit analytischer Genauigkeit ins Dunkle führe. Vgl. Reiner Stach, *Kafka. Die Jahre der Erkenntnis*, S. 178.

343 *Ob das Athmen noch immer möglich war* – Franz Kafka, *Der Verschollene*. In: Kritische Ausgabe, S. 185. – *Durch den Sieg oder die Vernichtung eines von beiden* – Ebda., S. 87 f. – *Karl sah Green mit scharfen Augen an* – S. 126.

343 *Die Sachen klappen nicht* – Mit der einzigen Ausnahme des Theaters von Oklahama (statt: Oklahoma) im Schlußfragment des *Verschollenen*. Aber auch da weiß man nicht, wie es mit der Truppe weitergegangen wäre.

346 *Er hat seine Werke niemals deuten wollen* – Vgl. Reiner Stach, *Kafka. Die Jahre der Erkenntnis*, S. 479.

346 *Er bestehe aus Literatur und könne nichts anderes sein* – Vgl. Reiner Stach, *Kafka. Die Jahre der Entscheidungen*, S. 369. – *Das Schreiben ist ihm das Wichtigste auf Erden* – Kafka, Brief an Robert Klopstock, April 1922. Da die Ausgabe der Briefe aus diesem Zeitraum noch auf sich warten läßt, zit. nach: Reiner Stach, *Kafka. Die Jahre der Erkenntnis*, S. 495.

347 *Der einzige reine Mensch* – Milena Jesenská an Max Brod, Januar oder Februar 1921. Zit. nach: Reiner Stach, ebda., S. 410. Zu «Frank» statt Franz ebda., S. 379.

Tommy: Der Papst. Bauschan

347 *Wie komisch konnte dieser Dulder sein!* – Thomas Mann, Brief an Max Brod vom 17. 9. 1951. In: Briefwechsel mit Autoren, S. 103.

347 *Fast zweimal den Nobelpreis* – Nach dem Welterfolg des *Doktor Faustus* wurde diese Option in Stockholm angeblich erwogen.

348 *Still! Wir wollen in eine Seele schauen* – So beginnt Thomas Manns Erzählung *Ein Glück*. In: Gesammelte Werke, Bd. VIII, S. 349. – *Die Wintersonne stand nur als armer Schein* – Thomas Mann, *Tonio Kröger*. Ebda., S. 271.

349 *Subtiler Grammatikfehler* – Aschenbachs Abhandlung, deren Beredsamkeit «ernste Beurteiler vermochte, sie unmittelbar neben Schillers Raisonnement über naive und sentimentalische Dichtung zu stellen» – diese «Vermochte»-Konstruktion knirscht leise. Nicht ganz so laut wie ein falsches «um zu», aber vernehmbar. Der Fehler, erklärt die Sprachwissenschaft, liege darin, daß Subjekt und direktes Objekt vor dem Finitum stehen. Warum dem Meister so ein Schnitzer unterlaufe, scheine auch klar zu sein: «[…] *ernste Beurteiler* kann sowohl Nominativ als auch Akkusativ Plural sein. Das hat ihn dazu verführt, die Phrase in Subjektposition zu setzen.» (Mit Dank an Peter Eisenberg. Vgl. Thomas Mann, *Tod in Venedig*, Bd. VIII, S. 450.)

349 *Ein minder triviales Dasein führen* – Thomas Mann, *Wälsungenblut*. In: Gesammelte Werke, Bd. VIII, S. 410. – *Er tötete früh im Auflodern* – *Das Gesetz*. Ebda., S. 808. – *Die Geschichte der schönhüftigen Sita* – *Die vertauschten Köpfe*. Ebda., S. 712. – *Ein jeder getroffen in des anderen Herz* – Ebda., S. 805. – *Tief ist der Brunnen der Vergangenheit* – *Joseph und seine Brüder*. Ebda., Bd. IV, S. 9. – *Glockenschall, Glockenschwall supra urbem* – *Der Erwählte*. Ebda., Bd. VII, S. 9. – *Seine Erscheinung ist verbesserungsfähig* – Ebda., S. 228. – *Hütte in größtmöglicher Vereinzelung* – S. 211. – *Und ewig nur Gottes Ruhm* – S. 259. – *Ihr déjeuner sur l'herbe* – Vgl. Marcel Proust, *Auf der Suche nach der verlorenen Zeit*. In: Werke, S. 513. – *Als Rahel ohnmächtig vom Tiere sank* – Thomas Mann, *Joseph und seine Brüder*. In: Gesammelte Werke, Bd. IV, S. 384 f. – *Daß ich die Teraphim stahl* – Ebda., S. 389.

354 f. *Die Entenszene mit Bauschan* – Thomas Mann, *Herr und Hund*. In: Gesammelte Werke, Bd. VIII, S. 613 ff.

Stilvergleich III: Zu den Wasserfällen

359 *Zdenko auf dem Weg zum Wasserfall* – Heimito von Doderer, *Die Wasserfälle von Slunj*, S. 384 ff. – *Ein ununterbrochenes Heulen hörbar* – Ebda., S. 384 ff. – *Sah man dieses Geländerstück fallen* – S. 387. – *Die vom Wasser erzeugte Vibration* – S. 391. – *Wir werden unser eigen Wort nicht verstehen* – Thomas Mann, *Der Zauberberg*. In: Gesammelte Werke, Bd. III, S. 859 f. – *Das Pferd ist für Plötzlichkeiten am meisten anfällig* – Heimito von Doderer, *Die Wasserfälle von Slunj*, S. 384. – *Die Pferde, muntere Blessen* – Thomas Mann, *Der Zauberberg*, S. 858.

Der austriakische Kaktus: Heimito von Doderer

364 *Austriakischer Kaktus* – Vgl. Heimito von Doderer, *Der Grenzwald*, S. 123.

365 *Laß' uns das nüchterne Chaos sehen* – Heimito von Doderer, Tagebuch vom 30. 11. 1952. In: *Commentarii*. – *Denken wie der Tiger springt* – Tagebuch vom 8. 2. 1950. In: *Tangenten*, S. 301. – *Der Scherben, der ich bin, macht das Gewächs unverständlich* – Tagebuch vom 24. 8. 1952. In: *Commentarii*. – *Die ersten Roßkastanien fettglänzend hellbraun* – *Die Wasserfälle von Slunj*, S. 48. – *Stark ambrosischer Gründuft* – *Ein Mord den jeder begeht*, S. 73. – *Den Sonnenglast oft als dunkel empfand* – *Die Wasserfälle von Slunj*, S. 387. – *Von jetzt an wußte er, daß es galt, sich zu beherrschen* – Ebda., S. 392.

Hans Henny Jahnn. Krokodile unter sich

369 *Ingolds Auszug aus Perrudja* – Vgl. Merkur, Heft 821, Oktober 2017, S. 91.

369 *Zwillingsbrüder schliefen im gemeinsamen Bett* – Walter Benjamin schreibt gegen Jahnns *Perrudja* im Tagebuch: «Man darf sagen, daß der Humor den Passierschein des Geistes für die Welt des Sexus darstellt.» Wenn es einen Bereich gäbe, in dem die Humorlosigkeit auf die Dauer nicht zu ertragen sei, so sei es die «einläßliche Darstellung körperliche Phänomene, und der sexuellen zumal». Wie recht er hat! Walter Benjamin, *Hanns Henny Jahnn: Perrudja*. In: Gesammelte Schriften, Bd. VI, S. 140 f.

370 *Mut-em-enets Krokodil-Drohung* – Thomas Mann, *Joseph und seine Brüder.* In: Gesammelte Werke, Bd. V, S. 1206 f. und Tagebuch vom 29. 5. 1936. In: Tagebücher, S. 308.

371 *Die Sonne schrie mit tausend Stimmen auf den Sand* – Richard Huelsenbeck, *Doctor Billig am Ende*, S. 77.

Unica Zürn: Seide, Nebel, Tinte, Schaum

372 *Zürns Anagrammdichtung als Geduldsspiel* – Vgl. Elke Schmitter, *Unica Zürn.* In: *Leidenschaften. 99 Autorinnen der Weltliteratur*, S. 618 ff. Dort auch die biographischen Details und die schöne Deutung des Vierzeilers *Aus dem Leben eines Taugenichts.*

373 *Roman ohne «e»* – Vgl. Georges Perec und Eugen Helmlé, *Anton Voyls Fortgang.* Zuvor hatte Gilbert Adair vier Jahre seines Schreiberlebens daran gegeben, *La Disparition* ins Englische zu übertragen. Sein Titel: *The Void.* Vgl. Gilbert Adair, *Wenn die Postmoderne zweimal klingelt*, S. 95–99.

Thomas Bernhard: Schnörkelzorn

373 *Thomas Bernhard bei Doderers Tod in Jubel ausgebrochen* – Vgl. Daniel Kehlmann, *Lob*, S. 19. Es war Bernhards Freund Karl Ignaz Hennetmair, der den Fernsehabend überliefert hat.

373 *Bernhards Prosa musikalisch* – Freundlich gedeutet, klingen auch Steve Reich und Minimal Music an; kleinste Verschiebungen der immer wiederholten Pattern.

374 f. *Schnörkel von den Wänden heruntergerissen, herausgebrochen und herausgeschlagen* – Thomas Bernhard, *Das Kalkwerk*, S. 19.

W. G. Sebalds Ringe des Saturn

376 *Die Flügel der längst verschwundenen Mühlen* – W. G. Sebald, *Die Ringe des Saturn*, S. 283. – *Eine Nachtigall aus dem Dickicht* – Ebda., S. 318 f. – *Im Innersten des von achtzig Engeln umschwebten Gehäuses* – S. 109. – *Der unbestechliche James Wood* – «The first few pages of ‹Open City› are intensely Sebaldian, with something of his sly faux antiquarianism». James Wood, *The Arrival of Enigmas.* In: The

New Yorker, online. – *Es träumte ihm von einem Bild* – Sebald, *Die Ringe des Saturn*, S. 65. – *Ein Dritteil* – Ebda., S. 312. – *Mit Orchideen und Bromelien überladen* – S. 226 f. – *Die Zellen wie die Fische im Meer* – S. 176. – *Zwischen den Fronten phosphoreszierten die Leichen* – S. 270. – *Eltern tauschten untereinander ihre Kinder aus* – S. 181 f. – *Das Gefühl, den falschen Faden erwischt zu haben* – S. 334 f.

381 *Er hatte, in meiner Vorstellung, die Brille abgenommen* – W. G. Sebald, *Die Ausgewanderten*, S. 44. – *Das nachgefüllte Weihwasserbehältnis* – Ebda., S. 54.

382 *Hier hat er sogar Humor* – Daß Sebald von Humor strotzt, wäre im übrigen stark übertrieben; er tut es so wenig wie Arno Schmidt. Es gibt in den *Ringen des Saturn* ein einziges Adjektiv, das leisen Humor verrät: Der Erzähler schildert einen alten Schulfilm über den Heringsfang; auf dem Kutter steht der Kapitän am Steuer und blickt «verantwortungsbewußt» in die Ferne. Die Humorlosigkeit ist auch das ernste Problem seines von vielen als Meisterwerk erachteten Romans *Austerlitz*.

Wolfgang Hilbig: Alte Abdeckerei

383 *Regloser Klumpen schwarzer Vögel* – Wolfgang Hilbig, *Alte Abdeckerei*. In: Werke, Bd. III, S. 127. – *Die reglosen Augen zweier runder Waldseen* – Ebda., S. 117.

Hans im Pech. Der Fall Wollschläger

384 *Etwas entschieden Tragisches* – Dazu gehört, wie der große Hans Wollschläger sich zeit seines Lebens verzettelte, mit Karl May, mit Friedrich Rückert, bei denen es nie unter der geplanten Kritischen Gesamtausgabe ging; am Ende war es neben der zu Ende komponierten Mahlerschen Zehnten und der Bach- auch noch eine Hitler-Biographie, für die er Bibliotheken studiert hatte und die schon quasi halb fertig waren … Dazu im Nachlaß ein gigantisches Briefwerk.

385 *Merk-Mal, Hand-Werker* – Vgl. Hans Wollschläger, *Von Sternen und Schnuppen*, Bd. 1, S. 298, 43. – *Ur-Sache, Lebe-Wesen, selbst-verständlich, aus-denken, Einzig-Art* – *Von Sternen und Schnuppen*, Bd. 2, S. 231, 214, 191, 155, 180. – *Pathetisches Großschreiben* – *Von Sternen und Schnuppen*, Bd. 1, S. 28, 32. – *Unterm Gestirnten Himmel* – Ebda., S. 15. – *Rom nicht an einem Tage zerstört* – *Von Sternen*

und Schnuppen, Bd. 2, S. 30. – *Eine Schwalbe macht einen Sommer – Von Sternen und Schnuppen*, Bd. 1, S. 301.

Eckhard Henscheid. Laufender Schwachsinn und Maria Schnee

386 *Wollschläger fast Intimfeind* – Hans Wollschläger war nicht amüsiert über Eckhard Henscheids humoristische Erzählung *Im Puff von Paris*, in der die Autoren des Zürcher Haffmans-Verlags unter Klarnamen einen Betriebsausflug nach Paris unternehmen. Vgl. Eckhard Henscheid, *Im Puff von Paris.* (In: Der Rabe, Nr. VI, S. 209 ff.) Der Name des Porträtierten wurde in Folgeauflagen zu «Hans Wüllenweber» modifiziert.

387 *Duftig fächelnd kühl strich hin die Morgenbrise* – Eckhard Henscheid, *Maria Schnee*, S. 132. – *Winkte er Hermann bewegt und freundlich zu* – Ebda., S. 230. – *Am Himmel die Sterne blinzelten golden* – Joseph Roth, *Radetzkymarsch*. In: Werke, Bd. 5, S. 195. – *Ein «Zischerl», wie Alfred Leobold sich neuerdings ausdrückte* – Eckhard Henscheid, *Geht in Ordnung*, S. 265. – *Er kann natürlich auch Achter sagen* – Ebda., S. 371. – *Diese saurierzäh-mesozoisch abgebrühte Kardinalsnarkose* – S. 348. – *Zuerst bring ich mich um und dann bring ich sie um* – S. 357. – *Das repetierte «genau» bedeutet «grauenhaft»* – S. 267.

Hildegard Knef: Der Kudu und der geschenkte Gaul

394 *Er klopfte jeden Abend mit der rechten großen Zehe gegen die Bettwand* – Hildegard Knef, *Der geschenkte Gaul*, S. 10. – *Aus dem Dunkel leuchtete ein weißes, hellumrandetes Dreieck* – S. 179. – *Wieder lächelte sie dieses spöttische Lächeln* – S. 181. – *Über uns Bomber, Jagdflieger* – S. 56. – *Ein Museum des Grauens* – S. 374. – *Persönlichkeit paßt in das Wandsafe eine Dorfnotars* – S. 196. – *In Rhodesiens Busch sah ich einen Kudu* – S. 331. – *In der eenen Szene, wenn er det Lied singt* – S. 329. Mit Dank für den Hinweis an Beate Moeller.

Brigitte Kronauer. Die Kleider der Frauen

398 *Elektrizitätsüberschwang* – Brigitte Kronauer, *Die Verfluchung*. In: *Die Kleider der Frauen*, S. 127. – *Daß sie gar nicht alt, sondern eine junge Frau war* – Kronauer, *Tante Fritzchen in Weiß*. Ebda., S. 34 f. – *Ein wilder Kirschbaum am Bahndamm* –

Ebda., S. 35. – *Kleine Seelentröster vornewegziehend* – *Die kleinen Hunde an ihren Leinen.* Ebda., S. 22. – *Aus Zerstreutheit grau gewordene Haare* – *Susanna im Bade*, S. 40 f. – *Auf zwei Silben gestreckter Schrei* – *Annegret*, S. 122 f. – *Aus schwermütigem Eigennutz an ihre Putzfrau verschenkt* – *Die Verfluchung*, S. 125. – *Ungehindert im See ertränkte* – Ebda., S. 130.

Herta Müller. Der Sandpfirsich

403 *Der Gaumen ist größer als der Kopf* – Herta Müller, *Die Atemschaukel*, S. 25. – *Vor dem Hungertod wächst ein Hase im Gesicht* – Ebda., S. 121. – *Da waren ihre Hände wieder wimmelnd schwarz* – S. 106. – *Die Luft riecht nach warmem Mehl* – S. 34 f. – *Endet nicht jeder Fragesatz mit einem Punkt* – Vgl. etwa S. 162 und pass. – *Wenn er die Schaufel füllte, liefen die Tränen gerade herunter* – S. 130.

405 f. *Wenn man etwas genau beschreiben will, endet man bei der Metapher* – Auch Reiners zitiert diesen Satz und schreibt ihn John Middleton Murray zu: «Try to be precise and you are bound to be metaphorical.» Vgl. *Stilkunst*, S. 325.

Marie-Luise Scherer. Unter jeder Lampe Tanz

407 *Vogelfutter rieselt auf den Boden* – Marie-Luise Scherer, *Die Bestie von Paris*, S. 32.

408 *Vom Fluglärm zermürbte Mieter aus Tempelhof umzusetzen* – Marie-Luise Scherer, *Unter jeder Lampe gab es Tanz*, S. 51.

408 *Burkhard Müller über Scherers Taktgefühl* – Vgl. Burkhard Müller, *Neugier und Stil.* In: Süddeutsche Zeitung vom 15. 10. 2018; online.

409 *Verzweigtes System der Hundebeschaffung* – Marie-Luise Scherer, *Die Hundegrenze*, S. 5, 85 f. – *Das ist Alf* – Ebda., S. 14. – *Tews hatte einen Logenplatz* – S. 42–45.

412 *Manche sogar mit einem Bein zitternd* – Marie-Luise Scherer, *Unter jeder Lampe gab es Tanz*, S. 16 f. – *Mettbrötchen beim gemütlichen Teil* – Ebda., S. 38 f.

Undine Gruenter. Sommergäste in Trouville

413 *Spannung erotisch-illegitimer Natur* – Undine Gruenter selbst hatte wohl, wie ihrem Tagebuch zu entnehmen ist, ein illegitimes Verhältnis mit ihrem Vater.

414 *Schlaf der Haarsträhne* – *Sommergäste in Trouville*, S. 88. – *Bonbonfarbenes Seidenpapier* – Ebda., S. 155. – *Durch den transparenten Stoff ihre langen Beine* – S. 190.

Gertrude Leutenegger. Panischer Frühling

416 *Keine roten Schürzen mehr tragen* – Vgl. Gertrude Leutenegger, *Das Klavier auf dem Schillerstein*, S. 69. – *Mit Branntwein betäubte Säuglinge* – Ebda., S. 38.

417 *Fast unmerklich stieg die Flut* – Gertrude Leutenegger, *Panischer Frühling*, S. 9. – *Jonathan! Das also war sein Name* – S. 73. – *Aus seinen grauen Augen traf mich etwas Drohendes* – S. 148. – *Ich ergriff seine beiden Hände. Stürmisch!* – S. 214.

Walter Kappachers Selina

420 *Fledermäuse flatterten und kreisten jetzt über ihm* – Walter Kappacher, *Selina oder das andere Leben*, S. 24. – *Zuerst war Arktur zu sehen, eine Viertelstunde später die Wega* – S. 133. – *Im Geäst des Pflaumenbaums lärmte eine Zikade* – S. 143. – *Da passiert jetzt etwas, das sehr schön ist* – S. 187 f. – *Beim Hineingehen streifte eine Spinnwebe seine Stirn* – S. 255. In seinem Hofmannsthal-Roman *Der Fliegenpalast* (2009) knüpft Kappacher an die still-grandiose Erzählkunst der *Selina* an.

Wolfgang Herrndorf. Tschick

425 *Independence Day* – Wolfgang Herrndorf, *Tschick*. In: Gesamtausgabe, Bd. 2, S. 110. – *Brombeeren kauend im Gebüsch* – Ebda., S. 153 f. – *Der Donner rollt Metallfässer* – Wolfgang Herrndorf, *Bilder deiner großen Liebe*. In: Gesamtausgabe, Bd. 3, S. 483. – *Castor und Pollux über uns* – Ebda., S. 497. Zu *Sand* vgl. Maar, Nachwort in Gesamtausgabe, Bd. 2.

Botho Strauß. Der Bergmann in der Grube

429 *Es fällt mir vieles zu sagen schwer* – Botho Strauß, *Der Fortführer*, S. 105. – *Die Weltgemeinschaft um Rat fragen* – Ebda., S. 113. – *Meine Minuzien werden auch im 17. Jahrhundert noch zu verstehen sein* – S. 42. – *Der Lilienton unendlich reiner Zeit* – S. 130. – *Ich habe nie mitten im Leben gestanden* – S. 37. – *Den Kummer etwas sagen zu lassen* – S. 129. – *Der Tod eine Verletzung, die anderswo heilt* – S. 151. – *Hauptwerk vor der Brust wie die Zeugen Jehovas ihren ‹Wachtturm›* – S. 99. – *Man hört es im archaischen Grund knirschen* – S. 67. – *Flügelkämpfe eines*

Mannes – S. 26. – *Eiswald der Sachverhalte* – S. 30. – *Der Himmel in Ulanenblau* – S. 36. – *Das Land glüht wie ein Kelch* – S. 135. – *Lechzend an der Tülle des Krugs* – S. 142. – *Bei der Trennung wertvolle Erinnerungen mitnehmen* – S. 137. – *Schafott Bett* – S. 137. – *Sich-Räuspern vor der großen Rede* – S. 83. – *Man reicht nicht hin* – S. 107. – *Das Innen weltweit zugesperrt* – S. 28. – *Die Plage der Dürre und der Trockenheit* – S. 135. – *Der Bergmann in der gefluteten Grube* – S. 30.

Clemens J. Setz – Auf der Borderline

434 f. *Frau Triegler und Tommi* – Clemens J. Setz, *Frau Triegler*. In: *Der Trost runder Dinge*, S. 222, 239, 237. – *Den Schal assimiliert* – *Kvaløya*. Ebda., S. 49. – *Winzige schwarze Flecken zwischen seinen Zähnen* – S. 53. – *Zu Kerzendochtformen zerwehende Kondensstreifen* – *Jugend*, S. 315. – *Mischung aus Leuchtqualle und Testbild* – S. 296. – *Menschen, die meisten mit Gesichtsausdruck* – *Otter Otter Otter*, S. 191. – *Zeit rauscht wie ein Zimmerbrunnen* – *Zauberer*, S. 213. – *Stimme wie auf Zehenspitzen* – *Frau Triegler*, S. 240. – *Bäume wie träumende Giraffen* – *Suzy*, S. 308. – *Wollhandschuh als angespülter Seestern* – *Südliches Lazarettfeld*, S. 13. – *Flugzeuge ernst wie Fiakerpferde* – S. 18. – *Scotty the Bald Spot*, S. 23. – *Ente versucht, das Wort ‹Gregg› auszusprechen* – *Otter Otter Otter*, S. 180. – *Hellwach wie eine Dorfkirche zur Osternacht* – S. 180. – *Seele als Leiter am Obstbaum* – *Geteiltes Leid*, S. 64. – *Allein und augenlos in der Wildnis* – S. 59 f.

V. Kürzestausflug Lyrik

Drachen am Domportal

447 *Le style, c'est le poète même* – Der originale Satz Buffons werde laut Reiners immer falsch zitiert, er laute: «le style est *de* l'homme même». Meint: «Kenntnisse, Tatsachen und Entdeckungen liegen außerhalb des Menschen, der Stil kommt vom Menschen selbst.» Was in der Tat einen kleinen Unterschied macht. Nichts zäher und langlebiger als falsch tradierte Sentenzen. Vgl. Ludwig Reiners, *Stilkunst*, S. 54, der es im Übrigen wieder von Eduard Engel hat (*Deutsche Stilkunst*, Bd. 1, S. 51 f.).

448 *Ob Durs Grünbein überschätzt sei* – Nach Thomas Kling war es Franz Josef Czer-

nin, der mit seiner, wie er fand, fachgerechten Zerlegung des Bands *Falten und Fallen* den Autor Grünbein scharf (und ungerecht) angriff. Vgl. Czernin, *Falten und Fallen*. In: *Der Himmel ist blau*, S. 29–58. Vgl. dazu auch die Studie von Christian Metz, *Poetisch Denken*, S. 23 f.

448 *Sandalenfilme aus dem Grünbein-Studio* – Thomas Kling, *Auswertung der Flugdaten*, S. 49.

448 *Viel scheint nicht geblieben von Lorbeer und Myrten* – Durs Grünbein, *Café Michelangelo*. In: *Erklärte Nacht*, S. 19.

449 *Peter von Matt über Grünbeins Liebeslyrik* – Vgl. Durs Grünbein, *Liebesgedichte*, Nachwort. – *Und einmal schliefen wir im tiefsten Mittelalter* – *Liebesgedichte*, S. 42.

450 *Feinmechanik aus Kernen* – Jan Wagner, *Tomate*. In: *Achtzehn Pasteten*. Berlin Verlag, Berlin 2007, S. 46.

451 *Jeden Tag eine neue Tasse aus Ton* – Jan Wagner, *Die Tassen*. In: *Regentonnenvariationen*, S. 82 f.

451 *Jan Wagners scheinbare Simplizität* – Christian Metz kommt nach einer kapitellangen Meditation über Wagners Eröffnungsgedicht der *Achtzehn Pasteten* «shepherd's pie», in der er den mindestens vierfachen Schriftsinn des scheinbar simplen, im Adoneus gehaltenen Gedichts herauspräpariert, das schon tektonisch raffiniert eine um die Mittelachse gespiegelte Odenform aufweise – Metz also kommt nach seinen weithin verzweigten, nicht immer zwingend vom Text geforderten Assoziationen zu dem erleichterten Schluß: «Der Anschluß an die Avantgarde ist da.» Wagner folge einer Poetik der Verunsicherung und der Unschärfe; durch Scharfsinn nachjustiert. Vgl. Christian Metz, *Poetisch Denken*, S. 171–228. Zu Gustav Seibts Beschreibung des «handfest Abseitigen» vgl. ebda., S. 177.

451 *Steffen Popps Verschlüsselungen* – Es liest sich wie ein Kommentar zu Popp, wenn Ann Cotten dichtet: «Doch was mir an der Poesie bereitet Schmerzen / ist, wenn bei Windstille auf langem Vers / man hört das Räsonieren knarzen.» Ann Cotten, *Fahrtwind, regressiv*. In: *Fremdwörterbuchsonette*, S. 29.

452 *Ob kiffend tippend, fickend oder schlitternd* – Ann Cotten, *Halsweh, Ideenflucht*. In: *Fremdwörterbuchsonette*, S. 54.

452 *Sieben Gedichte im Leben* – Vgl. Christian Metz, *Poetisch Denken*, S. 248. Übrigens sprach Benn noch nicht, wie Metz, von «Dichter*in». Pardon, aber das grenzt an *White facing*.

453 *Als wär ein Eck in meinem Denkvermögen* – Ann Cotten, *Gedanken kubital.* In: *Fremdwörterbuchsonette,* S. 52 f.

453 *Ina Hartwig und Wolf Haas über Cotten* – Vgl. Christian Metz, *Poetisch Denken,* S. 229 f.

453 *Österreichische Gelsen* – Cottens Wiener Kindheit verrät sich auch an ihrer Verwendung oder Fehlverwendung von «scheinbar»: «Da brachten sie mich an das salzge Meer. / Ich hatte scheinbar mich zuviel beschwert» (*Fremdwörterbuchsonette,* S. 39) sowie daran, daß man auch bei ihr «auf» vergißt: «bis dieser Mist, vermessen, *aufs* Ausatmen vergisst» (S. 21.) Diese Wiener Kindheitspartikel in ihrer von Fremdwörtern gefluteten Techno-Sprache haben etwas Anrührendes.

454 *Rincks' poetische Unruhe, arte natandi* – Vgl. Michael Braun, *Alle Türen auf, Putzi!* In: Die Zeit, 16. 4. 2019, online verfügbar.

454 *Die Lüge ist ein Teich* – Monika Rinck, *Teich.* In: *Verzückte Distanzen,* S. 36.

455 *Peitscht im weitesten Sinn auch die Weiher* – Monika Rinck, *Vom Fehlen der Pferde.* In: *Helle Verwirrung,* S. 29.

456 *Poetologie der Albernheit* – Nur ein Beispielsatz: «Es ist nicht ausgeschlossen, dass das Neue, um ans Licht zu kommen, einen dunklen Korridor der Dummheit durchqueren muss.» Monika Rinck, *Das Alberne hat Glück.* In: EDIT 61, 2013, S. 45 f.

456 *Sollen doch komplexe Risse ausblühn* – Monika Rinck, *Keime.* In: *Honigprotokolle,* S. 45.

457 *Kenner nennen es Archivbewußtsein* – Vgl. Christian Metz, *Poetisch Denken,* S. 49.

458 *Herrschaft über das breitlagernde Land* – Daniela Danz, *The Embedded Poet.* In: *V. Gedichte,* S. 39. – *Wenn du einen Schatten auf den Fels wirfst* – Daniela Danz, *Masada.* In: *Pontus,* S. 24. – *Das Licht in Bibliotheken – In der Wand.* In: *Pontus,* S. 58.

460 *Das was zu schreiben ist mit klarer Schrift zu schreiben* – Christa Reinig, *Ausweg.* In: *Sämtliche Gedichte,* S. 42.

460 *Ist Lyrik Fiktion?* – «Ließe sich nicht genauso behaupten, dass gerade die bewusste Setzung einer poetischen Form dazu in der Lage ist, Wirklichkeit auf ernste und reelle Weise sprachlich zu repräsentieren. Der Lyrikband als Sachbuch?» – Monika Rinck, *Wirksame Fiktionen,* S. 10.

462 *Karl Kraus' Lob des Tibetteppich* – Es geht nicht ohne den obligaten Fußtritt

in Richtung Heine: «Daß ich für diese neunzeilige Kostbarkeit den ganzen Heine hergebe, möchte ich nicht sagen. Weil ich ihn nämlich, wie man hoffentlich jetzt schon weiß, viel billiger hergebe.» Karl Kraus, *Anmerkung zu Lasker-Schülers Gedicht «Ein alter Tibetteppich»*. In: Die Fackel, 31.12.1910, S. 36, online verfügbar.

462 *Immer tragen wir Herz vom Herzen uns zu* – Else Lasker-Schüler, *Wo mag der Tod mein Herz lassen?* In: *Gedichtbuch für Hugo May*, S. 48.

462 *Opportunist Kästner* – Vgl. dazu Hermann Kurzke, *Zu glatt und zu schlau: Erich Kästner*. In: *Die kürzeste Geschichte der deutschen Literatur*, S. 119–121.

463 *Als ich zum ersten Male starb* – Mascha Kaléko, *Das berühmte Gefühl*. In: *Liebesgedichte*, S. 31.

464 *Daß dein Schatten endlich meinen Schmerz erleuchtet* – Harald Hartung, *Parabase*. In: *Aktennotiz meines Engels*, S. 389.

464 *Anbrach der strahlende Tag* – Volker Braun, *Todesstunde*. In: *Handbibliothek der Unbehausten*, S. 54.

Der Loriot-Test

465 *Rilke, der seine Leser in Jünger und Spötter aufspaltet* – Peter Sloterdijk steht eher auf der Seite der letzteren, wenn er zu Rilkes Zeile, Blätter fielen «mit verneinender Gebärde», anmerkt: «Seltsame, frei flottierende Sensibilität, die einem sinkenden Ahornblatt ein diffuses Nein zugesteht.» Peter Sloterdijk, *Neue Zeilen und Tage*, S. 327.

465 *Ein jeder Engel ist schrecklich* – Rainer Maria Rilke, *Duineser Elegien*. In: Werke, Bd. I.2, S. 441.

466 *Loriot-Sketch im Flugzeug* – Der Sketch ist hin und wieder auf YouTube verfügbar.

466 *Pontifikale Linie* – Bertolt Brecht, *Arbeitsjournal*, S. 155.

467 *Die Zehnte Elegie* – Vgl. Rainer Maria Rilke, *Duineser Elegien*. In: Werke, Bd. I.2, S. 577.

468 *Und schmecken schal wie trübe Hefereste* – Robert Neumann, *Meisterparodien*, S. 69.

Schwarze Vögel

469 *Noch spür ich ihren Dingens auf den Wangen* – Robert Gernhardt, *Terzinen über die Vergeßlichkeit.* In: Gesammelte Gedichte, S. 113. – *Rom hat viel alte Bausubstanz – Körper in Cafés.* In: Gesammelte Gedichte, S. 234. – *Exempla Docent – Die K-Gedichte.* Ebda., S. 900. – *Viel und Leicht – Lichte Gedichte.* Ebda., S. 489. – *Von Viel zu Viel – Später Spagat.* Ebda., S. 945.

470 *Gernhardt und Trakl* – Robert Gernhardt, *Im Trakl-Ton (Herbst).* In: Gesammelte Gedichte, S. 11.

VI. Das Pikante und der Spaß der Welt

475 *Es ist die Ursache des Krieges und der Zweck des Friedens* – Arthur Schopenhauer, *Die Welt als Wille und Vorstellung II.* In: Sämtliche Werke, Bd. 2, S. 665 f.

Verbotne Früchte. Der Gedankenstrich

476 *Lücke in meinem Dasein* – Friedrich Hölderlin, *Hyperion.* In: Sämtliche Werke, Bd. 2, S. 82. – *Die Sinne vergehn mir* – Ebda., S. 86.

477 *Wie an verbotner Frucht sich labte* – Friedrich Hölderlin, *Hyperion,* S. 32. – *Voll herrlicher Strenge und Kühnheit war unser gemeinsames Leben* – Ebda., S. 38. – *Die beiden Jünglinge sich umfassen* – S. 35. – *Bräutigamstage* – S. 39. – *Geliebter insgeheim mit einer Dirne lebe* – S. 43. – *Zerstörten mit Gewalt den Garten unsrer Liebe* – S. 45. – *Schlange mit ihren giftigen Zähnen* – S. 43. – *So oft untergegangen in seinen Umarmungen* – S. 44. Ersetzte man das «ihm» durch «ihr» und «seine» durch «ihre», hätte kein Leser und keine Leserin daran gezweifelt, worum es in diesem Brief ging. Und Sinclair, sein Liebhaber, dürfte sie genau verstanden haben. «Könnte man sich die beiden beim Abendessen vorstellen? Wie sie angeschickert am Tisch sitzt und einen Witz reißt? Oder sauer auf ihn ist? Wie sie ihm erklärt, daß sie keine Lust hat aufs Gleiche wie er? Oder keine Lust, mit ihm zu schlafen?» Das fragt Karl-Heinz Ott zweifelnd und berechtigt zum Verhältnis Hyperions zu Diotima. Er verzichtet auf die Gegenprobe: Zwischen Hyperion und Alabanda *könnte* man es sich vorstellen.

Beide, die ätherische Diotima und der grobsinnliche Alabanda, müssen im Roman sterben, damit Hyperion genügend Schmerz hat, sich daran zu weiden. Vgl. Ott, *Hölderlins Geister*, S. 45.

477 *Alabanda nach Isaak von Sinclair gezeichnet* – Hölderlin hatte vor seiner Beziehung mit Susette Gontard, dem Vorbild der Diotima, mit dem relativ offen homosexuell lebenden Isaak von Sinclair einige Wochen in Sinclairs Gartenhaus zusammen verbracht. Vgl. Rüdiger Safranski, *Hölderlin*, S. 109 ff.

478 *Indem er sich den Hut aufsetzte* – Heinrich von Kleist, *Die Marquise von O…* In: Sämtliche Werke, Bd. II, S. 106.

479 *Waren ihre Augen warm von Tränen* – Robert Musil, *Tonka.* In: *Nachlaß zu Lebzeiten*, S. 268.

Drehbleistift, wachsend

480 *Von kühlem Styl* – Thomas Mann, Tagebuch vom 12. 3. 1920. In: Tagebücher, S. 396.

480 *N'oubliez pas de me rendre mon crayon* – Thomas Mann, *Der Zauberberg.* In: Gesammelte Werke, Bd. III, S. 478. – *Damit der rot gefärbte Stift aus der Metallhülse wachse* – Ebda., S. 173. – *Der Bleistift war handlich-rechtschaffener gewesen* – S. 464.

Die gelöschte Kerze

482 *Abwesendes und Gegenwärtiges wonnevoll durcheinander* – Vgl. Johann Wolfgang von Goethe, *Die Wahlverwandtschaften.* In: Werke, Bd. 6, S. 321.

483 *Knaben liebt ich wohl auch* – Johann Wolfgang von Goethe, *Venezianische Epigramme.* In: Poetische Werke, S. 86 f.

Käfer, sich tot stellend

484 *Wie Käfer, die sich tot stellen* – Robert Musil, *Grigia.* In: *Nachlaß zu Lebzeiten*, S. 228.

485 *Zauberhafte Erscheinungen der Liebe* – Joseph Roth, *Radetzkymarsch.* In: Werke, Bd. 5, S. 319.

Der Mann des Labyrinths und das Mädchen

486 *Was weiter erfolgte, brauchen wir nicht zu melden* – Heinrich von Kleist, *Die Verlobung in St. Domingo.* In: Sämtliche Werke, Bd. 2, S. 175.

487 *Er blickte in ihre weit aufgerissenen Augen* – Heimito von Doderer, *Der Grenzwald*, S. 70 f.

487 *Ein heißer Gletscher* – In Doderers *Wasserfällen von Slunj* wird Zdenko von einer reifen Frau verführt. Sie sitzt auf ihrer Causeuse im Hemd und im großen Mieder, erhebt sich und beginnt es zu lösen. «Er rutschte auf den bloßen Knien zu ihr hin. Sie fuhr ihm durch das Haar und erteilte ihm einen Wink mit der Hand: nach rückwärts, sich niederzulegen. Dann kam sie: ein heißer Gletscher.» (*Die Wasserfälle von Slunj*, S. 226.) Das Verb «kommen» hatte damals noch nicht den heute gebräuchlichen Doppelsinn.

488 *Zum ersten Mal ihren Namen haucht* – Thomas Mann, *Der Erwählte.* In: Gesammelte Werke, Bd. VII, S. 159 ff.

489 *Der Mann des Labyrinths und das Mädchen* – Heinrich Mann, *Die Jugend des Königs Henri Quatre*, S. 172 f.

Die Dämonen: Sodhom undt Ghommorcha

490 *Der himmlische Raubersbuam Eros* – Heimito von Doderer, Eintrag vom 23. 10. 1948. In: *Tangenten.*

490 *Die Nächte eine Angel, welche jeden hellen Tag um sich schwingen läßt* – Heimito von Doderer, *Die Strudlhofstiege*, S. 17.

491 *Dann umklammerte sie René ganz fest* – *Die Strudlhofstiege*, S. 206. – *Eine fast verschwundene Operations-Narbe* – Ebda., S. 478. – *Von einer Narbe keine Spur zu sehen* – S. 666 f. – *Er schlägt die Hexen mit dem sammet* – *Die Dämonen*, S. 787. – *Sodhom undt Ghommorcha* – Ebda., S. 795. – *Schoß er jetzt schon Punktfeuer auf Einzelheiten* – S. 510 f. – *Die Kraft sprang aus dem Zwinger* – S. 511. – *Keks-Büchsen als Schwammerln* – S. 513. – *Ihr kleines Geweid* – S. 506 f.

494 *Ich habe seine Stärke gesehen* – Thomas Mann, *Joseph und seine Brüder.* In: Gesammelte Werke, Bd. V, S. 1259.

Mosebach: Der zerlegte Wolfsbarsch

497 *Bei der Liebe muß man befehlen* – Martin Mosebach, *Was davor geschah*, S. 141 f. – *Die Nylondecke war jetzt schon versaut* – Ebda., S. 86 ff. – *Ein im Triumph verzerrtes Frauengesicht* – S. 99 ff. – *Seine Augen an das kleine Hinterteil geheftet* – S. 122.

Saltens Salti

502 *Pornographisches Werk der Weltliteratur* – Vgl. Oswald Wiener, *Beiträge zur Ädöologie des Wienerischen (Nachwort)*. In: *Josefine Mutzenbacher*, S. 287.

502 *1969 bei Rogner & Bernhard veröffentlicht* – Die Käufer mußten in einem beiliegenden Verpflichtungsschein versichern, das Buch verschlossen aufzubewahren und Jugendlichen unter 21 Jahren nicht zugänglich zu machen – rührende Zeiten. Noch bis vor kurzem stand die *Mutzenbacher* in Deutschland auf dem Index, erst Ende 2017 wurde sie aus der Liste der jugendgefährdenden Medien gestrichen.

502 *Saltens Weltruhm* – Salten hat zwei Klassiker hinterlassen; von beiden hat er nichts gehabt. Die Filmrechte für *Bambi* hatte er für eine Handvoll Dollar verkauft, angeblich waren es tausend. Disney spielte viele Millionen damit ein. Und was hatte er von der *Mutzenbacher*? Außer dem unbekannten Wettgewinn: Nichts. 1990 hatte Saltens Enkelin den Verlag Rogner & Bernhard wegen unterlassener Tantiemezahlung in Millionenhöhe verklagt. Sie drang vor Gericht damit nicht durch. Der Verlag bestritt zwar nicht ausdrücklich die Verfasserschaft ihres Großvaters; aber die Publikation war nun einmal anonym erfolgt. – Eine kurze biographische Notiz zu dem zu Unrecht fast vergessenen Autor sei hier eingeflochten. Geboren wurde Felix Salten als Zsiga Salzmann 1869 in Pest, Österreich-Ungarn, in Wien wuchs er in einfachen Verhältnissen auf, ging ohne Abschluß vom Gymnasium ab, schrieb früh unter dem heute bekannten Namen fürs nackte Geld und schloß sich ab 1890 dem Kreis um Jung-Wien an. Er war befreundet mit Hofmannsthal, Beer-Hoffmann, Bahr und vor allem Schnitzler, dem er später als Theaterkritiker zur Seite sprang und als Ersatz-Liebhaber aushalf. (Arthur wollte Adele Sandrock loswerden, Felix übernahm). Bekannt wurde er als stets bestens orientierter Hofberichterstatter und Skandalaufdecker der Wiener *Zeit*. 1902 gab er sich eine Verfassung, wie es bei Thomas Mann hieß, und heiratete

eine Burgschauspielerin. Sein Ruhm wuchs, er schrieb Libretti, Bühnenstücke und Drehbücher, er war der gefragteste Journalist Österreichs und bejubelte 1914 den Kriegsausbruch. Nach dem Zusammenbruch der k. u. k. Monarchie schwankte er wie ein Kreisel zwischen allen nur möglichen Positionen, wurde aber als Verfasser seines berühmten *Bambi* 1927 als Nachfolger Schnitzlers für sechs Jahre Präsident des österreichischen PEN. 1934 verteidigte er den Austro-Faschismus, 1935 wurden seine Bücher in Deutschland verboten. Den Anschluß und die Juden-Deportation überstand er unbeschadet, durfte aber nicht publizieren. Seine letzten Jahre kämpfte er mit materieller Misere, das Kriegsende erlebt er in Zürich, wo er im Oktober 1945 stirbt.

502 f. *Zweifel an Saltens Verfasserschaft* – Noch 2009 schreibt Georg Klein: «Wir wissen nichts Sicheres über den Verfasser der ‹Josefine Mutzenbacher›.» Georg Klein, *Im Taktschlag der Gelegenheiten*. In: *Schund & Segen*, S. 82.

503 *Walt Disneys Verfilmung* – Der Film erfindet vieles, was im Buch nicht steht, und vieles aus dem Buch läßt er weg. Weil es in Amerika keine Rehe gibt, wurde aus Bambi ein Hirschkalb, in der deutschen Fassung blieb der Vater ein Hirsch, auch als Bambi wieder zum Reh zurückgeschrumpft war; die zoo- und genealogische Verwirrung ist bis heute beträchtlich. Es ist der Film, der Salten bis heute bekannt hält, nicht das Buch, das kaum noch gelesen wird. Ohne den Film würden heute nicht honorige Preise im Namen Bambis verliehen. Ohne den Film wäre Saltens Grab in Zürich verwittert.

503 *In Bambi schwoll die junge Kraft* – Dies und die folgenden Zitate aus Felix Salten, *Bambi*, S. 106, 114, 121, 143, 141, 133, 120, 188, 71.

504 *Bambi wurde auf einmal frei zu Gemüt* – So mag sich Salten gefühlt haben, als er seine Geliebte Lotte Glas nach dem frühen Tod ihres bei einer Kostfrau untergebrachten gemeinsamen Töchterchens endlich verlassen konnte.

504 *Warf sie sich auf Schani* – *Josefine Mutzenbacher*, S. 94.

504 *Das verschämte Buhlen des Oberhirschen* – Falls Salten Proust gelesen haben sollte – vier Teilbände der *Recherche* waren in den Jahren vor *Bambi* erschienen –, wäre ihm die komische Reminiszenz nicht entgangen: Das Buhlen des Oberhirschen um den feschen Bock ähnelt, auch wenn es nicht von Erfolg gekrönt ist, der Szene bei Proust, in der Charlus den Westenmacher Jupien anbrät, wie der Wiener sagt.

506 *Himmelkruzitürken … das ist gut* – *Josefine Mutzenbacher*, S. 212.

Kafkas und Tucholskys Schloß

508 *Dort vergingen Stunden gemeinsamen Herzschlags* – Franz Kafka, *Das Schloß*. In: Kritische Ausgabe, S. 67–69.

509 *Innere Strafkolonie* – Die Phantasien, die sich wie in der *Strafkolonie* um Folter drehen, zeigen sich schärfer noch in Kafkas Briefen und Notizen, in denen er sich einmal vorstellt, wie ein breites Selchermesser «eiligst und mit mechanischer Regelmäßigkeit» von der Seite in ihn hineinfährt und «ganz dünne Querschnitte losschneidet, die bei der schnellen Arbeit fast eingerollt davonfliegen». (Franz Kafka, Tagebuch vom 4. 5. 1913. In: Tagebücher, S. 560.) Die Messerphantasie könnte auch vom Marquis de Sade sein; einzig von Kafka denkbar ist das Detail der im Flug zusammengerollten Scheibchen.

510 *Wir liebten uns am meisten mit den Augen* – Kurt Tucholsky, *Schloß Gripsholm*, S. 107 f.

Mit wahrhaft mädchenhaften Gefühlen: Kleist, Fleißer, Brecht

512 *Und dreimal mutige Liebe zu den Gegenden seiner Lenden* – Christine Lavant, *Lieber Gott, lass mir die Liebe*. In: Werke, Bd. 3, S. 350.

513 *Gustl am gedeckten Tisch der Natur* – Marieluise Fleißer, *Eine Zierde für den Verein*. In: Gesammelte Werke, Bd. 2, S. 90. Der arme Lazarus meint hier nicht den vom Grab Wiedererstandenen aus Johannes, sondern den Darbenden, der sich anders als der Reiche postmortal nicht im Hades, sondern in Abrahams Schoß wiederfindet. Die katholische Fleißer kannte ihr Lukas-Evangelium.

514 *Und seit jener Abendstund* – Bertolt Brecht, *Als ich nachher von dir ging*. In: *Die Gedichte von Bertolt Brecht*, S. 993. Das Gedicht stammt aus dem 1950 für den Komponisten Paul Dessau geschriebenen Zyklus *Vier Liebeslieder*, bestimmt für eine Singstimme und Gitarre. Sie wurden 1953 uraufgeführt und zunächst im Programmheft zu diesem Konzert gedruckt. In Brechts ursprünglicher Niederschrift lautete der Titel dieses Gedichts: *Lied einer Liebenden*. Falls jemand am Geschlecht des lyrischen Ich Zweifel hegte. –

Daß Brecht es auch derber konnte, zeigt sein 1948 verfaßtes, zu Lebzeiten im Giftschrank verwahrtes und erst 1982 veröffentlichtes Engel-Gedicht.

Engel verführt man gar nicht oder schnell.
Verzieh ihn einfach in den Hauseingang
Steck ihm die Zunge in den Mund und lang
Ihm untern Rock, bis er sich nass macht, stell
Ihn das Gesicht zur Wand, heb ihm den Rock
Und fick ihn. Stöhnt er irgendwie beklommen
Dann halt ihn fest und lass ihn zweimal kommen
Sonst hat er dir am Ende einen Schock.
Ermahn ihn, dass er gut den Hintern schwenkt
Heiß ihn dich ruhig an den Hoden fassen
Sag ihm, er darf sich furchtlos fallen lassen
Dieweil er zwischen Erd und Himmel hängt –

Doch schau ihm beim Ficken nicht ins Gesicht
Und seine Flügel, Mensch, zerdrück sie nicht!

Vgl. Brecht, *Über die Verführung von Engeln*. In: *Brecht-Handbuch*, S. 174.

516 *Durch eine Wolke des Irrsinns geflogen* – Robert Musil, *Der Mann ohne Eigenschaften*, S. 115. Der «schäumende Narr» ist ein Zitat aus Nietzsches *Also sprach Zarathustra*. Vgl. auch Jens Malte Fischer, *Karl Kraus*, S. 401. Anton Kuh hatte dieses Zitat in seiner berühmten Kraus-Polemik *Zarathustras Affe* verwendet. Musil hatte es sicherlich von hier.

Arno Schmidt: Ein Phall für sich

517 f. *Ich küßte auch in den konkaven Mirabellenbauch* – Arno Schmidt, *Seelandschaft mit Pocahontas*. In: Bargfelder Ausgabe, Werkgruppe I, Bd. 1, S. 416.

519 *Wer liest Zettel's Traum*? – Nora Bossong liest ihn und schreibt sehr klug dazu: «Bei Arno Schmidt wird das, was Sprache ist, noch weiter vom Koppelzaun des Gewöhnlichen weggetrieben. Mit einer Seite können Sie sich gut eine halbe Stunde beschäftigen, und es gibt viele davon. Zudem ist Schmidt hundsklug und krachend komisch, was Sie spätestens dann merken, wenn Sie sich an die Interpunktion gewöhnt haben.» Unsere Rede! Nora Bossong, *Zehn Bücher, die man sonst nicht schafft!* In: Logbuch Suhrkamp, 1. April 2020, online verfügbar.

520 *Jägliche Ihrer süß'n Mußkln zukkt wie ein Herrz* – Arno Schmidt, *Die Schule der Atheisten*. In: Bargfelder Ausgabe, Werkgruppe IV, Bd. 2, S. 213.

520 *Schmidts Barock-Ei* – Peter Hacks, *Die Schwärze der Welt im Eingang des Tunnels*. In: *Marxistische Hinsichten*, S. 263. «Tatsächlich gibt es zwischen 1970 und 1990 weltweit so gut wie keine Literatur. Die Ausnahmen kann ein Mann mit den Fingern der Hand, mit der er in die Kreissäge gekommen ist, herzählen.» Ebda. S., 266. Der Mann hatte es jedenfalls nicht über den Atlantik geschafft.

520 *Wird wenig Literatur ‹übrig› bleiben* – Hans Wollschläger, *Von Sternen und Schnuppen*, Bd. II, S. 285. Dort schreibt Wollschläger auch von Schmidts «Prosa unter Starkstrom».

521 *Radikale Onanie der Sprache und Apologie der Spiesserei* – Der Rowohlt-Lektor war Wolfgang Weyrauch. Siehe Michael Töteberg, *«Das ist ein genialischer Mann mit tausend Unarten»*. In: Bargfelder Bote, S. 30 f.

Das laszive Möbiusband

522 *Jeder Schlag ging deutlich durch die ganze Federung hindurch* – Martin Walser, *Ein fliehendes Pferd*, S. 55 ff.

523 *Nicht nur das gleiche, sondern dasselbe Stöhnen* – Wolfgang Herrndorf, *Sand*. In: Gesamtausgabe, Bd. 2, S. 544 f.

523 *Nachbar schreit Fuck!* – Durs Grünbein, *Unverschämtheit*. In: *Liebesgedichte*, S. 63.

Kutschenfahrten, heute

524 *Ich lehnte an einer Kalesche und wartete auf ihn* – Elke Schmitter, *Frau Sartoris*, S. 81 ff. – *Ein saures, angenehmes Zucken durchzog ihre Vagina* – Elke Schmitter, *Leichte Verfehlungen*, S. 266–269. – *Die flämische Bürgersfrau* – Ebda., S. 170 f.

530 *Wenn er gerne die Füße küßt* – Ingeborg Bachmann, *Malina*, S. 285. – *Hatten die Russen keine Lust mehr, die Wienerinnen zu vergewaltigen* – Ebda., S. 288. Mit Dank für den Hinweis an Daniela Strigl.

Puff, paff, paff, puff

531 *Etwas Unanständiges ist geschehen* – Brigitte Kronauer, *Verlangen nach Musik und Gebirge*, S. 165 f.

Ulrich Becher: Sex auf dem Friedhof

533 *Wie nennt ihrs denn, untereinander* – Rudolf Borchardt, *Weltpuff Berlin*, S. 604 f.

534 *Wie würdest du Phallos übersetzen?* – Ulrich Becher, *Murmeljagd*, S. 150. – *Friedhofsszene* – S. 159–162.

535 *Ulrich Bechers Murmeljagd* – Zu zwölfter Stunde eingeführt, verdient der Autor ein allerkleinstes Porträt. Seine Sprache ist eigenwillig und wild, manchmal fast barock oder spätexpressionistisch, Craquelé-reich wie bei Arno Schmidt, aber weniger erratisch und menschenfreundlicher. Sie schöpft aus allen Dialekten und gibt das Schweizerische so gut wieder wie das Wienerische oder das Berlinerische, sie blüht auf in Dialogen, und sie läßt echte Frauen entstehen, nicht Phantome wie bei Arno Schmidt. Seine Prosa hätte jede Renaissance verdient. Aber warum hat er sich nicht gleich durchgesetzt? Sein Pech war vielleicht nur der Name. Wenn er sich wie sein Schwiegervater Roda Roda genannt hätte, wäre er vielleicht bekannter geworden. Aber er hieß Becher, und dieser Name war schon vergeben. Becher war der berühmte, wenn auch wenig gelesene Johannes R. Becher, der expressionistische Dichter und spätere Kulturminister der DDR. Der Autor der *Murmeljagd* hieß Ulrich Becher. Geboren 1910 in Berlin als Sohn eines Rechtsanwalts und einer Schweizer Pianistin, früh Sozialist, war Becher einer der Jüngsten, dessen Bücher verbrannt wurden, nämlich sein Erstling des schönen und nicht erlogenen Titels *Männer machen Fehler*. Nach diesem allzu warmen Empfang seines literarischen Debuts übersiedelt Becher als Gatte der Tochter Roda Rodas, des berühmten Satirikers, nach Wien. 1938 Flucht in die Schweiz, zwei Jahre später über Frankreich nach Brasilien, wo er Farmer wird, später New York und 1948 zurück nach Europa. In Österreich erfolgreicher Theaterautor, 1990, fast vergessen, in Basel verstorben. Und dann dieses eine singuläre Buch, das bei der Veröffentlichung zwischen alle Stühle fiel. *Murmeljagd* erschien 1969. Es war nicht die Zeit, in der man Romane über Nazis in Österreich und Todeslager in Dachau verschlungen hat – noch nicht oder

nicht mehr. Heinrich Böll und Günter Grass schrieben über Malaisen der Bundesrepublik. Die Studenten probten den Aufstand. Ein ebenso brillanter wie ungerechter Verriß von Martin Gregor-Dellin in der *Zeit* – und das war es dann so ziemlich. Erst zum hundertjährigen Geburtstag Bechers legte der Schöffling Verlag sein Hauptwerk wieder auf. Im Frühjahr 2020 erschien, zusammen mit Bechers New Yorker Erzählungen, eine Neuausgabe der *Murmeljagd*.

Ersterben. Wie ein Zug Wanderer

539 *Das große, heilige, amüsante Räthsel* – *Rahel. Ein Buch des Andenkens*, Bd. 5, S. 499.

541 *Wohl dir, lieber Wutz* – Jean Paul, *Leben des vergnügten Schulmeisterlein Maria Wutz in Auenthal.* In: Werke, Bd. 1, S. 461.

541 *Bei Rilke wird groß getrauert* – Rainer Maria Rilke, *Für eine Freundin*. In: Werke, Band I.2., S. 409.

542 *Er hatte nie gewußt, daß Sterben so friedlich sei* – Robert Musil, *Die Portugiesin*, S. 243. Woher hätte er's auch wissen können? Er hätte nie «gedacht», wäre vielleicht das richtigere Verb.

543 *Wir werden nach dem Sterben von einander wissen* – *Rahel. Ein Buch des Andenkens*, ebda.

543 *Ansturm gegen die Grenze* – Frank Kafka, *«Du bist die Aufgabe»*, S. 92 f.

Literaturverzeichnis

Adair, Gilbert: *Wenn die Postmoderne zweimal klingelt. Variationen ohne Thema.* Aus dem Englischen von Thomas Schlachter. Edition Epoca, Zürich 2000.

Adorno, Theodor W.: *Noten zur Literatur.* Gesammelte Schriften, Bd. 11. Hg. von Rolf Tiedemann. Wissenschaftliche Buchgesellschaft, Darmstadt 1998.

Amann, Klaus / Hafner, Florian / Moser, Doris (Hg.): *Drehe die Herzspindel weiter für mich. Christine Lavant zum 100.* Wallstein Verlag, Göttingen 2015.

Arendt, Hannah: *Benjamin / Brecht. Zwei Essays.* Piper Verlag, München 1971.

Arendt, Hannah: *Rahel Varnhagen. Lebensgeschichte einer deutschen Jüdin aus der Romantik.* Piper Verlag, München 2018.

Arnim, Bettine von: Brief an Goethe. In: *Goethes Briefwechsel mit einem Kinde.* Sämtliche Werke in sieben Bänden, Bd. 4. Hg. von Waldemar Oehlke. Propyläen Verlag, Berlin 1929. – Siehe zu Bettine von Arnims Brief ebenfalls: Hofmannsthal, Hugo von: *Deutsches Lesebuch.*

Autoren über das Semikolon. In: Die Presse, 17. 4. 2008, online verfügbar.

Bachmann, Ingeborg: *Die gestundete Zeit. Gedichte.* R. Piper & Co. Verlag, München / Zürich 1983.

Bachmann, Ingeborg: *Malina.* Suhrkamp Verlag, Frankfurt am Main 1971.

Baker, Nicholson: *U & I. Wie groß sind die Gedanken?* Deutsch von Eike Schönfeld. Rowohlt Verlag, Reinbek bei Hamburg 1998.

Becher, Ulrich: *Murmeljagd. Roman.* Rowohlt Taschenbuch Verlag, Reinbek bei Hamburg 1986. – Neuausgabe mit einem Nachwort von Eva Menasse, Schöffling & Co., Frankfurt am Main 2020.

Benjamin, Walter: Gesammelte Schriften. Hg. von Tillman Rexroth et al. Suhrkamp Verlag, Frankfurt am Main 1972 ff.

Benn, Gottfried: *Trunkene Flut.* Ausgewählte Gedichte (bis 1935, mit Epilog 1949). Limes Verlag, Wiesbaden 1949.

Bernhard, Thomas: *Das Kalkwerk.* Suhrkamp Verlag, Frankfurt am Main 1970.

Blei, Franz: *Das große Bestiarium. Zeitgenössische Bildnisse.* Deutscher Taschenbuch Verlag, München 1963.

Bloch, Ernst: Gesamtausgabe in sechzehn Bänden. Suhrkamp Verlag, Frankfurt am Main 1972 ff.

Börne, Ludwig: Sämtliche Schriften. Melzer, Düsseldorf 1964 ff.

Borchardt, Rudolf: *Anabasis. Aufzeichnungen, Dokumente, Erinnerungen 1943–1945.* Hg. von Cornelius Borchardt in Verbindung mit dem Rudolf Borchardt Archiv. Redaktion Gerhard Schuster. Edition Tenschert bei Hanser, München und Wien 2003.

Borchardt, Rudolf: Die erste kritische und kommentierte Gesamtausgabe der Werke Rudolf Borchardts. Ein Leseheft. Edition Tenschert bei Rowohlt, Hamburg 2020.

Borchardt, Rudolf: *Aufzeichnungen Stefan George betreffend.* Aus dem Nachlaß hg. und erläutert von Ernst Osterkamp. Schriften der Rudolf Borchardt Gesellschaft, Bd. 6/7, München 1998.

Borchardt, Rudolf: *Der leidenschaftliche Gärtner.* Mit zwölf Aquarellen von Anita Albus. Eichborn Verlag, Frankfurt am Main 1992.

Borchardt, Rudolf: Gesammelte Werke in Einzelbänden. Hg. von Marie Luise Borchardt et al. Klett-Cotta, Stuttgart 1955 ff.

Rudolf Borchardts Leben von ihm selbst erzählt. Mit einem Nachwort von Gustav Seibt. Bibliothek Suhrkamp, Frankfurt am Main 2002.

Borchardt, Rudolf: *Über den Dichter und das Dichterische. Drei Reden von 1920 und 1923.* Aus dem Nachlaß hg. und erläutert von Gerhard Neumann, Gerhard Schuster und Edith Zehm. Schriften der Rudolf Borchardt Gesellschaft, Bd. 4/5, Tübingen 1995.

Borchardt, Rudolf: *Weltpuff Berlin. Roman.* Edition Tenschert bei Rowohlt. Aus dem Nachlaß hg. von Gerhard Schuster. Reinbek bei Hamburg 2018.

Borges, Jorge Luis: Gesammelte Werke in zwölf Bänden. Carl Hanser Verlag, München 1999 ff.

Bossong, Nora: *Zehn Bücher, die man sonst nicht schafft.* In: Logbuch Suhrkamp, 1.4.2020, online verfügbar.

Braun, Michael: *Alle Türen auf, Putzi!* In: Die Zeit, 16.4.2019, online verfügbar.

Braun, Volker: *Handbibliothek der Unbehausten. Neue Gedichte.* Suhrkamp Verlag, Berlin 2016.

Brecht, Bertolt: *Arbeitsjournal.* Bd. 1. Hg. von Werner Hecht. Suhrkamp Verlag, Frankfurt am Main 1973.

Brecht, Bertolt: *Die Gedichte von Bertolt Brecht in einem Band.* Suhrkamp Verlag, Frankfurt am Main 1981.

Brecht, Bertolt: *Brecht-Handbuch. Lyrik, Prosa, Schriften: Eine Ästhetik der Widersprüche.* Hg. von Jan Knopf. Metzler Verlag, Stuttgart 1984.

Bronsen, David: *Joseph Roth. Eine Biographie.* Kiepenheuer & Witsch, Köln 1974.

Canetti, Elias: *Das Augenspiel. Lebensgeschichte 1931–1937.* Carl Hanser Verlag, München / Wien 1994.

Canetti, Elias: Werke. Carl Hanser Verlag, München / Wien 1992 ff.

Canetti, Elias: *Ich erwarte von Ihnen viel. Briefe.* Hg. von Sven Hanuschek und Kristian Wachinger, Hanser Verlag, München 2018.

Chesterton, Gilbert Keith: *What's Wrong with the World.* Ignatius Press, San Francisco 1994.

Claudel, Paul: *Journal.* Hg. von François Varillon und Jacques Petit, Gallimard, Paris 1968.

Cotten, Ann: *Fremdwörterbuchsonette. Gedichte.* Edition Suhrkamp, Frankfurt am Main 2007.

Czernin, Franz Josef: *Der Himmel ist blau. Aufsätze zur Dichtung.* Urs Engeler, Weil am Rhein / Basel 2007.

Danz, Daniela: *Pontus. Gedichte.* Wallstein Verlag, Göttingen 2009.

Danz, Daniela: *V. Gedichte.* Wallstein Verlag, Göttingen 2014.

Doderer, Heimito von: *Das letzte Abenteuer.* Mit einem Nachwort von Martin Mosebach. C. H. Beck textura, München 2013.

Doderer, Heimito von: *Die Dämonen. Nach der Chronik des Sektionsrates Geyrenhoff. Roman.* Verlag C. H. Beck, München 1995.

Doderer, Heimito von: *Die Strudlhofstiege oder Melzer und die Tiefe der Jahre.* Mit einem Nachwort von Daniel Kehlmann. Jubiläumsausgabe, Verlag C. H. Beck, München 2013.

Doderer, Heimito von: *Die Wasserfälle von Slunj. Roman.* Mit einem Nachwort von Eva Menasse. Jubiläumsausgabe, Verlag C. H. Beck, München 2016.

Doderer, Heimito von: *Der Grenzwald.* Verlag C. H. Beck, München 2010.

Doderer, Heimito von: *Ein Mord den jeder begeht. Roman.* Mit einem Nachwort von Heinrich Steinfest. Jubiläumsausgabe, Verlag C. H. Beck, München 2016.

Doderer, Heimito von: *Tangenten. Aus dem Tagebuch eines Schriftstellers 1940 bis 1950.* Hg. und mit einem Nachwort von Heinrich Vormweg. Deutscher Taschenbuch Verlag, München 1968.

Doderer, Heimito von: *Commentarii. 1957 bis 1966. Tagebücher aus dem Nachlaß.* 2 Bde. Hg. von Wendelin Schmidt-Dengler. Biederstein Verlag, München 1976 ff.

Döblin, Alfred: *Berlin Alexanderplatz: Die Geschichte vom Franz Biberkopf.* Deutscher Taschenbuch Verlag, München 1986.

Dubrovic, Milan: *Veruntreute Geschichte. Das Wiener Kaffeehaus.* Aufbau Taschenbuch, Berlin 2001.

Ebner-Eschenbach, Marie von: Leseausgabe in vier Bänden. Hg. von Evelyne Polt-Heinzl, Daniela Strigl und Ulrike Tanzer. Residenz Verlag, St. Pölten u. a. 2014 ff.

Ebner-Eschenbach, Marie von: *Krambambuli und andere Erzählungen.* Omnium Verlag, Berlin 2013.

Engel, Eduard: *Deutsche Stilkunst.* Nach der 31. Auflage von 1931. Mit einem Vorwort von Stefan Stirnemann. 2 Bde. Die Andere Bibliothek, Berlin 2016.

Engel, Eduard: *Sprich Deutsch! Ein Buch zur Entwelschung.* Hesse & Becker Verlag, Leipzig 1917.

Erb, Elke: *Gedichtverdacht.* Roughbooks, Schupfart 2019.

Fioretos, Aris: *Wasser, Gänsehaut: Essay über den Roman.* Edition Akzente, Carl Hanser Verlag, München 2016.

Fischer, Jens Malte: *Karl Kraus. Der Widersprecher. Biografie.* Paul Zsolnay Verlag, Wien 2020.

Fleißer, Marieluise: Gesammelte Werke. Hg. von Günther Rühle. Suhrkamp Taschenbuch Verlag, Frankfurt am Main 1994 ff.

Fontane, Theodor: Werke. Aufbau Verlag, Berlin / Weimar 1977 ff.

Fontane, Theodor: Sämtliche Werke. Hg. von Edgar Groß. S. Fischer Verlag, Frankfurt am Main 1975 ff.

Freud, Sigmund: Briefe 1873–1939. Hg. von Ernst L. Freud und Lucie Freud. S. Fischer Verlag, Frankfurt am Main 1960.

Freud, Sigmund: Gesammelte Werke. Chronologisch geordnet. Hg. von Anna Freud. S. Fischer Verlag, Frankfurt am Main 1963 ff.

Frisch, Max: *Tagebuch 1966–1971.* Suhrkamp Verlag, Frankfurt am Main 1989.

Frost, Robert: *New Hampshire: A Poem With Notes and Grace Notes.* Henry Holt & Company, New York 1923.

George, Stefan: Sämtliche Werke. Klett-Cotta, Stuttgart 1982 ff.

Gernhardt, Robert: *Gesammelte Gedichte 1954–2006.* Fischer Klassik, Frankfurt am Main 2017.

Goethe, Johann Wolfgang von: Werke. Hamburger Ausgabe. Hg. von Erich Trunz. Deutscher Taschenbuch Verlag, München 1982 ff.

Goethe, Johann Wolfgang von: Poetische Werke. Berliner Ausgabe. Aufbau Verlag, Berlin / Weimar 1962 ff.

Goethe, Johann Wolfgang von: Wortschatz. Online verfügbar unter www.adw-goe.de.

Gotthelf, Jeremias: *Die schwarze Spinne. Novelle.* Hg. von Joseph Kiermeier-Debre. Bibliothek der Erstausgaben. Deutscher Taschenbuch Verlag, München 2005.

Grimm, Jacob und Wilhelm: Deutsches Wörterbuch. 2 Bde. Leipzig 1854 (fotomechanisch nachgedruckt vom Deutschen Taschenbuch Verlag, München 1999).

Grimm, Jacob und Wilhelm: Kinder- und Hausmärchen. 2 Bde. Berlin 1812 ff.

Grimms Märchen. Neue kommentierte Edition sämtlicher Märchen und ihrer Anmerkungen nach der zentralen Ausgabe von 1837. Hg. von Heinz Röllecke. Deutscher Klassiker Verlag, Frankfurt am Main 1985.

Grünbein, Durs: *Erklärte Nacht. Gedichte.* Suhrkamp Verlag, Frankfurt am Main 2002.

Grünbein, Durs: *Liebesgedichte.* Mit einem Nachwort von Peter von Matt. Insel Taschenbuch Verlag, Frankfurt am Main 2008.

Grünbein, Durs: *Zündkerzen.* Suhrkamp Verlag, Berlin 2017.

Gruenter, Undine: *Sommergäste in Trouville. Erzählungen.* Carl Hanser Verlag, München 2003.

Hacks, Peter: *Marxistische Hinsichten. Politische Schriften 1955–2003.* Hg. von Heinz Hamm, Eulenspiegel Verlag, Berlin 2018.

Hacks, Peter: *Zur Romantik.* Konkret Literatur Verlag, Hamburg 2001.

Handke, Peter: *Der Selbstmaßregler: Zum 200. Todestag von Karl Philipp Moritz.* In: die tageszeitung, Nr. 4043, 26. 6. 1993.

Hartung, Harald: *Aktennotiz meines Engels. Gedichte 1957–2004.* Wallstein Verlag, Göttingen 2005.

Hebel, Johann Peter: *Die Kalendergeschichten. Sämtliche Erzählungen aus dem Rheinländischen Hausfreund.* Hg. von Hannelore Schlaffer und Harald Zils. Carl Hanser Verlag, München/Wien 1999.

Heidelbach, Nikolaus: *Franz Kafka. Gelegenheit zu einer kleinen Verzweiflung.* Ausgewählt und illustriert von Nikolaus Heidelbach. DuMont Buchverlag, Köln 2009.

Heine, Heinrich: Historisch-kritische Gesamtausgabe der Werke. Düsseldorfer Ausgabe. Hg. von Manfred Windfuhr. Hoffmann und Campe Verlag, Hamburg 1973 ff.

Helmstetter, Rudolf: *Punkt Punkt Komma Strich.* In: Merkur, 71. Jahrgang, August 2017.

Henscheid, Eckhard: *Der Rabe rät.* In: Der Rabe, Nr. XXVIII. Haffmans Verlag, Zürich 1990.

Henscheid, Eckhard: *Geht in Ordnung – sowieso – – genau – – –.* Haffmans Verlag, Zürich 1976.

Henscheid, Eckhard: *Im Puff von Paris.* In: Der Rabe, Nr. VI. Haffmans Verlag, Zürich 1984.

Henscheid, Eckhard: *Maria Schnee. Eine Idylle.* Haffmans Verlag, Zürich 1988.

Henscheid, Eckhard: *Wie Max Horkheimer einmal sogar Adorno hereinlegte: Das grosse Buch der Anekdoten über Fussball, Kritische Theorie, Hegel und Schach.* Haffmans Verlag, Zürich 1983.

Henschel, Gerhard: *«Etwas vorlautes widriges»: Das Judenbild der Brüder Grimm.* In: Merkur, 73. Jahrgang, November 2019.

Herder, Johann Gottfried: *Was ist Klima, und welche Wirkung hat's auf die Bildung des Menschen an Körper und Seele?* Online verfügbar auf www.zeno.org.

Herrndorf, Wolfgang: Gesamtausgabe. 2 Bde. Rowohlt Berlin Verlag, Berlin 2015.

Hesse, Hermann: Gesammelte Werke in zwölf Bänden. Suhrkamp Verlag, Frankfurt am Main 1970 ff.

Hilbig, Wolfgang: Werke. Hg. von Jörg Bong et al. S. Fischer Verlag, Frankfurt am Main 2008 ff.

Himmler, Heinrich: *Posener Reden.* Online verfügbar unter www.1000dokumente.de.

Hitler, Adolf: *Mein Kampf. Eine kritische Edition.* 2 Bde. Hg. von Christian

Hartmann et al. im Auftrag des Instituts für Zeitgeschichte. München / Berlin 2016.

Hölderlin, Friedrich: Sämtliche Werke und Briefe in drei Bänden. Hg. von Jochen Schmidt. Deutscher Klassiker Verlag, Frankfurt am Main 2019.

Hofmannsthal, Hugo von: Gesammelte Werke. Hg. von Bernd Schoeller. Fischer Taschenbuch Verlag, Frankfurt am Main 1979 ff.

Hofmannsthal, Hugo von (Hg.): *Deutsches Lesebuch: Eine Auswahl deutscher Prosastücke aus dem Jahrhundert 1750–1850.* S. Fischer Verlag, Frankfurt am Main 1952.

Huelsenbeck, Richard: *Doctor Billig am Ende. Ein Roman.* Kurt Wolff Verlag, München 1910.

Ingold, Felix Philipp: *Beobachtungen und Einsichten beim Wiederlesen von Hans Henny Jahnns Romanwerk ‹Perrudja›.* In: Merkur, Heft 821, Oktober 2017.

Jäger, Lorenz: *Walter Benjamin. Das Leben eines Unvollendeten.* Rowohlt Berlin Verlag, Berlin 2017.

Jean Paul: *Bemerkungen über uns närrische Menschen. Aphorismen.* Ausgewählt von Klaus-Peter Noack. Müller & Kiepenheuer, Hanau / Main 1984.

Jean Paul: *Ideen-Gewimmel: Texte und Aufzeichnungen aus dem unveröffentlichten Nachlaß.* Hg. von Thomas Wirtz und Kurt Wölfel. Eichborn Verlag, Frankfurt am Main 1996.

Jean Paul: Sämtliche Werke. Historisch-kritische Ausgabe. Hg. von Helmut Pfotenhauer et al. Böhlau Verlag, Weimar 1996.

Jean Paul: Werke. Carl Hanser Verlag, München 1970 ff.

Josefine Mutzenbacher. Die Lebensgeschichte einer wienerischen Dirne, von ihr selbst erzählt. Rogner & Bernhard, München 1970.

Jünger, Ernst: *Auf den Marmorklippen.* Mit einem Nachwort von Heimo Schwilk. Ullstein Taschenbuch, Frankfurt am Main / Berlin 1995.

Jungk, Peter Stephan: *Franz Werfel. Eine Lebensgeschichte.* S. Fischer Verlag, Frankfurt am Main 1987.

Kafka, Franz: Kritische Ausgabe. Schriften, Tagebücher, Briefe. Hg. von Hans-Gerd Koch, Malcolm Pasley et al. S. Fischer Verlag, Frankfurt am Main 1982 ff.

Kafka, Franz: *«Du bist die Aufgabe». Aphorismen.* Hg., kommentiert und mit einem Nachwort versehen von Reiner Stach. Wallstein Verlag, Göttingen 2019.

Kaléko, Mascha: *Liebesgedichte*. Hg. von Gisela Zoch-Westphal und Eva-Maria Prokop. Deutscher Taschenbuch Verlag, München 2015.

Kappacher, Walter: *Der Fliegenpalast*. Residenz Verlag, Salzburg 2009.

Kappacher, Walter: *Selina oder das andere Leben. Roman*. Deuticke im Paul Zsolnay Verlag, Wien 2005.

Kehlmann, Daniel: *Die Vermessung der Welt. Roman*. Rowohlt Verlag, Reinbek bei Hamburg 2005.

Kehlmann, Daniel: *Lob. Über Literatur*. Rowohlt Taschenbuch Verlag, Reinbek bei Hamburg 2011.

Kehlmann, Daniel: *Tyll. Roman*. Rowohlt Verlag, Reinbek bei Hamburg 2017.

Keller, Gottfried: *Die Leute von Seldwyla*. Hg. von Thomas Böning. Deutscher Klassiker Verlag, Frankfurt am Main 1989.

Keller, Gottfried: Sämtliche Werke. Historisch-kritische Ausgabe. Stroemfeld Verlag u. a., Basel / Frankfurt am Main u. a. 1996 ff.

Keller, Gottfried: *Züricher Novellen*. Hg. von Thomas Böning. Deutscher Klassiker Verlag, Frankfurt am Main 1989.

Kermani, Navid: *Sozusagen Paris. Roman*. Carl Hanser Verlag, München 2016.

Keun, Irmgard: Das Werk. Im Auftrag der Deutschen Akademie für Sprache und Dichtung und der Wüstenrot Stiftung hg. von Heinrich Detering und Beate Kennedy. Mit einem Essay von Ursula Krechel. Wallstein Verlag, Göttingen 2017.

Keun, Irmgard: *Das kunstseidene Mädchen*. Mit Materialien ausgewählt von Jörg Ulrich Meyer-Bothling. Ernst Klett Schulbuchverlag, Leipzig u. a. 2004.

Kindlers Literatur Lexikon. Hg. von Heinz Ludwig Arnold. J. B. Metzler'sche Verlagsbuchhandlung / Carl Ernst Poeschel Verlag, Stuttgart 2009.

Klein, Georg: *Schund & Segen. Siebenundsiebzig abverlangte Texte*. Rowohlt Verlag, Reinbek bei Hamburg 2013.

Kleist, Heinrich von: Sämtliche Werke und Briefe. 2 Bde. Hg. von Helmut Sembdner. Carl Hanser Verlag, München 1993.

Klein, Wolfgang: *Abecedarium der Sprache*. Hg. von Constanze Fröhlich, Martin Grötschel, Wolfgang Klein. Kulturverlag Kadmos, Berlin 2019.

Kling, Thomas: *Auswertung der Flugdaten*. DuMont Verlag, Köln 2005.

Knef, Hildegard: *Der geschenkte Gaul*. Büchergilde Gutenberg mit Genehmigung des Verlages Fritz Molden, Frankfurt am Main 1973.

Köhlmeier, Michael: *Die Märchen*. Carl Hanser Verlag, München 2019.

Köhlmeier, Michael: *Umblättern und andere Obsessionen. Erzählung.* Edition 5 Plus, Köln u.a. 2015.

Koestler, Arthur: *Als Zeuge der Zeit: Das Abenteuer meines Lebens.* Scherz Verlag, Bern / München 1983.

Kraus, Karl: Die Fackel. Die vollständigen Fackel-Nummern sind online verfügbar unter: https://fackel.oeaw.ac.at.

Kronauer, Brigitte: *Die Kleider der Frauen. Geschichten.* Philipp Reclam jun., Stuttgart 2008.

Kronauer, Brigitte: *Verlangen nach Musik und Gebirge. Roman.* Deutscher Taschenbuch Verlag, München 2006.

Kurzke, Hermann: *Die kürzeste Geschichte der deutschen Literatur und andere Essays.* Verlag C.H. Beck, München 2010.

Lasker-Schüler, Else: *Gedichtbuch für Hugo May.* Faksimile-Edition. Bd. 2: Text und Kommentar. Im Auftrag der Deutschen Akademie für Sprache und Dichtung hg. von Andreas Kilcher und Karl Jürgen Skrodzki. Wallstein Verlag, Göttingen 2019.

Lavant, Christine: Werke in vier Bänden. Hg. von Doris Moser und Fabian Hafner unter Mitarbeit von Brigitte Strasser. Wallstein Verlag, Göttingen 2014ff.

Leidenschaften. 99 Autorinnen der Weltliteratur. Hg. von Verena Auffermann, Gunhild Kübler, Ursula März, Elke Schmitter. C. Bertelsmann Verlag, München 2009.

Lernet-Holenia, Alexander: *Der Baron Bagge. Novelle.* S. Fischer Verlag, Frankfurt am Main 1978.

Leutenegger, Gertrude: *Das Klavier auf dem Schillerstein. Prosa.* Nimbus. Kunst und Bücher AG, Wädenswill am Zürichsee 2017.

Leutenegger, Gertrude: *Panischer Frühling. Roman.* Suhrkamp Taschenbuch Verlag, Berlin 2015.

Lewitscharoff, Sibylle: *Von oben. Roman.* Suhrkamp Verlag, Berlin 2020.

Lichnowsky, Mechtilde: *Das preziöse Deutsch.* In: *Heiterkeit in Dur und Moll. Deutscher Humor der Gegenwart in Wort und Bild.* Eingeleitet und gesammelt von Erich Kästner. Büchergilde Gutenberg, Hannover 1961.

Maar, Michael: *Leoparden im Tempel.* Berenberg Verlag, Berlin 2007.

Maar, Michael: *Die Glühbirne der Etrusker. Essays und Marginalien.* Dumont Literatur und Kunst Verlag, Köln 2003.

Maar, Michael: *Die Feuer- und die Wasserprobe.* Suhrkamp Verlag, Frankfurt am Main 1997.

Maar, Michael: *Heute bedeckt und kühl. Große Tagebücher von Samuel Pepys bis Virginia Woolf.* Verlag C. H. Beck, München 2013.

Mann, Heinrich: *Die Armen. Der Kopf. Zwei Romane.* Claasen Verlag, Düsseldorf 1988.

Mann, Heinrich: *Die Jugend des Königs Henry Quatre. Roman.* Studienausgabe in Einzelbänden. Hg. von Peter-Paul Schneider. Fischer Taschenbuch Verlag, Frankfurt am Main 2002.

Mann, Heinrich: *Empfang bei der Welt.* Studienausgabe in Einzelbänden. Hg. von Peter-Paul Schneider. Fischer Taschenbuch Verlag, Frankfurt am Main 1988.

Mann, Thomas: Briefwechsel mit Autoren. Hg. von Hans Wysling. S. Fischer Verlag, Frankfurt am Main 1988.

Mann, Thomas: Gesammelte Werke in dreizehn Bänden. S. Fischer Verlag, Frankfurt am Main 1974.

Mann, Thomas: Tagebücher. S. Fischer Verlag, Frankfurt am Main 1977 ff.

Matt, Peter von: *Der unvergessene Verrat am Mythos.* Schwabe Verlag, Basel 2009.

Matthes, Ulrich: *«Angst ist ein Gefühl, das ich nicht so kenne».* In: Die Zeit, Nr. 41, 1. 10. 2019, online verfügbar.

Matz, Wolfgang: *Gewalt des Gewordenen. Zu Adalbert Stifter.* Literaturverlag Dröschl, Wien 2005.

Matz, Wolfgang: *Eine Kugel im Leibe: Walter Benjamin und Rudolf Borchardt. Judentum und deutsche Poesie.* Wallstein Verlag, Göttingen 2011.

Menasse, Eva: *Vienna. Roman.* Kiepenheuer & Witsch, Köln 2007.

Metz, Christian: *Poetisch Denken. Die Lyrik der Gegenwart.* S. Fischer Verlag, Frankfurt am Main 2018.

Moritz, Karl Philipp: Werke. 2 Bde. Hg. von Heide Hollmer und Albert Meier. Deutscher Klassiker Verlag, Frankfurt am Main 1999.

Mosebach, Martin: *Was davor geschah. Roman.* Carl Hanser Verlag, München 2010.

Müller, Burkhard: *Das überspannte Gummituch.* In: Merkur, Heft 830, Juli 2018, online verfügbar.

Müller, Burkhard: *Der König hat geweint. Schiller und das Drama der Weltgeschichte.* Zu Klampen Verlag, Springe 2005.

Müller, Burkhard: *Jenseits der Hundegrenze.* In: Süddeutsche Zeitung, 14.10.2018, online verfügbar.

Müller, Herta: *Die Atemschaukel.* Fischer Taschenbuch Verlag, Frankfurt am Main 2011.

Müller, Lothar: *Von Versailles zum Leasingvertrag: Wie und warum Hitler zur komischen Figur wurde.* In: Süddeutsche Zeitung, 19.5.2010, online verfügbar.

Musil, Robert: *Frühe Prosa und aus dem Nachlaß zu Lebzeiten.* Rowohlt Verlag, Reinbek bei Hamburg 1988.

Musil, Robert: *Der Mann ohne Eigenschaften. Roman.* Erstes und Zweites Buch. Hg. von Adolf Frisé. Rowohlt Taschenbuch Verlag, Reinbek bei Hamburg 2000.

Nabokov, Vladimir: *Ada or Ardor: A Family Chronicle.* Knopf Doubleday Publishing Group, New York 1990.

Nebrig, Alexander / Spoerhase, Carlos (Hg.): *Die Poesie der Zeichensetzung. Studien zur Stilistik der Interpunktion.* Peter Lang, Bern 2012.

Nentwich, Andreas: *Alfred Polgar. Leben in Bildern.* Hg. von Dieter Stolz. Deutscher Kunstverlag, Berlin / München 2012.

Neumann, Robert: *Meisterparodien.* Auswahl und Nachwort von Jens Jessen. Manesse Verlag, Zürich 1988.

Nietzsche, Friedrich: Sämtliche Werke. Kritische Studienausgabe in fünfzehn Bänden. Hg. von Giorgio Colli und Mazzino Montinari. Deutscher Taschenbuch Verlag / Walter de Gruyter, München / Berlin und New York 1980.

Notthoff, Thomas: *«Cio ch'io vidi» – Italien in Thomas Manns Doktor Faustus.* In: Deutsche Vierteljahresschrift für Literaturwissenschaft und Geistesgeschichte, 2019, 93 (2).

Novalis: Schriften. Werke, Tagebücher und Briefe Friedrich von Hardenbergs. 3 Bde. Hg. von Hans-Joachim Mähl und Richard Samuel. Wissenschaftliche Buchgesellschaft, Darmstadt 1999 (Lizenzausgabe).

Ott, Karl-Heinz: *Hölderlins Geister.* Carl Hanser Verlag, München 2019.

Perec, Georges: *Anton Voyls Fortgang. Roman.* Aus dem Französischen von Eugen Helmlé. Diaphanes, Zürich 2013.

Perutz, Leo: *Der Schwedische Reiter. Roman.* Hg. und mit einem Nachwort von Hans-Harald Müller. Paul Zsolnay Verlag, Wien / Darmstadt 1990.

Perutz, Leo: *Nachts unter der steinernen Brücke. Roman.* Hg. und mit einem Nachwort von Hans-Harald Müller. Paul Zsolnay Verlag, Wien / Darmstadt 2000.

Pfotenhauer, Helmut: *«Das wahre Leben ist die Literatur». Konzepte radikaler Autorschaft von Jean Paul bis Robert Walser. Essay.* Königshausen & Neumann, Würzburg 2020.

Polgar, Alfred: *Handbuch des Kritikers.* Mit einem Nachwort von Reich-Ranicki. Paul Zsolnay Verlag, Wien 1997.

Proust, Marcel: Werke. Hg. von Luzius Keller. Suhrkamp Verlag, Frankfurt am Main 1988 ff.

Raabe, Wilhelm: Sämtliche Werke. Braunschweiger Ausgabe. Hg. von Karl Hoppe und nach dessen Tode besorgt von Jost Schillemeit. Vandenhoeck & Ruprecht, Göttingen 1966 ff. Diese Ausgabe ist vollständig digitalisiert und online einsehbar.

Rasch, Wolfgang / Hehle, Christine (Hg.): *«Erschrecken Sie nicht, ich bin es selbst.» Erinnerungen an Theodor Fontane.* Aufbau Verlag, Berlin 2003.

Reiners, Ludwig: *Stilkunst. Ein Lehrbuch deutscher Prosa.* Verlag C. H. Beck, München 1976 (1943).

Reinig, Christa: *Sämtliche Gedichte.* Eremiten-Presse, Düsseldorf 1984.

Reuschel, Heidi: *Tradition oder Plagiat? Die ‹Stilkunst› von Ludwig Reiners und die ‹Stilkunst› von Eduard Engel im Vergleich.* Vorwort von Helmut Glück. Bamberger Beiträge zur Linguistik 9, University of Bamberg Press, Bamberg 2014.

Rilke, Rainer Maria: Werke. 6 Bde. Insel Verlag, Frankfurt am Main 1980 ff.

Rinck, Monika: *Das Alberne hat Glück.* In: EDIT, Nr. 61, Frühjahr 2013.

Rinck, Monika: *Helle Verwirrung. Gedichte.* Kookbooks, Berlin 2009.

Rinck, Monika: *Honigprotokolle. Sieben Skizzen zu Gedichten, welche sehr gut sind.* Kookbooks, Berlin 2012.

Rinck, Monika: *Verzückte Distanzen. Gedichte.* Zu Klampen Verlag, Springe 2004.

Rinck, Monika: *Wirksame Fiktionen.* Wallstein Verlag, Göttingen 2019.

Overbeck, Franz / Rohde, Erwin: Briefwechsel. Hg. und kommentiert von Andreas Patzer. Walter de Gruyter, Berlin / New York 1990.

Roth, Joseph: Werke. 6 Bde. Hg. von Klaus Westermann und Fritz Hackert. Kiepenheuer & Witsch, Köln 1989 ff.

Roth, Joseph: *Wasserträger Mendel. Ein Fragment.* Hg. von Madeleine Rietra et al. Schriftenreihe der Internationalen Joseph Roth Gesellschaft. Bd. 7. Wien 2016.

Rowohlt, Harry: *Und tschüss. Nicht weggeschmissene Briefe III.* Hg. von Anna Mikula. Kein & Aber, Zürich 2016.

Safranski, Rüdiger: *Hölderlin. Komm! Ins Offene, Freund! Biographie.* Carl Hanser Verlag, München 2019.

Salten, Felix: *Bambi. Eine Lebensgeschichte aus dem Walde.* Marix Verlag, Wiesbaden 2016.

Scherer, Marie-Luise: *Die Bestie von Paris und andere Geschichten.* Matthes & Seitz, Berlin 2013.

Scherer, Marie-Luise: *Die Hundegrenze.* Mit einem Vorwort von Paul Nizon und Fotografien von Oliver Hermann. Matthes & Seitz, Berlin 2018.

Scherer, Marie-Luise: *Unter jeder Lampe gab es Tanz.* Wallstein Verlag, Göttingen 2014.

Schlaffer, Heinz: *Geistersprache. Zweck und Mittel der Lyrik.* Carl Hanser Verlag, München 2012.

Schmidt, Arno: Bargfelder Ausgabe der Werke Arno Schmidts. Suhrkamp Verlag / Haffmanns Verlag, Frankfurt am Main / Berlin und Zürich, 1986 ff.

Schmitter, Elke: *Frau Sartoris.* Berlin Verlag, Berlin 2000.

Schmitter, Elke: *Leichte Verfehlungen.* Berlin Verlag, Berlin 2002.

Schmitz, Rainer: Was *geschah mit Schillers Schädel?* Heyne Verlag, München 2008.

Schöne, Albrecht: *Der Briefschreiber Goethe.* Verlag C. H. Beck, München 2015.

Schöne, Albrecht: *Schillers Schädel.* Verlag C. H. Beck, München 2005.

Schopenhauer, Arthur: Sämtliche Werke. Hg. von Wolfgang Frhr. von Löhneysen. Cotta-Insel, Stuttgart / Frankfurt am Main 1960 ff.

Schopenhauer, Arthur: Der handschriftliche Nachlaß in fünf Bänden. Hg. von Arthur Hübscher. Deutscher Taschenbuch Verlag, München 1985.

Sebald, W. G.: *Die Ausgewanderten. Vier lange Erzählungen.* Fischer Taschenbuch Verlag, Frankfurt am Main 2002.

Sebald, W. G.: *Die Ringe des Saturn.* Fischer Taschenbuch Verlag, Frankfurt am Main 1997.

Seghers, Anna: *Das siebte Kreuz. Roman aus Hitlerdeutschland.* Mit einem Nachwort von Thomas von Steinaecker. Aufbau Verlag, Berlin 2019.

Seghers, Anna: *Transit. Roman.* Aufbau Verlag, Berlin/Weimar 1982.

Setz, Clemens J.: *Der Trost runder Dinge. Erzählungen.* Suhrkamp Verlag, Berlin 2019.

Sloterdijk, Peter: *Zeilen und Tage. Notizen 2008–2011.* Suhrkamp Verlag, Berlin 2012.

Sloterdijk, Peter: *Neue Zeilen und Tage. Notizen 2011–2013.* Suhrkamp Verlag, Berlin 2018.

Stach, Reiner: *Kafka. Die Jahre der Entscheidungen.* Fischer Taschenbuch Verlag, Frankfurt am Main 2015.

Stach, Reiner: *Kafka. Die Jahre der Erkenntnis.* Fischer Taschenbuch Verlag, Frankfurt am Main 2015.

Stendhal: *Die Kartause von Parma.* Aus dem Französischen von Walter Widmer. Mit einem Nachwort von Uwe Japp. Insel Taschenbuch, Frankfurt am Main 1978.

Stifter, Adalbert: Sämtliche Erzählungen nach den Erstdrucken. 2 Bde. Hg. von Wolfgang Matz. Carl Hanser Verlag, München 2005.

Stifter, Adalbert: Werke und Briefe. Historisch-kritische Gesamtausgabe. Hg. von Alfred Doppler und Wolfgang Frühwald. Verlag W. Kohlhammer, Stuttgart u. a. 1978 ff.

Stolz, Dieter: *Alfred Döblin. Leben in Bildern.* Deutscher Kunstverlag, Berlin/München 2010.

Storm, Theodor: *Der Schimmelreiter. Novelle.* Ferdinand Schöningh, Paderborn 1999.

Strauß, Botho: *Der Fortführer.* Rowohlt Verlag, Reinbek bei Hamburg 2018.

Streeruwitz, Marlene: *Kreuzungen. Roman.* Fischer Taschenbuch Verlag, Frankfurt am Main 2010.

Süselbeck, Jan: *Das Gelächter der Atheisten. Zeitkritik bei Arno Schmidt & Thomas Bernhard.* Stroemfeld, Frankfurt am Main 2006.

Szondi, Peter: *Satz und Gegensatz. Sechs Essays.* Suhrkamp Verlag, Frankfurt am Main 1976.

Timm, Uwe: *Von Anfang und Ende. Über die Lesbarkeit der Welt.* Kiepenheuer & Witsch, Köln 2009.

Töteberg, Michael: *«Das ist ein genialischer Mann mit tausend Unarten».* In: Bargfelder Bote, 2012, Lieferung 354–356.

Trilcke, Peer, et al. (Hg.): *Zwischen ‹Weltverbesserungsleidenschaft› und ‹Schmetter-*

lingsschlacht›. Seltenste Substantive in Fontanes Romanen. In: Fontane Blätter, 106, 2018.

Trunz, Erich: *Ein Tag aus Goethes Leben.* Verlag C.H. Beck, München 1999.

Tucholsky, Kurt: *Schloß Gripsholm. Eine Sommergeschichte.* Rowohlt Taschenbuch Verlag, Hamburg 1984.

Ullmann, Regina: *Die Landstraße. Erzählungen.* Hg. von Peter von Matt, Nachwort von Peter Hamm. Carl Hanser Verlag, München 2007.

Valéry, Paul: *Tel quel.* Gallimard, Paris 1941.

Varnhagen, Rahel: *Der Abend selbst,* Brief vom 2.7.1815. In: Werner Kraft (Hg.), *Wiederfinden. Deutsche Poesie und Prosa.* Verlag Lambert Schneider, Heidelberg 1962.

Varnhagen, Rahel Levin: *Rahel. Ein Buch des Andenkens für ihre Freunde.* Hg. von Barbara Hahn. Mit einem Essay von Brigitte Kronauer. 6 Bde. Wallstein Verlag, Göttingen 2011.

Wagner, Jan: *Achtzehn Pasteten.* Berlin Verlag, Berlin 2007.

Wagner, Jan: *Regentonnenvariationen. Gedichte.* Hanser Berlin, Berlin 2014.

Wagner, Jan: *Unterm Sprachskalpell. Dankesrede zum Büchnerpreis.* In: Frankfurter Allgemeine Zeitung, 30.10.2017, online verfügbar.

Walser, Martin: *Ein fliehendes Pferd.* Suhrkamp Taschenbuch Verlag, Frankfurt am Main 2002.

Walser, Robert: Sämtliche Werke in Einzelausgaben. Hg. von Jochen Greven. Suhrkamp Taschenbuch Verlag, Zürich und Frankfurt am Main 1985 ff.

Werfel, Franz: *Eine blaßblaue Frauenschrift.* Fischer Bibliothek, Frankfurt am Main 1996.

Wiener, Oswald: *Beiträge zur Ädöologie des Wienerischen* (Nachwort). In: *Josefine Mutzenbacher.* Rogner & Bernhard, München 1970.

Wollschläger, Hans (Hg.): *Das Karl Kraus Lesebuch.* Diogenes Verlag, Zürich 1980.

Wollschläger, Hans: *Von Sternen und Schnuppen.* 2. Bde. (Schriften in Einzelausgaben). Wallstein Verlag, Göttingen 2006.

Wood, James: *The Arrival of Enigmas. Teju Cole's prismatic début novel, «Open City».* In: The New Yorker, 21.2.2011, online verfügbar.

Wysocki, Gisela von: *Menschen und Blitze.* In: Die Zeit, Nr. 48, 22.11.2001, online verfügbar.

Zweig, Stefan: *Die Welt von gestern. Erinnerungen eines Europäers.* Fischer Taschenbuch Verlag, Frankfurt am Main 2017.

Zweig, Stefan: *Amok. Novellen einer Leidenschaft.* Hg. von Karl-Maria Guth, Hofenberg Sonderausgabe, Berlin 2016.

Register